In libris libertas

阅读带来自由

扫描获取全部题目

GRE
阅读白皮书

陈琦 / 主编

陈琦 张禄 戈弋 编著

浙江教育出版社·杭州

图书在版编目(CIP)数据

GRE阅读白皮书 / 陈琦主编. -- 杭州：浙江教育出
版社，2017.3（2021.8重印）
ISBN 978-7-5536-3733-4

Ⅰ．①G… Ⅱ．①陈 Ⅲ．①GRE—阅读教学—解题
Ⅳ．①H319.4-44

中国版本图书馆CIP数据核字（2015）第222534号

GRE阅读白皮书
GRE YUEDU BAIPISHU
陈 琦 主编

责任编辑	赵清刚
美术编辑	韩 波
责任校对	马立改
责任印务	时小娟
封面设计	大愚设计
出版发行	浙江教育出版社
	地址：杭州市天目山路40号
	邮编：310013
	电话：（0571）85170300 - 80928
	邮箱：dywh@xdf.cn
印　　刷	三河市良远印务有限公司
开　　本	787mm×1092mm　1/16
成品尺寸	185mm×260mm
印　　张	25.75
字　　数	648 000
版　　次	2017年3月第1版
印　　次	2021年8月第9次印刷
标准书号	ISBN 978-7-5536-3733-4
定　　价	58.00元

2015年微臣只推出了一本书，本来计划先推出"36套"和"阅读白皮书"，反而是后来的"长难句"一书超前出版。对于"白皮书"的迟到，我非常对不起我们的学生。大家千呼万唤也没能在考试之前看到这本书。更对不起的是这本书的初创成员付峥锐和颜桢力。两年过去了，颜桢力都要从纽约大学硕士毕业了，付峥锐在纽约的地铁上已经邂逅凤姐三次了，我想这本书再不上市，架子真的是大过头了，天理难容。

但庆幸的是，这两年间经历的林林总总，让我们可以将一本更好的书呈现给大家。它和"36套"一样，是一本被反复否定、反复重写的书。而这本书的自我否定要比"36套"更多。从一开始简单的罗列单词，给出翻译，到后来加入我们的旗舰方法"3秒版本、句间关系"，再到加入更好地展现文章结构的"文章点拨"以及"背景知识"，甚至在最后润色书稿时，在某些文章的后面，我会穿梭回15年前，以当年弱弱的我的角度为你评价这篇文章。告诉你在15年前有人和你一样读完这篇文章后沮丧至极。让即使文章读得郁闷的你，因为有一个懂你的人而暖心。这一版版的迭代，体现了微臣团队阅读方法的持续精进。而且我相信，在这本书的编写过程中，最大的受益者一定是我们编写团队中的每位成员。

说到自己当年GRE阅读的备考，在面对复杂的GRE阅读文章一头雾水的时候，最渴望的莫过于看到每一篇文章对应的中文翻译。但是看完厚厚的中文翻译教辅书后，才发现竟然中文也看不明白。谁都不愿意承认自己差，所以当年作为考生的我绝对是气上加气而憎恨GRE。但是自从开始教授GRE，就会观察学生，会反看自己当年做学生的样子。看得多了，看得细了，才意识到当年的自己和现在的考生的问题一样，不仅仅是英语语言的问题，更糟糕的是中文差，内存小，忘得快。（对了，对于现在的考生还要再加一条特别懒！我们那个年代苦大仇深的GRE考生是很少有懒人的。）尽管现在的你会和当年的我一样不愿意承认这些问题的存在。

所以，这本书如果说只讲一件事情的话，那就是希望各位GRE考生在面对GRE阅读的时候能够攻克上面的问题。而书中的"3秒版本"和"句间关系"便是解决上述问题的利器。它们不仅适用于GRE考试的阅读，还适用于同学们将来的学术文章的阅读，适用于日常生活中除小说、诗歌之外文体的阅读，甚至对中文阅读也有很大的帮助。之前在撰写"长难句"这本书的时候，一位编者就问我："你是怎么想到'倒装、省略'这么具有可操作性的方法来分析GRE长难句的？"我说："讲得多了，就发现了潜在的规律。"于是就是该动笔写出来的时候了。这本书中的"3秒版本、句间关系"是在微臣过去这两年间，不间断地做题、备课、讲课中天赐的灵感。我感恩这样的灵感能够降临到我的身上。这时不时赐予我的灵感让我反复体味坚持的力量。

这种坚持的力量是我衡量一个人是否强大的重要指标。年轻时的我们太着急获得他人的认可。直到某一天，当我们自己忍着、坚持着做完一件需要耗时很长的事情之后，才发现原来那些我们曾经羡慕的人、羡慕的生活绝不是速成得来的。所以，在这本书完成时，我开心的是我又成功地督促了几位年轻人完成了一件他们自己恐怕很难坚持得住的事情，见证了他们的成长与强大。而且一旦体验过这种痛并快乐的坚持，人生的美好才算真正开始。总有人说，琦叔不讲课了，或者琦叔即将不讲课了，你觉得这可能吗？不讲课的那天，应该就是微臣不在的那天吧。所以，请大家放心，我还是那个拿着麦克风给大家讲GRE的人。我享受这种坚持的力量。

GRE虽然没有成全我的留学梦，但却意外地成全了我可以在考G的道路上帮助大家一程。这一帮，就帮了十二年——十年新东方，两年微臣。我希望微臣的存在，不仅仅帮助的是大家的GRE。你一定可以在认真看过本书并练习后，变得内存大、记得住、看得懂，还提高了中文。但更重要的是，你会享受阅读，开始真正美好的生活！

GRE改变人生！

You get more than GRE.

陈琦

活多久才能讲好一个故事，一个故事又能讲多久？

很久以前在人人网上看到过一句激动人心的话："人和人最大的差距在于：有的人，在花甲之年，和儿孙谈起的，只有对当初的后悔和抱怨；有的人，却可以神采飞扬地述说自己青春的故事。"

人活一生，最后留给世人的交代，大概就是人生经历当中一段又一段的故事。故事的深度和广度，丈量着我们生命的价值。

可是，一辈子，能有多少故事可讲？要讲好一个故事，又需要多少年的人生积淀？

在课上，我会和同学们分享一张照片。这张照片里，我把从高中开始背过的所有词汇书——高中词汇红宝书、四级红宝书、六级红宝书、托福词汇21天突破、托福词汇词以类记、GRE红宝书、再要你命3000——都摞到了一起。这些书的厚度加到一起将近30公分。我还会刻意把书被翻黄的侧面露出来，证明确实是背完的书，而非摆拍。这张照片用厚度量化了过去十年我在英语学习上的积累。如果把这张照片看作是一个故事的话，那么我为了讲好它，花了十年。

花了十年时间讲的这个故事，我认为足够精彩。然而，创作故事的过程则充满了单调与乏味，但这也正是其迷人的地方。耐得住寂寞，经得住诱惑，一个人长时间专注地投入于一件事情，最终完成回头看时，你会无比感激那样一段漫长而孤独的时光。

这本书也是一样。在新书最终完稿的那一刻，涌上心头的是一页页写满笔记的稿子、一篇篇仔细研究过的文章、大家一起讨论的几百个日日夜夜，回想起的是在办公室里、在家里、在咖啡厅里、在火车上，为了写好这个故事而投入的一年多时间。

因此，作为读者的你，面对204篇GRE阅读文章，唯一需要做的不是畏惧，而是开始动手。背了那么多词汇书，最难的，不是GRE词汇，而是你背的第一本词汇书的第一页。只要开始背了，才会发现背单词这件事真的没什么难的。做阅读也是如此。最难的文章永远是你决心要做的第一篇文章。只要把第一篇做完了，相信我，完成204篇不是什么难事。你要做的，只是耐着性子一篇一篇来。

人活一世，要说有什么值得讲的故事，一定是这种投入了大量时间与耐心所创造出来的故事。这种故事，就像是一坛陈酿，时间越久越迷人。

可是，一个故事你又想讲多久呢？现在的我可以给同学们展示十年时间背的词汇书。但是十年之后呢？我很害怕十年之后的我还是只有这么一个拿得出手的故事。

登录许久不用的人人网，看了一下自己的好友列表，800多人。可是这800多人里又有几个还能出现在自己的朋友圈里呢？也许我还能回忆起与他们的第一次见面，回忆起与他们发生的种种故事。但是，这些记忆总是在某一时刻戛然而止了。时间在我的故事里加入了他们的角色，可是进行到某一时间点时，又有一些新的角色加入，开始书写新的故事。

时间真的是很神奇的东西，它在帮助你书写新的故事的同时，很多老故事也被它无情地擦除了。在时间的作用下，我们人生的故事也在无时无刻地被创作、更新、删除、迭代。

那一摞词汇书，见证了自己作为一个英语学习者过去的十年时光。这个故事讲久了，该换了，于是又有了这本"白皮书"。这本书记录了我作为一名GRE阅读老师在过去两年多的时间里走过的路。

"白皮书"这个故事能讲多久呢？新的故事正在路上。

人活一辈子，要有故事，有新故事。

张禄

《GRE阅读白皮书》早在微臣成立之初就已经开始筹划，中间几多波折，甚至多次推翻重来，于2016年年初终于完稿。这本书的完成，要感谢很多人。感谢他们为文章的翻译和解析提供的帮助；感谢他们对本书进行的严格仔细的校对，使之臻于完美；感谢他们在书籍创作过程中给予的鼓励与督促，让这本书终于能与大家见面。

感谢本书筹划初期就参与进来的付峥锐和颜桢力。他们将年代久远的"大白本"进行整理，并对文章进行了翻译，给白皮书的后续写作奠定了良好基础。

感谢清华大学的康君慧同学对书中38篇文章解析的撰写。她优秀的语言功底和学术实力，为这一部分的文章呈现了精准的翻译和解读。在回家的火车上，在午夜已经熄灯的宿舍里，她都在坚持写作。这本书能按时交稿，康君慧功不可没。

感谢陈瑶琦、黎天宇、汪垲赋、王婷、王裕平、殷悦和朱清怡等七名优秀的微臣学员对本书终稿进行内容校审。他们的细致严谨极大地减少了这本书的疏漏之处。同时，他们能够站在读者的角度，为每一篇文章提出中肯的建议，使得文章的翻译和解析都尽可能贴近学生需求，解决读者的问题。

感谢姚立婷和张越尘两位同学对于附录部分的整理。感谢她们仔细校对每一道题目答案，并且将原来需要通过行数来定位的题目直接在文章里进行标注。他们的工作使"大白本"的文章在新GRE时代重新焕发生机。

最后，还要感谢所有为GRE阅读教学做出过贡献的前辈们。在编写此书的过程中每每遇到不理解的语句和题目，前辈们的出版物和课堂资料会让我们豁然开朗。前辈们在GRE阅读教学上的丰硕成果，为我们铺就了进步的阶梯，督促着我们提出更有效的方法论。

编者水平有限，书中难免疏漏之处。在此恳请各位读者不吝指出，让我们共同为广大GRE备考者提供优质、负责任的备考资料。

编者

特色说明

阅读文章之后，将自己归纳的全文 3s 版本填入到空格之中。标准答案参考【全文 3s 版本】，以检验对于这篇文章的理解程度。

对于那些经典文章以及你怎么都读不懂的文章，我们给出了部分文章的视频讲解，手机扫描二维码后，听微臣团队给你讲阅读。

Passage 001

Mendelssohn不是一个_____

视频讲解

对原文逐字逐句的中文翻译，用于考生精读练习，提升考生对 GRE 阅读文章中词汇、短语、长难句的掌握。每句话均标注序号，方便在学习过程中快速回文定位。

原文翻译

❶Felix Mendelssohn是一个伟大的作曲家吗？❷从表面来看，这个问题很荒谬。❸作为音乐历史上最有天赋的神童之一，他在十六岁时创作了自己的第一部杰作。❹从此之后，他就被认为是拥有神奇能力的艺术家，他不仅仅是一名作曲家，同时还是一名钢琴家和指挥家。❺但是Mendelssohn长久以来的受欢迎程度经常与他在评论界的地位形成鲜明对比。❻尽管普遍接受他的天才，但是评论家很不愿意把他和Schumann或者Brahms这些人相提并论。❼正如Haggin所说的那样，Mendelssohn作为一名作曲家只是一个"小大师……专注于小规模的情感和质感。"

对文章的每一句话、每一段话和整篇文章进行了最简信息的提炼与概括（即给出 3s 版本）。考生可以先自己总结，再对照书上的内容进行比对。

3s 版本

❶ Mendelssohn是一个伟大的作曲家吗？
❷这个问题很荒谬。
❸❹ Mendelssohn是个天才。
But ❺❻❼评论家认为Mendelssohn是一个格局不够大的作曲家。

全文3s版本：Mendelssohn是一个格局不够大的作曲家。

逐句 3s 版本。

标明句间关系取反的标志词，迅速理清文章结构。

文章点拨

对于文章行文结构以及重要语言知识点进行讲解，从更宏观的角度俯瞰全文，点明文章的重点、难点和精华所在。

本文第一句提出问题，讨论Mendelssohn是否伟大。第二句认为这个问题很荒谬。仅从"荒谬"我们还无法看出这个问题的答案。第三句和第四句给出了一个答案：Mendelssohn是天才。第五句But句间转折。第五、六、七三句话顺承，都是在讲Mendelssohn不伟大。因此全文3s版本就是Mendelssohn不够伟大。

本文属于最简单的"非黑即白"类文章，Mendelssohn在年轻的时候是个天才，但是后来在评论家的眼中就不是一个伟大的作曲家了，而是一个"小家子气"、格局不够大的作曲家（minor master）。

整篇文章 3s 版本。

部分文章配有背景知识介绍，加深考生对文章的理解，提高知识水平，get more than GRE。

背景知识

费利克斯·门德尔松（Felix Mendelssohn）是一位德国犹太裔作曲家，是十九世纪德国浪漫乐派最具代表性的人物之一，被誉为浪漫主义杰出的"抒情风景画大师"，作品以精美、优雅、华丽著称。作为音乐历史上的神童，门德尔松16岁时发表第一首杰作《弦乐八重奏》，17岁时完成了《仲夏夜之梦》序曲，著名的《婚礼进行曲》就是其中的选段。作为指挥家，门德尔松使被人们遗忘了几乎一百多年的作品——巴赫的《马太受难曲》重放光芒，可以说是门德尔松重新发现了巴赫。

由于出身银行家家庭，门德尔松一生作为衣食无忧的"富二代"，自然没有像历经苦难的贝多芬那样能创造出宏大的音乐作品。其代表《仲夏夜之梦》和《乘着歌声的翅膀》留给听众"过度甜美"的印象，因此在文中作者认为他只是一个"minor master"。

例题讲解

Select a sentence in the passage whose function is to indicate the range of Mendelssohn's musical talents.

在文中选择一个能表明Mendelssohn音乐天赋的范围的句子。

答案： 文章第四句。

解析： 首先根据天赋，定位到文章第三、第四两句，具体说明音乐天赋范围的句子则是第四句。

每篇文章后面会针对 1~2 道题目进行解析。主要选择的是出现频率最高的三种题型：主旨题、可定位细节题和句子功能题。只给出正确选项的解释，因为初期备考明白什么是正确的要远比知道什么是错误的更为重要，有利于考生快速把握不同题型的答题方法。

长期以来，GRE阅读被中国考生认为是GRE考试中最难的项目。GRE阅读之难，主要由于其考查的能力范围的全面性。GRE阅读题是对考生语言层面（词汇、短语、长难句）和逻辑层面（信息筛选与整合、逻辑判断、做题能力）的全方位考查。

语言层面

视频讲解

1. 词汇

GRE阅读相比于填空，对词汇的要求并没那么高。首先，GRE阅读所考查的词汇量少于填空。同时，填空题"6选2"题型中存在的同义词辨析，在阅读中也很少会涉及。另外，GRE阅读不考查专业知识，如果文中有专业术语，那么文章必然会用通俗的语言针对这个专业术语进行解释。因此，对备考GRE阅读来说，基础词汇的掌握是必要条件，即掌握高中词汇、四六级词汇和托福水平的词汇。

2. 短语

掌握了基础单词，简单单词组合成的词组短语也未必认识，而GRE文章及题目中会出现大量的短语。因此，请各位考生仔细阅读并掌握《GRE高分必备短语搭配》中收录的GRE中高频出现的短语，这对GRE填空、阅读和写作大有裨益。

3. 长难句

读长难句的能力会直接决定阅读速度和对题目的理解，并且会影响对后文涉及的GRE阅读方法论的运用。因此，请各位考生务必掌握《GRE/GMAT/LSAT长难句300例精讲精练》中"使用说明"部分的长难句的分析方法。

逻辑层面

与托福不同，GRE阅读文章的行文顺序和题目的出题顺序未必一致。因此，我们对GRE阅读的处理流程应该是**先读文章再做题**。本书的阅读方法论会从**文章**和**题目**两个方面展开。

1. 文章

1.1 三秒（3s）版本

所谓3s版本，指的是考生在读每一个句子、每一个段落以及每一篇文章后，都要概括出一个三秒钟的翻译版本。"三秒"在这里只是比喻，旨在强调对句子、段落和篇章都要能给出提炼后的**最简概括**。

3s版本的功能是"**尽量降低内存消耗**"。相信很多考生在做阅读题的过程中都会有读了下句忘了上句、读了第二段忘了第一段的经历，即大脑内存太小，导致信息记忆能力极弱。但是提升大脑内存这种"硬件"层面的问题很难解决，于是我们就反其道而行之，想办法减少大脑需要存储的信息量，从"软件"层面去优化内存。而总结3s版本，便是将本来很长的一段信息进行提炼概括。这样一来，大脑便可以记住更多、更重要的信息。

该如何归纳一句话的三秒版本呢？通常只要遵循"**主干原则**"即可。

① 简单句：简单句的3s版本就是其主干部分。

② 主从复合句：复合句的3s版本就是其主句的主干。

至于一个段落和整篇文章的3s版本，则需要联合下文讲到的句间关系和段间关系进行操作。

1.2 句间关系

1.2.1 句间关系的概念

所谓句间关系，指的是连续两个句子之间的关系。句间关系只有两种：**同向**和**反向**。两句话讲的是一回事，那么这两句话就是同向，否则就是反向。

1.2.2 句间关系的判定方法

视频讲解

两种句间关系非此即彼。反向的判断更加简单，标志有三个：

① But, Yet, However, Nevertheless

两句话中间出现这四个词中的任何一个，则两句句间关系取反。

② 换对象

视频讲解

出现以下三种情况之一，就可以认为两句话之间是换对象取反：

a. **讨论对象不同**。第一句讲"小明是好人"，第二句讲"小红是坏人"。两句话讨论的对象不同，一个是小明，一个是小红，对象不同，属性不同，所以两句话取反。

b. **观点的持有者不同**。第一句是A持有的观点，第二句是B持有的观点，观点持有者不同，他们所对应的观点也往往不同。

c. **时间点不同**。时间不同，状态不同。不同时间所发生的事件或提出的观点必然是有差异的。

③ 负态度词

a. 类似于criticize、challenge、deny、fail、wrong、erroneous、misnomer等有负向意味的单词，也会引起本句和前句之间的取反。

b. fortunately和unfortunately这样导致前后态度发生转折的词，也被归到这一类。

c. 个别情况下，连续两句话或两段话之间仅仅是态度发生了变化，但是其中并没有明显的标志。这种态度上的转变也被归到这一类取反。

如果两句话中间既没有But、Yet、However、Nevertheless这四个词，也没有出现换对象，也没有负态度词，那么两句话就应该是同向关系。

1.2.3 句间关系的功能

句间关系的功能，简单来说就是"**做预判**"。做预判的首要目的是帮助我们<u>预测一个句子接下来会讲什么</u>。另外一个好处便是可以通过对后文做预判来<u>加快阅读速度</u>。打一个比方：我们在看肥皂剧的时候总喜欢快进着看，这是因为接下来发生的情节我们早就已经预料到了，而之所以能预料，是因为肥皂剧每一集之间的关系可以认为是同向的，第一集讲什么事，第400集还在讲一样的事情。读文章也是同理，如果接下来要读到的内容是早就已经预料到的，那么对本来读不懂的内容也能有一个大体的把握，本来读得慢的内容也会读快。

1.2.4 句间关系的特殊情况——封装

既然句间关系可以帮助我们做预判，那么以后在读文章的时候，最喜欢见到的局面便是文章接下来说的内容就是预判到的内容。可是一旦出现预判与实际句意不一致的情况怎么办呢？

1.2.4.1 But封装

请看以下片段：

❶These researchers also claim that improvements of memory overnight can be explained by the mere passage of time, rather than attributed to sleep. ❷But recent studies of memory performance after sleep make this claim unsustainable. ❸Certainly there

视频讲解

视频讲解

IX

are memory consolidation processes that occur across periods of wakefulness, some of which neither depend on nor are enhanced by sleep. ❹But when sleep is compared with wakefulness, and performance is better after sleep, then some benefit of sleep for memory must be acknowledged.

本片段第❶句的3s版本为"睡眠不能巩固记忆"。第❷句句首出现了But，因此产生预判，睡眠可以巩固记忆，而本句实际句意也确实如此。第❸句没有出现之前讲过的取反标志，因此预判，第❸句与第❷句取同，都是在讲睡眠可以巩固记忆。但是，第❸句的实际句意却是在讲睡眠不能巩固记忆。这里出现了预判和实际句意的不一致。

针对这种情况，我们的处理方式是做"封装"。只要发现某个句子的预判和实际句意不一致，后面不远之处一定会出现一个转折句。接下来要做的，就是把矛盾的句子和后面的转折句"封装"到一起。所谓"封装"是指让原来的两句话合并成为一句话。封装之后组成的"大句子"，其3s版本与更之前的一句话取同。这样一来，文中的句间关系矛盾就可以被解决了。

还是以上上面的段落为例。第❸句出现了矛盾的现象，紧接着的第❹句出现了But，是个转折句，因此可以把❸❹封装成一句话，这一句话的3s版本与第❷句顺承，即睡眠可以巩固记忆。因此，这一段的3s版本也是在讲睡眠可以巩固记忆。

这是第一种封装，我们称之为"But封装"。<u>即当某个句子预判与实际句意不一致时，后面不远之处又出现了转折，可以把矛盾的句子同转折句封装到一起，与更前面一句话取同</u>。

1.2.4.2 广义封装

还有一种封装，称之为"<u>广义封装</u>"。<u>它指当某几个句子单独来看，都与更之前一句话没有什么关系，但是我们把这些句子都封装起来再看，会发现封装后的句子组合是与前一句取同的。这种封装就是"广义封装"</u>。请看下面一例：

视频讲解

❶Notable as important nineteenth-century novels by women, Mary Shelley's *Frankenstein* and Emily Bronte's *Wuthering Heights* treat women very differently. ❷Shelley produced a "masculine" text in which the fates of subordinate female characters seem entirely dependent on the actions of male heroes or anti-heroes. ❸Bronte produced a more realistic narrative, portraying a world where men battle for the favors of apparently high-spirited, independent women.

本例中，第❶句在讲两本书对待女性的方式是不同的。第❷句单独讲了Shelley对待女性的方式，第❸句单独讲Bronte对待女性的方式。后两句单独来看，都没有直接说明两本书的不同，但是如果把后两句看成都是一个整体，则与第❶句构成取同关系。因此本例3s版本为两本书对待女性的方式是不同的。这便是广义封装。

1.3 段间关系

段间关系指的是连续两个段落之间的同向与反向关系。段间关系的判定可以参照句间关系的三种判定方式。例如，第二段开头出现了However，那么我们可以做出预判：第二段内容与第一段取反。段间关系利用在长文章的阅读中，可以帮助我们快速把握文章段落内容的走向。

1.4 段落及篇章3s版本的概括

视频讲解

首先我们要明确，段落或篇章的3s版本并不是句子3s版本的简单叠加。文章的套路不同，3s版本的归纳方法不同。

1.4.1 对比型文章

如果一篇文章是观点对比型文章，根据"喜新厌旧，标新立异"的原则，文中新观点就是这篇文章的3s版本。但是，如果一篇文章有观点的对比，但是作者并没有明确说明一个观点是对的，而另一个被反驳，那么这种文章的3s版本只是列举不同的观点。

1.4.2 总分型文章

如果文章为总分型，即文章开头出现总论点，后面的句子都是支持总论点的证据或例子，那么这篇文章的3s版本就是开头的总论点。

1.4.3 递进型文章

此类文章每句话的关系都是同向，而只要是同向，往往意味着后面的内容要比前面的内容阐述得更深刻。因此对这类文章来说，3s版本往往出现在后面。

2. 题目层面

GRE阅读题型多样，但是绝大多数的题目都属于以下三种：主旨题、可定位细节题和句子功能题。这也是为什么本书并没有把文章后面的每一道题都进行解析，而是只挑出了这三种题型进行讲解。原因除了篇幅所限之外，GRE阅读的考前初、中期训练，读懂文章比做对题目更有意义。文章和题目都是千变万化的，而读懂文章的方法则一成不变，因此初期练习好读懂文章的方法，后期做对题目也是水到渠成的事情了。

2.1 做GRE选择题的基本原则

2.1.1 同义改写原则

视频讲解

GRE文章不会考查背景知识，因此要针对文章本身出题目，正确答案无非是两种情况，一是照抄原文，二是同义改写原文。照抄原文的情况因为太简单所以极少出现，绝大多数题目的正确答案都是对原文的同义改写。

在同义改写中，有一点尤其需要注意，那就是选项中的"虚指"。所谓选项当中的虚指，分三种情况：

① 不定冠词a/an/one/certain（注：为了减少分类，我们将one/certain也归为不定冠词。）

② 可数名词复数

③ 不可数名词

针对选项中的虚指，我们一定要**找到其虚指的内容在原文当中的对应**。例如，某个选项会出现"a position"这种表达，那么我们就要找到这里的position指代的是原文当中哪一个观点。**正确答案选项中的虚指在原文必然一一对应。如果选项中虚指的内容在文中没有对应，那么这个选项一定是错误选项。**

2.1.2 严格定位原则

GRE的选择题就像是数学中的函数一样。函数要有自己的定义域才能成立，GRE选择题也要有自己的定位范围。如果某个选项超出了题干所规定的定位范围，就算这个选项在原文提到了，但是因为不符合严格定位原则，这个选项也不应该选。比如某道题目的定位点是第一段，但如果选项出现了第二段才有的内容，这个选项就是错的。

2.2 主旨题

主旨题题干通常会有如下几个标志词：primary purpose/ central idea/ main idea等等。主旨题的正确答案，**就是一篇文章的3s版本**。但如果这道主旨题的选项写得很"虚"，那么要先把选项中的虚指找出原文的指代，再来检验该选项是不是原文的3s版本。

还有两个技巧可以帮助我们排除掉主旨题中的错误选项：

第一，如果选项中纯粹是**文中的细节**，则该选项错误。因为本题是主旨题，而细节必然是不能算进文章主旨当中的。

第二，如果选项出现了**原文不存在的内容**，则该选项错误。既然是文章的主旨，则必然应该在文章所构成的封闭体系内寻找答案，如果出现了文中没有的内容，则这个选项必错。

2.3 可定位细节题

此类题型特指题干由according to the passage这种字眼开头的选项。这类题目是所有题型中最简单的送分题。这种题的做题方法，首先是根据题干回文定位。因为是"according to the passage"，那么顾名思义，正确答案一定可以在原文中找到。因此定位完成后，**正确选项就是定位句的同义改写**。所以，做对这种题，并不要求对文章有整体的理解，只要求快速找到定位，然后发现同义改写原文的选项即可。

2.4 句子功能题

此类题型的标志为"in order to"或"function"，问的是文中某个句子或单词出现的目的是什么。这种题首先也是可以精确定位到原文某一处的，**正确选项就是定位处的3s版本**。

视频讲解

GRE阅读的方法论再多、再详细，也只是为同学们提供一根拐杖，让同学们可以在练习的过程中沿着正确的方向，尽量少走弯路。

"寻门而入，破门而出。"按照本书中的方法论进行练习，这是"寻门而入"的入门过程，但是阅读成绩的提高，本质上还是自身阅读能力的提升。希望同学们在孤独而又充实的备考过程中，通过大量的练习，提升自身的语言和逻辑能力，最终对GRE阅读形成自我的一套感悟，"破门而出"。

使用说明

《GRE阅读白皮书》是针对GRE考试阅读部分的备考资料，共收录历年GRE真题阅读文章204篇，配有逐字逐句的中文翻译、3s版本、文章点拨、背景知识和例题讲解，是学习GRE阅读方法论、提升阅读实力和为未来学术生活奠定基础的实用材料。

本书正文共有22个Unit，其中：

- Unit 1~7是本书方法论部分的配套例文，共56篇文章，通过这些实例文章掌握正确的GRE阅读方法论。

- Unit 8~19是本书的练习部分，共计119篇文章，其中：

   Unit 8~14是必做练习，用于夯实基础方法论，养成正确阅读习惯；

   Unit 15~18是选做练习，用于进一步提高阅读能力；

   Unit 19是难文赏析部分，该部分收录了往年GRE考过的难文、奇文、怪文，渴望挑战自己的同学可以进行尝试。

- Unit 20~22是综合练习部分，用于在考前检测练习效果。

另外，书中还配有：

- 二维码：扫码即可观看微臣教师团队为大家呈现的针对各个方法论的视频讲解。

- 附录：补充语法点和背景知识，可以通过本书后面的索引来进行查找。

- 目录：目录即为每篇文章3s版本，方便同学们快速查找文章。

- 练习题目：英文练习题目，可以通过扫描二维码得到。

- 答案：题目的答案可参见本书的附录部分。这部分放置在附录中是为了让同学们更加方便地定位正确答案，检查练习完成效果。

建议同学们分三个阶段来完成本书中的练习：

第一阶段：熟练掌握本书方法论部分的内容。根据方法论，认真研读书中前7个Unit的56篇文章，培养正确的学术文章的阅读习惯。这部分的文章均由微臣团队精挑细选，文章难度适中，同时将阅读方法论体现得较为明显，适合备考初期夯实基本功使用。

第二阶段：在完成第一阶段任务之后，在保证读懂文章和正确率的前提下，不限定时间，优先完成本书Unit 8~14的70篇必做文章。该部分文章难度适中，适合在备考初期用于对阅读方法论的巩固。对于备考时间充裕，同时希望提升自身综合实力的同学，还可以完成Unit 15~19共49篇选做文章。其中Unit 19的文章难度奇高，可以用于挑战个人阅读能力的极限，或者作赏析之用。

第三阶段：进入这一阶段，同学们可以利用Unit 20~22共29篇文章进行考前计时综合训练，用于检测自己的实力。时间标准如下：

◆ 长文章，平均阅读文章4.5分钟以内，每道题平均1分钟，总时间控制在4.5 + 1 × 7=11.5分钟以内

◆ 短文章阅读文章1.5分钟，每道题1分钟，总时间控制在1.5 + 1 × 4=5.5分钟以内

在上述三个阶段的练习中，建议每一篇文章都至少做3遍。三遍的任务如下：

第一遍，浏览文章，填写文章标题处的3s版本，完成配套练习。

第二遍，精读，参考本书给出的翻译，自己总结每一句话的3s版本和句间关系，同时对照本书给出的总结内容，寻找差距。文中的长难句要能够完全读通，难度较大的句子可以参考《GRE/GMAT/LSAT长难句300例精讲精练》进行辅助学习。

第三遍，在第一次精读之后，隔天再回头做一次精读，增加对于文章的印象，温故知新。如果能够把一篇文章给身边备考的同学讲清楚，那么就真正理解了这篇文章，否则只是处于"我以为我明白的"幻觉之中，考场上还是速度慢，正确率低。

各位同学自行练习时，建议每天练习3个Unit，共计30篇文章。只有高强度的集中练习，才能在最短的时间内掌握正确的阅读方法以及解题技巧。对于有耐力并且擅长学习的同学来说，自己练习固然是可行的，但是我们还是建议有条件的同学，尤其是在备考前期对于方法论没有彻底掌握的同学和凭着所谓"语感、感觉（只有经过科学方法训练之后，内化在考生脑中所形成的感觉，才是真正意义上的语感）"来备考的同学，在老师的指导下，有反馈地进行阅读练习，这会使备考有事半功倍的效果。

扫描下方二维码，即可获得本书全部阅读练习题。

目录

Unit 4　But 封装

Unit 5　广义封装

Unit 6　顺子结构

Unit 10　必做

Unit 11　必做

Unit 12　必做

Unit 19　难文赏析

Unit 20　综合 1

Unit 21　综合 2

Unit 22　综合 3

附录

Unit 01

简单句间关系

练习题目

　　备考路上那些曾经的艰辛，总有一天会成为你青春岁月里最自豪的回忆。遇见微臣，遇见另一个自己。

——宫进

天津工业大学，微臣教育线上课程助教

2016 年 5 月 GRE 考试

Verbal 164 Quantitative 170 AW 4.0

Passage **001**

视频讲解

Mendelssohn不是一个_____

原文翻译

❶Felix Mendelssohn是一个伟大的作曲家吗? ❷从表面来看,这个问题很荒谬。❸作为音乐历史上最有天赋的神童之一,他在十六岁时创作了自己的第一部杰作。❹从此之后,他就被认为是拥有神奇能力的艺术家,他不仅仅是一名作曲家,同时还是一名钢琴家和指挥家。❺但是Mendelssohn长久以来的受欢迎程度经常与他在评论界的地位形成鲜明对比。❻尽管普遍接受他的天才,但是评论家很不愿意把他和Schumann或者Brahms这些人相提并论。❼正如Haggin所说的那样,Mendelssohn作为一名作曲家只是一个"小大师……专注于小规模的情感和质感。"

3s 版本

❶ Mendelssohn是一个伟大的作曲家吗?

❷ 这个问题很荒谬。

❸❹ Mendelssohn是个天才。

But ❺❻❼ 评论家认为Mendelssohn是一个格局不够大的作曲家。

全文3s版本:Mendelssohn是一个格局不够大的作曲家。

文章点拨

本文第一句提出问题,讨论Mendelssohn是否伟大。第二句认为这个问题很荒谬。仅从"荒谬"我们还无法看出这个问题的答案。第三句和第四句给出了一个答案:Mendelssohn是天才。第五句But句间转折。第五、六、七三句话顺承,都是在讲Mendelssohn不够伟大。因此全文3s版本就是Mendelssohn不够伟大。

本文属于最简单的"非黑即白"类文章,Mendelssohn在年轻的时候是个天才,但是后来在评论家的眼中就不是一个伟大的作曲家了,而是一个"小家子气"、格局不够大的作曲家(minor master)。

背景知识

费利克斯·门德尔松(Felix Mendelssohn)是一位德国犹太裔作曲家,是十九世纪德国浪漫乐派最具代表性的人物之一,被誉为浪漫主义杰出的"抒情风景画大师",作品以精美、优雅、华丽著称。作为音乐历史上的神童,门德尔松16岁发表第一首杰作《弦乐八重奏》,17岁时完成了《仲夏夜之梦》序曲,著名的《婚礼进行曲》就是其中的选段。作为指挥家,门德尔松使被人们遗忘了几乎一百多年的作品——巴赫的《马太受难曲》重放光芒,可以说是门德尔松重新发现了巴赫。

由于出身银行家家庭,门德尔松一生作为衣食无忧的"富二代",自然没有像历经苦难的贝多芬那样能创造出宏大的音乐作品。其代表《仲夏夜之梦》和《乘着歌声的翅膀》留给听众"过度甜美"的印象,因此在文中作者认为他只是一个"minor master"。

例题讲解

Select a sentence in the passage whose function is to indicate the range of Mendelssohn's musical talents.

在文中选择一个能表明Mendelssohn音乐天赋的范围的句子。

答案： 文章第四句。

解析： 首先根据天赋，定位到文章第三、第四两句，具体说明音乐天赋范围的句子则是第四句。

Passage 002

＿＿＿＿＿＿岁的儿童已处于道德自主的阶段

原文翻译

❶儿童开始对那些施加在他们自己或者他人身上的伤害行为作道德上的区分的年龄是最近有关儿童道德发育的研究焦点。❷直到最近，儿童心理学家都支持发育心理学先驱Jean Piaget的假说，这个假说是：由于儿童们的不成熟，7岁以下的儿童不会考虑一个人实施意外伤害或故意伤害的意图，而只是根据负面结果的严重程度来对过失进行惩罚。❸根据Piaget的说法，7岁以下的儿童处于道德发育的第一阶段，这个阶段的特点是绝对的道德标准（权威制定的规则必须遵守）和立刻惩处（违反规则的人要马上受到惩罚）。❹在孩子成熟前，他们的道德评判都是完全基于后果而不是基于导致过失的原因。❺然而，在近期的研究中，Keasey发现6岁的孩子不仅可以区分无意和有意伤害，还可以判断出，故意伤害的行为要更恶劣，不管故意伤害带来的破坏的大小。❻这些发现似乎都指出，儿童在Piaget认为的年龄之前就已经进入道德发育的第二阶段，即道德自主标准阶段，在这个阶段中儿童接受社会规则，但他们对于这些规则的看法相比于第一阶段的孩子更为主观。

❶Keasey的研究针对发育心理学家提出了两个关于7岁以下儿童的关键问题：这些儿童是否认识到了伤害行为的正当理由，以及他们是否可以区分可避免的伤害行为与后果不可预见的伤害行为？❷研究指出，对伤害行为提出的正当理由包括公众责任、自卫和挑衅。❸例如，Nesdale和Rule认为，儿童能够根据公众责任判断攻击者的行为是否正当：五岁孩子对"Bonnie弄坏了Ann的假房子"这件事的反应取决于该行为的动机：Bonnie这么做是由于"这样做别人不会被绊倒"还是由于Bonnie"想让Ann难受"。❹因此5岁的孩子开始明白，尽管某些伤害行为是故意的，但它也可能是正当的行为；道德绝对标准的约束不再是他们判断的唯一标准了。

❶心理学家已经确定，幼儿园时期的儿童已经知道伤害的细微区别了。❷Darley观察到，在那些无意伤害的行为中，刚进入幼儿园的6岁小孩无法区分可预见因此可预防的伤害行为，以及无法预见因此不会被指责的伤害行为之间的差别。❸但7个月之后，Darley发现这些儿童就可以区分二者了，这表明他们进入到了道德自主的阶段。

3s 版本

❶儿童道德发育的研究焦点是儿童能够进行道德区分的年龄。

❷❸❹ Piaget认为7岁以下的儿童处于道德绝对阶段。

However ❺❻ Keasey认为6岁儿童已处于道德自主标准阶段。

第一段3s：6岁儿童已处于道德自主标准阶段。

❶ Keasey 提出两个问题。

❷❸❹5岁孩子已经可以意识到伤害的正当性。

第二段3s：5岁孩子已经可以意识到伤害的正当性。

❶7岁以下儿童可以区分可避免和不可避免的伤害。

❷刚进入幼儿园的6岁小孩无法区分可避免和不可避免伤害。

However ❸7个月之后，他们可以区分两种伤害。

小结：❷❸封装，顺承❶。

第三段3s：7岁以下儿童可以区分可避免和不可避免的伤害。

全文3s版本：7岁以下的儿童已处于道德自主的阶段。

文章点拨

文章第一段阐明了本文讨论的主要问题——儿童对于伤害行为的道德区分年龄。之后，作者先描述了Piaget的观点，Piaget认为在7岁之前，儿童处于道德发育的第一阶段。随着一个however，作者给出了相反的观点，提出Keasey认为，儿童在7岁之前，就已经进入了道德发育的第二阶段。两个观点之间是时间对比的换对象。

文章第二段先提出了Keasey研究的两个问题：儿童是否可以认识到伤害的正当性；儿童是否可以区分可以避免和不可避免的伤害。之后本段作者给出伤害正当性的原因，并且给出Nesdale and Rule的例子（5岁孩子的例子），说明7岁以下的孩子可以识别出伤害的正当性。本段回答了Keasey提出的第一个问题。

文章第三段回应了Keasey的第二个问题，作者认为7岁之前的儿童是可以区分可以避免和不可避免的伤害的。

这是一篇极适合在初期训练句间关系与段间关系的文章。对于初期备考的考生来说，文中出现的多位研究人员（Piaget、Keasey、Nesdale、Rule和Darley）确实会对阅读造成极大的障碍。但是本文的句间、段间关系极其清楚。同时，这也是一篇非黑即白的文章——只是Piaget的理论和Keasey的理论之间的对立。其他出现的所有的人名都是回答Keasey的两个问题的学者。所以，本文对于即使缺乏相关背景的考生来说，如果把握好关系的走向，阅读依然非常轻松。

例题讲解

Which of the following best describes the passage as a whole?

文章主旨是?

答案： (D) A discussion of research findings in an ongoing inquiry 讨论了一个正在进行研究的科学发现。

解析： 这里的一个正在进行的研究指的是文中第一句话的儿童对于伤害做道德区分的年龄。

Passage 003

Allen和Wolkowitz认为家庭工作不是因为＿＿＿＿＿＿，而是因为＿＿＿＿＿＿

原文翻译

❶Allen和Wolkowitz的研究挑战了传统观点，传统观点认为员工在家为公司做有报酬工作主要是为了应对女性的需要和偏好。❷为了收集有深度的信息，作者通过重点关注一个有限的地区，避免了先前有关家庭工作研究中常出现的陷阱。❸他们的发现否定了被广泛接受的、有关家庭工作者的观点，即女性不能胜任其他工作，并且女性只是把家庭工作作为照看孩子的短期策略。

❶Allen和Wolkowitz总结道，家庭工作的存在不能被这些传统观点所解释，因为实际上，家中工作者和被雇佣的女性并无太大差异。❷大多数家庭工作者更愿意在外被雇佣工作，但她们却由于缺乏机会而作罢。❸事实上，家中的工作是雇主们想最小化固定成本的结果：家中工作者没有津贴且比一般员工的工资少。

3s 版本

❶Allen和Wolkowitz认为员工在家工作不是因为女性的需要和偏好。

❷他们重点关注到一个有限的地区，避免之前的陷阱。

❸他们的发现否定了被广泛接受的观点。

第一段3s：Allen和Wolkowitz的发现否定了被广泛接受的有关家庭工作者的观点。

❶Allen和Wolkowitz认为在家和在外工作的女性没有太大差异。

❷家庭工作者因为没有机会所以无法在外被雇佣工作。

❸家中的工作是雇主想最小化固定成本的结果。

第二段3s：家中的工作是雇主想最小化固定成本的结果。

全文3s版本：Allen和Wolkowitz认为家庭工作不是因为女性的需要和偏好，而是因为雇主想最小化固定成本。

文章点拨

本文句间关系极其清晰。文章两段之间是顺承关系。全文都是对Allen和Wolkowitz研究结果的阐述。

文章第一段第一句告诉我们Allen和Wolkowitz挑战了传统观点。第二句描述了他们的研究方法，第三句再一次明确了他们的发现否认了广泛接受的传统观点——家庭工作是女性的需求所致。

第二段中明确给出Allen和Wolkowitz认为的家庭工作产生的原因：家中的工作是雇主想最小化固定成本。

这篇文章从内容上来看，也是非黑即白，明确地说明女性在家庭中工作不是个人的偏好，而是雇主想要降低成本。

例题讲解

The passage is primarily concerned with

本文主旨是

答案： (D) discussing research that opposes a widely accepted belief 讨论一个反驳被广泛接受的观点的研究

Passage  004

农奴制度_____经济增长

原文翻译

❶根据传统观点，十九世纪俄国的农奴制度阻碍了经济增长。❷以这种观点来看，俄国农民作为农奴的地位通过三种方式使他们贫穷：现金、劳力、实物形式的沉重税务；限制地域流动性；各种各样的压迫。❸然而，Melton认为农奴制度很完美地适应于经济增长，因为很多俄国农奴能够避开地主的规章制度。❹如果农奴愿意购买自己的移动权，他们会被允许离开庄园。❺如果他们花钱赎身，他们可以建立独立的家庭；并且如果他们有资源的话，他们能够雇佣劳动力去耕种集体的土地，然而他们自己可以从事贸易或者在城市中作为外来劳工打工。

3s 版本

❶❷农奴制度抑制经济增长。

However ❸❹❺农奴制度适应于经济增长。

全文3s版本：农奴制度适应于经济增长。

文章点拨

本文属于典型的非黑即白的新老观点对比类文章。开头的conventional表明"农奴制抑制经济增长"是个老观点，在后文往往会被反驳。第三句however之后，Melton提出新观点，反驳了老观点，认为农奴制度完美适应于经济增长，并提出农奴避开地主控制的三种方式。

老观点认为二者互不兼容，新观点认为二者兼容，这也是非黑即白的论证方式。

例题讲解

It can be inferred from the passage that the "rules and regulations" affecting serfdom in Russia involved

从文章可以推测出，影响俄国农奴的"规章制度"包含

答案： (A) responsibility for the work needed to accomplish certain defined tasks 需要完成某些特定任务的责任

(B) restrictions on freedom of movement 限制移动的自由

(C) limitations on the ability to set up an independent household 限制建立独立家庭的能力

解析： (A) 选项中完成特定任务的责任指第五句中的耕种集体土地，选项正确。

(B) 选项指代第四句离开庄园的能力，选项正确。

(C) 本选项同义改写第五句前半部分，选项正确。

Passage 005

_____更有可能是热液口附近生物的食物源

原文翻译

❶一般来说，深海中分布着稀少的动物群，它们以小虫和甲壳纲动物为主，较大型的动物则更为稀少。❷然而，在热液排放口，即海洋中热水从地下源头涌出的区域附近，却生存着极为密集的巨形蛤蜊、盲蟹和鱼类。

❶大多数深海动物群把从上面掉落下来的微粒物质作为食物，而这些微粒物质来源于光合作用（photosynthesis）。❷但是，用规模庞大的热液口动物群落所必需的食物供给一定会是一般落食量的许多倍。❸最初描述热液口动物群的报告提出了两种可能的营养物来源：细菌化学合成（bacterial chemosynthesis），即细菌利用化学反应产生的能量来制造食物，以及对流（advection），即从周围漂来的食物。❹后来，支持剧烈局部化学合成这一观点的证据逐渐积累起来：在热液口的水中发现了硫化氢（hydrogen sulfide）；人们发现许多热液口附近的细菌具有化学合成的能力；此外，人们在那些曾被认为纯净无物的热液口的水样中，发现了大量密集的细菌。❺这个最终的观察似乎具有决定性意义。❻假如密度高到令人震惊的细菌热液口溢出物是常态的话，那么热液口本地产生的食物将使对流所贡献的食物显得微不足道。❼因此可以得到一个被广泛引用的结论：细菌化学合成给热液口的食物链提供了基础——这一观点令人兴奋，因为地球上没有任何其他动物群落可以不依赖光合作用而生存。

❶但是，这一解释存在某些难点。❷例如，居住在热液口的某些大型静栖生物也在水温正常并且距离最近的热液源有好几米的区域被发现。❸这表明细菌化学合成不足以给这些生物体提供充足的营养来源。❹另一难点是，同样密集的庞大深海动物种群在"冒烟口"附近被发现——所谓"冒烟口"，是指水以高达350℃的温度涌出的热液口。❺没有任何细菌能在这样的高温下存活，在那里也从未发现任何细菌。❻除非"冒烟口"始终位于更为宜居的热液口附近，否则化学合成仅能解释一小部分热液口动物群。❼但是可以想象的是，这些大型静栖生物确实以细菌为生，这些细菌在热液口内生长，并且随热液口的水而上升，之后洒落到周边区域，为生存在离热液口一定距离的动物提供营养物。

❶然而，对流是一种更有可能的替代食物源。❷研究证明，对流——在悬浮微粒物积聚的海面附近形成——将一部分物质和水输送到热液口。❸据估计，每立方米热液口排放物中，有350毫克的有机物微粒将通过对流到达热液口区域。❹因此，对于每个正常规模的热液口来说，对流水流每天可提供30公斤以上的潜在食物。❺此外，在对流水流中生活的小动物有可能被热休克和（或）化学休克杀死或弄晕，从而进一步增加了热液口的食物供给。

3s 版本

❶深海中动物稀少。

However ❷热液排放口附近有密集的动物群。

第一段3s：热液排放口附近有密集的动物群。

7

❶大多数深海动物的食物来源是掉落下的微粒物质。

However ❷这些微粒物质对于热液排放口的高密集动物群来说是不够的。

❸热液口食物有两种可能来源：细菌化学合成和对流。

❹❺❻热液口附近的细菌可以提供食物。

❼热液口食物是细菌化学合成的这一结论有重大意义。

第二段3s：热液口食物是细菌化学合成的。

However ❶化学合成理论存在两个难点。

❷❸第一个难点——细菌化学合成不足以给远离热液口的生物提供食物。

❹第二个难点——"冒烟口"附近发现生物。

❺"冒烟口"附近细菌无法生存。

❻细菌化学合成只能解释一小部分热液口动物群食物来源。

❷~❻封装，顺承❶。

However ❼细菌为远离热液口的动物提供食物。

第三段3s：即使有两个难点，细菌还是为远离热液口的动物提供了食物。

Nonetheless ❶对流更有可能是食物源。

❷❸❹对流将大量食物运送到热液口。

❺对流通过杀死小动物提供额外食物来源。

第四段3s：对流更有可能是热液口附近生物的食物源。

全文3s版本：对流更有可能是热液口附近生物的食物源。

文章点拨

本文第一段描述了一个现象——深海动物通常很稀少，但是热液口附近有大量的动物聚集。

第二段提出关于热液口附近动物食物来源的两种猜想——细菌化学合成和对流。之后，第二段集中论证细菌化学合成。

第三段段首出现however，段间和第二段取反。提出了化学合成理论的两个不足。但是在最后一句出现however，再次肯定化学合成理论。

第四段段首出现nonetheless，与上一段段间取反，预判不是细菌化学合成提供食物，而是对流。最终的结论也确实证明了对流是更可能的食物来源。

例题讲解

The author refers to "smokers" most probably in order to
作者提到"冒烟口"最可能的目的是

答案：(E) present evidence that bacterial chemosynthesis may be an inadequate source of food for some vent faunas 给出证据说明细菌化学合成对于一些热液口生物来说，并不是充分的食物来源

解析：本题属于句子功能题，定位点为第三段第四句，该句话3s版本就是在说关于细菌化学合成的观点存在一些难点，因此(E)正确。

Unit 02

换对象

练习题目

　　想要战胜 GRE，你只需要拥有"微臣"绝佳的备考利器、愈战愈勇的耐力和一颗永不服输的心。

——邵路云
同济大学，微臣教育线上课程学员
2016 年 10 月 GRE 考试
Verbal 165 Quantitative 170

Passage 006

蝙蝠通过_____察觉目标的特征

原文翻译

❶用声波定位（Echolocating）的蝙蝠以特定的模式发出声音——声音是每种蝙蝠所独有的——包括调频（FM）信号和恒频（CF）信号。❷宽带FM信号和窄带CF信号被发射至目标物，经目标物反射到正在觅食的蝙蝠。❸在发射与反射的过程中，声音发生改变，这种回声的变化使蝙蝠可以察觉出目标的特征。

❶FM信号能提供目标物的特征，这些特征改变了回声的时间控制、精细频率结构，或频谱——例如，目标物的大小，形状，质地，表层结构，以及在空间中的方向。❷由于其带宽窄，CF信号只能描绘出目标物的存在，以及在某些蝙蝠种类中还能描绘目标物相对蝙蝠的运动。❸通过对CF回声频率中的变化做出反应，一些种类的蝙蝠为了追踪运动中的猎物而调整自己的飞行的方向和速度。

3s 版本

❶蝙蝠发出FM和CF信号。

❷❸蝙蝠通过回声的变化察觉目标的特征。

第一段3s：蝙蝠通过回声的变化察觉目标的特征。

❶ FM可以提供目标物的特征。

换对象❷❸ CF描绘目标的存在。

第二段3s：FM和CF作用不同。

全文3s版本：蝙蝠通过回声的变化察觉目标的特征。

文章点拨

本文属于总分结构。第一段先总结性地介绍了蝙蝠依靠FM和CF信号来定位及其原理。接下来第二段分别介绍了FM和CF的功能。这段话中最重要的点就是用到了换对象，对这两种声波进行了描述。

例题讲解

According to the passage, the configuration of the target is reported to the echolocating bat by changes in the

根据本文，通过下列哪个选项的变化回声定位蝙蝠获知目标物的形状

答案： (B) echo spectrum of FM signals FM信号回声

解析： 根据本文第二段第一句，FM可以提供目标物外形信息。

Passage  007

Harris和Gass_____了其他地质学家的观点，
他们认为_____

原文翻译

❶地质学家Harris和Gass猜测红海裂谷是沿着缝隙（地球地壳上的一个接缝）形成的，这个缝隙是在原生代末期形成的；而且他们还猜测，在缝隙任意一侧的上层岩石沉积的组成成分中所观察到的巨大差异，表明下层火成岩的性质应该存在着差异。

❶其他地质学家认为，上层岩石和下层火成岩都没有和另一侧对应的岩石层有根本上的差异。❷这些地质学家由此认为，推出红海裂谷下面有缝隙的结论的证据是不充分的。

❶作为回应，Harris和Gass提出在裂缝两侧的上层岩石层没有显示出相似的年代、结构和地质化学成分。❷此外，他们引用了新的证据，指出在裂缝任意一侧下层的火成岩中，包含有明显不同种类的稀有金属。

3s 版本

❶ Harris和Gass猜测红海裂谷是在裂缝上形成的，并且两侧岩石存在差异。

换对象❶其他地质学家认为两侧岩石的上层和下层都没有差异。

❷其他地质学家认为裂谷下面没有裂缝。

第二段3s：其他地质学家认为Harris和Gass的结论不对。

换对象❶ Harris和Gass认为两侧的上层岩石不具有相似性。

❷下层的火成岩成分不同。

第三段3s：Harris和Gass认为两侧的上、下层岩石都不同。

全文3s版本：Harris和Gass反驳了其他地质学家的观点，他们认为裂谷两侧的上、下层岩石都有差异。

文章点拨

1. 文章行文结构

文章分为三段，每一段之间都进行了观点之间的转折，而这种转折的标志词是不同的人物观点，是一篇典型的"换对象"的文章。具体换对象表现在：

第一段表明了Harris和Gass的观点，他们认为红海裂谷两边的上层岩石和下层岩石的成分都不同。

第二段切换到了其他地质学家的观点。他们认为裂谷两侧的上层岩石和下层岩石没有根本差异，并认为Harris和Gass声称的裂谷下面有裂缝这一观点的论据不充分。

第三段中，观点再次切换到了Harris和Gass，作为对于其他地质学家的回应，他们拿出了新的证据，证明自己的观点。

2. 文章的难点

① 如果意识不到换对象，则无法提前预判Harris和Gass的观点与第二段中的地质学家观点的冲突，在阅读过程中会感觉人名太多，术语复杂。

② 文章的第一段只有一句话，句子的难度来源于涉及的内容背景生僻，以及平行结构和分词、介词结构后置定语的倒装。长难句能力的提升可以通过阅读《GRE/GMAT/LSAT长难句300例精讲精练》解决。

背景知识

Suture zone（缝合带）是指两个碰撞大陆衔接的地方。缝合带通常表现为宽度不大的高应变带。缝合带把两侧具有不同性质和演化历史的大陆边缘分开，它们往往位于不同的生物地理区，并具有不同的古地磁要素。因此，缝合带作为化石板块界线在恢复不同地史时期的板块构造格局中有重要意义。由于大陆碰撞缝合带常与弧-陆缝合带及消减带增生杂岩等在空间上共生，后期的构造变动又使它们彼此错位。正如文中Harris和Gass所述岩石包含不同成分，他们想表达的是由于缝合带彼此错位的结果。当然，其他专家的例证是想表达，缝合带两侧应该成分不同，然而没有证据表明红海裂谷两侧有不同，所以反驳了Harris和Gass。

例题讲解

It can be inferred from the passage that Harris and Gass have done which of the following?

从文章中可以推断出Harris和Gass做了下面哪件事？

答案： (C) Rejected other geologists objections to their hypothesis about the Red Sea rift. 否定了其他地质学家对于他们关于红海裂谷假说的反驳。

解析： 文章的第三段就是针对第二段其他地质学家的反驳的否认。

Passage 008

视频讲解

英国沙龙是女性接受教育的地方，同时也_____了对于女性的社会传统

原文翻译

❶在18世纪的法国和英国，改革家们集体支持平等主义理想，但几乎没有改革家支持女性接受高等教育。❷虽然公众责备女性缺乏教育，但这并不鼓励女性单纯地追求知识。❸尽管大众对有文化的女性普遍存在偏见，但女性在一个地方可以展现自己学识的渊博：文学沙龙（literary salon）。❹许多作家将女性在沙龙中的角色定义为一位聪明的女主人，但对于女性来说沙龙不仅仅有社交的功能。❺沙龙也是一所非正式的大学，在这里女性可以与有知识的人交换思想、阅读自己的作品并倾听别人的作品、接受并给出评价。

❶18世纪50年代，当法国的沙龙已经牢固建立起来时，一些自称"蓝袜女（bluestocking）"的英国女性，她们模仿法国沙龙女主人（salonnieres）的样子建立了自己的沙龙。❷大多数Bluestocking并不想照搬法国沙龙女主人；她们只是想适应一种已经被证实的方案来满足自己的目的——即通过道德和智力上的训练来提高女性的地位。❸社会潮流和社会背景的差异，或许可以解释法国沙龙和英国沙龙性质上的差异。❹法国沙龙体现贵族的态度，这种态度赞同宫廷般的享乐以及强调艺术上的成就。❺英国Bluestocking来自更普通的背景，强调学习与工作应该大于享乐。❻法国沙龙女主人习惯于过受严格管制的宫廷生活，她们在沙龙里往往遵守礼节。❼虽然英国女性在某种程度上对自己有严格的道德约束，但她们在做事的方式方法上表现得更加随意。

❶起初，Bluestocking确实模仿了法国沙龙女主人，将男性融入她们的圈子中。❷然而，随着她们的凝聚力越来越强，Bluestocking逐渐把自己看作一个女性团体，并拥有了一种女性团结的意识，而这是法国沙龙女主人所缺乏的，法国沙龙女主人中每个成员由于在自己的沙龙中的主人地位而和其他成员隔绝开来。❸在一种互相支持的氛围中，Bluestocking超越了沙龙本身。❹她们旅行、学习、工作，发表文章，用自己的行为挑战了对女性消极态度的陈旧思想。❺尽管法国沙龙女主人意识到性别的不平等，但她们所在世界的狭隘界限把她们的学术追求限制在传统的范围之内。❻实际上许多法国沙龙女主人在公开场合服从男性，而将其非传统的行为藏在女主人这一角色的背后。

❶虽然与法国沙龙女主人相比，Bluestocking是先驱者，但她们并非女权主义者。❷她们太传统了，过分受到所在时代的束缚，以至于不可能提出社会与政治权利方面的要求。❸但是，由于她们对教育的渴望，Bluestocking愿意超越沙龙的局限，去追求自己的兴趣并且支持女性团结，她们开辟了质疑女性的社会角色这一过程的先河。

3s 版本

❶改革家不支持女性接受高等教育。

❷公众不支持女性接受教育。

❸女性可以在沙龙中展现学识。

❹沙龙不仅仅具有社交功能。

❺沙龙也是非正规的大学。

第一段3s：女性可以在沙龙中接受教育。

❶英国的Bluestocking创建了自己的沙龙。

❷Bluestocking没有照搬法国沙龙salonnieres。

❸英国沙龙和法国沙龙的不同来自于社会潮流和背景的差异。

❹法国沙龙强调享乐。

换对象❺英国不强调享乐。

❹~❺封装：体现英国沙龙和法国沙龙不同。

❻法国沙龙很正规。

换对象❼英国沙龙更随意。

❻~❼封装：体现英国沙龙和法国沙龙不同。

小结：❹~❼封装，顺承❸。

第二段3s：英国和法国沙龙是不同的。

❶Bluestocking模仿salonnieres，沙龙中有男性。

However ❷英国沙龙形成了女性团体。

❸❹英国沙龙超越了沙龙的体验，挑战传统。

❺法国沙龙学术受到传统限制。

❻法国沙龙隐藏非传统行为，服从男性。

第三段3s：英国沙龙挑战了女性消极被动的传统。

❶❷Bluestocking并非女权主义者。

Nonetheless ❸Bluestocking是质疑女性社会角色的领路人。

第四段3s：Bluestocking是质疑女性社会角色的领路人。

全文3s版本：沙龙是女性接受教育的地方同时也挑战了传统的女性社会角色。

文章点拨

第一段通过公众对女性接受教育的不支持态度，引出女性可以在一个场所里接受教育，这个场所就是沙龙。

第二段中，对英国和法国的沙龙进行对比分析，描述两者之间的差异。这一段大量运用换对象的方式，通过对比不同对象的特征，展现英国和法国沙龙之间的差异。英国沙龙不追求享乐，法国沙龙追求享乐；英国沙龙比较随意，法国沙龙比较正式。这些差异来自于社会潮流和背景的差异。

第三段继续使用换对象的手法，对英国和法国沙龙进行对比。英国沙龙挑战传统，法国沙龙受到限制。

第四段中，作者对英国沙龙进行了评价，认为它是质疑女性社会角色的领路人，总体给出了正评价。

例题讲解

1. Which of the following best states the central idea of the passage?

下列哪个选项最好地表达了文章的核心观点？（主旨题）

答案：(E) For women, who did not have access to higher education as men did, literary salons provided an alternate route to learning and a challenge to some of society's basic assumptions about women. 对那些无法像男性一样有机会接触高等教育的女性而言，文学沙龙提供了另一种学习途径，而且提供了对于一些社会关于女性基本假设的挑战。

2. Which of the following titles best describes the content of the passage?

下列哪个选项最适合做文章的标题？（主旨题）

答案：(C) Eighteenth-Century Precursors of Feminism 十八世纪的女权主义先驱

Passage 009

_____可以大大降低污染

原文翻译

❶尽管最近几年见证了单个机动车有毒污染物排放量的显著下降，但是机动车的数量逐渐上升，因此美国超过100个城市依然有超过法定界限的一氧化碳、颗粒物质和臭氧（由机动车排放物的烃类的光化学反应所产生）的水平。❷越来越多的人意识到唯一有效的、能进一步降低机动车排放的方式——除了大规模放弃私家车——是用如压缩天然气、液化石油气、乙醇和甲醇这样的清洁能源去取代传统的化石燃料。

❶所有的这些替代能源都是碳基燃料，它们的分子相比于汽油来说更小、更简单。❷这些分子的燃烧比汽油更干净，部分是因为它们尽管有，但数量更少的碳碳键，并且它们排放的碳氢化合物更不

可能产生臭氧。❸有多个碳碳键的更大分子的燃烧包含有一系列更复杂的反应。❹这些反应增加了不完全燃烧的可能性，并且更有可能把未完全燃烧的以及光化学性质活跃的碳氢化合物释放到大气中。❺从另一方面讲，替代性能源确实有缺陷。❻压缩天然气要求机动车有一套沉重的燃料箱——这对性能和燃料效率来说是沉重的负担——并且液化石油气面临供应量的紧缺。

❶从另一方面讲，乙醇和甲醇相比于其他替代能源有重要的优势：它们单位体积有更高的能量并且只需要对于现有的发动机燃料分配系统做出最小的改变。❷乙醇普遍被用作汽油的替代品，但是目前的价格是甲醇的两倍，甲醇的低价格是它吸引人的特点之一。❸然而，甲醇最吸引人的特征是它可以降低90%的可以形成臭氧的机动车排放，而臭氧是最严重的城市空气污染物。

❶就像是任何替代能源一样，甲醇也有其批判者。❷然而很多的批判都是基于"汽油克隆"车的使用，即使是最简单的、使甲醇的使用成为可能的设计上的改进，都与这种车不兼容。❸举例来讲，特定体积的甲醇确实只能提供汽油和柴油能提供的一半能量；其他条件一致的情况下，燃料箱就不得不更大并且更重。❹然而，因为专门烧甲醇的车可以被设计的相比于"汽油克隆"车加甲醇更加高效，因此它们会需要相对更少的燃料。❺对引擎做出最简单的改进，使其可以使用甲醇的车辆，都能立即为降低城市空气污染做出贡献。

🔽 3s 版本

❶汽车单体污染排放减少，但是汽车数量增加。

❷美国污染物超标。

❸解决污染的方案是用清洁能源进行替换。

第一段3s：解决污染的方法是用清洁能源进行替换。

❶清洁能源的分子更小。

❷化学键少，燃烧更加清洁，而且不大产生臭氧。

换对象❸传统能源有更多化学键。

❹传统能源燃烧不彻底。

换对象❺清洁能源有缺点。

❻压缩天然气需要大容器，液化石油气供给受限。

第二段3s：两种清洁能源的局限性。

换对象❶乙醇和甲醇有更多优势。

❷乙醇贵。

However ❸甲醇的最大优势是减少臭氧的产生。

第三段3s：乙醇的局限性。

critics负态度❶对甲醇有批评。

Yet ❷这种批评不成立。

❸确实需要大容器。

However ❹但其实不需要大容器。

❸❹封装，顺承❷。

第四段3s：为甲醇改进发动机的汽车可以大大降低污染。

全文3s版本：为甲醇改进发动机的汽车可以大大降低污染。

文章点拨

1. 本文中的换对象

本文中用到大量换对象。首先第二、三段之间是段间的换对象。第二段讨论的是压缩天然气和液化石油气这两种清洁能源的局限性。第三段换对象，讨论的是另两种清洁能源——甲醇和乙醇——的优势。同时，第二段段内也有很多换对象，例如第二、三句之间，第二句讲清洁能源的优点，第三句换对象，讲传统能源的缺点。比较难理解的是第二段的第四、五句之间。第四句讲传统能源的缺点，第五句换对象，应该讲清洁能源的优点，但结果说的是清洁能源的缺点。这是因为，第五句中的do have drawbacks是一个让步语气，因此就算换了对象，但是还是在讲缺点。

2. 本文内容

本文第一段认为要使用可替代能源来降低空气污染，并提供了四种能源的选择：压缩天然气、液化石油气、乙醇和甲醇。在第二段的时候，论述了压缩天然气和液化石油气的缺点，因此这两种能源被排除掉了，接下来在第三段，因为乙醇价格贵，因此乙醇被排除掉而只剩下了甲醇，接下来的第四段则在论证甲醇的优势，最终得到的结论就是甲醇可以有效降低空气污染。

例题讲解

The author of the passage is primarily concerned with

本文主旨是

答案：　(D) discussing a problem and arguing in favor of one solution to it 讨论了一个问题并且论证过程倾向于一种解决方案

解析：　a problem指代环境污染，discussing a problem则主要指代第一段。one solution指的是使用甲醇，而选项中arguing一词则指代了二、三两段。因此本选项囊括了文章的所有段落，故为本文主旨。

Passage 010

创造性艺术＿＿＿＿＿新事物

视频讲解

原文翻译

❶高度创造性的活动具有革命性的特点，它会超越已经被接受的事物，产生还没有被接受但最终会被接受的事物。❷根据这个构想，高度创造性活动超越了现有的形式的限制，建立了新的组织原则。❸然而，在被应用到艺术的时候，创造性活动超越了既有限制的想法有误导性，尽管这对科学来说可能是正确的。❹高度创造性的艺术和高度创造性的科学之间的差异部分是由于二者目标的不同。❺对科学来说，提出一个新的理论是创造性行为的目标和结果。❻创新性科学提出将不同现象以更连贯的方式联系在一起的新命题。❼把璀璨的钻石和筑巢的小鸟这样的现象简化为数据，这些数据作为形成或者检验新理论的手段。❽高度创造性艺术的目标则不同：现象本身变成了创造性艺术的直接产物。❾Shakespeare的*Hamlet*并不是一本关于犹豫不决的王子的所作所为或者利用政治权力的宣传物；Picasso的画作*Guernica*基本上也不是用来谴责西班牙内战或法西斯罪恶的声明。❿高度创造性艺术活动产生的不是一个超越现有限制的崭新概括，而是一个审美的特例。⓫高度创造性的艺术家创造的审美特例通过一种创新的方式拓展或进一步开拓了现有形式的局限，而不是超越那种形式。

❶这并不是在否认一个高度创造性的艺术家有时会在艺术领域的历史上建立新的组织原则；我们会想到其音乐作品有高度的审美价值的作曲家Monte Verdi。❷然而更普遍的是，不管创作的曲子在音乐历史上是否建立了新的结构原则，它都和审美价值关系不大。❸由于一些音乐作品体现了新的结构原则，例如Florentine Camerata的歌剧，所以它们在历史上有重要价值，但很少有听众和音乐学家会把这样的作品归为伟大音乐作品。❹相反，尽管Mozart的*The Marriage of Figaro*的创新仅仅限于扩大现有的手法，但是这部作品却是一部杰作。❺人们说Beethoven颠覆了规则并且把音乐从令人窒息的传统限制中解放出来。❻但是在细细研究他的作品后，我们就会发现Beethoven没有颠覆基本的规则。❼进一步讲，他是一位用原创方式开拓这些限制的大师——这些限制是他从Haydn和Mozart，Handel和Bach等前人那里继承的。

3s 版本

❶❷创造性活动会创造新事物。

However ❸❹科学创新会创造新事物，创造性艺术不会创造新事物。

❺❻❼科学：创造新理论是目标。（产生新事物）

换对象❽❾创造性艺术：拓展或利用现有的局限。（不产生新事物）

小结：❺~❾封装，顺承❸❹。

❿⓫创造性艺术是产生审美特例。

小结：❺~⓫封装与❸❹顺承。

第一段3s：艺术不会创造新事物。

❶有的创造性艺术既会产生审美，又会产生新原则。

However ❷历史价值（新原则）与审美价值无关。（创造性艺术不会创造新事物）

小结：❶❷封装，顺承上一段。

❸ Florentine Camerata有历史价值但没有审美价值。

换对象❹ Mozart无历史价值但是有审美价值。

小结：❸❹封装与❷顺承。

换对象❺贝多芬有革命性。

But ❻❼贝多芬没有革命性。

小结：❺~❼封装，❸❹封装，❸~❼封装，顺承❷。

第二段3s：历史价值与审美价值无关。（创造性艺术不创造新事物）

全文3s版本：创造性艺术不创造新事物。

文章点拨

1. 本文的理解

本文第一段前两句认为创造性活动会创造新事物，接下来however取反，将这种情况一分为二：科学创新会创造新事物，而创新性艺术不会。尽管第一段后面都是在把科学和艺术进行对比，但是因为科学是处在让步的部分，所以本文重点讨论的还是艺术。第五、六、七句讲科学，第八、九句讲艺术，两部分可以进行广义封装，顺承第三句和第四句。接下来的第十、十一句则是将"创新性艺术"下了定义：创新性艺术会产生审美特例。在艺术中，审美即是创新。

第二段开头的This is not to deny是典型的让步句型，第二句出现however，因此两句话可以封装，顺承上一段。首句仅仅是个小例外，举了Monte Verdi的例子，既有审美（创新），又产生新的原则（创造新事物）。第二句摆出本段主旨：审美价值和历史价值无关，也就是说，创新性艺术不会产生新东西。之后又举了Camerata、Mozart和Beethoven的例子来进行论证。

2. 本文中的换对象

本文两段话出现了大量的换对象。第一段的第五、六、七句和第八、九句是一组换对象。前面讲科学的创新创造新事物，后面讲艺术的创新不会创造新事物。第二段的第三、四、五句之间也是换对象。第三句讲的是FC的作品有历史价值但是无审美价值。第四句讲Mozart的作品特征与FC的作品相反——有审美价值，但是没有历史价值。第五句Beethoven则与前面两个人都是反的，他的创新是有革命性的。

3.人名定位

本文出现了大量的陌生人名和作品名字，通常情况下，人名出现的越多对于我们阅读的障碍就会越大。但实际上，文章当中出现人名的唯一功能就是帮助我们在做题的时候进行定位。比如本篇文章的第二、三题，题干中都出现了文中出现过的人名，因此我们可以利用这些人名回到原文快速定位本题的出题点。

背景知识

杜尚的小便池与艺术的本质

1917年，法国艺术家杜尚将一个用过的男性小便池签上了自己的名字，送到了艺术馆中展览，还将其命名为"泉"。后来在2004年，这件艺术作品被称之为现代艺术中"影响力最大的作品"。为什么这一件看似恶作剧的作品反而被认为是伟大的呢？因为它揭露了艺术的本质：艺术并不是那种有创造力的东西，而是被安放在艺术殿堂里的东西，未必一定有创造性。也就是说，艺术本身不见得要产生新的东西，艺术就是那些被称之为"艺术"的东西。

读完这个故事再联想这篇文章，也就理解为什么本文非要拼命论证艺术不会产生新东西了。原来本文就是在介绍艺术的本质——不会产生新东西——而这一点又与大多数人的印象是相悖的，这种"反三观"的写作套路也增加了本文的难度。

例题讲解

The passage states that the operas of the Florentine Camerata are

本文认为Florentine Camerata的歌剧是

答案： (B) not generally considered to be of high aesthetic value even though they are important in the history of music

并不普遍被认为是具有高度审美价值，尽管在音乐的历史上很重要

解析： 本题符合人名定位的原则，原文只有第二段第三句有Florentine Camerata这个人名，因此答案就是同义改写该句话。

Passage 011

艺术起源于＿＿＿＿＿而非＿＿＿＿＿

原文翻译

❶艺术源于直觉而非理性的想法是Benedetto Croce在他稍显乏味的历史和哲学著作中提出的，他也被认为是新美学的创始人。❷事实上，Croce在展现一个非常古老的理念。❸早在浪漫主义艺术家们强调直觉和自我表现力之前，对灵感的狂热就被看作是艺术的基础，但是哲学家们一直认为灵感应该受制于规律以及理清事物顺序的理性力量。❹这个关于艺术的一般哲学概念被技术的必要性支持。❺要建设哥特大教堂（Gothic cathedrals）或者建造沙特尔大教堂（Chartres）的彩色玻璃窗户需要熟知某些规律并且能运用智慧。❻当令人兴奋的要素不能继续支配艺术家的视野时，人们必须采用新的技术要素来保持艺术中的理性元素。❼比如直线透视图和解剖学。

3s 版本

❶❷Croce艺术起源于直觉而非理性。

换对象❸❹❺❻❼哲学家认为艺术起源于理性。

全文3s版本：艺术起源于理性而非直觉。

文章点拨

本文第二、三句的句间关系的是：第二句3s版本是艺术起源于直觉，但是第三句突然就变成了艺术起源于理性。这种转折之所以发生，是因为第三句but之后是philosophers的观点，而第二句是Croce的观点，两句话观点持有者对象的变化，出现了换对象，因此观点取反。

同时还有读者会问第三句"Long before the Romantics stressed intuition and self-expression"是不是与上一句构成时间对比，后面应该讲一个不同的观点，但是后面却说"the frenzy of inspiration was regarded as fundamental to art"依然在讲直觉。这里的"Long before"其实是指代第二句的"a very old idea"，第二句已经告诉我们Croce阐述的就是一个很老的观点，第三句的"Long before"就是老，因此第二句与第三句but之前都在阐述"理性"这一观点。

例题讲解

1. The passage suggests that which of the following would most likely have occurred if linear perspective and anatomy had not come to influence artistic endeavor?

   文章提到下面哪一件事情最有可能发生，如果直线透视图和解剖学没有影响艺术事业？

答案： (B) Some other technical elements would have been adopted to discipline artistic inspiration. 一些其他的技术元素会被采用去支配艺术灵感。

解析： 定位到本文最后一句。本文最后一句话仅仅是为"理性"提供一个例子，当某些技术元素不能再支配艺术时，另外一些元素就会登场。因此本文第一题问当直线透视和解剖学不再支配艺术时会发生什么，答案就应该是还会有其他的元素成为主流。

2. The author mentions "linear perspective and anatomy" in the last sentence in order to do which of the following?

作者提到"现行透视法和解剖学"的目的是什么？

答案： (C) Support his point that rational order of some kind has often seemed to discipline artistic inspiration. 支持他的观点关于某种理性之需会控制艺术灵感。

解析： in order to题目正确答案就是定位到原文的3s版本，文章最后一句3s版本就是说艺术起源于理性，因此(C)选项正确。

Passage 012

Mycorrhizal是_____的

原文翻译

❶菌根真菌（Mycorrhizal fungi）比任何其他真菌影响更多的植物，并且对于许多植物的生长是必需的，但是两个原因导致它直到最近才被广泛地调查研究。❷一是植物和菌根真菌之间的共生关系（symbiotic association）十分平衡，寄主植物的根部即使被严重感染也不会表现出受损的迹象。❸二是这种真菌至今还必须在有活植物根部的前提下才能被培养起来。❹尽管存在这些困难，新的研究表明利用这种共生关系可以让我们更节约地使用昂贵的过磷酸盐化肥（superphosphate fertilizer）和更好地利用便宜但较难溶解的磷酸盐岩石。❺菌根真菌的益处并不只限于帮助寄主植物摄取磷酸盐。❻对豆科植物（legume）来说，接种菌根真菌可以提高它们的固氮能力，且这种方法要比单独施磷肥料的效果还好。❼某些共生关系也可以帮助寄主植物抵抗那些对其根部有害的真菌。❽植物抵抗力的增加是来自争夺地盘以抵抗有害真菌，还是来自产生抗菌素的新陈代谢变化，亦或是来自活力的增强，这到现在还不能确定。

3s 版本

❶ Mycorrhizal很有用但是难以研究。

❷❸难以研究的原因。

时间对比换对象❹ Mycorrhizal有利用价值。

❺ Mycorrhizal的好处不仅仅局限于磷肥的利用。

❻还能有助于固氮。

❼增加宿主植物的抵抗力。

❽增加抵抗力的可能的三个原因。

全文3s版本：Mycorrhizal是很有用的。

文章点拨

1. **本文第三、四句的转折方式**

第三、四句用到了一种很隐晦的转折方式——时间对比换对象。第一句的"until recently"等于老时间，相当于"在这之前"。接下来，第二、三句顺承第一句，说明Mycorrhizal难以研究的原因，这是老观点，而第四句有"new work"，说明是新观点。新观点认为即使研究有难度，但是Mycorrhizal很有用。Despite these difficulties的部分就是重复一、二、三句。文章完全可以不要前三句，直接从第四句开始。

从第四句往后介绍了Mycorrhizal的三个用处。分别对应五、六、七三句。第八句是对第七句这个好处的具体原因进行探索，但是不确定是哪个原因所致。

2. identify与identical

identify

① *v.*识别 If you can identify someone or something, you are able to recognize them or distinguish them from others.

【例】Lack of a method for identifying mycorrhizal fungi. 缺乏方法去识别菌根真菌。

② *v.* 理解；认同 If you identify with someone or something, you feel that you understand them or their feelings and ideas.

【例】Readers are asked to identify with the mind of Achilles, whose motivations render him a not particularly likable hero. 读者被要求去了解阿喀琉斯的内心，而阿喀琉斯的动机让他成为不讨人喜欢的英雄。

identical *adj.* 完全相同的 things that are identical are exactly the same.

【例】When they are closer together, they begin to display properties associated with large ensembles of identical particles. 当这些电子互相靠近的时候，它们开始展现出类似大量相同粒子聚在一起的整体效应的性质。

例题讲解

The level of information in the passage above is suited to the needs of all of the following people EXCEPT:

文中的信息级别可以满足下面除了哪项以外的所有人的需求？

答案： (E) a botanist conducting experiments to determine the relationship between degree of mycorrhizal infection and expected uptake of phosphate 一个设计实验来确定菌根真菌感染的水平与被期待的磷酸盐摄入量之间的关系的植物学家

解析： 从本文的性质来看，推测为一篇文献综述式的文章，只是概括性地给出了一些事实性的信息，而对于(E)选项中需要设计实验的植物学家来说，他需要的是具体的操作流程，因此本文的信息无法满足他的需求。

Passage 013

印第安文艺复兴克服了_____

原文翻译

❶当代美国印第安文学在过去二十年中的大量涌现常被称为"印第安文艺复兴"(Native American Renaissance)，这对很多人来说是第一个体验印第安诗歌的机会。❷对于传统口头印第安文学的欣赏一直都受到限制，其障碍是拙劣的翻译以及完整传达原始诗歌结构、基调、句法的困

难，这些困难就算在不可多得的、文化上敏锐的以及审美上令人满意的翻译中依然存在。

❶通过使用英语写作并且尝试欧洲文学形式，当代美国印第安作家拓宽了读者范围，同时清晰地保持了其祖先口头传统中的重要特征。❷例如，普利策奖获得者N. Scott Momaday的诗歌对待艺术和死亡的方式让人回想起英国浪漫主义诗歌，而他对于自然力量诗意一般的回应让人想起Cherokee口头文学。❸与之相似的是，他的小说源于欧洲艺术形式，同时还展现了19世纪伟大美洲印第安首领庄严演讲时的雄辩。

3s 版本

❶印第安文艺复兴让人们能够第一次体验印第安诗歌。

时间对比换对象❷过去对印第安文学的欣赏一直都受到限制。

第一段3s：印第安文艺复兴让人们第一次体验印第安诗歌。

❶当代印第安作家既拓宽了读者，又保持了传统。

❷ Momaday的诗歌的例子。

❸ Momaday的小说的例子。

第二段3s：当代印第安作家既拓宽了读者，又保持了传统。

全文3s版本：印第安文艺复兴克服了对传统印第安文学欣赏的限制。

文章点拨

第一段第一句讲的是现在印第安文艺复兴使得人们更好地体验印第安诗歌，第二句讲的是过去，传统印第安诗歌的欣赏有限制，两句话构成时间对比的换对象。

第二段第二句以Momaday的诗歌为例说明印第安作家通过英语写作和使用欧洲文学形式，拓展了读者范围，并且保留了传统（Cherokee是北印第安人的一个民族），第三句是小说的例子，同样既包含欧洲的文学形式，也包含印第安自己的传统。本来两句话构成换对象，应该取反，但是因为有in the same way，而导致两句话取同，功能都是支持第二段第一句话的观点。

例题讲解

According to the passage, Momaday's poetry shares which of the following with British romantic poetry?
根据本文，Momaday的诗歌和英国浪漫主义诗歌共享了下面哪一个特征？

答案： (C) Manner of treating certain themes 对待某些主题的方式

解析： 本题定位到第二段第二句。certain themes指代原文中"art"和"mortality"。

Passage 014

介绍_____的必要条件

原文翻译

❶古典物理把真空（vacuum）定义为空无一物的状态：认为真空存在于什么都没有的空间中。❷在描述基本粒子物理学的量子场理论中，真空变得更复杂了。❸即使是在虚无的空间中，粒子可能由于真空的波动而自发地出现。❹例如，一个电子和一个质子，或者是反电子，可以从虚无中产生。❺通过这种方式创造的粒子只存在于一瞬间；它们一出现就会湮灭，并且它们的存在不可能被直接探测到。❻为了和实粒子进行区分，它们被称为虚粒子（virtual particles），实粒子的寿命并不像虚粒子一样受限制，而且实粒子可以被检测到。❼因此，我们依然可以将真空定义为没有实粒子的空间。

❶人们可能会认为，真空是在一片给定区域空间内具有最低能量的状态。❷如果一片区域开始是空的，我们把一个实粒子放入其中，总能量的增量应该至少等于那个被加入粒子的能量。❸近期的一些理论研究的结果令人吃惊：上述假设不一定总是正确的。❹某些情况下，在空区域引入一个有限质量的实粒子会降低总能量。❺如果能量降低得足够多，就会自发产生一个电子和一个质子。❻在这些条件下，电子和质子不是由真空波动产生，它们是确实存在的且可被探测到的实粒子。❼换句话说，在这些条件下真空不稳定，它可以通过衰变进入能量更低的状态，即产生实粒子的状态。

❶真空衰变的必要条件是存在一个强电场。❷作为真空衰变的结果，充斥着强电场的空间可以说成带电荷的空间，而且这个空间被称作带电真空。❸空间中产生的粒子会显示出电荷的存在。❹只有在一个地方存在足够强的能够产生带电真空的电场：即在紧挨在超重原子核的附近，这种超重原子核的质子数是已知最重的天然原子核的两倍。❺如此大的核不可能稳定，但是有可能把这种原子核聚集到接近真空的地方，并且给我们足够长的时间来观察真空的衰变。❻为达到此目的的实验正在进行中。

3s 版本

❶古典物理学认为真空中什么都没有。

换对象❷量子理论认为真空比古典理论的设想更复杂。

❸❹❺❻真空通过波动会产生虚粒子。

❼量子理论认为真空应定义为没有实粒子的空间。

第一段3s：量子理论认为真空通过波动产生虚粒子，但和古典理论一样认为真空中不存在实粒子。

❶❷真空是能量最低的状态。

Not true/recent ❸理论调查表明，上述假设未必正确。

❹❺❻❼真空可以衰变进能量更低的状态，同时产生实粒子。

第二段3s：真空衰变产生实粒子，成为能量更低的状态。

❶❷❸真空衰变的必要条件是强电场。

❹在超重原子核附近可以产生强电场。

❺把超重原子核聚集到接近真空的地方可以观察到真空衰变。

❻这样的实验正在进展。

第三段3s：观察真空衰变的必要条件。

全文3s版本：介绍真空波动产生虚粒子和真空发生衰变产生实粒子的必要条件。

文章点拨

第一段的第一、二句间发生换对象。第一句是古典物理学理论，认为真空中空无一物。第二句是量子场理论，认为真空的定义应该更复杂。两句话换对象取反。

第二段第三句recent引导时间对比换对象，否定上一句话提出的假设。同时，负态度词not true也提示与上一句内容的取反。

文章的第一段讨论一个主题（真空波动产生虚粒子）。文章的第二、三两段讨论另外一个主题（真空衰变产生实粒子）。

文章最后一段所描述的观察真空衰变的过程是：

把超重原子核聚集到接近真空的地方→超重原子核产生强电场→真空发生衰变→真空中产生实粒子→真空能量变得更低

文章除最后一句话提出科学家开始着手实施能够导致真空衰变的强电场的实验（experiments），其他有关虚粒子，实粒子的产生，以及强电场导致真空衰变的描述，全部为理论上的研究（theoretical investigations）。所以前文所有内容都相当于实验的理论基础。

例题讲解

The author's assertions concerning the conditions that lead to the decay of the vacuum would be most weakened if which of the following occurred?

下列哪个选项的发生会削弱作者关于导致真空衰变的条件的观点？

答案： (C) Scientists assembled a superheavy atomic nucleus next to a vacuum, but found that they could not then detect any real particles in the vacuum's region of space. 科学家在一个真空附近聚集了超重原子核，但是发现他们之后在真空区域中不能探测到任何实粒子。

解析： 首先根据第二段，真空衰变会产生实粒子，因此产生了实粒子即说明真空发生了衰变，再根据第三段第五句，把超重原子核聚集到真空附近可以观察衰变。根据本选项，聚集起来以后依然无法观察到实粒子，即说明作者的观点被削弱了。

Passage 015

视频讲解

直到_____，最高法院才开始按照第十四修正案所要表达的平等权利原则去解读它

原文翻译

❶在1868年获得批准的美国宪法（Constitution）第十四修正案（Amendment）禁止州政府剥夺公民享受"平等的法律保护"。❷尽管立法者制定这一平等保护条款的确切意图仍然不明确，但所有解读者都认为：立法者的直接目标是为1868年的《民权法案》（Civil Rights Act）提供宪法保

障，这个法案保证所有在美国出生并服从美国司法管辖的人都享有公民权。❸这个在第十四修正案文本中被重新提及的宣言，其主要目的是反驳最高法院在*Dred Scott v. Sandford*案子中的判决，此判决认定在美国的黑人可以被剥夺公民权。❹民权法案被安德鲁·约翰逊总统否决，他认为第十三修正案虽废除了奴隶制，但并未赋予国会给予已获自由的奴隶（黑人）公民权和平等保护的权力。❺尽管国会迅速推翻了约翰逊总统的否决，但《民权法案》的支持者试图以通过第十四修正案的方式来确保其宪法基础。

❶第十四修正案笼统的措辞强烈表明，其制定者想要写入宪法的不是一张列举具体民权的详细清单，而只是一条平等公民权利的原则，这个原则禁止组织化的社会把任何个人当作劣等阶级的一员。❷但是在第十四修正案出现的最初八十年里，最高法院对于此修正案的解读违背了其公平性的思想。❸例如在1883年的《民权诉讼案》中，法院发明了"州政府行动"的限制，这个限制声称公共设施及其他商业机构的所有者做出的、对其设施实行种族隔离的"私人"决定，不在第十四修正案中法律所保证的平等保护范围之内。

❶二战后，一个更利于平等保护主张的法律氛围由于高等法院在*Brown v. Board of Education*一案中的裁决而达到顶峰，最高法院对此案做出裁定，即实施种族隔离的学校违反了第十四修正案的平等保护条款。❷最高法院在这一时期所信奉的两个法律原则拓宽了修正案的适用范围。❸第一，最高法院要求对采用"怀疑分类"的立法进行格外严格的审查，所谓"怀疑分类"指的是可能被认为是与种族有关的而对某一群体进行的歧视。❹这一法律原则把第十四修正案的适用范围扩大到了其他非种族的歧视，因为尽管某些法官拒绝认为种族之外的任何立法分类都是违反宪法的，但他们还是接受下列观点：至少某些非种族的歧视，尤其是性别歧视，可被列为"怀疑对象"，法庭应该给予更加严格的审查。❺第二，最高法院降低州政府行动对第十四修正案的限制，将新形式的个人行为也纳入到第十四修正案的适用范围。

3s 版本

❶第十四修正案保障公民平等权利。

❷制定该法案的直接目标是为《民权法案》提供宪法保障。

❸《民权法案》被用来反驳最高法院之前的一项判决。

veto ❹《民权法案》违宪。

overrode ❺利用第十四修正案来为《民权法案》提供宪法保障。

第一段3s：第十四修正案的直接目标是为《民权法案》提供宪法保障。

❶第十四修正案只要求一条——平等的公民权。

Yet ❷在前八十年里，最高法院违背了其公平性。

❸"州政府行动"的限制使某些行为不在第十四修正案的范围内。

第二段3s：在前八十年里，最高法院违背了第十四修正案的公平性。

时间对比❶二战后，法律氛围更适合保护平等权利。

❷两个原则拓展了第十四修正案的适用范围。

❸原则一：严格审查"怀疑分类"的立法。

❹这一原则将其他非种族的歧视囊括进第十四修正案。

❺原则二：降低了"州政府行动"对第十四修正案的限制。

小结：❸~❺封装，顺承❷。

第三段3s：二战后，两个原则使得第十四修正案的适用范围被扩大。

全文3s版本：直到二战以后，最高法院才开始按照第十四修正案所要表达的平等权利原则去解读它。

🔖 文章点拨

1. 第一段的功能

本文第一段描述第十四修正案被制定的背景。要理解这一段首先要了解以下内容：

① 修正案是和宪法是同一级别的，相当于给宪法打补丁。而《民权法案》是普通的法律级别。宪法高于该法律。

② 第一段中的act，declaration都是指代《民权法案》。

根据第一段，民权法案被制订出来的时候（1866年），当时还没有第十四修正案，只有第十三修正案，而第十三修正案中并没有包含保护黑人平等权利的条款，而《民权法案》保护黑人平等，因此约翰逊总统会否决掉《民权法案》，因为其违宪。而国会为了保护黑人平等权利，要让《民权法案》得到宪法保障，因此制定了第十四修正案。相当于将《民权法案》的条款写入了宪法。

2. 后两段的换对象

第二段主要讲前八十年，第十四修正案并没有发挥重要作用。直到第三段，时间发生变化，进入到二战之后，第十四修正案在两个法律原则之下，其适用范围被扩大了。这是时间对比的换对象。

3. 第一段内的句间关系

本段中出现了两个负态度词：民权法案被总统否决 veto；总统的否决又被overrode。

本段难点在于，因为overrode出现在although中，不应该是主要部分。这个犯的错误是"非黑即白"。尽管总统被推翻，但是国会不满足于此，他们需要的是宪法的保护。简单说就是，尽管有了小胜利，但是他们希望有更大的胜利。是程度差异取反，而不是尽管总统被推翻，但是他们不想推翻总统的"黑白颠倒"的取反。理解这一点，我们就能看出来即使overrode是在从句中出现的，也依然是对前面一句的否定词，是句间关系的转折。

🔖 例题讲解

The author implies that the Fourteenth Amendment might not have been enacted if
作者暗示第十四修正案不会被制订，如果

答案： (A) Congress' authority with regard to legislating civil rights had not been challenged 国会使民权合法化的权威并没有被挑战

解析： 本题实质上在问第十四修正案被制定的原因，因此定位于第一段。第一段中，第十四修正案被制订的直接原因是因为国会保护黑人平等权利的法案被约翰逊总统挑战，因此制订第十四修正案来为《民权法案》提供宪法支持。如果国会的《民权法案》没有被挑战，也就不会有第十四修正案了。

Unit 03

负态度

练习题目

若要前行，就必须离开你现在停留的地方。
G 友们，坚持到量变转为质变的那一刻。

——武文卓

河南农业大学，微臣线上课程学员

2016 年 11 月 GRE 考试

Verbal 163

Passage 016

爱因斯坦对经典量子力学的看法是＿＿＿＿＿的，量子力学是＿＿＿＿＿的

原文翻译

❶量子力学（quantum mechanics）是一项极为成功的理论：它提供了多种方法来精确计算出不同实验的结果，尤其是微粒子的实验。❷然而，量子力学仅能预测某一事件发生的可能性，而不能明确说明该事件是否会发生。❸虽然Einstein并不认为量子理论是错误的，但是正因为这种不确定性，他一生都对这一理论感到强烈的不满。❹进一步讲，他认为量子理论是不完整的：他解释道，在量子力学中粒子的运动之所以必须要用概率来描述，仅仅是因为决定粒子运动的某些参数尚未确定。❺如果这些假设的"隐性参数"能被确定，那么一种绝对明确的粒子运动轨道就被确定。❻十分重要的是，这个隐性参数量子理论导致了一些试验性的预测，这些预测不同于传统量子力学所做出的预测。❼Einstein去世之后，科学家做了一系列的实验以验证他的思想，由于这些实验中的大多数支持了传统量子力学，所以Einstein 的方法几乎肯定是错误的。

3s 版本

❶量子力学是非常成功的理论。

However ❷量子力学不能解释全部，只能给出概率。

❸爱因斯坦不满意量子力学，though不认为它错了。

❹爱因斯坦认为量子力学不够完整。

❺❻解释量子力学为什么不够好。

erroneous负态度❼爱因斯坦是错的，量子力学是对的。

全文3s版本：爱因斯坦对于经典量子力学的看法是错误的，量子力学是对的。

文章点拨

文章开始先提出量子力学是成功的这一观点。后又对这一观点进行反驳，并提出爱因斯坦认为量子力学是不完善的，需要确定决定粒子运动的某些参数，量子力学才能更完善。文章后又提出，爱因斯坦死后，他的观点被许多实验尝试验证，然而这些实验并没有证明爱因斯坦的观点，即需要决定粒子运动的某些参数。因此，爱因斯坦的观点不正确。最后一句话的erroneous是负态度词，发生态度的转变，对上一句进行取反。

例题讲解

The author regards the idea that traditional quantum mechanics is incomplete with

在作者看来，传统量子力学是不完善的这个观点是

答案： (E) skepticism 存在疑问的

解析： 文章阐述了爱因斯坦认为量子力学是不完善的，后又描述了验证爱因斯坦观点的实验，证明爱因斯坦的观点错误。

Passage

Bearden认为自己不仅仅是_____

原文翻译

❶说到Romare Bearden，人们会说"他是一位伟大的美国黑人艺术家。" ❷ Bearden的拼贴画主题肯定是关于黑人的。❸他的作品描绘了儿时记忆中北卡罗来纳州梅克伦堡的村民们，描绘了他住在哈勒姆时结识的爵士音乐家和房顶，描绘了匹兹堡的钢铁工人，还在古代黑人Benin王国的伪装下重塑了古典希腊神话——所有这一切都证实了这一点。❹和这种题材的选择协调一致的是这个艺术家（Romare Bearden）的社会敏感性，他至今仍活跃在曼哈顿的Cinque 画廊，这个画廊是在他的帮助下建立的，致力于展示少数派艺术家的作品。

❶那么，为什么不能把Romare Bearden称为美国黑人艺术家呢？❷因为说到底，这个归类太狭窄了。❸ "最终站得住脚的东西是结构，" Bearden说。❹ "我要做的是放大。❺如果我的作品中只呈现了一个刚刚回家的农妇，那这只对她和当地人有意义。❻但艺术要做的是放大成为有普遍意义的东西。"

3s 版本

❶人们认为Bearden是黑人艺术家。

❷❸ Bearden拼贴画主题证明他是黑人艺术家。

❹ Bearden的社会责任感也证明他是黑人艺术家。

第一段3s：人们认为Bearden是黑人艺术家。

not ❶为什么不把Bearden当成黑人艺术家呢？

❷❸❹❺❻ Bearden认为自己不仅仅是黑人艺术家。

第二段3s：Bearden认为自己不仅仅是黑人艺术家。

全文3s版本：Bearden认为自己不仅仅是黑人艺术家。

文章点拨

文章第一段在强调黑人作家身份的时候，给出了大量同意重复。除了black，第四句话的minority artists指代的是被资助的黑人艺术家。

文章段间关系的取反是因为否定词not。前一段在说Bearden是黑人艺术家，第二段转而讲他不仅仅是黑人艺术家。这种态度上的转变是由not负态度词导致的。

文章第二段Bearden在否认黑人艺术家的身份的时候，一直强调这样的定义是狭隘的，是不可取的。下文出现了too narrow的反义重复，包括amplify、universal。

文章中采用并列列举的处理方式。本文第一段第三句是典型的并列列举结构。在阅读中遇到这种结构，处理原则为"只记位置，不记内容"，即看到并列列举，首先知道它的功能（本例中并列列举的功能是详细说明青少年思想意识的获得所需要掌握的技巧），然后略读，若后面的题目出现"EXCEPT"类题目，或可以定位到本句的题，则再回文定位并列列举部分，通过同义改写来做题。

📖 **例题讲解**

According to the passage, all of the following are depicted in Bearden's collages EXCEPT:

根据本文，除了下列哪个选项，都在Bearden的拼贴画中被描绘？

答案： (D) traditional representations of the classical heroes of Greek mythology 对于希腊神话中古典英雄的传统体现

解析： 根据第一段第三句，Bearden是以古代黑人贝宁帝国为背景，重构（reconstruction）了希腊神话，因此不是传统体现。

Passage **018**

可以通过对_____进行研究来对_____进行研究

📖 **原文翻译**

❶ 20世纪50年代早期，众多研究前工业化时代欧洲（此处我们可将其界定为约自1300年至1800年这一时期的欧洲）的历史学家，开始首次大规模调查前工业化时代欧洲人口，而非那些构成政治与社会精英阶层的2%到3%的人口，即国王、将军、法官、贵族、主教以及地方官，在20世纪50年代之前，正是这些精英充斥着史学著作。❷然而，一个困难是，在这剩余的97%的人口中，几乎没有人记录他们的思想，或者他们很少被同时代人记录在编年史中。❸面对这个情况，许多史学家将其研究建立在那些唯一可能存在的记录上：出生、婚姻及死亡记录。❹这样一来，大部分对非精英阶层的早期研究实际上只是枯燥的统计学研究；将大多数人口简化为一组数字，与完全忽视这些数字一样没有任何启发性。❺史学家依然对这些人的所想所感一无所知。

❶摆脱这个困境的一种方法是让史学家把注意力转到法庭的档案记录上，因为在档案里最能听见非精英阶层作为证人、原告、被告的声音。❷这些文献史料充当了一个"进入穷人精神世界的切入口"。❸ Le Roy Ladurie等史学家从文献史料中挖掘出某些个案历史，阐明了不同社会群体的态度（这些态度包括，但不局限于对犯罪和法律的态度），并揭示出当局是如何执行审判的。❹只有那些拥有发达的警察体系，并实施罗马法的社会，其书面证词、法庭记载才能为史学家提供最多的信息。❺虽然在Anglo-Saxon国家几乎无法获得这些信息，但通过对法庭记录的研究，我们仍能搜集到有用信息。

❶然而，对个案历史的挖掘并不是法庭记录的唯一用途。❷研究前工业化时代欧洲的史学家还利用这些法庭记录来明确一系列犯罪的种类，并统计出在特定数量的年份中诉讼的数量。

❶虽然法庭记录的这种用途确实能提供一定的有关非精英阶层的信息，但这种信息几乎无法使我们深入了解非精英阶层的精神生活。❷我们还知道，前工业化时代欧洲诉讼的数量与实际犯罪行为的数量几乎没有联系，并且我们深深地怀疑，二者间的关系会随着时间的推移而发生很大变化。❸此外，总体性人口估计极不可靠，这就使史学家难以将前工业时代某十年间的千人犯罪率与另一个十年的千人犯罪率做比较。❹考虑到这些缺点，法庭记录的个案历史受到人们的青睐的原因便显而易见了。

3s 版本

❶历史学家第一次开始研究前工业化时代的非精英人群。

However ❷缺乏记录导致研究困难。

❸很多历史学家只能用数字记录进行研究。

❹❺这些早期研究没有启发意义。

第一段3s：用数字的记录来研究前工业化时代的非精英人群没有启发意义。

out of the dilemma 负态度词❶❷可以使用法庭的记录来研究大众。

❸给出Le Roy Ladurie进行该类研究的例子。

❹❺无论是罗马法国家还是Anglo-Saxon国家，都可以从法庭档案研究中获得信息。

第二段3s：通过法庭档案的个案研究可以有效地对非精英阶层进行研究。

However ❶法庭记录有别的用途。

❷法庭记录可以用于确定犯罪种类和量化诉讼。

第三段3s：法庭记录有别的用途。

little insight 态度转变❶量化诉讼对于研究非精英阶层用途不大。

❷❸导致量化诉讼用途不大的因素。

❹法庭记录中的个案研究对非精英阶层研究更加有益。

第四段3s：虽然法庭记录可以量化诉讼，但是个案研究更适合研究非精英阶层。

全文3s版本：可以通过对法庭记录的个案进行研究来对非精英阶层进行研究。

文章点拨

　　文章的第一段第一句中提出了历史学家开始研究前工业化时代的非精英人群这一趋势。但是，第二句中给出了这种研究的困难，主要体现在缺乏记录。后面几句具体描述了早期的历史学家单纯用数字进行研究，而这种研究意义不大。

　　文章的第二段上来就提到了要解决这一困境（out of the dilemma），这是一种负态度的表达，所以第二段和第一段的段间关系取反。所以第二段之后的内容对第一段遇到的困难给出了解决方案——使用法庭记录。而通过法庭档案的个案研究可以有效地对非精英阶层进行研究。

　　第三段出现了however，和第二段之间取反，但是这种取反并不是说法庭档案没有用，而是说它有另外的两个用途：明确犯罪种类和量化诉讼，是不同功能的取反。

　　第四段与上一段发生态度的直接转变，作者针对法庭记录量化诉讼给出了负评价。认为这种研究其实作用不大，个案研究更适合研究非精英阶层。第一句的give little insight，第二句的bear little relation，第三句的shaky都是负态度词。

　　所以本文最终的结论是通过对法庭记录的个案进行研究来对非精英阶层进行研究。

例题讲解

1. The passage would be most likely to appear as part of

　　这篇文章最有可能作为什么的一部分出现？

答案： (B) an essay describing trends in the practice of writing history 一篇描述历史记录实践的趋势的散文

2. The author mentions Le Roy Ladurie in order to

文章的作者提到Le Roy Ladurie是为了

答案： (A) give an example of a historian who has made one kind of use of court records 给出一位使用了一种法庭记录的历史学家的例子

Passage 019

shergottites起源于＿＿＿＿＿＿＿＿

原文翻译

❶在地球上发现并且科学界已知的千余种陨石样本中，只有大约100种是火成的（igneous）；也就是说，在行星形成之后的某个时期，这些陨石经历了火山活动所导致的熔化。❷这些火成陨石被认为是无球粒陨石（achondrites），因为它们缺少球粒（chondrules）——球粒是在上千种球粒陨石中发现的小球形石头，而小球形石头主要是由未发生变化的矿物组成的，这些矿物由太阳系起源时的灰尘和气体凝结而形成。❸无球粒陨石是唯一已知发源于地月系统以外的火山岩石样本。❹人们认为大多数无球粒陨石是被小行星星际间的撞击所溅射到地球的，小行星的直径从10~500千米不等，分布在火星和木星之间的太阳系轨道。

❶shergottites是迄今为止在地球上发现的三种异常的无球粒陨石的名字，它们对科学家来说是一个真正的谜团。❷在不到11亿年以前，shergottites由熔化的岩石结晶而成（它们比一般无球粒陨石要晚大约35亿年），我们推测它们是被一个化学成分类似于地球的天体撞击后溅射到太空中的。

❶虽然大多数陨石看起来是从相对较小的天体中演化而来的，但shergottites所展现出的性质表明它们来自一个大的星球——据推测是火星。❷为了解释这个不可能的起源，我们必须借助于一些非常规因素，因为加速一个岩石碎片使之逃离即使像月球那样小的重力场的撞力都如此大，以至于还未发现起源于月球的陨石。

❶虽然一些科学家认为shergottites来自Io（木星的一个活火山卫星），但近期的测量显示Io表面富含硫和钠，而这种火山爆发产物的化学成分很可能和shergottites的化学成分不同。❷此外，由于星际撞击而从Io上溅射出来的碎片都不太可能逃脱木星的引力场。

❶shergottites唯一合理的来源就只有火星了。❷太空探测器的照片显示，在火星表面存在着巨大火山。❸从火星熔岩流中出现的少数火山爆发口可以推测出，火星上的火山在5亿年以前是活跃的并且现在可能仍然活跃着。❹对于shergottites起源于火星持强烈反对意见的人认为地球上没有发现来自月球的陨石。❺能把火星表面碎片弹射到与地球相交轨道的撞击是更不可能的，相比同一事件发生在月亮上，鉴于月亮更小的体积并且更加靠近地球。❻然而最近的研究表明，火星表面下冻土的冰层可能已经改变了冲击力的影响。❼如果冰被撞击物体快速汽化，那么膨胀的蒸汽可能帮助弹射的碎片达到火星的逃逸速度。❽最后，宇宙探测器的分析表明，火星土壤和shergottites的化学成分有明显的相似性。

🔖 3s 版本

❶火成流星经历过火山融化。

❷火成流星是无球粒陨石。

❸无球粒陨石起源于地月系统之外。

❹无球粒陨石通过天体撞击到达地球。

第一段 3s：无球粒陨石的特点。

❶shergottites是无球粒陨石。

❷shergottites 形成于 11 亿年前。

第二段 3s：shergottites 的概念。

❶shergottites可能起源于火星。

unlikely ❷很难证明shergottites起源于火星。

第三段 3s：很难证明 shergottites 起源于火星。

❶shergottites成分和Io不同。

❷shergottites无法逃离重力场。

第四段 3s：shergottites 不起源于 Io。

❶shergottites起源于火星。

❷❸火星满足火山的条件。

objection ❹❺火星不是起源。

However ❻❼❽火星是起源。

第五段 3s：shergottites 起源于火星。

全文 3s 版本：shergottites 起源于火星。

🔖 文章点拨

1. 本文的负态度词

本文第三段第二句出现一个负态度词：unlikely。第一句讲S起源于火星，第二句说这一点很难以被证明，这种转折是由unlikely导致的。

另一处负态度词出现在第五段的第四句。前三句都在讲S起源于火星，接下来objection负态度词，引起转折，后面的四五两句再证明火星不是起源地。

2. 本文结构

本文总体而言，句内句间关系很清楚，尤其是后三段。但是前两段因为是大量背景铺垫的顺子结构，因此阅读时会因为信息量太大而有所不适。

本文前两段介绍火成岩流星和shergottites（无球粒陨石），相当于整篇文章的背景知识介绍，用来说明shergottites的起源地应该具有的特征：

（1）有火山

（2）位于地月系统之外（火星与木星之间）

（3）shergottites形成于不到11亿年之前

（4）能够在小行星的撞击下把shergottites弹射出去

（5）化学成分与shergottites相似

接下来文章开始论证shergottites究竟起源于哪里。第三段认为起源于火星，但是火星没法把shergottites弹射出来，因此认为火星不是起源地。第四段认为是Io，因为Io有火山，同时位置在火星—木星之间，但是化学元素与shergottites不一致，而且不能被溅射，因此Io被推翻。最后一段又认为起源于火星，前三句通过火星有火山来说明火星是起源地，但是第四、五两句依然说明火星无法溅射出shergottites而推翻火星的假设。之后文章认为火星表面的永久性冻土可以起到加速的作用，因此能溅射出来。最终，火星满足了所有的条件，被证明就是shergottites的起源地。

3. 文章第三段第二句以及第五段第五句的理解

这两句从句间关系上讲，都是在说明火星不是起源地，但要仔细弄懂，需要天文学的简单背景。这两句话简单来说，是借助月亮为跳板，通过说明月亮不可能溅射出像shergottites一样的陨石来说明火星就更不可能。

第三段第二句：月亮本身因为比火星小，于是自身引力场比火星也小，但是月亮都溅射不出陨石，火星就更不行了。

第五段第五句：月亮更靠近地球，证明地球对于月亮身上溅射出来的陨石应该有更大的吸引力，月亮更小，证明本身对溅射陨石的阻力更低（月球占据近水楼台的优势位置），但是如此得天独厚的条件都溅射不出陨石，更别提火星了，因此证明火星不是来源。

4. 第二段第二句中some的理解

本句中，some是"大约"的意思。

例如：some 30 miles=about 30 miles=around 30 miles= 30 miles or so

请看下面一个来自真题的例句：

The first mention of slavery in the statutes of the English colonies of North America does not occur until after 1660—some forty years after the importation of the first Black people. 直到1660年——在第一批黑人到来后的大约40年，奴隶问题才第一次在北美洲英国殖民地的立法中被提及。

例题讲解

According to the passage, the presence of chondrules in a meteorite indicates that the meteorite
根据本文，在陨石中出现球粒表明这个陨石

答案： (C) has not been melted since the solar system formed 在太阳系形成之后没有被融化
解析： 本题定位到第一段第二句，说球粒是"unaltered"，即没有经过融化。

Passage 020

介绍月亮形成的_____种假设

视频讲解

原文翻译

❶理论家对月球的起源持有不同意见。❷有人认为，月亮的形成和太阳系内部行星（水星、金星、火星和地球）的形成方式是一样的，它们都是起源于前太阳系星云中构成行星的物质。❸但是与行星内核不同，月球内核含有极少量的铁元素，或者说不含铁元素，但是构成行星的典型物质却富含铁。❹另外一些理论家提出：月球是地球大量铁元素沉入核心后与其他巨大天体碰撞而撕裂出来的地

球地幔岩石。❺碰撞说存在的一个问题是：用这种方式形成的卫星是如何形成月球目前所呈现的那种接近圆形的轨道的呢？❻幸运的是，碰撞假说是可以验证的。❼如果碰撞假说正确，那么月球与地球地幔岩石的地质化学成分应该是相同的。

3s 版本

❶关于月亮起源有分歧。

❷假设一：月亮的形成方式和太阳系内部行星形成方式类似。

But ❸假设一不对。

❹假设二：月亮是天体碰撞形成的。

Problem ❺假设二不对。

Fortunately ❻假设二可以被验证。

❼验证方法。

小结：❷、❼封装，顺承❶。

全文3s版本：介绍月亮形成的两种假设。

文章点拨

本文第一句有divided一词，说明后文关于月亮的形成至少会有两种理论，于是要把后面的两种理论进行封装。类似的常见的词还包括controversy、contradiction等。

本文第五句的problem是负态度词，引导与前一句的取反。本文第六句的fortunately也是负态度词，引起两句话之间的态度转变，unfortunately也会起到类似作用。

本文第五句对理论二提出质疑，第六句说理论二是testable，要注意这里"testable"一词并没有说假设二是对的，也没说错，因此这里是一个程度差异。

例题讲解

Which of the following, if true, would be most likely to make it difficult to verify the collision hypothesis in the manner suggested by the author?

下面哪一项，如果正确的话，最有可能使得根据作者的方式验证碰撞假设变得困难？

答案： (B) The mantlerock of the Earth has changed in composition since the formation of the Moon, while the mantlerock of the Moon has remained chemically inert. 地球的地幔岩石的组成成分在月亮形成之后发生了变化，而月亮的地幔岩石在化学性质上保持不变。

解析： 根据文章最后一句话，只要月亮地球两者在地幔岩石的化学成分上类似，便可以说明月亮就是从地球上碰撞出去的。但是如果(B)选项对，则说明在月亮从地球身上撞出去之后，地球的成分"悄悄地"变了，而月亮没有变，则这时候就算月亮就是从地球上撞出去的，按照原文，也不能说明月亮是从地球身上撞出去的了。

Passage 021

（应/不应该）在微重力晶体培养领域做深入研究

原文翻译

❶1983年在太空实验室进行的实验是人们第一次在低重力太空环境下培养蛋白质晶体的实验。❷这个实验仍然被引用为微重力下培养晶体能够增加晶体大小的证据：实验者报告说他们在微重力下培养的溶解酵素（lysozyme）蛋白晶体比在地球上用相同装置培养的大了1000倍。❸不幸的是，实验者们并没有指出他们的晶体并不比地球实验室中利用其他更标准的技术培养的晶体要更大。

❶目前没有研究可以证明太空中大规模生产晶体的巨大开销是合理的。❷为了得到关于微重力对晶体的培养更有效的公正看法，太空中培养的晶体一定要和在地球上利用标准技术培养的最佳晶体相比较。❸考虑到实施具有恰当对照组的实验所带来的巨大开销，以及迄今为止已做实验的有限前景，在这个领域中是否做更深入的实验仍然是个问题。

3s 版本

❶微重力环境下培养晶体是可行的。
❷微重力环境下培养的晶体比地球上同样设备培养的晶体大。
unfortunately ❸微重力晶体不如地球上更标准设备培养的晶体大。
第一段3s：微重力环境下培养的晶体大小不比在地球上培养的大。

❶微重力培养晶体的巨大开销不合理。
❷太空培养的晶体要和地球上培养的最佳晶体作比较。
questionable ❸微重力培养晶体不应该再继续研究下去。
小结：❷❸封装，顺承❶。
第二段3s：不应在微重力晶体培养领域做深入研究。

全文3s版本：不应在微重力晶体培养领域做深入研究。

文章点拨

1. 本文的负态度词

本文的第一处负态度词出现在第一段第三句的unfortunately。第二句话讲微重力环境下培养的晶体比在地球上用同样的设备培养的晶体大，即想要表明微重力培养晶体是可行的。接下来unfortunately负态度，引起态度上的取反，说明在微重力环境下培养的晶体大小不超过地球上更好的设备培养的晶体，也就是说微重力培养晶体是多此一举，在地球完全可以办到，否定了微重力培养晶体这一行为。

第二处负态度词出现在第二段第三句questionable，引起态度上的转折，与上一句取反，用来说明微重力培养晶体不可行。

2. 本文内容

本文第二段第一句通过说明微重力培养晶体不划算，来说明不应该研究微重力晶体培养；第二句则说明太空实验不好做，来说明不应研究微重力晶体培养。所以这篇文章中的微重力晶体培养充当了对照组的作用，这也是第三句中control一词的含义。

例题讲解

It can be inferred from the passage that the author would find the Space Lab experiment more impressive if which of the following were true?

从文章可以推测，如果下面哪一个选项是正确的话，作者会认为太空实验室的实验更有吸引力？

答案： (C) The size of the crystals produced in the experiment exceeded the size of crystals grown in Earth laboratories using standard techniques. 在实验中生产的晶体尺寸超过了在地球上使用标准的技术生产的晶体尺寸。

解析： 本题本质上就是找到太空实验的缺点，然后取反即可。太空实验的缺点定位到第一段第三句：不幸的是，微重力环境下生长的晶体尺寸不如地球上更标准设备生产的晶体尺寸。因此取反以后，(C)是正确的。

Passage

奇点源自于_____并难以被观测

原文翻译

❶在我们的星系中，有多达10亿多个恒星已经燃尽其内部的能源，并且再也不能发出对抗其内部重力所需的热能。❷这些质量比几个太阳还大的星球的演化速度，一般比太阳这样的星球要快得多。❸而且，恰恰是这些质量更大的星球的坍塌不会在中间阶段暂停（例如白矮星或中子星那样）。❹相反，坍塌过程一直持续到奇点（密度无限大的物质）的形成。

❶如果能在奇点附近观察并且能得到关于奇点的直接证据那是再好不过的了。❷不幸的是，绝大多数情况下，一个远距离观察者看不到这个奇点，因为奇点发射出来的光线会被重力强烈地吸引，以至于即使光线能射出奇点几公里，最后它也会以回到奇点而告终。

3s 版本

❶没有能量的恒星不能抵抗恒星自身的重力。

❷这些恒星演化更快。

❸❹这些恒星会持续坍塌，一直到奇点形成。

第一段3s：奇点是因为恒星坍塌所形成的。

❶如果能观察到奇点就太棒了。

Unfortunately ❷奇点难以被观测。

第二段3s：奇点难以被观测。

全文3s版本：奇点源自于恒星的坍塌并难以被观测。

文章点拨

Unfortunately表示句间取反。本文第二段第一句讲人们渴望观察到奇点，第二句讲奇点实际上难以被观察，两句话构成转折。而这个转折则是由unfortunately负态度词所造成的。

通过句间关系，各位同学现在看这篇文章应该会觉得异常简单。但是，这篇是笔者在备考GRE、TOEFL考试中接触的第一篇有关超新星的文章。因为在当时鲜有人强调句间、句内关系，如果只是对文章逐字阅读，会被其中大量的天文名称占据大脑内存。当时我曾经在百科全书中去查找singularity的含义，其实这对做对题目没有意义。希望我们在本书中带同学们做的3s版本训练、句间关系训练可以让同学不要走笔者过去走过的弯路。

背景知识

恒星的演化

一颗恒星，按照其质量的不同，演化过程也不同，其最终的衰亡形式也是不一样的。

低质量恒星会首先变为红巨星，再塌缩为行星状星云。这些星云中有一部分会进一步塌缩，变为白矮星，直至黑矮星。而高质量恒星，在衰亡时会以超新星爆发的形式死亡，再之后变为中子星或者黑洞。

与黑洞有关的知识点，GRE常考的还有引力波。早在爱因斯坦的时代，科学家就预言了引力波的存在，但是因为引力波极其微弱，所以想要直接观察到引力波异常困难。为了让引力波大到足以观察，那么我们就需要关注宇宙中最为剧烈的事件：比如超新星的爆炸，黑洞的形成，或者星体的碰撞。而确实，人类第一次直接观察到的引力波，来自于两个黑洞的融合形成新的更大的黑洞。这一点在我们GRE填空题目中也有相关阐述，具体请参见下面的填空题目。

Gravitational waves—ripples in the geometry of space-time—are analogous to electromagnetic waves. The challenge in trying to observe these waves directly is that they are extremely weak. To make waves large enough to be **detectable**, the most **violent** events in the universe are required: supernova explosions, the formation of black holes, or the collision of stars. Even so, the effects are **minuscule**. The geometry changes so little that a distance of several kilometers changes by less than the diameter of a proton.

例题讲解

Which of the following sentences would most probably follow the last sentence of the passage?
下面哪一句话最有可能跟在整篇文章的后面？

答案： (B) Accordingly, physicists to date have been unable to observe directly any singularity. 因此，物理学家至今都不能直接观察到任何奇点。

解析： 本题是句间关系的极佳体现。既然本句话开头没有出现but、yet、however、nevertheless，那么就应该和前面一句话是顺承关系。之前一句3s版本为"奇点难以被观测"，那么就要选一句话依然在讲奇点难以被观测，因此本选项正确。

Passage 023

病毒的_____和_____鼻病毒的方法

原文翻译

❶病毒是由包裹在蛋白质外壳（衣壳）中的核酸组成的传染性粒子，人类很难不被其感染。❷病毒不能在活细胞外繁殖，只能通过破坏寄主细胞的遗传机制来繁殖。❸在某种病毒的生命周期中，病

毒首先结合到寄主细胞表面，然后渗透进细胞，脱去其衣壳。❹裸露的病毒核酸在寄主细胞中生产新的病毒。❺最后，细胞释放出病毒的后代，新一轮病毒传染周期又开始了。❻人体对病毒传染的反应是产生抗体，这是一种复杂的、高度特异性的蛋白质，它有选择地结合到病毒这样的外来分子上。❼抗体可以干扰病毒结合到细胞中的能力，或能阻止病毒释放核酸。

❶不幸的是，抗病毒防御机制很难防住由鼻病毒（rhinoviruses）引起的感冒。❷人类很难抵御感冒是因为鼻病毒多种多样，它至少有100种。❸鼻病毒的品种大多因为衣壳中蛋白质分子结构的不同而不同。❹因为抗病的抗体会结合到衣壳上，所以产生的抵御作用只对某一种鼻病毒品种有用，而对其他品种无效。❺必须要针对每一种病毒产生不同的抗体。

❶一种利用鼻病毒潜在的相似性来抵抗鼻病毒的方法或许能取得成功。❷例如，大多数鼻病毒袭击人体细胞时，会结合到寄生细胞表面的同类分子（decta-受体）上。❸ Colonno利用这些共同的受体设计出一种阻止鼻病毒依附到相应受体上的方法。❹ Colonno不是漫无目的地寻找一种会结合到所有鼻病毒的抗体，他意识到一种能结合到人类细胞共同受体的抗体能阻止鼻病毒引发其他感染活动。❺由于人体的细胞通常不产生针对自身细胞组分的抗体，Colonno把人体细胞注入老鼠体内，老鼠的确产生一种共同受体的抗体。❻在分离出来的人体细胞中，这种抗体被证明能非常有效地抵抗鼻病毒。❼而且，把这种抗体注入黑猩猩体内能抑制鼻病毒的生长；注入人体能减轻感冒症状的严重程度和持久度。

❶另一种可能抵御鼻病毒的方法由描述了鼻病毒的详细的分子结构的Rossman提出。❷Rossman 表明所有鼻病毒品种都相同的蛋白质序列，这个序列处于在每一个衣壳表面的深"谷"底部。❸峡谷狭窄的出口能阻止较大的抗体分子结合到这共同序列中，但是较小的分子还是可能结合到序列中。❹在这些较小的非抗体分子中，有些可能结合到共同序列中，把核酸锁定在衣壳中，从而阻止了病毒的繁殖。

3s 版本

❶人类很容易被病毒感染。

❷病毒通过破坏寄主细胞的遗传机制来繁殖。

❸❹❺病毒在寄主细胞中产生新的病毒，开始新一轮病毒传染。

❻❼人体通过产生抗体来对抗病毒。

第一段3s：病毒的机理以及人体通过产生抗体来对抗病毒。

Unfortunately ❶人类很难抵抗鼻病毒引起的普通感冒。

❷❸❹❺因为鼻病毒太多样。

第二段3s：人类很难抵抗鼻病毒引起的普通感冒的原因是鼻病毒太多样。

❶用鼻病毒潜在相似性抵抗鼻病毒。

❷大多数鼻病毒寄生在人体细胞表面的同类分子上。

❸❹ Colonno设计出阻止鼻病毒依附到相应受体上的方法。

❺❻❼实验发现，这种抗体能有效地抵抗鼻病毒。

第三段3s：用鼻病毒潜在相似性抵抗鼻病毒。

❶利用鼻病毒分子结构的特征抵御鼻病毒。

❷相同的蛋白质序列在每一个衣壳表面的深处。

❸❹较小的分子可以结合到共同序列中，阻止病毒繁殖。

第四段3s：利用鼻病毒分子结构的特征抵御鼻病毒。

全文3s版本：病毒的运作原理和抵御鼻病毒的方法。

文章点拨

文章第一段分别解释了病毒和抗体的工作原理。先解释病毒传染细胞的过程，又解释一般抗体是如何在这个过程中阻止病毒的。

第二段提出了病毒中的一种——鼻病毒，讲解鼻病毒由于有很多种，所以一般的抗体很难抵御鼻病毒。第二段首句的unfortunately是负态度词，与上一段取反。上一段讲抗体阻止病毒，这一段转折之后讲抗体无法阻止鼻病毒。

第三段指出了第一种对抗鼻病毒的方法，即利用鼻病毒的相似性，阻止鼻病毒依附到相应的受体上。

第四段提出了另一种对抗方法，即根据鼻病毒的分子结构，将较小的抗原结合到病毒的蛋白质共同序列中，阻止病毒繁殖。

例题讲解

The primary purpose of the passage is to

本文主旨是

答案： (A) discuss viral mechanisms and possible ways of circumventing certain kinds of those mechanisms 讨论病毒机理，以及克服某些机理的可能性方法

解析： 讨论病毒机理是第一段（病毒的普遍机理）以及第二段（鼻病毒的机理）；possible ways指代后两段（利用相似性和利用结构特征）。

Passage 024

可以利用_____来估计气候变化

原文翻译

❶之前古生物学家为了估计更新世（Pleistocene）冰川周期时气候变化，使用的主要方法是确定含钙化石中$^{18}O/^{16}O$的比例。❷然而，由于这个比例受许多因素影响，更新世冰河时期与间冰期气温差异的绝对值无法被明确地确定。❸例如，气温波动和海水中同位素变化都会影响$^{18}O/^{16}O$的比例。❹并且由于这两个因素以相同的方向影响这个比例，每个因素对于$^{18}O/^{16}O$比例变化的影响程度不能被确定下来。

❶幸运的是，近来的研究表明，氨基酸的外消旋作用（racemization）可被用来更准确地确定更新世冰河周期的气温。❷通常只有L型氨基酸被发现存在于活生物体的蛋白质中，但经过很长时间的地质年代，这些氨基酸经历了外消旋作用，产生了并不存在于蛋白质之中的D型氨基酸。❸这个反应依赖于反应时间和反应温度；因此，如果我们知道其中一个变量，那么利用这个反应就能计算出另一个变量。

3s 版本

❶通常会用$^{18}O/^{16}O$的比例的方法来估计气候变化。

However ❷❸❹这种方法存在问题。

第一段3s：$^{18}O/^{16}O$的比例的方法来估计气候变化是存在问题的。

Fortunately ❶可以利用氨基酸的外消旋作用来估计气候变化。

❷❸氨基酸的外消旋作用估计气候变化的原理。

第二段3s：可以利用氨基酸的外消旋作用来估计气候变化。

全文3s版本：可以利用氨基酸的外消旋作用来估计气候变化。

文章点拨

本文结构和内容非常简单，其中第二段首句的fortunately（负态度词）引导态度上的转变，导致两段发生段间取反。第一段说这个方法有问题，第二段讲幸运的是（fortunately）找到了新的方法，两段之间内容上发生了取反。

通常来说，fortunately转折之前往往在说坏事，转折之后变成好事；unfortunately与之相反。

例题讲解

According to the passage, before the recent experiments described in the passage were completed, scientists could

根据本文，在文中所说最近的研究被完成之前，科学家可以

答案：(C) measure changes in temperatures that occurred during Pleistocene glacial cycles with only questionable accuracy 用不确定的精确性来测量发生在更新世冰川周期的气温变化

Passage 025

视频讲解

评价*Black Fiction*，作者的态度以（正/负）评价为主

原文翻译

❶ Roger Rosenblatt的著作*Black Fiction*尝试用文学标准而非社会政治的标准来研究黑人小说这个课题，成功地改变了此前大多数研究所采取的方法。❷就像Rosenblatt提到的那样，有关黑人文学作品的评论常常被用来作为解释黑人历史的托词。❸例如Addison Gayle最近的著作用过度政治化的标准评判了黑人小说的价值，按照每一部作品中所表达的黑人身份来评价每一部作品。

❶尽管小说确实是在政治环境中产生的，但是作者对政治环境的反应不仅仅与政治主张（ideological）无关，同时主要以政治主张为工具来讨论小说和故事会在很大程度上限制小说事业的发展。❷ Rosenblatt的文学分析揭示了只从政治角度研究就会被忽视的黑人小说作品间的相似与联系。

❶然而，要想写出让人满意的有关黑人小说的评论，首先要保证对很多问题能给出让人满意的答案。❷首先，除了作者的种族身份外，有没有足够的理由去把黑人作家的作品归为一类？❸第二，如

何把黑人小说同其他同时代的现代小说区分开来？❹ Rosenblatt指出，黑人小说形成了一套写作体系，这个体系有独特的、连贯的文学传统。❺翻看近八十年黑人小说，他发现了重复出现的、不随时间改变而改变的关注点和行文结构。❻这些结构都是主题性的，它们无疑源于一个重要的事实，即这些小说中的黑人角色处在一个由白人主导的文化中，无论他们是顺应还是反抗那种文化。

❶ *Black Fiction*确实留下了一些美学上的问题没有解决。❷ Rosenblatt的主题分析允许有很大的客观性；他甚至明确表明评判每个作品的价值并不是他的目的——可他的这种不情愿是不合时宜的，尤其是因为评价作品可能得到很有意思的结果。❸比如说，一些小说的结构看起来很松散。❹这是个缺点，还是作者在创造另外一种美学标准？❺另外，有些黑人小说（比如说Jean Toomer的*Cane*），其风格接近于表现主义（expressionism）或超现实主义（surrealism）；这种风格是否为流行的主题提供了一个和谐的对应呢？流行主题会刻画黑人英雄（主人公）与命运之间的斗争，这个主题通常通过更加自然主义的表现手法进行表达。

❶尽管有这些疏漏，Rosenblatt在他的讨论中涉及的内容有助于深入的、有价值的研究。❷ *Black Fiction*广泛考察了很多小说，在这个过程中，我们注意到了一些引人入胜但不为人知的作品，比如James Weldon Johnson的*Autobiography of an Ex-Colored Man*。❸ *Black Fiction*的论证构建得紧凑严密，而且它的直截了当、客观冷静、敏锐透彻的风格的确是文学评论中的典范。

3s 版本

❶ *Black Fiction*改变了以前的研究方法。

时间对比❷以前的作品用社会政治标准而非文学标准评价黑人小说。

❸ Gayle的作品用政治标准评价黑人小说。

❷❸封装和❶时间对比。

第一段3s：*Black Fiction*改变了以前的研究方法。

❶政治标准分析小说会限制小说的发展。

❷ Rosenblatt的评论揭露了政治标准所忽略的黑人小说间的联系。

第二段3s：Rosenblatt不认同用政治标准分析黑人小说。

however ❶令人满意的黑人小说评论需要回答两个问题。

❷问题一：为何把黑人作家归为一类。

❸问题二：如何将黑人小说和其他小说区分。

❹回答问题一：黑人小说有自己的一套传统。

❺❻回答问题二：黑人小说的独特性在于其结构。

第三段3s：回答了黑人小说评论需要回答的两个问题。

leave questions open ❶ *Black Fiction*还有一些美学问题没有解决。

❷ Rosenblatt不愿意给出自己对作品的评价。

❸小说结构松散。

❹通过设问来给Rosenblatt负评价。

❸❹封装，给出一个Rosenblatt没有给出评价的例子。

❺提出第二个设问句来给Rosenblatt负评价。

第四段3s：*Black Fiction*还有一些美学问题没有解决。（作者给出负评价）

❶*Black Fiction*很有价值。

❷给出一个肯定*Black Fiction*的例子。

❸给*Black Fiction*正评价。

第五段3s：给*Black Fiction*正评价。

全文3s版本：评价*Black Fiction*。作者的态度以正评价为主（critical but admiring）。

文章点拨

本文前两段主要通过新老两种文学评论标准对比的方法来说明Rosenblatt对于黑人小说评价标准所做的改变。Rosenblatt主张应该以文学标准（literary criteria）来评价黑人小说，而前人（第一段第二句has often表明之前的时间）则用社会政治的标准去评价黑人小说。其中这两段中关于社会政治标准的同义改写有：sociopolitical、history、identity、ideological、political。

本文第三段首句给出作者观点：给Rosenblatt以正评价。接着提出两个问题，再然后两个问题Rosenblatt都能回答。以此来说明给Rosenblatt的正评价。第二、三段的取反，就是语气上和程度上的一点小变化。前面两段已经把Rosenblatt说得很好了，接下来however说，但是要真的好，就得回答两个问题。

第四段leave questions open，态度上的转变，与上一段的正评价取反。本段通过提出两个Rosenblatt无法回答的问题来说明Rosenblatt的缺陷。

第五段首句通过astute and worthwhile这种正评价词，来与上一段构成转折，发生态度转变，再次给Rosenblatt的*Black Fiction*正评价。这种态度上发生直接转变而没有明显标志的情况比较罕见，具体可参见方法论1.2.2负态度词部分。

因此整个第四段在全文中可以看作一个大的让步，最终的重点还是给*Black Fiction*正评价。

例题讲解

The author of the passage believes that *Black Fiction* would have been improved had Rosenblatt
本文作者认为*Black Fiction*会被改善，如果Rosenblatt

答案： (E) assessed the relative literary merit of the novels he analyzes thematically 评价他从主题上分析的小说的相对文学价值

解析： 本题在问*Black Fiction*的缺陷，因此定位到第四段。第二句中作者认为Rosenblatt没有评价各种作品的文学价值，这是一个缺点，因此要改善，Rosenblatt只需要有评价就行。因此(E)正确。

Unit 04

But 封装

练习题目

　　没在通宵自习室里刷过 3000，不足以梦想 160；没字斟句酌地分析长文章，不足以挑战 GRE。征服 GRE 的路很长很远，但千里之行，始于足下，坚持走下去，我们终将迎来胜利的曙光！

——董雨祺
中国人民大学，微臣教育线下 400 题课程学员
2016 年 10 月 GRE 考试
Verbal 163 Quantitative 170

Passage 026

*Brown Girl, Brownstones*是_____

原文翻译

❶Paule Marshall的*Brown Girl, Brownstones* (1959)是美国黑人文学中描写女性人物的里程碑式作品。❷Marshall避开了描述20世纪初期反抗类小说中普遍存在的与白人社会存在冲突的受压迫的悲剧女主角。❸与她的前辈Zora Neale Hurston以及Gwendolyn Brooks一样，她的小说聚焦普通黑人妇女在黑人社会中寻求自我认同。❹但是通过根据她从巴巴多斯岛移民到美国的父母的关系来描绘女主角，以及通过探寻移民文化如何决定男性和女性的角色（而移民文化也随之被白人统治的美国物质主义影响），Marshall拓宽了Hurston和Brooks创造的对于黑人女性角色的分析。❺Marshall把人物角色放入更广泛的文化背景中，抨击了有关种族和性别的陈规陋习，并且为20世纪70年代的小说中种族、阶层以及性别的探索铺平道路。

3s 版本

❶*Brown Girl, Brownstones*是美国黑人文学中的里程碑作品。

❷这本书与之前的黑人文学不同。

❸与前辈的相同点。

But ❹ Marshall对前辈进行了延伸。

小结：❸❹封装，顺承❷。

❺ Marshall为以后的小说铺平了道路。

全文3s版本：*Brown Girl, Brownstones*是美国黑人文学中的里程碑作品。

文章点拨

本文属于典型的黑人题材文章——突出黑人的特立独行。第二句讲Marshall的作品避开了20世纪初期反抗类小说中的一些元素，这是特立独行的一种表现。同时第四句还说Marshall拓宽了自己的前辈对于黑人女性角色的分析，依然是特立独行的表现。第三句讲与前辈的相同之处，第四句讲对前辈的延伸，两句话封装起来，强调Marshall的独特之处，这是典型的But封装。

例题讲解

According to the passage, Hurston, Brooks, and Marshall are alike in that they

根据本文，Hurston、Brooks和Marshall的相似之处在于他们

答案： (C) used Black communities as the settings for their novels 使用了黑人社会作为他们小说的背景

解析： 本题问这三个人的共同点，可知定位到第三句，他们的小说都聚焦于黑人妇女在黑人社会中的描写。因此(C)是对的。

Passage 027
·······································

*Raisin in the Sun*中的冲突是_____的，并不矛盾

原文翻译

❶在*Raisin in the Sun*中，Lorraine Hansberry 并不反对民族融合以及美国梦在经济和道德上给出的承诺；进一步说，她坚持这个梦想，同时她还很现实地看到这个梦想并没有完全实现。❷一旦认识到Hansberry这个双重的视角，我们就可以认为这个剧本所包含的讽刺的微妙之处是Hansberry对于社会所作出的故意的评论，而不是Bigsby所认为的这部作品存在"非故意的讽刺"。❸事实上，坚持否认Hansberry具备故意讽喻的能力，这个奇怪的现象使得一些评论家把剧本主题的冲突解读为单纯的混乱、矛盾或是折衷。❹例如，Isaacs 无法简单地将Hansberry对于种族的强烈关注与理想中人类和谐的思想结合在一起。❺但是Hansberry的剧本把黑人自尊和人类团结看作和谐共处的复杂观点，并不比Du Bois著名的、考虑周全的种族自我意识和人类团结的理想更加"矛盾"，也不比Fanon既强调理想的国际主义，又接受民族的身份和角色来得更"矛盾"。

3s 版本

❶*Raisin in the Sun*的内容含有冲突。

❷这种冲突是Hansberry对社会的故意讽刺。

❸拒绝认为Hansberry的故意讽刺会误认为*Raisin in the Sun*的内容混乱。

❹Isaacs无法调和Hansberry作品中的冲突。

But ❺*Raisin in the Sun*的冲突是故意的，并不矛盾。

小结：❸❹❺封装，与❷顺承。

全文3s版本：*Raisin in the Sun*中的冲突是故意设置的，并不矛盾。

文章点拨

本文第二句认为Hansberry的dual vision是对于社会的故意的讽刺，但是第三、四句表达的是没有意识到这种刻意的讽刺，因此这两句要和But引导的第五句封装，封装之后的句子与第二句顺承，本文就变成了"大顺子"。文章的主旨更倾向于后面，因此本文3s版本与第五句3s版本一样：*Raisin in the Sun*的冲突是故意设置的，并不矛盾。

文章的句间关系简单，只出现一次But封装。但是讨论的内容是一个人看似矛盾但并不矛盾的特质。这种paradox的话题因为涉及的特征对立而又和谐，同学们在阅读过程中很容易出现内存不够、断片的现象。这篇文章的中文翻译如果只阅读一遍，也很难把握其要表达的思想。但是借助句间关系，可以清楚地判断句子间内容的走向。

Early critics of Emily Dickinson's poetry mistook for simplemindedness the surface of artlessness that in fact she constructed with such **craft/cunning**.

很多艺术家、作家看起来简单的内容，正如这篇文章以及上面的填空题一样，其实是他们精心构建的。但是评论家不能因为自己的局限性，因为自己没有意识到，而认为这种简单是纯粹的头脑简单（Emily），认为这种矛盾就是自相矛盾的头脑混乱（Hansberry）。

 例题讲解

The author of the passage would probably consider which of the following judgments to be most similar to the reasoning of critics described in sentence 3?

本文作者可能会认为下面哪种判断最类似于第三句中的评论家的推理?

答案: (C) The painter of this picture could not intend it to be funny, therefore, its humor must result from a lack of skill.

这幅画的作者不会刻意搞笑，因此这幅画的幽默一定是因为画家缺乏技巧。

解析: 本题首先定位到第三句，得知这些critics的观点：他们认为Hansberry本身不会刻意讽刺，因此就认为 *Raisin in the Sun* 本身是混乱的。本质上就是在讲认为某人不具备某能力，因此就认为一个人对于这种能力的使用会导致消极的效果。而(C)选项中的画家，人们不认为他会刻意地搞笑（类比评论家认为Hansberry不会刻意的讽刺），于是就认为这幅画的幽默是因为缺乏技巧而导致的（类比人们认为 *Raisin in the Sun* 本身是混乱的）。

Passage 028

_____尚未充分探索

原文翻译

❶当今在生物材料（biomaterials）领域——一个将病变组织替换为人造移植组织的学科——最重要的问题是对于移植生物材料与原生组织（living tissues）交界面（或表面）的控制。❷大多数组织的物理性质可以通过精心挑选原材料的方式得到匹配，这些材料有：金属、陶瓷或几种聚合物。❸甚至对于从这些材料中制得的生物材料需要满足对宿主组织无毒害的要求，可以通过研究组织培养对生物材料的反应或研究短期移植的效果而满足。❹但是，要达到有原生组织和非原生组织交界面生理性质的匹配需要相关知识，即哪种分子控制细胞间的结合——而对这一领域，我们尚未充分探索。❺尽管近期的研究使我们能够通过控制生物材料的化学反应或微观结构来固定住组织与生物材料间的界面，然而我们对于移植物如何与组织黏合在一起这一问题的理解还少得可怜。

3s 版本

❶生物材料学领域最大的问题是控制交界面。

❷通过筛选材料来与组织匹配。

❸材料无害的条件也可以满足。

But ❹生物材料与生物组织交界面的匹配尚未充分探索。

小结：❷❸❹封装。

❺生物材料与生物组织交界面的匹配尚未充分探索。

全文3s版本：生物材料与生物组织交界面的匹配尚未充分探索。

文章点拨

本文第一句讲本领域遇有一个问题，但是二、三两句讲的是好处，说的是材料本身是可以匹配的，逻

辑乱了，因此应该和后面的封装。接下来第四句But之后说不能匹配，但是要注意这里说的是交界面不能匹配，所以二、三、四句属于But封装。

材料匹配，举个例子就像是补牙，陶瓷材料和牙齿在材料上是相似的，因此材料本身可以匹配，但是交界面未必能够匹配。

例题讲解

According to the passage, the major problem currently facing scientists in the field of biomaterials is

根据本文，生物材料领域科学家目前面临的重大问题是

答案： (A) assessing and regulating the bonding between host tissue and implants 评价并且控制宿主组织以及移植的结合。

解析： 本题定位点为第四、五句。

Passage 029

在工程设计中，应该加入_____，设计课程强调_____能力

原文翻译

❶我们在日常生活中用到的许多物品显然受到科学的影响，但是它们的外形与功能，尺寸与外观，是由技术专家、艺术家、设计师、发明家以及工程师利用非科学的思维模式决定的。❷技术专家认为物品的很多特征和性质无法用清楚的语言进行描述；这些特征和特性是在大脑中经过视觉的非语言思维过程加工的。❸在西方科技发展过程中，总体而言，是非语言思维过程确定物品轮廓并且为其补充细节的。❹金字塔，大礼堂以及火箭的产生不是因为几何学或者热力学，而是因为它们首先在建造者大脑里面形成图像。

❶技术专家大脑中富有创造性的塑造形状过程几乎在每一个现存手工艺术品中都可以看到。❷比如，在设计柴油机的过程中，技术专家通过不断运用有关正确性、合适性的直觉来表达和机器有关的个人特有的非语言方式。❸燃烧室的形状是什么样子的？❹阀门应该在哪里放置？❺是用长的还是短的活塞？❻这些问题由一系列通过经验、物理要求、有限可用空间以及尤其通过形式感来提供答案。❼有些决定，比如燃烧室壁厚度和销的直径，可能会依赖于科学计算，但设计中的非科学成分仍然占据首要地位。

❶那么设计课应该是工程学专业课里面必要的基本组成部分。❷非语言思维是工程设计里的核心机制，它包含艺术家而非科学家的惯用手段——感知能力。❸由于感知过程并不需要"硬思维"，所以非语言思维有时被看作认知过程发展的初级阶段，并且低于语言思维或数学思维。❹但矛盾的是，当*Historic American Engineering Record*的编辑人员想请人画出机器以及为了工业制造在美国工程中的历史记录而画出工序的等角图（isometric views）时，唯一具有此项能力的大学生并非工程类学生，而是建筑学学生。

❶倘若在分析性很强的，提供解决实际问题知识的工科课程中不提供设计课程，那么我们会在复

杂工程系统中遇到很愚蠢并且代价巨大的错误。❷比如说，早期装备有精密控制系统的高速电动火车无法在暴风雪天气中运行，因为其鼓风机会把雪吸进电力系统中。❸自动控制系统中发生的荒唐的随机故障并不只是微不足道的异常；它们反映了当人们认为设计问题主要就是数学问题时，所发生的混乱现象。

3s 版本

❶日常用品的外形和功能由非科学模式决定。

❷❸❹物品的外形和功能由非语言的、视觉的过程来决定。

第一段3s：物品的外形和功能由非语言、视觉的过程来决定。

❶每一个手工艺术品都体现技术专家的非科学创造过程。

❷❸❹❺❻设计柴油机时的非语言方式体现。

❼设计中的非科学成分占据主导地位。

第二段3s：每一个手工艺术品都体现技术专家的非科学创造过程。

❶设计课程是工程课程中必要组成部分。

❷非语言思维包含感知能力。

❸非语言思维会被看成低于语言、数学思维的初级阶段。

But ❹有些任务只有拥有感知过程的学生（建筑系学生）能处理。

小结：❸❹ But的封装，和第❶❷句顺承。

第三段3s：设计课程是工程课程中必要组成部分。

❶工程学课程中没有设计课程就会出现错误。

❷❸自动控制系统中的故障是人们认为设计等同于数学所导致的。

第四段3s：工程学课程中没有设计课程就会出现很多错误。

全文3s版本：在工程设计中，应该加入设计课程。设计课程强调非语言层面的感知能力。

文章点拨

全文属于"大顺子"结构，每一段都在强调工业设计中，非语言的思考能力的重要性。

文章第一段第一句就给出了作者观点，日常用品的外形与功能是由非科学模式思维决定的。后面的几句都是在具体说物品的外形和功能由非语言的、视觉的过程来决定。

文章第二段通过举出柴油机设计的例子，展现了设计中的非科学成分是重要的。

文章第三段开始强调设计在工程学课程中的重要性。同时段内出现了一个But的封装，最后落脚点变成设计在工程学课程中的重要性。

文章最后一段用例子指出如果在工程课程中不加入设计课程，就会出现重大错误。再次强调了工程与设计之间的关系。

例题讲解

1. In the passage, the author is primarily concerned with

   本文的主旨是

答案： (B) stressing the importance of nonverbal thinking in engineering design 强调了非语言思维在工程设计中的

   重要性

2. Which of the following statements would best serve as an introduction to the passage?

以下哪个选项作为本文的引言部分最合适？

答案： (A) The assumption that the knowledge incorporated in technological developments must be derived from science ignores the many non-scientific decisions made by technologists. 那种假设认为包含技术发展的知识必须来源于科学，而且忽视了许多由技术专家所做出的非技术决定。

Passage 030

大多数20世纪初黑人诗人认为种族骄傲＿＿＿＿＿＿＿，20世纪20年代黑人诗人＿＿＿＿＿＿

原文翻译

❶文史学家在对文学现象进行分类时可能要冒些风险。❷例如，当黑人诗人被单独作为一个群体讨论的时候，我们不应该忘记黑人诗人的作品所反映的诗歌发展的总体程度，否则就会歪曲文学的历史。❸这个提醒对评价20世纪初（1900~1909）和20世纪20年代黑人诗人的差别非常重要。❹这些差别包括20年代黑人诗人的诗歌比起世纪初黑人诗人的诗歌，语言更大胆、更直白，诗歌技巧更有创新。❺可人们应该考虑到的是，相似差别也存在于同时期白人诗人的作品中。

❶然而，当把20世纪前十年和20世纪20年代的诗人放在一起考虑时，文史学家把诗人分为"保守派"和"试验派"两类，虽然这种分类对于这个时期的白人诗人仍然有用，但它对于讨论黑人诗人意义不大。❷在"保守派"黑人诗人（例如Counter Cullen和Claude McKay）以及"试验派"诗人（例如Jean Toomer和Langston Hughes）之间的确可以看到一些差别。❸但是黑人诗人并没有因为新旧风格而斗争过；相反，一位有成就的黑人诗人乐意欢迎另一位黑人诗人而不论后者的风格如何；因为真正重要的是种族的骄傲。

❶但是，20世纪20年代的黑人诗人确实争论过他们是否应该特殊处理种族问题。❷他们提出的问题是：他们是否应该只为黑人读者写黑人的经历，或这种要求是否是一种束缚。❸但是也许可以这样说，实际上所有这些黑人，当他们说出关系到种族生存的种族感情时，他们会写出最好的诗篇，正如James Weldon Johnson正确指出的那样："这种诗篇必然是写黑人诗人最熟悉的事。"

❶相比之下，20世纪初多数黑人诗人一般都用那个时期的常规方式来写作，他们的诗歌中表达了高尚而朦胧的感情。❷这些诗人并不是非常有天赋，尽管Roscoe Jamison和G. M. McClellen是例外。❸他们没有用方言写作，这正如Sterling Brown所说的"不用方言写作意味着抛弃黑人生活的传统"，他们不愿只写种族的主题。❹这种做法产生了积极和消极的两种后果。❺正如Brown所注意到的那样，"这些诗人关于黑人诗人不要限于只写种族问题的主张是有价值的，但同时也犯了一个错误……他们不愿通过观察人物的内心世界而写作。"❻这个深刻见解很重要，但是必须强调的是：当时美国大多数白人诗人普遍不愿观察内心世界。❼他们也常常脱离自己的经历，因此写出类似宁静大自然这样的主题模糊、让人很快忘记的诗歌作品。

3s 版本

❶❷文学分类工作有风险。

❸❹20世纪初和20年代黑人诗人之间有区别。

though ❺同时代白人也有区别。

第一段3s：20世纪初和20年代黑人诗人之间有区别。

❶20世纪初和20年代黑人诗人区别不重要。

❷有区别。

But ❸20世纪初和20年代黑人诗人区别不重要，重要的是种族的骄傲。

小结：❷❸封装，顺承❶。

第二段3s：20世纪初和20年代黑人诗人认为重要的是种族的骄傲。

however ❶❷20年代的黑人诗人在纠结种族骄傲是否最重要。

though ❸黑人或许应该写黑人主题。

第三段3s：20年代的黑人诗人在纠结种族骄傲是否最重要。

换对象❶大多数20世纪初诗人很传统（认为种族骄傲最重要）。

exceptions ❷❸有两个人不写黑人的主题。

❹这种做法既有消极又有积极影响。

❺❻❼积极和消极的影响。

第四段3s：20世纪初诗人大多数认为种族骄傲很重要。

全文3s版本：大多数20世纪初黑人诗人认为种族骄傲最重要，20年代黑人诗人在纠结种族骄傲是否是最重要的。

文章点拨

1. 第二段讲解

本段第一句和第二句之间发生了取反，因为第二句由certainly引导让步语气，第一句讲黑人之间风格区别不重要，第二句又举了有区别的例子，相当于是在说区别重要。接下来第三句话But放句首，讲区别不重要，重要的是种族的骄傲。因此可以将本段二、三句进行But封装，句义与第一句取同，但由于文章内容会逐层深入，因此尽管封装之后与第一句取同，但本段3s版本应该按照第三句来，即补充上"重要的是种族的骄傲"。

2. 第三段讲解

在大多数情况下当我们见到though充当连词词性时，它都表示让步，起到句内取反的作用。但是当文中出现了though单独成句、存在于两个逗号中间充当副词时，就可以起到句间取反的作用。不过这种取反仅起到与上一句构成对比的作用，并非一定会反驳上一句。

先看一下韦氏词典对于这种情况的解释：

though：*adv.* used when you are saying something that is different from or contracts with a previous statement

因此，本文第一段最后一句的though也是这种用法，但是只是起到了把白人诗人和黑人诗人进行对比的作用。

而第三段中的though，在这里也仅仅是句间取反，而没有反驳含义。本段前两句都是强调句语气，而第三句情态动词may则表示让步语气，因此本段重点在前两句。

3. the extent to which的理解

公式：the extent to which + A = "A的程度"

①看懂which之后从句的意思；

②然后将这个从句意思代入到"…的程度"。

【例】When Black poets are discussed separately as a group, for instance, the extent to which their work reflects the development of poetry in general should not be forgotten. 举个例子，当我们把黑人诗人作为一个单独的群体来进行讨论的时候，他们的作品反映出诗歌的总体发展的程度就不应当被忘记。

【析】（1）which之后的从句：their work reflects the development of poetry in general 他们的作品反映出诗歌的总体发展。（2）代入"…的程度"：他们的作品反映出诗歌的总体发展的程度。

例题讲解

It can be inferred from the passage that classifying a poet as either conservative or experimental would be of "little significance" when discussing Black poets of the 1900's and the 1920's because

从文章可以推测出来，把一个诗人分类成保守派或者试验派会是不重要的当讨论20世纪前十年和20世纪20年代的黑人诗人的时候，因为

答案： (C) these poets were fundamentally united by a sense of racial achievement despite differences in poetic style

这些诗人根本上被一种种族骄傲统一起来，尽管诗歌风格会有不同

解析： 本题同义改写第二段最后一句。最后一句就是用来解释为什么黑人诗人的区别不重要的，因为种族骄傲才是最重要的。

Passage

_____出现在奴隶制之前

原文翻译

❶在北美英国殖民地的法规中，直到1660年才首次提及奴隶制度——这个时间是在第一批黑人抵达美洲后约40年。❷以防我们认为奴隶制度的存在早于其在法律上的存在，Oscar 和 Mary Hadlin夫妇使我们确信，直到17世纪60年代黑人都一直是充当佣人。❸针对Hadlin夫妇对于合法的奴隶制为何在17世纪60年代才出现的解读的批评表明，有关奴隶制和种族偏见之间的关系的各种假设应该被重新剖析，同时表明有关黑奴在北美洲和南美洲所遭受的不同待遇的解释也应该被详细地展开。

❶在解释合法的奴隶制为何会出现时，Handlin夫妇认为：17世纪60年代期间，白人佣人的地位相对于黑人佣人的地位上升。❷因此，Handlin夫妇认为，对于在此之前待遇相当的黑人佣人和白人佣人来说，每一种人获得了一种不同的地位。❸然而，对于Handlin夫妇的观点有一些重要的反对

声音。❹首先，Handlin夫妇无法充分证明白人佣人的地位在17世纪60年代期间和之后有任何改善，Maryland和Virginia的立法机构所颁布的几项法案表明情况恰恰相反。❺Handlin夫妇解释中的另一缺陷是，他们认为在合法的奴隶制确立之前，黑人没有受到过歧视。❻诚然，17世纪60年代之前，黑人很少被叫作奴隶。❼但这一点不应该掩盖17世纪30年代起就存在的证据，该证据证明了虽然"奴隶制"这个词没有被使用，但种族歧视依然存在。❽这种种族歧视有时不会实行终身奴隶身份或世袭奴隶地位——这是真正奴隶制的两大特征——然而，在其他情形中，这种歧视包括了这二者。❾Handlin夫妇的论点排除了这样一种真正的可能性，即在英国殖民地的黑人从不曾获得过与白人平等的待遇。

❶从这种可能性可以推出重要的结论。❷假如黑人从一开始就遭到歧视，那么合法的奴隶制应被看作种族偏见的一种反映和延伸，而不应该像Handlin夫妇等许多史学家指出的那样，被看作种族偏见的起因。❸此外，合法奴隶制出现之前就已经存在的种族歧视可进一步解释黑奴在北美洲的待遇为什么会比南美洲黑奴的待遇更严酷。❹Freyre和Tannenbaum正确地指出，北美洲某些传统的缺失——如古罗马有关奴隶制度的观念以及罗马天主教对于平等的强调——可以说明黑奴在北美受到的待遇要比南美洲西班牙和葡萄牙殖民地的黑奴受到的待遇更为严酷的原因。❺但这并不能构成一种完整的解释，因为它仅仅是以缺乏某些事物为依据、从反面进行解释的。❻一种更令人信服的解释是，英国殖民地早期的、并且在某些情况下极端的种族歧视，决定了随之发展起来的奴隶制度的特征。

3s 版本

❶黑人出现在北美洲之后的1660年才有了奴隶制。

❷Handlin认为在此之前没有奴隶制。

Critique of ❸应该重新解读黑人歧视和奴隶制之间的关系以及南北美洲黑奴的不同待遇。

第一段3s：应该重新解读黑人歧视和奴隶制之间的关系以及南北美洲黑奴的不同待遇的解释。

❶Handlin认为1660年代期间白人仆人地位提升。

❷Handlin认为在此之前黑人白人仆人地位相当。

小结：❶❷奴隶制出现前（1660年之前）黑人没有歧视。

However ❸Handlin不对。

❹白人仆人地位没有改善。

❺奴隶制出现前有黑人歧视。

❻黑人很少被歧视。

But ❼奴隶制出现前就有了黑人歧视。

小结：❻❼封装，顺承❺：奴隶制出现前就有了黑人歧视。

❽❾Handlin忽略了黑人歧视的存在。

第二段3s：Handlin忽略了黑人歧视的存在。

❶黑人不平等带来重要影响。

❷黑人歧视导致奴隶制，而非奴隶制导致歧视。

❸北美黑奴待遇更差。

❹Freyre和Tannenbaum认为是因为北美缺少某些传统导致黑奴待遇更差。

But ❺这种解释不完整。

❻英国殖民地的早期特征导致北美黑奴待遇差。

第三段3s：黑人歧视导致奴隶制，并解释为什么北美黑人待遇差。

全文3s版本：针对黑人的歧视出现在奴隶制之前。

文章点拨

1. 本文中的But封装

本文的But封装出现在第二段。第五句讲奴隶制出现之前就已经有了黑人歧视，也就是说对黑人是有歧视的，第六句转而在讲黑人很少被歧视，接下来第七句But之后讲奴隶制出现之前就有了歧视。因此此处应该将第六、七句进行But封装，顺承第五句。

2. 文章第一段第二句的理解

本句话是文中最重要同时也是很难以理解的一句话，难点在于lest一词。lest翻译成"以防"，"以防我们认为奴隶制度的存在早于其在法律上的存在"，即指Handlins想要排除掉"奴隶制早于法律"这一点，因此我们可以推测：Handlins的观点是先有奴隶制再有黑人歧视。

例题讲解

According to the passage, the Handlins have argued which of the following about the relationship between racial prejudice and the institution of legal slavery in the English colonies of North America?

根据本文，Handlins认为下面哪一个是北美英国殖民地的种族歧视和合法奴隶制之间的关系？

答案： (C) The source of racial prejudice was the institution of slavery. 种族歧视的来源是奴隶制。

解析： 根据第三段第二句，Handlins认为先有奴隶制再有种族歧视。

Passage 032

金刚石中的＿＿＿＿＿＿可以用来给金刚石断代

原文翻译

❶金刚石（diamond），也叫lamproites或kimberlites，是一种稀有火成岩中偶尔出现的组成成分，其年代的确定一直令人不满意。❷然而，一些金刚石中包含微量的硅酸盐材料，一般是橄榄石、辉石和石榴石。❸这些材料可以通过放射衰变技术确定年份，因为它们中含有非常少量的放射性元素。❹通常，我们可以得出结论：这些内含物的年代比金刚石更久远，但这并不能告诉我们内含物和金刚石年代的间隔。❺但是，有时我们观察到硅酸盐晶状内含物的形状更像金刚石内部结构，而不像其他硅酸盐的内部结构。❻目前我们还不知道这种相似性有多罕见，或者说这种相似性是否在硅酸盐（例如石榴石）中最常见，这种石榴石的内含物的晶体结构和金刚石的晶体结构大致相似；但是这种相似性的存在被认为是金刚石和其内含物有相同起源的有力证据。

3s 版本

❶金刚石年代的判断令人不满。

However ❷金刚石中含有硅酸盐材料。

❸金刚石中的硅酸盐材料可以被断代。

❹硅酸盐材料与金刚石的年代间隔难以确定。

However ❺硅酸盐晶体结构与金刚石结构类似。

小结：❹❺封装，顺承❸。

❻这种结构的类似性告诉我们硅酸盐晶体与金刚石有相同的起源。

全文3s版本：金刚石中的硅酸盐材料可以用来给金刚石判断年代。

文章点拨

　　文章第一句提出金刚石年代的确定一直很难。第二句的however的出现为寻找到解决方案给出了契机。第三句讲硅酸盐材料可以用来给金刚石断代，但是第四句又说硅酸盐比金刚石年代久远，并且间隔无法确定，与前一句话矛盾，于是第四句就应该和第五句封装，还是在说可以断代，因为硅酸盐的晶体结构与金刚石晶体结构类似，根据最后一句，只要结构类似就认为是同源的，同源则意味着年代类似，即不需要确定第四句话中描述的年代间隔。因此，最终的结论就是可以利用金刚石内部的硅酸盐材料来判断金刚石的年代。

　　虽然文章涉及的背景是大多数学生所不熟悉的，但是文章的句间关系清晰，只要处理好第四、五句的封装，则可以清楚把握作者写作意图。

例题讲解

The main purpose of the passage is to

本文主旨是

答案：(B) explain how it might be possible to date some diamonds 解释给某些金刚石断代年代是有可能的。

Passage 033

机械化＿＿＿＿改变女性的工作状况

原文翻译

　　❶人们经常认为机械化会对操作新机器的人以及引入机器的社会产生革命性的影响。❷例如，有人认为女性在工业中就业让她们走出了家庭这个传统活动范围，并且从根本上改变了她们在社会上的地位。❸19世纪，当女性开始进入工厂时，法国政治家Jules Simon警告说如果这么做，那么女性会失去女性的气质。❹然而，Friedrich Engels预言技术发展把女性从"社会上、法律上以及经济上的从属地位"中解放出来，并且技术发展使"把全社会女性招收进公共工业中"成为可能。❺尽管观察者因此在机械化影响社会的效果的问题上意见不一，但是他们都同意机械化会改变女性的生活。

❶历史学家，尤其是研究女性历史的历史学家，现在严肃地质疑有关机械化改变力量的说法。❷他们总结说像纺织机、缝纫机、打字机以及真空吸尘器这样引人注目的科技创新并没有对女性经济地位或是对女性工作现行评价上引起同样引人注目的社会变化。❸纺织厂在工业革命时期雇佣年轻女性是对之前雇佣年轻单身女性做家务这种旧模式的延伸。❹并不是办公室科技的变化，而是以前被看作是初级经理实习秘书的工作从行政工作中的分离，使得19世纪80年代产生了这样一种"没有职业前途"的秘书职业，从那时起这份工作被认为是"女性的工作"。❺20世纪在外工作的已婚女性数量的增加，与其说和家庭工作的机械化以及与这些女性闲暇时间的增加有关，不如说和妇女本身的经济需要以及高结婚率有关，因为在这之前的很多情况下雇主只愿意雇佣单身女性，而高结婚率使得单身女性的来源减少了。

❶在过去的200年中，女性从事的工作发生了翻天覆地的变化，从家庭到办公室或者工厂，以及后来从蓝领工作到白领工作。❷然而从根本上说，女性工作的环境自从工业革命到来之前变化不大：以性别来划分的工作、对于女性群体较低的报酬以及技术要求低且女性升职空间小的工作都一直存在，而妇女从事的家务劳动依然很多。❸近来历史研究对于科技总是对社会产生内在革命性影响的观点做了修正。❹机械化甚至减缓了妇女在劳动市场中以及家中的传统位置的变化。

3s 版本

❶工作的机械化对人类带来变化。

❷机械化改变了女性的地位。

❸ Simon认为机械化使女性失去了女性气质。

However ❹ Engels认为机械化使女性得到解放。

小结：❸❹封装，顺承❷。

❺观察者认为机械化改变了女性的生活。

第一段3s：机械化改变女性生活。

Now+question ❶机械化没有改变女性生活。

❷科技创新没有带来巨大变化。

❸这个变化只是过去的一种延伸。

❹这个变化是原有工作岗位的分离。

❺这个变化是因为单身女性减少导致的变化。

第二段3s：机械化没有从根本上改变女性生活。

❶女性工作发生了巨大变化。

However ❷女性生活环境没变。

小结：❶❷封装，顺承上一段。

❸科技未必会使社会发生革命性影响。

❹机械化甚至减缓了女性地位的变化。

第三段3s：机械化没有从根本上改变女性地位。

全文3s版本：机械化没有从根本上改变女性的工作状况。

⊗ **文章点拨**

本文第一段第一句讲人们经常认为机械化会产生革命性影响。frequently一词就表明这应该属于一个大众观点。根据GRE阅读中标新立异的原则，这个观点在后文可能会被否定。接下来作者就以机械化对女性的影响为例来说明机械化改变了女性的生活。第二句顺承上一句，给机械化以正评价，但接下来第三句转而认为机械化使女性失去了女性气质，是负评价，因此要跟第四句however之后的内容封装起来，顺承第二句。

在第二段中出现了now，证明是新观点，要与上一段构成段间取反，同时还出现了question这一负态度词，表明上一段的观点不对，第二段认为机械化没有改变女性。要注意的是，既有负态度词，又有时间对比换对象，同时出现两种句间取反的标志，但是依然只转折一次。

第二段中为了说明不是机械化导致的女性工作状况的改变，列举出了导致现有改变的四个原因。分别是纺织机等科技创新没有改变女性地位，现有变化只是旧有模式的一种延伸，新的岗位只是原有岗位的分离，这种变化是因为单身女性变少而导致的变化。

第三段第一句应该顺承上一段，但结果在说女性工作发生了变化，与我们的预判矛盾，接下来一句话出现了however，因此第一、二两句话要进行封装，与上一段取同。

⊗ **例题讲解**

Which of the following best describes the function of the concluding sentence of the passage?
下面哪一个选项最好地描述了文章的结尾句的功能？

答案： (B) It draws a conclusion concerning the effects of the mechanization of work which goes beyond the evidence presented in the passage as a whole. 结尾句得出了一个工作机械化产生的影响的结论，而这一结论超出了文章整体给出的证据。

解析： 本文结尾句在讲机械化甚至减缓了妇女的地位的变化，但是根据文章，我们只能看出机械化没有改变女性地位，看不出减缓。因此这一结论超出了文章整体所呈现的证据。

Passage 034

视频讲解

胰腺移植尽管在理论上可行，但是用于＿＿＿＿＿还很困难

⊗ **原文翻译**

❶目前，糖尿病（diabetes）的常见并发症，例如视觉和肾脏功能损伤，被认为是缺乏对血糖浓度持续控制而造成的。❷健康的胰腺（pancreas）对血糖浓度升高的反应是在一天中持续释放少量胰岛素（insulin），由此将血糖浓度维持在生理极限（正常血糖，normoglycemia）之内。❸但是糖尿病患者通常每天只释放一次大剂量的胰岛素。❹因此，糖尿病患者的血糖浓度在两次释放之间产生大波动，而且并发症就是在血糖浓度高（高血糖，hyrerglycemia）时产生的。❺许多调查人员因此认为正常血糖的恢复可能阻止甚至逆转这些并发症的发展。

❶人们研究了三个主要的使血糖恢复正常的技术。❷它们分别是：移植完整健康的胰腺；移植实

际分泌胰岛素的胰岛；移植人工胰腺。❸事实上，这些技术已经有长足发展，并且每个技术从整体上看都前景光明。❹然而，上述方法中任意一种要作为糖尿病的治疗方法而被接受，还需要很多年的时间。

❶对很多人来说，最显而易见的方式就是从尸体中获取胰腺，然后像移植肾和其他器官一样移植胰腺。❷这就是首个有记载的胰腺移植手术完成时的基本原理。❸从1966年到1975年，在美国和其他五个国家，有46个胰腺移植到另外45个患者的体内。❹但是这些患者中只有一位可以继续靠移植胰腺生活，医生们发现移植步骤并不像他们之前想象得那样简单。

❶那位存活下来的患者自手术后就不需要胰岛素了。❷另外一位患者活了638天而没有用胰岛素。❸此外，还有一位患者在进行移植后存活了一年多的时间，但是他由于没有继续服用抑制免疫力的药物而去世。❹移植患者的结果虽然很少，但它们表明移植步骤是有成功的可能性的。

❶然而，余下的患者要么排斥移植物，要么在短期之内就去世了。❷移植的过程确实没有任何技术问题。❸进一步说，大多数患者的身体状况已经严重被糖尿病并发症削弱了，以至于他们禁不起手术和服用避免身体排斥的抑制免疫的药物。❹此外，多于一半的患者还需要进行肾脏移植。❺现在大多数观察者都认为同时移植这两个器官对于患者的冲击过大，这会极大增加手术整体风险。

🌿 3s 版本

❶缺乏对血糖浓度持续控制导致糖尿病的常见并发症。

❷健康的胰腺在一天中持续释放少量胰岛素。

But/换对象 ❸糖尿病患者每天释放一次大量的胰岛素。

❹高血糖浓度时产生并发症。

小结：❷❸❹广义封装，顺承第❶句。

❺正常血糖可能阻止并发症。

第一段3s：缺乏对血糖浓度持续控制导致糖尿病的常见并发症/治疗糖尿病并发症的方法是控制血糖。

❶❷三种使血糖恢复正常的技术。

❸这些技术前景光明。

Nonetheless ❹这些方法需要很多年才能用于治疗糖尿病。

第二段3s：使血糖恢复正常的技术需要很多年才能用于治疗糖尿病。

❶❷移植胰腺是最显而易见的方式。

❸有人进行了胰腺移植。

But/时间对比 ❹胰腺移植没那么简单。

第三段3s：胰腺移植没那么简单。

❶❷❸胰腺移植的三个较为成功的案例。

❹胰腺移植是有成功的可能性的。

第四段3s：胰腺移植是有成功的可能性的。

however ❶大多数人的胰腺移植是失败的。

❷移植过程没有技术问题。

❸糖尿病的并发症使得手术变难。

❹❺同时移植胰腺和肾脏增大了手术风险。

小结：第四段与第五段两段封装，与第三段顺承。

第五段3s：大多数人的胰腺移植是失败的。

全文3s版本：指出糖尿病并发症出现的原因，并将治疗方法进行评价，指出治疗方法不成功的原因。

文章点拨

本文第一段通过将正常人和糖尿病患者释放胰岛素的情况进行对比，来证明糖尿病的并发症源于缺乏对血糖浓度的持续控制。本段第一句讲缺乏对血糖浓度持续控制导致糖尿病的常见并发症。接下来第二句到第五句构成机理的广义封装，用来说明缺乏对血糖的调节是如何引发并发症的。

第二段则点明文章主旨，证明治疗糖尿病并发症的技术尽管前景广阔，但是仍然难以使用。

第三、四、五段是针对第二段的展开。第三段指出胰腺移植虽然理论简单，但是实际操作很难。

第三段第二、三句发生在过去，而第四句的谓语is表明是现在的时态，因此第四句与二、三两句的取反不仅仅是But，还可以认为是因为时间对比取反。

第四段给出了胰腺移植正面的案例，主要论证了胰腺移植在技术上的可能性。因此在后文中应该出现"But封装"，从而保持和第二段、第三段对治疗手段负面态度的一致。

第五段开头出现however，说明胰腺移植确实很困难，与第四段构成段间封装。通过这篇文章可以看出，But的封装不仅仅可以出现在句子之间，还可以出现在段落之间。

在全文中，对胰腺移植当下的水平，作者负面态度多于正面。

例题讲解

On the basis of the information in the passage, which of the following can be inferred about the islets of Langerhans?

基于本文的信息，下面关于胰岛的哪一项可以被推断出来？

I.   They are important for the normal control of blood glucose concentration.

它们对于血糖浓度的正常控制很重要。

II. They can be transplanted independently of other pancreatic cells.

它们可以独立于其他胰腺细胞进行移植。

III. They regulate immunosuppressive reactions.

它们可以调控免疫排斥。

答案： (C) I and II only 只有I和II

解析： 本题定位到第二段。首先胰岛作为控制血糖的技术之一，当然对于控制血糖很重要，因此I对。另外第二段第二句中提到可以移植胰岛，因此胰岛可以独立于其他胰腺细胞进行移植，因此II也对。至于III中的免疫排斥，文中并没有提及胰岛对免疫排斥的影响。

Passage 035

趋同进化论_____的

原文翻译

❶生物学家长时间以来一直认为：有两类鳍足类动物，一类是海狮和海象，它们是起源于一种陆生的类似熊的动物；而另一类鳍足类动物——海豹，则和鼬鼠有共同祖先。❷但是近期人们发现这三种动物鳍的骨骼结构相似，这个发现削弱了一种尝试，即把相似性解释为趋同进化（convergent evolution）——无关种群间的相似性是通过对相似环境压力做出反应而独立发展出来。❸鳍也许是动物对水下生活的一个必要的反应；乌龟、鲸鱼以及儒艮都有鳍。❹但是在鳍足类动物中发现的共同的鳍的结构也许表明它们拥有同一个祖先。❺此外，尽管海象和海豹用它们的后鳍做推动力，但是海狮用的是前鳍。❻如果如趋同进化理论说的那样，鳍足类动物解剖结构上的相似性是由相似的环境压力导致的，那么人们应该认为海象和海豹，而不是海狮与海豹有相似的鳍。

3s 版本

❶两组pinnipeds的祖先不同。

But ❷最近表明结构相似并不是因为趋同进化论。

❸乌龟、鲸鱼以及儒艮都有flippers证明趋同进化论是对的。

But ❹ pinnipeds相同祖先。

❺ pinnipeds的flippers作用是不同的。

❻趋同进化论是不对的。

小结：

❸❹ But封装，顺承❷，证明趋同进化论错误。

❺❻封装证明趋同进化论错误。

全文3s版本：趋同进化论是不对的或者pinnipeds的祖先相同。

文章点拨

本文的难点在于不断把趋同进化论是错误的和祖先相同进行切换。第一句说pinnipeds祖先不同，第二句开头有but，因此做预判：祖先相同。但是，第二句在说趋同进化论不对。第三句讲趋同进化论是对的，第四句有but，讲有相同祖先（趋同进化论错），因此第三句和第四句But封装，顺承第二句。进而预判第五句会讲趋同进化是错的，结果却在说祖先相同。第五句顺承第四句，应该说祖先相同，结果在讲趋同进化论是错的。因此本文中"趋同进化论错"和"共同祖先"是说的一回事。

例题讲解

In presenting the argument in the passage, the author does which of the following?

在呈现本文观点的过程中，作者做了下面哪件事情？

答案：(E) Shows that an implication of a theory is contradicted by the facts. 证明一个理论的含义与事实相矛盾。

解析：a theory指趋同进化论。an implication指三种动物的祖先不同。facts一方面指第四句中三种动物的相似性是由共同祖先引起的，另一方面指第五句它们的鳍的作用不同。

Unit 05

广义封装

练习题目

GRE 阅读学习过程中，最幸运的就是在微臣学到的方程等号和句内句间关系。牢牢掌握，不仅有助于考试，更能体味英文阅读的乐趣。

——冯思凯

西安交通大学，微臣教育线上课程学员

2016 年 10 月 GRE 考试

Verbal 164 Quantitative 168

Passage 036

作者讨论＿＿＿＿＿并支持其是一个＿＿＿＿＿的过程

原文翻译

❶视觉识别（visual recognition）包括存储和提取记忆。❷由眼睛激发的神经活动会在大脑记忆系统中形成一个被观察物体的内在表示图像。❸当我们再次遇到这个物体时，它会与内在表示图像相匹配，从而被识别。❹人们对于识别是一步并行（parallel）过程还是多步串联（serial）过程的问题一直存在分歧。❺ Gestalt学派的心理学家认为物体是通过一步并行的过程而被认出的：内在表示通过一个步骤与视网膜图像相匹配。❻其他心理学家提出，内在表示的特征是连续与物体的特征相匹配的。❼尽管一些实验表明，当一个物体越来越熟悉的时候，它的内在表现会变得更完整，而且识别过程也相应更加并行，但是证据似乎更支持串联的假设，至少对于那些不是足够简单和熟悉的物体来说是这样的。

3s 版本

❶视觉识别包括存储和提取记忆。

❷存储的过程。

❸提取记忆的过程。

小结：❶❷❸视觉识别的概念。

❹关于识别过程的顺序有分歧。

❺并行观点。

❻多步串联观点。

小结：❺❻封装顺承❹，强调分期分歧。

❼作者更支持串联。

全文3s版本：作者讨论视觉识别并支持其是一个多步串联的过程。

文章点拨

1. 本文中的广义封装：

本文第一句将视觉识别拆分成存储和提取两个过程。第二句讲存储，第三句讲提取，因此一到三句可以进行广义封装，共同介绍视觉识别的概念。

第四句开头的controversy很关键，表示后文要将两个观点分开描述，即第五句和第六句，最终第五、六句又可以广义封装，顺承第四句用来说明分歧。

2. GRE阅读中表示提出观点的动词

一篇GRE阅读文章中不可避免的出现很多人提出的观点，为了避免重复，表达观点提出的动词有很多。针对这些动词，我们不必深究它们的精确含义，统统翻译成"认为"即可。这些动词包括：argue, contend, maintain, assert, suggest, claim, hold, observe, insist, propose, assume。

【例】Some climatologists argue that the burning of fossil fuels has raised the level of CO_2 in the atmosphere and has caused a global temperature increase of at least 1℃. 一些气象学家认为，化石燃料的燃烧使得大气中CO_2浓度升高，并且使得地球气温上升了至少1℃。

【例】Psychologists of the Gestalt school maintain that objects are recognized as wholes in a parallel procedure: the internal representation is matched with the retinal image in a single operation. Gestalt学派的心理学家认为物体是通过一步整体的过程而被认出的：内在表示通过一个步骤与视网膜图像相匹配。

【例】For some time scientists have believed that cholesterol plays a major role in heart disease because people with familial hypercholesterolemia, a genetic defect, have six to eight times the normal level of cholesterol in their blood and they invariably develop heart disease. 科学家们认识到胆固醇(cholesterol)在诱发心脏疾病时起到主要作用已经有一段时间了，因为患有家族性血胆固醇过多症（hypercholesterolemia，一种基因缺陷）的人的血液中胆固醇含量比正常值高6~8倍，而他们都患有心脏疾病。

【例】The implication of the papyrus administered a severe shock to the vast majority of classical scholars, who had confidently asserted that not only the role of the chorus but also language, metrics, and characterization all pointed to an early date. 纸莎草纸的含义在大部分古典学者中引起了轰动，学者们此前自信地认为不仅是合唱队的作用，语言、韵律以及人物性格都指向早期年代。

例题讲解

The author is primarily concerned with

本文的主旨是

答案：(D) discussing visual recognition and some hypotheses proposed to explain it 讨论视觉识别并且提出一些假说去解释它

Passage 037

关于生物生活模式影响因素的_____种观点

原文翻译

❶尽管科学家观察到生物体的行为是有规律的，但他们对于当生物体被转移到一个新环境时它们的生活模式会受到什么影响的问题持有不同意见。❷一个叫Brown实验者把牡蛎（oyster）从康涅狄格州水域带到了伊利诺伊州水域。❸她注意到牡蛎在康涅狄格州涨潮到最高时把壳张到最大，但是在到了伊利诺伊州水域14天后它们的行为规律适应了伊利诺伊州潮汐的时刻表。❹虽然她不能断定在行为和环境改变之间是否有明确的因果关系，但是她得出一个结论：潮汐时间的改变是其中一种作用在牡蛎上的可能的外界影响。❺然而另一位叫Hamner的实验者发现，来自加利福尼亚州的仓鼠（hamsters）即使在南极也会维持它们原先的节奏。❻他总结道：内因似乎可以影响生物体节奏的行为。

3s 版本

❶科学家对环境对生物生活模式的影响有不同观点。

❷❸❹ Brown认为环境产生影响。

❺❻ Hamner认为内因影响生物的生活模式。

小结：❷❸❹❺❻封装到一起说明第❶句的"不同观点"。

全文3s版本：关于生物生活模式影响因素的两种观点。

文章点拨

1. 文章结构

　　本文属于典型的"争议型"广义封装。通过第一句讲"不同观点"，立刻可以对后文产生预判：至少有两种观点。于是二到四句提出环境影响，第五、六句提出内部因素影响，这两个观点可以广义封装，用来说明科学家的"不同观点"。

2. fall into的用法

　　本文第一句中的fall into可以理解成为"陷入"的意思，因此第一句可以翻译为：尽管科学家观察到生物体的行为会陷入有规律的模式……

　　除此以外，fall into还有"属于"一意在GRE真题中出现过：

　　Many philosophers disagree over the definition of morality, but most disputants fall into one of two categories: egocentrics, who define morality as the pursuit of self-fulfillment, and sociocentrics, who define morality as an individual's obligations to society. 很多哲学家针对道德的定义有分歧，但是大多数的争议者都属于两个范畴：自我中心论者，将道德定义成对于自我满足的追求；社会中心论者，将道德定义成个人对于社会的责任。

例题讲解

Which of the following statements best describes the conclusion drawn by Brown?
下面哪一项最好地描述了Brown得到的结论？

答案： (B) A change in tide schedule may be an important exogenous influence on an oyster's rhythms. 潮汐时间表的变化对于牡蛎的节律来说是重要的外部影响。

解析： Brown的结论定位到第四句，外部因素影响动物生存。因此(B)是正确的。

Passage

_____很有价值

原文翻译

　　❶地壳中百分之八的元素是铝（aluminum），而且有成百上千种含铝矿物以及大量岩石含有铝。❷最好的铝矿石是铝土矿（bauxite），它由纯度或高或低的铝矿组成，而且铝是以氢氧化物的形式存在的。❸铝土矿是大量存在的铝矿石中铝含量最高的，并且它能产生氧化铝，这是制造铝的必需的中间产物。❹氧化铝也天然存在于金刚砂（corundum）中，但人们没有发现大量高纯度的金刚砂，所以金刚砂不是实际制铝的材料。❺大多数含有大量铝的非铝土矿材料是硅酸盐，和所有硅材料一样，硅酸盐难熔、难分解，并且极难加工。❻因此，硅酸铝一般不适合作铝土矿的替代物，因为从其中提取铝需要大量的能量。

3s 版本

❶铝以多种形式存在。

❷❸铝土矿好利用。

换对象❹金刚砂不好利用。

❺❻硅酸盐也不好利用。

注：❹❺❻封装共同与❸构成换对象取反。

全文3s版本：铝土矿很有价值。

文章点拨

1. 本文第四、五、六句为何封装?

本文第三句讲铝土矿好利用，第四句讲金刚砂不好利用，因为两句话确实换对象，取反很正常，但是第五、六句讲硅酸盐，与第四句换对象，应该转回来说好利用，但结果还是说不好利用，逻辑乱了，因此就要广义封装，用来说明除了铝土矿以外的矿物都不好利用。

2. 句子分析

Most of the many abundant non-bauxite aluminous minerals are silicates, and, like all silicate minrals, they are refractory, resistant to analysis, and extremely difficult to process.

这句话refractory因为后面的逗号，因此与resistant同义重复。

例题讲解

The author implies that corundum would be used to produce aluminum if

作者认为金刚砂可以用来去生产铝如果

答案: (C) many large deposits of very high quality corundum were to be discovered. 有大量高纯度的金刚砂被发现。

解析: 本文为改善题，做法就是根据题干定位原文进行取反。定位点是第四句，说没有大量高纯度的金刚砂，取反，得到(C)选项。

Passage 039

King为了_____而没有一开始就公开反对越战

原文翻译

❶20世纪60年代见证了两场意义深远的社会运动：民权运动（civil rights movement）和反越战（war in Vietnam）运动。❷尽管二者在时间上有重叠，但它们仍有很大差异。❸然而，在1967年中的一段短暂时间内，这两项运动由马丁•路德•金的领导而统一到一起。

❶作为他所在时代最杰出的非暴力拥护者，King在反越战运动中的地位毋庸置疑。❷但King对越战的立场不能仅从和平主义的角度进行解释。❸尽管早在1965年他就相信美国在越战中的角色是站不住脚的，但毕竟他是反越战运动中的迟来者。❹那么为什么两年之后他才将个人的疑虑转化为公开的抗议呢？❺或许他认为批评美国外交政策会危及他从美国政府那里赢得的对民权运动的支持。

3s 版本

❶❷民权运动和反越战运动有很大差异。

However ❸两场运动被King统一。

第一段3s：民权运动和反越战运动被King统一。

❶ King在反越战运动中的地位毋庸置疑。

But ❷ King反越战不仅仅是为了和平。

❸ King没有在一开始就公开反对越战。

❹ King为什么没有从一开始反对？

❺因为需要将两场运动的利益最大化。

小结：❹❺封装，顺承❸。

第二段3s：King为了将两场运动的利益最大化而没有一开始就公开反对越战。

全文3s版本：King为了将两场运动的利益最大化而没有一开始就公开反对越战。

文章点拨

本文第一段在讲King在1967年将两场运动统一到一起。第二段开头没有出现转折，因此可以预判，第二段顺承第一段，于是这篇文章总体都在讲King在1967年将两场运动统一到了一起。

第二段前三句在讲King在1965年之前已经确认是反对越战的，但是根据上一段，他是1967年才公开反战的，因此第四句提出疑问，为什么中间隔了两年。最后一句给出答案，在这两年中，King要争取美国政府对于民权运动的支持。得到民权运动的支持后，King开始公开领导反越战运动，于是两场运动在1967年被统一。通过这种行为，King在1967年鱼与熊掌可以兼得。第四、五两句话广义封装，用来解释第三句为什么没有一开始就反对越战。

背景知识

1. 反越战运动（Anti-war Movement）

随着越南战争的持续升温，公众的不满越来越强烈，不同的群体加入了反战游行的队伍之中，包括学生、艺术家、女性、神职人员、社会组织和黑人。其中黑人在战争的初期因为忠于约翰逊总统推动民权法案而不敢加入到反战运动当中。

2. 美国民权运动（Civil Rights Movement）（1955~1968）

美国黑人反对种族隔离与歧视，争取民主权利的群众运动。

过程简介：1955 年12月1日，亚拉巴马州蒙哥马利城黑人罗莎•帕克斯夫人在公共汽车上拒绝让座给白人，被捕入狱。因为她的被捕还引发了蒙哥马利巴士抵制运动（Montgomery Bus Boycott）。在青年黑人牧师马丁•路德•金的领导下，全城5万黑人团结一致，罢乘公共汽车达一年之久，终于迫使汽车公司取消种族隔离制。1963年8月28日，马丁•路德•金发表著名演讲《我有一个梦想》将民权运动推向了高潮。另外，有些城市黑人还开展以暴力对抗暴力的斗争。1964年迫使林登•约翰逊总统签署了《民权法》(Civil Rights Act)。

有很多同学会把Civil Right Movement和Civil War混淆，那么Civil War又是什么呢？

3. 南北战争（American Civil War）（1861年4月12日~1865年4月9日）

参战双方为北方美利坚合众国（格兰特将军）和南方的美利坚联盟国（李将军）。战争最终以北方胜利告终。战争之初本为一场维护国家统一的战争，后来演变为一场为了黑奴自由的新生而战的革命战争。

1860年主张废除奴隶制的林肯当选总统，南方奴隶主发动叛乱。南方蓄奴州纷纷独立，于1861年2月组成邦联政府，戴维斯任总统。同年4月南方邦联军先发制人攻占萨姆特要塞，内战爆发。

1865年4月9日，李的部队陷入北方军队的重围之中，被迫向格兰特请降。南北战争终止。美国恢复统一。

例题讲解

Which of the following best describes the passage?

本文主旨是

答案： (A) It discusses an apparent inconsistency and suggests a reason for it. 本文讨论了一个明显的不一致，并且提出了一个原因。

解析： an apparent inconsistency：指代原文中King并没有一开始就公开反对越战。a reason：King担心会失去美国政府的支持。

Passage 040

_____导致农民不满

原文翻译

❶历史学家Frederick J. Turner 在19世纪90年代写道："自1870年以来，美国农民不满的情绪随着国内边远地区的消失（即可以作为美国农业系统进一步扩张的新土地的消失或者用尽）而持续增长。"❷ Turner的观点不仅在当时很有影响力，之后还被其他学者,如John D. Hicks 在 *The Populist Revolt*（1931）一书中采用并加以详细阐述。❸然而实际上，在整个19世纪以及19世纪以后，美国有很多新土地供给。❹在19世纪90年代，当农民的不满愈发激烈时，有110万个新的农场建立了起来，这比之前10年内建立的农场还多50万个。❺1890年后，根据宅地法案（*Homestead Act*）以及其后续法案的法令，农民拥有了比之前还多的土地。❻尽管大部分新开垦的农田确实只适合放牧以及旱作农业，但是农业实践已经足够先进，农民即使利用这些相对贫瘠的土地也可以增加利润。

❶学者和政治家对美国边远地区的消失给予的强调，掩盖了19世纪后半叶国际贸易状况及其后果产生变化的巨大重要性。❷1869年苏伊士运河开通，而美国境内第一条跨大陆铁路竣工。❸密集的电报网络和电话通信也建成了：欧洲在1866年利用海底电缆与美国连接，而在1874年又与南美连接。❹到了约1870年，农业技术的进步使得充分利用大规模机械化耕种适宜大范围种植的区域成为可能。❺在阿根廷、澳大利亚、加拿大以及美国西部，大面积土地被开垦，并且这些区域相互连接，并和欧洲国家连接形成独立市场体系。❻其结果是，农业萧条不再是本地或者本国的事情，萧条袭击了多个国家，无论其国内尚未开发的边远地区是否消失。❼在19世纪70年代到90年代之间，美国农民积聚的不满几乎和国际市场中美国农产品价格持续下降同时出现。❽表现出最大程度不满的、生产大宗农产品的农民变成了最依赖国外市场来销售他们农产品的人。❾对于阻止美国人开垦新土地来说，市场情况使得在当时这么做成为十分危险的事情。

3s 版本

❶ Turner认为用于农业的新土地没了导致农民不满。

❷ Hicks等人也同意Turner的观点。

小结：❶❷用于农业的新土地没了导致农民不满。

However ❸❹❺❻并不是没有新土地。

第一段3s：Turner的理论不对（并不是没有新土地导致农民不满）。

❶对土地的关注导致忽略国际市场的变化（是市场变化导致农民不满）。

❷❸❹❺国际贸易实际发生的变化。

❻❼❽❾国际市场变化导致农产品价格下降，最终导致农民不满。

第二段3s：国际市场变化导致农民不满。

全文3s版本：国际市场变化导致农民不满。

文章点拨

1. 本文的论证方式

本文中Turner一开始提出的观点认为新土地减少所以导致农民不满，但其实是国际市场的变化导致农产品价格变化，价格变化导致农民们就算有新土地可耕种，但如果耕种，农产品价格会更低，最终导致更赚不到钱，于是农民产生不满，并且让很多新土地闲置。Turner犯的错误在于针对"农民不满"这一结论，给出了一个错误的原因。

本篇文章第二段的二到五句可以认为是广义封装，共同用来支持第二段第一句，描述这种国际市场的变化，而后面的六到九也可以广义封装到一起，整体作为前面所述的市场变化所导致的结果。

2. "not only, but also" 的变体

① not only A, but also B

【例】it included not only the standard comedies, melodramas, westerns, and thrillers, but also such novelties as adaptations from Browning and Tennyson, and treatments of social issues. 它不光包括了标准喜剧、音乐剧、西部影片以及恐怖片，还包括了对Browning and Tennyson文学作品的改编以及对社会问题的处理。

② not only A, but B

【例】Creative ideas not only produce their own instruments of survival as time and circumstances demand, but permit the substitution of new forms for old under the pressure of changed circumstances. 创造性思想不仅根据时代和环境的需要得以幸存下来，而且还会在环境改变的压力下以新形式取代旧形式。

③ not only A, B

【例】Not only was Turner's thesis influential at the time, it was later adopted and elaborated by other scholars, such as John D. Hicks in The Populist Revolt (1931). Turner的观点不仅在当时很有影响力，之后还被其他学者,如John D. Hicks 在The Populist Revolt（1931）一书中采用并加以详细阐述。

例题讲解

The author's argument implies that, compared to the yearly price changes that actually occurred on foreign agricultural markets during the 1880's, American farmers would have most preferred yearly price changes that were

作者的观点暗示道，与1880年代实际发生过的国外农产品市场每年价格变化相比，美国农民最会喜欢什么样的价格变化？

答案： (D) similar in size but in the opposite direction 规模类似但是反向

解析： 本题定位到第二段第7句：美国农民积聚的不满几乎和国际市场中美国农产品价格持续下降同时出现。由此可知，农民的不满是因为价格下降。因此，农民会喜欢价格上涨，方向是反的，所以正确答案在(B)(D)两个选项之间。而题干问的是农民最喜欢的场景，那么(D)选项更合适。

Passage

视频讲解

*Frankenstein*和*Wuthering Heights*既有相同，也有不同，但本文作者更强调_____

原文翻译

❶Mary Shelley的*Frankenstein*和Emily Bronte的*Wuthering Heights*都是19世纪女性作家创作的重要小说，但她们对女性的描写却截然不同。❷Shelly展现了一个"大男子主义"的文本，而在这个文本中处于次要地位的女性角色的命运似乎完全依赖于男性主角或反派男性主角的行为。❸Bronte展现的是一个更加现实的故事，她描绘的是男人为了得到活泼、独立女性的芳心而互相斗争的世界。❹然而，这两部小说在一些关键方面是相似的。❺许多读者相信每段情节中引人入胜的神秘感隐藏了精妙的影射手法，也掩盖了虽然朦胧但强烈的、表达哲学意图的、道德上的雄心，尽管文学评论家在阐述这些哲学意图时产生了很多争议。❻这两个小说家都用了同一种叙述手法，这种手法强调了用不同视角看待同一事件而产生的具有讽刺意味的分歧，也强调了表面上戏剧性场面与作者暗含的意图之间内在联系的对立冲突，而我把这种方法称为基于证据的叙事技巧。

3s 版本

❶*Frankenstein*和*Wuthering Heights*不同。

❷*Frankenstein*中女性地位低。

❸*Wuthering Heights*中女性地位高。

小结：❷❸封装，*Frankenstein*和*Wuthering Heights*的不同点。

Nevertheless ❹应该关注共同点。

❺❻具体的共同点。

全文3s版本：*Frankenstein*和*Wuthering Heights*既有相同，也有不同，但本文作者更强调相同点。

文章点拨

1. 本文的广义封装

本文第一句说*Frankenstein*和*Wuthering Heights*不同。正常情况之下，第一、二句顺承，第一句讲"不同"，第二句应该依然讲"不同"，但是第二句仅仅在讲*Frankenstein*，这与预判是矛盾的。只要预判与实际句意矛盾，就应该一直往后进行封装，直到不矛盾为止。因此这篇文章中可以把第二、三句封装起来，顺承第一句。

2. 无头句

文章第一句Notable as important nineteenth-century novels by women, Mary Shelley's *Frankenstein* and Emily Bronte's *Wuthering Heights* treat women very differently. 句首的notable as的主语被放到了逗号之后，这种称之为"无头句"，而其真正主语往往是逗号之后紧跟的内容，也就是Mary Shelley's *Frankenstein* and Emily Bronte's *Wuthering Heights*。所以这句话的完整形式应该是：**Mary Shelley's *Frankenstein* and Emily Bronte's *Wuthering Heights* are** notable as important nineteenth-century novels by women; they treat women very differently.

例题讲解

The primary purpose of the passage is to

本文的主旨是

答案： (D) compare and contrast two novels 比较并对比了两本小说

解析： "two novels"指代文章中的*Frankenstein*和*Wuthering Heights*。值得注意的是"compare"一词强调的是相同点，而contrast一词强调的是不同点。而本文确实是把两本小说的相同之处以及不同之处都进行了描述。

Passage

_____尚待解决

原文翻译

❶地质学家很早就知道，地球的地幔（mantle）是由异质构成的，但是地幔的空间结构问题一直没有被解决——从本质上说地幔究竟是分层排列，还是以不规则的方式由异质构成的呢？❷支持地幔分层理论最好的证据是这样一个事实，即在海岛上发现的火山岩（人们认为由下层地幔升上来的地幔柱状熔岩流产生的海岛）是由完全不同于海洋中部山脊系统物质的物质构成的，而这一系统的形成原因，大多数地质学家认为是上部地幔。

❶然而，一些地质学家，根据对地幔捕虏岩体（xenolith）的观察，认为地幔并非是分层排列的，相反，地幔的异质性是由那些含有很多"不相容成分（incompatible elements）"的流体构成（成分趋向于流体而非固体），这些流体根据流体的路线向上扩散并不规则地改变上层地幔的组成。❷我们可以简单地相信，有关地幔空间结构的争论可通过进一步的研究而得以解决，而且关键就在于尚未被充分探索的海洋中部山脊系统。

3s 版本

❶地幔究竟是分层排列还是以不规则的方式由异质构成的这一点有争议。

❷地幔是分层排列的证据。

第一段3s：地幔分层排列。

However ❶地幔由异质构成。

小结：本段❶与上一段❷封装，顺承第一段❶。

❷地幔的排列问题需要通过探索中部山脊系统来解决。

第二段3s：地幔的排列问题尚待解决。

全文3s版本：地幔的排列问题尚待解决。

文章点拨

本文是"总—分—总"结构。第一段第一句就是在说有争议，接下来的文章两句话分别阐述了两种观点，两种观点同时呈现，没有孰是孰非，因此最后一句话又总结如果要解决，需要探索的对象是什么。因此全文3s版本就是"地幔的排列问题尚待解决"。本文属于争议型广义封装。

例题讲解

Which of the following best expresses the main idea of the passage?

本文的主旨是

答案： (D) There is clear-cut disagreement within the geological community over the structure of the Earth's mantle. 地质学界关于地球地幔结构有明显的不一致。

Passage 043

摄影技术是_____的

原文翻译

❶照相是一种既用于兼并客观世界，又用于表达独特自我的技术。❷照片描绘已存在的客观现实，但是只有照相机才能揭示这些现实。❸照片反映一种个人摄影者的气质，这种气质是通过相机对现实的剪裁而显现的。❹这就是说，摄影技术（photography）有两个对立的观念：一个是摄影技术是反映世界的，而摄影者仅仅是个观察者，其重要性微乎其微；另一个是摄影技术是大胆探索的主观媒介，摄影师决定一切。

❶这两个相互对立的观念来自摄影师和观众对"照"相中挑衅（指代主观，下同）成分所表现出来根本上的不确定。❷同样地，把摄影师当作观察者的观点是有吸引力的，因为这种观念无疑否认了照相也是一种挑衅行为。❸当然，问题并不是那么显而易见。❹摄影师的行为不能简单地被定性为强取豪夺，也不能简单地被定性为纯粹的乐善好施。❺因此，关于照相的各种观念被重新发现并且得到支持。

❶两种观念共存带来的一个重要结果是让人们对摄影手段出现反复的矛盾心理。❷不论摄影成为一种和绘画相当的表现个人形式的观点是否正确，摄影技术的独创性和照相机器械的功能是密不可分的。❸照相机功能的持续发展使得创造许多信息奇特、富有想象力的、形式上有美感的照片成为可能，例如，Harold Edgerton的关于子弹击中目标，或网球击打时产生的漩涡（swirls and eddies）的抓拍。❹但是当照相机变得越来越精密、自动化程度越来越高时，有些摄影师很不情愿用照相机，

或表明他们宁愿受制于现代化以前的摄影技术也不用照相机，因为粗糙的、低级的照相器械被认为更能产生更有趣、动人的效果，可以为创造性活动留有更大的余地。❺例如，包括Walker Evans 和 Cartier-Bresson在内的许多摄影师，以拒绝使用现代设备为荣。❻这些摄影师开始怀疑照相机作为"快速观察"工具的价值。❼事实上，Cartier-Bresson断言现代照相机观察速度可能过快了。

❶这种对于摄影手段的矛盾心理决定了审美的取向。❷对未来（越来越快的观察速度）的狂热崇拜常常和回到更纯正的过去（当时图像都具有手工制作的特征）的愿望交替出现。❸这种对早期摄影业的怀旧情绪目前十分流行，并且这构成了今日热衷于昔日银版照相法（daguerreotype）和被遗忘的19世纪乡土摄影师的作品的基础。❹看来摄影师和欣赏者需要时常推翻自己现有知识。

3s 版本

❶摄影技术既包含主观又包含客观。

❷摄影描绘客观存在。

❸摄影表达主观气质。

小结：❷❸封装，顺承❶。

❹摄影技术既包含主观又包含客观。

第一段3s：摄影技术本身是矛盾的。

❶关于摄影的对立观点来自于对于主客观的观点不同。

❷摄影师的行为是客观的。

not ❸❹❺摄影师的行为不能简单地定性为客观还是主观。

第二段3s：摄影师的行为是矛盾的。

❶人们对于照相机的态度也是矛盾的。

❷❸照相机越复杂越好。

❹❺❻❼有的摄影师不喜欢复杂的照相机。

小结：❷~❼封装，顺承❶。

第三段3s：人们对于照相机的态度是矛盾的。

❶❷对于摄影技术的快速进步和怀旧情绪交替出现。

时间对比❸❹现阶段人们喜欢怀旧。

第四段3s：人们的审美取向是矛盾的。

全文3s版本：摄影技术是矛盾的。

文章点拨

1. 本文理解

本文是典型的"用矛盾证矛盾"型。本文第一段讲摄影是矛盾的。通常，如果文章开头在讲某件事情是矛盾的，那么后文通常会有两种写作套路：解决这个矛盾或者进一步论证这个矛盾。而本文便是采取的后者。

文章第一段首句讲摄影既有主观又有客观，接下来第二句描述的是摄影的客观性，第三句描述的是主观性。两句话通过广义封装的形式，来说明摄影的矛盾，最后第四句总结了这个矛盾。

第二段后三句通过not负态度引出本段主旨：摄影师无法简单定性为主观还是客观，这还是矛盾。

第三段则通过第二到第七句的广义封装来论证矛盾。

第四段通过时间对比来表明矛盾。

因此，本文从段间关系来看，每段话都是顺承，每段话都是在说"矛盾"，这就是所谓"用矛盾证矛盾"，因此文章主旨就是"摄影技术是矛盾的"。

2. underlie, underlying, underscore, underestimate, undermine

上面五个单词按照大方向进行分类可以分为两组：

正向：underlie, underlying, underscore

负向：underestimate, undermine

underlie *v.* 构成…的基础 If something underlies a feeling or situation, it is the cause or basis of it.

【例】affirm the thematic coherence underlying *Raisin in the Sun* 肯定了构成*Raisin in the Sun*的基础的主旨的连贯性

underlying

① *adj.* 根本的 used to identify the idea, cause, problem, etc., that forms the basis of something

【例】The reader is aware as events unfold of the author's underlying purposes. 读者随着情节展开了解作者根本意图。

② *adj.* 在下面的 lying under or below something

【例】Hydrogeology is a science dealing with the properties, distribution, and circulation of water on the surface of the land, in the soil and underlying rocks, and in the atmosphere. 水文地质学是一门应对地表、土壤、下层岩石以及大气中的水的性质、分布和流动的科学。

underscore *v.* 强调 If something such as an action or an event underscores another, it draws attention to the other thing and emphasizes its importance.

【例】It underscores the importance of a trait mentioned earlier in the passage. 它强调了文章前半部分提及的一个特征。

underestimate *v.* 低估 If you underestimate someone, you do not realize what they are capable of doing.

【例】They underestimate the significance of music in sustaining other African cultural values. 他们低估了音乐在维持其他非洲文化价值观方面的重要性。

undermine *v.* 削弱 If you undermine something such as a feeling or a system, you make it less strong or less secure than it was before, often by a gradual process or by repeated efforts.

【例】provide evidence to undermine a central claim in Ogilvie's argument 提供证据削弱Ogilvie论断中的重要观点。

例题讲解

The author is primarily concerned with

本文的主旨是

答案：(B) analyzing the influence of photographic ideals on picture-taking 分析了摄影思想对摄影的影响。

解析：本文第一段首先提出本文主要结论：摄影技术是矛盾的。接下来的三段则从三方面分析为什么摄影技术是矛盾的：主客观观点、人们对于摄影的看法、进步和怀旧的情绪。这三方面指代的便是选项中的ideals。

Passage

需要研究恒温动物发烧与_____有关这一假设

原文翻译

❶恒温动物有复杂的生理机制来保持体温恒定（人类体温为37℃）。❷那么为什么即使会显著增加受感染生物的压力，在生病的时候体温还会上升呢？❸人们很早就知道动物血清的含铁量在动物被感染后会下降。❹Garibaldi首先提出了发烧和铁元素之间的关系。❺他发现Salmonella属的细菌中一种和铁元素结合的物质的微生物合成过程在环境温度高于37℃时下降，并在40.3℃时停止。❻因此，发烧会使得入侵细菌更难获得繁殖所需的铁元素（iron）。❼在过去，冷血动物常被用来测试这个假设，因为人们能在实验室中控制它们的体温。❽Kluger报道说用潜在致命的细菌感染美洲蜥蜴（iguanas），蜥蜴在42℃比在37℃能更多地存活，尽管健康的动物更喜欢37℃的温度。❾然而，当动物在42℃被注射含铁的溶液时，死亡率显著提高。❿恒温动物是否会有相似的情况亟需研究来决定。

3s 版本

❶恒温动物体温保持恒定。

why then ❷生病时体温会变化（上升）。

❸血清含铁量在受感染时下降。

❹Garibaldi认为发烧和铁元素有关。

❺细菌与铁结合能力随温度上升而下降。

❻发烧使细菌难以获得铁元素。

❸❹❺❻封装，顺承❷，介绍为什么生病时会体温上升。

❼冷血动物用来测试这个假设。

❽美洲蜥蜴受感染后体温上升时更容易存活。

however ❾注射含铁溶液，死亡率上升。

❼❽❾封装，验证Garibaldi的假设。

换对象❿温血动物亟需研究。

全文3s版本：恒温动物发烧与铁元素有关这一假设需要被研究。

文章点拨

本文第一句讲恒温动物体温是恒定的。接下来第二句由why then开头表示取反，指出恒温动物在生病时会温度上升。同时，why then句型本身又是特殊疑问句，提出一个问题，因此后文一定会就这一问题进行解释。第三到六句是Garibaldi提出的理论，认为之所以发烧是因为体温升高可以削弱细菌结合铁的能力，进而降低感染。属于机理的广义封装。之后的七到九句则是用冷血动物验证了Garibaldi的假设。最后一句话换对象，讨论恒温动物，关于恒温动物亟需研究。

例题讲解

If it were to be determined that "similar phenomena occur in warm-blooded animals", which of the following, assuming each is possible, is likely to be the most effective treatment for warm-blooded animals with bacterial infections?

如果要去证明"类似的现象发生在恒温动物"，如果以下选项都是可能的，那么哪个选项会针对恒温动物细菌感染给出最有效的治疗方式？

答案： (C) Administering a medication that makes serum iron unavailable to bacteria 使用一种能够使细菌无法获得血清铁的药物

解析： 根据第三句到第六句中Garibaldi提出的理论，血清铁含量越高，感染的微生物就越容易生存，因此想要治疗动物的细菌感染，就可以使用减少血清铁的方法。

Passage

_____可以使基础设施建设更为灵活

原文翻译

❶尽管新的基础设施（例如发电站、学校和桥梁等公共设施）的开发通常由政府的规划决定，但有时私人投资者可以更为灵活且更现实地进行项目开发，而个人投资者预期通过用户缴费来获利。❷如果需求足够大，这些利润有助于吸引更多资金来发展更多基础设施，而如果开发者不愿意在这个工程项目上投资，就预示着不需要额外的基础设施了。❸例如在20世纪80年代的经济增长的时候，弗吉尼亚州批准了私人开发者斥资3亿美金修建收费公路。❹这些开发者从所有者中获得了道路使用权，但他们到1993年还没有筹到足够的资金。❺投资者们不愿意投资这个项目并不意味着否定了私人出资者修建公路的优点；而这恰恰体现出个人筹集资金的优点。❻如果一条路在将来不能吸引足够的通行车辆来付道路建设费，那么这条路就不应该被建设。

3s 版本

❶❷私人投资可以使基础设施建设更为灵活。
❸弗吉尼亚州允许私人投资建造收费公路。
❹该项目没有筹到足够资金。
❺❻没筹到资金体现出私人投资的优点。
小结：❸❹❺❻广义封装，顺承❶❷。

全文3s版本：私人投资可以使基础设施建设更为灵活。

文章点拨

1. 文章结构

本文前两句先抛出结论，说明私人投资基础设施会更为灵活。接下来三到六句广义封装成一个例子，来顺承上一句。

2. rather 和 instead

阅读中的rather和instead在单独出现时都表示句内、句间关系的取同。

本文第五句中出现了rather单独使用的情况，表示前后顺承。相关的知识点之前已经说到了。在这里再给大家介绍instead单独使用表示前后取同的情况。

和rather一样，instead单独使用时也表示顺承，翻译成"事实上"（不要再翻译成"相反"）。

instead和rather通常出现的情况为：我长得不丑；instead/rather, 我很帅。前后内容一致，只是表达方式不同。前面往往是否定形式，后面往往是肯定形式。这种结构类似于not...but结构。请看下面的句子：

Behn did not repeat this approach in her other prose works; instead, she turned to writing shorter, more serious novels, even though only about half of these were published during her lifetime. Behn没有在她的散文中重复使用这种方式；进一步说，她转向去写更短、更严肃的小说，尽管在她一生中只出版了一半。

instead 之前：Behn没有重复某种方式；instead 之后：Behn采取了更严肃小说的方式。Instead前后都是在说没有重复某种方式，表达内容一致，只是方式不同。

📖 例题讲解

The primary purpose of the passage is to

本文的主旨是

答案： (B) advocate an alternative to government financing of infrastructure 提倡对于政府出资建造基础设施一种替代性方法

解析： an alternative指的是私人出资建设基础设施。

Passage 046

星际尘埃总量_____，影响_____

📖 原文翻译

❶繁星夜空中的黑暗区并非像长期以来人们认为的那样是没有恒星存在的。❷进一步讲，黑暗区黑暗的原因是星际尘埃掩盖了后面的恒星。❸虽然星际尘埃的视觉效应如此明显，但是尘埃只是存在星球间的密度极低的稀疏物质里面的次要成分。❹尘埃大约占星际物质总量的1%。❺其余都是氢气和氦气，以及少量其他元素。❻星际物质有点像地球上的云，有各种形状和大小。❼太阳附近星际物质的平均密度是地球上实验室中最好的真空环境中物质数量的千分之一到万分之一。❽只是由于巨大的星际距离使得单位体积中如此稀少的物质变得如此重要（单位体积星际物质很稀疏，但是宇宙总体积很大导致星际物质总量巨大使其足够遮盖后面的恒星）。❾光天文学受到了最直接的影响，因为虽然星际气体是完全透明的，但是星际尘埃是不透明的。

📖 3s 版本

❶夜空中的黑暗区有恒星存在。
❷黑暗的原因是星际尘埃的遮盖。

❸❹❺❻❼星际尘埃很稀疏。

❽❾巨大的星际距离使得稀少的尘埃变得重要。

小结：❸~❾广义封装，顺承❷。

全文3s版本：星际尘埃总量巨大，影响到天文观测。

文章点拨

1. 本文的广义封装

本文第一句描述一个现象，夜空中的黑暗区域其实是存在有恒星的。第二句给出解释：之所以看起来是黑暗的，原因是有星际尘埃的遮盖。接下来的第三句到第九句是机理的广义封装，整体用来解释为什么宇宙中稀疏的星际尘埃会遮挡住恒星。

2. rather的用法

当rather单独使用时，一定表示前后两句话的顺承关系。比如本文第二句：Rather, they are dark because of interstellar dust that hides the stars behind it. 从本文就能看出，第一句话讲夜空的黑暗区并非没有恒星，第二句就紧接着讲而是因为有星际尘埃的遮盖，前后两句话顺承关系。

只有当出现rather than组合时才表示取反，此时的rather than就等于not。例如：

Roger Rosenblatt's book *Black Fiction*, in attempting to apply literary rather than sociopolitical criteria to its subject, successfully alters the approach taken by most previous studies. （Roger Rosenblatt的著作*Black Fiction*尝试用文学标准而非社会政治的标准来研究这个课题，成功地改变了此前大多数研究所采取的方法。）

例题讲解

According to the passage, which of the following is a direct perceptual consequence of interstellar dust?
根据这篇文章，下面哪一项是星际尘埃直接的影响?

答案：(A) Some stars are rendered invisible to observers on Earth. 有些行星在地球上观察不到。

解析：according to the passage类的题目，往往可以根据题干定位到原文某一句话。本题问"星际尘埃的直接影响"，本题定位到第九句"Optical astronomy is most directly affected"，所谓的"Optical astronomy"指的就是观察不到星星，因此(A)正确。

Unit 06

顺子结构

练习题目

语言是世界上至尊美味。全部微妙与曲折如同梦幻。长句交迭,逻辑横生。你是自己的侦探,在重重线索里寻觅,这是艰苦又快乐的旅程。你看新 G 多妩媚,料新 G 看你也如是。

——洪欣格
北京大学光华管理学院
2011 年 8 月 GRE 考试
Verbal 165 Quantitative 170

Passage 047

tunneling与_____有关

视频讲解

📖 原文翻译

❶大约一个世纪前，瑞典物理学家Arrhenius提出了一个古典化学法则，即化学反应速率与反应温度有关。❷根据Arrhenius的方程，当反应温度越趋向绝对零度（absolute zero）时，化学反应就越不可能发生；并且当温度达到绝对零度（Kelvin零度或-273℃）时，反应停止。❸然而，最近研究证据表明，尽管Arrhenius的方程在描述较高温度中发生的化学反应时是基本准确的，但是当温度接近绝对零度时，一种叫作隧穿（tunneling）的量子力学效应就会起作用；这种效应为古典化学法则中不能发生的化学反应提供了合理的解释。❹具体来说，完整的分子能够"隧穿"其他分子所构成的斥力壁垒（barrier）而进行化学反应，尽管在古典化学中这些分子是没有足够能量来穿透这道壁垒的。

❶无论反应发生的温度是多少，任何化学反应的速度通常取决于一个非常重要的参数——活化能（activation energy）。❷任何分子都可被想象成处于所谓势能阱（potential well of energy）的底部。❸一个化学反应相当于把分子从一个势能阱底部转移到另一个势能阱的底部。❹在古典化学中，这种转移只能通过穿越阱与阱之间的势能壁垒来实现，转移时阱的高度保持不变，这个高度被称为活化能。❺在隧穿效应中，参与反应的分子不用穿越阱间的壁垒，而是从一个阱的底部隧穿到另一个阱的底部。❻最近的研究还发展出了隧穿温度的概念：在隧穿温度以下，隧穿转移在数量上大大超过了Arrhenius转移，并且经典力学为量子力学让路。

❶这种极低温度下的隧穿现象让人想到我关于史前寒冷时期生命的假说：在宇宙空间极度寒冷（通常温度只有几K时），会形成相当复杂的有机分子。❷宇宙射线（高能质子和其他微粒）可能会触发简单分子的合成，例如在星际尘埃暗云中合成星际间的甲醛。❸此后，复杂的有机分子必然会通过隧穿的方式缓慢合成。❹在我提出我的假说后，Hoyle和Wickramasinghe证明星际甲醛确实会合成纤维素和淀粉这样稳定的多糖。❺尽管还存在激烈的争论，但他们的结论引起了和我类似的研究者的浓厚兴趣，我们提出银河系云团是生命起源之前生命演化中必需的化合物形成的地方。

📖 3s 版本

❶经典化学理论认为温度和反应速率有关。

❷温度与反应速率的关系是正相关。

However ❸在低温时不遵守经典化学理论，遵守tunneling。

❹在温度低时可以通过tunneling反应。

第一段3s：低温可以发生化学反应。

❶提出activation energy。

❷引出well的概念。

❸引出底部的transition。

❹经典化学理论转移靠going over。

小结：❶❷❸❹介绍经典理论反应机理。

换对象❺量子力学理论转移靠的是tunneling。

❻研究者提出了tunneling temperature。

小结：❺❻介绍tunneling理论。

第二段3s：介绍tunneling反应的机理。

❶ tunneling与史前寒冷时期生命的形成有关。

❷宇宙射线导致了简单分子合成。

❸ tunneling导致了复杂分子合成。

小结：❷❸封装与❶顺承。

❹ H和W提出简单分子进化成复杂分子。

❺ tunneling与史前寒冷时期生命的形成有关。

第三段3s：tunneling与史前寒冷时期生命的形成有关。

全文3s版本：tunneling与史前寒冷时期生命的形成有关。

文章点拨

文章第一段开头两句话介绍经典理论认为低温下化学反应不发生，接下来however取反，引入tunneling这样一个新的理论，认为低温下化学反应可以发生。

第二段顺承第一段，并且比第一段更加深入——前四句广义封装，先介绍经典化学理论，再与之进行对比，介绍tunneling的反应机理。

第三段进一步延伸上一段，通过前面两段对于tunneling的介绍，作者将史前寒冷时期生命的形成同tunneling进行了联系。因此这篇文章的3s版本应该是tunneling和史前寒冷时期生命的形成有关。

这三段之间是典型的顺子结构，内容层层递进，最终的重点落脚于最后一段。

例题讲解

1. The author's hypothesis concerning the cold prehistory of life would be most weakened if which of the following were true?

   如果下面哪一项正确的话，作者关于寒冷史前生命假设最有可能被削弱？

   答案： (A) Cosmic rays are unlikely to trigger the formation of simple molecules. 宇宙射线不会激发简单分子的形成。

   解析： 本文第三段第二、三两句描述了宇宙低温环境生命的形成机理。通过宇宙射线激发简单分子，继而tunneling促进复杂分子的产生。因此要削弱这一假设，只需要让最开始的一步——宇宙射线激发简单分子——不发生即可。因此(A)选项正确。

2. The author of the passage is primarily concerned with

   本文主旨是

   答案： (C) explaining how current research in chemistry may be related to broader biological concerns 解释了现在的化学研究如何跟更普遍的生物学问题产生联系

   解析： 本文一共三段话，段间都是顺承关系。而顺承，往往意味着下面要讲的内容，要比之前讲的内容更深入，因此本文的重点就落脚于最后一段，所以本文主旨是与生物学有关。

Passage 048

Gilpin是_____摄影师

原文翻译

❶在Laura Gilpin（1891~1979）之前，摄影史上还没有一位女性能投入如此大的精力来按时间顺序记录风景（landscape）。❷其他女性的确也拍摄陆地风景，但都不能被认为是持续实地描述自然环境作品的风景摄影师。❸ Anne Brigman大多拍摄森林和海岸地区，但这些风景只不过是她为拍摄对象而精心安排的背景。❹人们通常认为Dorothea Lange的风景摄影作品只是她的乡下妇女肖像的陪衬。

❶在Gilpin对于风景作品的兴趣使她从女性摄影师中脱颖而出的同时，她的陆地摄影方法也和男性摄影师的方法有区别，而这些男性摄影师和Gilpin一样，都在记录美国西部。❷美国西部风景摄影是男性摄影师的传统，由那些19世纪60、70年代去西部的政府和商业调查团队的摄影师发扬光大。❸这些探险摄影师记录了一个他们雇主愿意看到的西部：一片由让人敬畏的自然力量形成的奇特而宏伟的土地，这片土地人烟稀少，等待开发。❹下一代摄影师以Ansel Adams和Eliot Porter为代表，他们经常与环境保护主义团队合作，而不是与政府机构或商业公司合作，但他们仍然保持了"崇高"的作风，仍然做恭恭敬敬的外来者，用敬畏的眼光凝视着脆弱的自然界。

❶相反，对于Gilpin来说，陆地景观既不是一片等待人类开发的、空洞的景色，也不是像珠宝般抵制人类入侵的景色，而是一片有着丰富历史和传统的陆地风景、一个形成和塑造当地居民性格的环境。❷例如，在她拍摄的作品*Rio Grande*中，她从始至终根据它对人类文化的重要性来进行描绘：一个作为灌溉水的源头、一个为牲畜提供食物的来源、一个城镇的供给者。❸同样具有启发意义的是，Gilpin避免用特写镜头来拍摄大自然的对象：对她而言，象征性的细节永远不能表达人与形成迷人风景的大自然间错综复杂的相互关系。❹尽管从一个妇女的摄影作品中得出用"女性化"的角度来去观察的结论是危险的，但它可以展现出Gilpin独特的风景摄影手法与许多女性作家的作品是相似的，而这些女性作家在根据风景维持人类生活的潜力来描绘风景方面远胜于男性同行。

❶ Gilpin从不说自己是一个具有女性化视角的摄影师：在谈论她的作品时，她回避任何有关性别的讨论，而且她对那些依靠"女人视角"的概念所做出的解释没有一点兴趣。❷因此，具有讽刺意味的是，她用摄影对历史地貌的再现竟然清晰地展现了一个陆地风景摄影者独特的女性化的手法。

3s 版本

❶ Gilpin是非常投入于风景摄影的女性。

❷其他女性不投入。

❸ Anne Brigman不投入。

❹ Dorothea Lange不投入。

第一段3s：Gilpin是非常投入的女性风景摄影师。

❶ Gilpin的题材与女性不同，方法与男性不同。

❷ 美国风景摄影起源于男性。

❸ 男性的拍摄方法。

❹ 第二代男性摄影师的拍摄方法。

第二段3s：Gilpin与男性摄影师不同。

❶❷ Gilpin强调了风景与人之间的关系。

❸ Gilpin不用特写。

❹ Gilpin体现了女性的独特视角。

第三段3s：Gilpin的手法体现女性特质。

❶ Gilpin不赞同女性视角。

❷ 作者认为Gilpin的作品就是女性化的。

第四段3s：Gilpin是女性摄影师。

全文3s版本：Gilpin就是女性摄影师。

文章点拨

从结构上来看，本文属于顺子结构。第一段从拍摄内容上来讲Gilpin是女性摄影师，第二段从拍摄手法讲Gilpin是女性摄影师，第三段从拍摄视角来说明Gilpin是女性摄影师，最后一段则是顺子结构最重要的内容，抛出文章结论：Gilpin是女性摄影师。

GRE文章不分长短，往往是至少两个观点的交织，而且文章所要描述的某一事物的特质，又往往喜欢找一个"炮灰"来衬托，比如这篇文章想要突出Gilpin是一个女性摄影师，就用了男性摄影师来进行衬托。

本文最后一段，第一句是Gilpin的观点，第二句是本文作者的观点，可以认为两句构成了换对象，因此两句话含义取反。同时这两句话可以封装到一起共同顺承上一段最后一句话。

例题讲解

Which of the following best expresses the main idea of the passage?

下面哪一项最好地描述了文章的主要内容？

答案： (D) Gilpin's work exemplifies an arguably feminine style of landscape photography that contrasts with the style used by her male predecessors. Gilpin的作品体现了与她的男性前辈使用的风格构成对比的可以被争论的女性风景摄影风格。

解析： 选项中"an arguably feminine style"指代的便是Gilpin所使用的女性摄影风格，之所以"arguably"是因为Gilpin本身不认为自己有女性摄影风格。

Passage 049

_____导致机体发生变化，可能是_____的原因

❶随着人们年龄的增长，细胞的效率下降，并且受损部位（的细胞）更不容易被取代。❷同时组织也会硬化。❸比如，心肺肌肉扩张能力变弱，血管变硬，韧带及跟腱也会硬化。

❶很少会有研究者把这么多不同的结果归于单一的原因。❷可是他们发现，已被熟知的食物褪色和变硬的过程也可能引发与年龄相关的细胞与组织损伤。❸这个过程叫作非酶糖基化（nonenzymatic glycosylation），即葡萄糖不需要酶的作用就可以附着在蛋白质上。❹当酶把葡萄糖附着在蛋白质上（酶糖基化）时，蛋白质是特定的，附着位置和目的也是特定的。❺相比之下，非酶糖基化过程把葡萄糖随机附着在蛋白质分子内任意几个可利用的肽键的位置上。

❶食品化学家在几十年前就已经了解特定蛋白质的非酶糖基化作用，尽管直到最近才有生物学家意识到人体内可能进行着同样的过程。❷当一个葡萄糖的醛基（aldehyde group）和蛋白质的氨基相互吸引的时候，非酶糖基化过程就开始了。❸分子和分子结合，形成了蛋白质中所谓的"Schiff基"。❹这个结合是不稳定的，它会迅速重组，形成一个更稳定但可逆的物质，叫作Amadori产物。

❶如果某种蛋白质在人体内成年累月地存留，部分Amadori产物会缓慢地脱水并且再次重组成一个由葡萄糖衍生的结构。❷这个结构可以同多种分子结合，形成一个叫作晚期糖基化终端产物（AGE's）的不可逆结构。❸大多数AGE's是黄棕色、发荧光并且有特定的光谱性质。❹更重要的是，对人体来说这些物质很多都可以与邻近蛋白质交叉连接，特别是那些构建组织和器官结构的蛋白质。❺尽管现在还没有人能够对蛋白质间连接的起因给出一个令人满意的描述，但是许多研究人员一致认为，大范围蛋白质交叉连接是器官硬化和僵化并且逐渐衰老的原因。

❶为了将这个过程和白内障（其症状是老年人眼球呈现棕色且变得混浊）的发生相联系，研究人员研究了葡萄糖对眼球晶体中主要蛋白质提纯后的结晶溶液的作用。❷无葡萄糖的溶液保持清澈，但有葡萄糖的溶液使得蛋白质聚集成簇，这意味着分子交叉连接了。❸成簇蛋白质使光发生衍射，溶液看起来不那么透明了。❹研究人员还发现人类白内障染色的交叉连接呈现AGE's特有的棕色和荧光。❺这些资料表明眼球晶体结晶的非酶糖基化作用可能会引起白内障。

❶年龄增长使得细胞效率下降。

❷❸年龄增长使得组织也会硬化。

第一段3s：年龄增长导致机体发生不同变化。

❶并非单一原因导致细胞、组织变化。

Nevertheless ❷❸非酶糖基化导致这些变化。

❹酶糖基化的作用点固定。

换对象❺非酶糖基化的作用点随机。

小结：❹❺封装顺承❸。

第二段3s：非**酶糖基化**导致细胞、组织变化。

❶人体内确实发生非酶糖基化作用。

❷❸❹非酶糖基化会产生Amadori。

第三段3s：非**酶糖基化**会产生**Amadori**。

❶❷❸❹第三段中形成的Amadori会导致蛋白质交叉连接。

❺蛋白质交叉连接导致衰老。

第四段3s：**Amadori**导致衰老。

❶人们研究非酶糖基化和白内障的关系。

❷❸❹❺非酶糖基化作用可能会引起白内障。

第五段3s：非**酶糖基化**作用可能会引起白内障。

全文3s版本：非**酶糖基化**导致机体发生变化，可能是导致白内障的原因。

文章点拨

　　本文第一段先描述机体会随着年龄增长而发生一些变化，第二段解释道这种变化是由非酶糖基化导致的，第三段和第四段则可以合并起来，共同描写非酶糖基化导致机体变老的原因。这两段阅读难度较高，是典型的介绍机理的顺子结构。第五段则是对于非酶糖基化的一种应用，尝试性地解释白内障和非酶糖基化之间的关联。

　　本文中非酶糖基化导致机体衰老的过程可以简单概括为：非酶糖基化→Schiff基→Amadori→AGE's→蛋白质交叉连接→衰老。

背景知识

　　本文中出现的专业术语，如glucose, enzyme, protein, peptide等，都是GRE文章中常出现的词语。

glucose：葡萄糖。机体的基本营养物质之一。

enzyme：酶。增加化学反应速率的生物催化剂。

protein：蛋白质。构成身体的主要成分之一。蛋白质的基本构成单位是氨基酸（amino acid）。

peptide：肽。多个氨基酸构成蛋白质，多条蛋白质构成肽。

例题讲解

1. Which of the following best describes the function of the third paragraph of the passage?

   下面哪一项最好地描述了第三段的功能？

答案：(E) It begins a detailed description of the process introduced in the previous two paragraphs. 它开始了对于之前两段话所描述过程的细节性描述。

解析：本文前两段所介绍的过程是非酶糖基化，本段则介绍了非酶糖基化的机理，因此是一种细节化的描述。

2. The passage suggests that which of the following would be LEAST important in determining whether nonenzymatic glycosylation is likely to have taken place in the proteins of a particular tissue?

   当确定非酶糖基化是否会在一个特定组织的蛋白质中发生时，本文提到下面哪一项是最不重要的？

答案： (D) The number of amino groups within the proteins in the tissue 组织蛋白质中氨基酸集团的数量

解析： (A) The likelihood that the tissue has been exposed to free glucose 这个组织接触到无葡萄糖环境的可能性。第二段第三句介绍非酶糖基化的概念时便提到，要发生非酶糖基化，首先要有葡萄糖存在。所以组织接触到无葡萄糖的环境的可能性会决定非酶糖基化是否发生。

(B) The color and spectrographic properties of structures within the tissue 组织内部结构的颜色和光谱性质。根据第五段第四句，人类白内障染色的交叉连接呈现AGE's特有的棕色和荧光，因此颜色和光谱性质可以帮助确定非酶糖基化是否发生。

(C) The amount of time that the proteins in the tissue have persisted in the body 组织中蛋白质存在于身体内的时间。第四段第一句：如果某种蛋白质在人体内成年累月地存留，部分Amadori产物会缓慢地脱水并且再次重组成一个由葡萄糖衍生的结构。因此存留时间也可以用于确定是否发生非酶糖基化。

(D) The number of amino groups within the proteins in the tissue 组织蛋白质中氨基酸集团的数量。文中未提及，因此答案选(D)。

(E) The degree of elasticity that the tissue exhibits 组织展现出来的弹性。根据第四段第五句，如果组织展现出硬化的性质，那么说明发生了非酶糖基化。因此组织的弹性也可以反映出非酶糖基化是否发生。

Passage 050

理论数学过于精确会带来_____的结果，适当的_____对于科学家有利

原文翻译

❶计算机程序员常常说，由于计算机器完全缺乏鉴别力，只要我们让它做，它就会做任何傻事。❷当然，这么说的原因在于计算机器的"智能"被狭隘地固定在它所感知的细节上——它不能被更大的环境引导。❸在计算机智能的心理学描述中，三个相关的形容词进入我们的脑海：思维专一的、思维精确的以及思维简单的。❹认识到这一点，我们同时也应该认识到这种专一、精确以及简单的思维也是理论数学的特点，尽管其程度没有那么深。

❶既然科学尝试去处理现实问题，那么即使是最精确的科学通常也会借助或多或少不精确的近似来进行工作，科学家必须对这种近似保持适当的怀疑态度。❷例如，可能会让数学家们感到震惊的是，氢原子的Schrodinger方程并不是对原子精确描述，它只是对考虑到自旋、磁偶极子以及相对论效应的精确方程的某种近似；他们还可能感到震惊的是，这种精确的方程本身也只是一种对于无限量子场-理论方程集合的不完美近似。❸物理学家观察原始Schrodinger方程，了解到除了独特的可见关系之外，还存在着许多隐性关系，这个感觉激发了一种对于方程纯技术特点完全合理的忽视。❹这种良性的质疑对于数学方法来说是陌生的。

❶数学必须处理明确规定的情况。❷因此，数学家们依靠数学以外的知识来详细说明他们按照字面理解的近似性。❸给予数学家一个尽可能确切的情景，他们就会把情景变成完全确切的场景，这个变化可能是合理的，但也可能是不合理的。❹在某些情况下，数学家精确的思维可能会导致不理想的结果。❺数学家把科学家做出的理论假设，即为了需要而分析强调的论点，变成公理，然后再照字面

含义理解公理。❻这就会带来风险，即他们可能劝说科学家也照字面理解这些公理。❼因此，如果公理不严谨而产生的问题就被忽略了，而这个问题是一个对于科学研究至关重要、但对于数学领域极其令人不安的问题。

❶物理学家适当担心精确论断的做法是正确的，因为一个只有在精确情况下才有说服力的论断在其假设条件稍微改变时就会失去全部说服力，而一个不精确但却有说服力的论断，在其基本假设受到微扰时，会保持稳定。

3s 版本

❶❷❸计算机专一、精确以及思维简单。

❹理论数学和计算机相似。

第一段3s：理论数学很死板。

❶❷❸科学家会借助近似性，并对其保持适度的怀疑。

❹这种质疑对于数学家来说陌生（理论数学很死板）。

第二段3s：理论数学很死板，不懂得做近似。

❶❷❸数学家追求精确性。

负态度unfortunate ❹❺❻❼这种精确可能产生不好的结果。

第三段3s：数学的精确会带来不好的结果。

❶适当的不精确对于科学家是有利的。

第四段3s：适当的不精确对于科学家是有利的。

全文3s版本：理论数学过于精确会带来不好的结果，适当的不精确对于科学家有利。

文章点拨

1. 文章结构

本文属于典型的顺子结构，重点在后面。第一段前三句起到引子的作用，通过解释计算机的思维很死板，来引出主要讨论对象（理论数学）的死板。死板即表明理论数学是精确的。第二段顺承上一段，依然在说明理论数学很死板很精确。第三段前三句顺承上段，依然在讲理论数学很精确，但是第四句unfortunate负态度取反，说明精确对于理论数学来说是不利的，从而提出适当的不精确是好的。第四段进一步延伸，用来说明适当的不精确对于科学来说有好处。文章内容层层递进，最终说明适当的不精确对于科学研究的好处。

2. extent的用法

to some extent：一定程度上

【例】To test the efficacy of borrowing from one field of study to enrich another, simply investigate the extent to which terms from the one may, without forcing, be utilized by the other. 要测试一个学科受益于另一个学科的程度，只需简单地去调查这个领域中的术语在没有被强迫的情况下在另一个领域中得到了多大程度上的运用。

the extent to which A：A的程度

【例】Difficulties ensuing from the high cost and scarcity of superphosphate fertilizers has been a factor influencing the extent to which research on mycorrhizal fungi has progressed. 钙磷肥的高成本和稀缺性导致的困难是影响根菌研究进展程度的因素之一。

例题讲解

According to the passage, mathematicians present a danger to scientists for which of the following reasons?

根据文章，以下哪个选项是数学家对科学家造成威胁的原因？

答案： (C) Mathematicians may convince scientists that theoretical assumptions are facts. 数学家可能会使得科学家相信理论上的假设是事实。

解析： 本文是according to the passage类型的文章，根据题干可知定位到第三段第四句到第七句，讲数学的精确带来不好的结果。根据第五句，"数学家会把他们的理论假设转变成公理"，这便是数学家为科学家带来危险的原因。

Unit 07

程度取反

练习题目

努力就会有收获，相信自己，终会厚积薄发。

——陈添依

Purdue University，微臣教育线上课程学员

2015 年 11 月 GRE 考试

Verbal 165 录取院校：杜克大学生物 PhD

Passage 051

评论家理解作品时面临_____

原文翻译

❶一个严肃的评论家必须要理解一部艺术作品的特定内容、独特结构以及特殊含义。❷在这里，她面临着进退两难的情况。❸这位评论家必须识别出带有独特性的艺术元素，而做到这一点需要主观反应；可是，她绝不应该被这些反应过分左右。❹因为她自己的喜好厌恶与作品所传达出的内容相比并不重要，并且她的好恶可能使她对作品的某些特质视而不见，从而使她无法充分理解该作品。❺因此，一个评论家有必要培养这样一种敏感性，由熟悉艺术史和美学理论而形成的敏感性。❻另一方面，仅仅从历史的角度看待一个艺术作品的一套固有思想和价值观是不够的。❼评论家的学识和训练是其认知能力和情感能力的一种准备，而这些能力是对艺术作品自身的特质做出一种充分的个人反应所需要的。

3s 版本

❶❷评论家理解作品时面临进退两难的境地。

❸❹不能过分主观。

❺要对于艺术史很敏感。

On the other hand ❻仅仅关注于艺术史是不够的。

❼还需要主观能力。

小结：❸❹❺封装，❻❼封装，❸~❼封装顺承❷用来说明评论家理解作品的进退两难的境地。

全文3s版本：评论家理解作品时面临进退两难的境地。

文章点拨

1. 本文的程度取反

本文最典型的程度取反出现在第三句。第三句说她应该需要主观的反应，但是后半句又说不能过分被这些主观反应所左右。应该主观，但又不能过分主观，这便是本文中的程度取反。

2. 本文中封装现象的理解

本文主旨句是第四句"进退两难"。既然是进退两难，则后文必然会出现矛盾。第三句本身就是个矛盾，yet在句内构成程度取反，yet之前讲需要主观，yet之后讲不能过分依赖主观，这是一种进退两难的情况。

为了避免进退两难的局面，作者希望评论家通过关注艺术史而变得客观，同时需要提高自身的修养，能够洞悉出作品的独特性。在对艺术史的熟悉与自身修为的平衡之中，评论家方可更好地处理这个进退两难的局面。一句话可以概括评论家为什么要这样平衡："Art speaks to the passions（自身修为品味）as well as to the intellect（对于艺术史的熟悉所进行的理性判断）."

3. 第六句On the other hand是换对象的标志。

例题讲解

The author's argument is developed primarily by the use of

作者展开论点主要通过使用

答案： (D) a warning against extremes in art criticism 警告不要在艺术评论中太极端

解析： 本文通过排除两种极端（完全主观和只关注艺术史）来说明文章主旨。

Passage 052

八部罗曼史是_____的

视频讲解

原文翻译

❶起初Vinaver提出一个理论：Malory的八部罗曼史（romance）曾被认为是基本上统一的整体，但实际上却是八部独立的作品，这个理论让人有种解脱感，但也引起了令人不悦的震惊。❷ Vinaver的理论圆满解释了（作品的）时间顺序上明显的冲突，并且让每一部浪漫主义作品都令人满意。❸然而让人不爽的是，之前认为的一本书现在变成了八本书。❹产生这种反响的原因部分是由于对既定思想受到干扰的自然反应。❺不过就算现在，在对这个理论进行长期准确合理的观察之后，我们也无法逃避这个结论，即这八部作品仍然只是一个作品。❻这并不是不同意八部作品的独立性，而是说它排斥了这个理论的含义，即我们可以以任意顺序或者不按顺序去理解罗曼史、这些罗曼史没有累积效应以及它们和现代小说家的作品一样独立。

3s 版本

❶ Vinaver认为八部罗曼史是独立的，这一观点既引来了正评价也引来了负评价。

❷正评价。

However ❸❹负评价。

小结：❷❸❹ Vinaver认为八部罗曼史是独立的。

Nevertheless ❺❻八部罗曼史是统一的。

全文3s版本：八部罗曼史是统一的。

文章点拨

1. 本文第一句既有正评价又有负评价。通常来讲一篇文章前面的某句话出现正反两面的论证时，后面往往会把正面和反面拆开分别论述，但是分开论述的句子又可以被"封装"起来，看成是顺承最前面的一句。比如本篇文章第二句和第三、四句可以封装到一起共同顺承第一句。同时，本文的前四句又可以再有一个大的封装，共同与第五、六句取反。

2. 在内容上，文章最后一句出现了程度取反，认为八部罗曼史是统一的，但是这种统一又不是完全否定了八部罗曼史的独立性，而是说八部罗曼史不能够按照随意的顺序去理解。作者不否认八部这种说法，但是不同意通过八部这个说法推出的两个implications是有问题的。（It is not quite a matter of disagreeing with the theory of independence, but of rejecting its implications.）

3. explain away：为…辩解 If someone explains away a mistake or a bad situation they are responsible for, they try to indicate that it is unimportant or that it is not really their fault.

【例】The recent discovery of detailed similarities in the skeletal structure of the flippers in all three groups undermines the attempt to explain away superficial resemblance as due to convergent evolution.

近期在全部三个群体的鳍部骨架所发现的细节相似性削弱了试图解释由于趋同进化而导致的表面相似性的尝试。

例题讲解

The primary purpose of the passage is to

本文主旨是

答案：(A) discuss the validity of a hypothesis 讨论了一个假说的有效性

解析："a hypothesis"指的是"Vinaver认为八部罗曼史是独立的"这一观点，本文评价了其有效性，最终证明它是有问题的。

Passage 053

尽管Pessen的_____是对的，但_____不对

原文翻译

❶ Tocqueville显然是错了。❷在Jackson执政时期，美国并不是一个流动的平等主义社会，也不是一个个人贫富瞬息万变的社会。❸至少，在E. Pessen在他对1825年到1850年间美国富人进行的特立独行的研究中也是这样认为的。

❶ Pessen确实列举了大量事例以及一些让人耳目一新且简单易懂的统计数据，来证明美国确实存在极度富有的阶级。❷尽管他们在商业领域非常活跃，但大部分财富不是他们白手起家获得的，而是通过继承家业获得的。❸可以肯定的是，这些继承来的巨大财富经受住了金融大恐慌的冲击，而较小规模的财富却被恐慌摧毁。❹实际上，几个城市里最富有的1%的人一直到1850年持续不断地积累自己的财富，他们拥有了全社会一半的财富。❺尽管这些观察结果是正确的，但Pessen还是由于高估了这种情况的重要性而得出了以下结论：18世纪末发展起来的不平等现象毫无疑问地一直延续到19世纪中叶Jackson总统执政时期，并且美国在工业化之前就是一个阶级压迫、财阀统治的社会。

3s 版本

❶托克维尔（Tocqueville）是错的。
❷❸杰克逊时期的美国是不公平的。
第一段3s：杰克逊时期的美国是不公平的。

❶ Pessen来证明不公平。
❷财富是继承的。
❸大财富家在动荡期存活几率高。

❹最富的人财富一直在增加。

overestimate ❺ Although，Pessen的观察是对的，但由观察得到的结论不对。

小结：❶❷❸❹是Pessen的观察的例子来论述美国不公平。

第二段3s：Pessen的结论不对。

全文3s版本：尽管Pessen的观察是对的，但结论不对。

文章点拨

　　本文的唯一一次转折发生在第二段第五句。前面的内容都是在描述Pessen的观点以及他提供的观察。第五句主句部分的overestimate是一个负态度词，后面说Pessen基于这些观察得到的结论却是不对的。因此从内容上讲，第五句并没有否认前面有关Pessen的观察的内容，它是承认Pessen的观察的合理性，但是否认的是他由这些观察所得到的结论，这是一种程度取反。

例题讲解

Which of the following best states the author's main point?

本文的主旨是

答案： (E) Pessen challenges a view of the social and economic system in the United States from 1825 to 1850, but he draws conclusions that are incorrect. Pessen 挑战了1825到1850年，美国的社会和经济系统的一个观点，但是他得到了错误的结论。

解析： 选项中的"a view"指代美国是流动的平等的社会，但他因为高估了自己的观察的重要性因为得到了错误的结论。

Passage 054

二月革命没有＿＿＿＿＿＿记录

原文翻译

　　❶在1848年2月，巴黎人民发动了一场暴动起义来反抗Louis-Philippe的君主立宪制（constitutional monarchy）。❷尽管存在对这场起义的优秀故事描述，但这个被称为"二月革命"的起义在过去20年中很大程度上被社会历史学家忽视了。❸对于19世纪巴黎的其他三场主要的暴乱——1830年7月，1848年6月以及1871年5月——来说，至少存在参与者背景的大概信息以及对起义发生原因或多或少严谨的分析。❹只有在二月革命这个案例中，我们缺少对于参与者有用的描述，而这个描述有可能会按照与社会历史有关的革命动员过程所教我们的内容来描述这场革命的性质。

　　❶忽视二月革命的两个原因似乎是显然的。❷首先，二月革命被六月革命掩盖了。❸尽管二月革命确实推翻了一个政体，但它遇到的反抗太小了，以至于它未能产生任何真正的历史戏剧感。❹而另一方面，之后发生的革命却似乎将两个社会经济群体置于你死我亡的斗争中，而当代观察家普遍把它看作一次历史性重大转折。❺通过他们的解读——正是这些解读对我们理解革命过程有持续影响——六月革命的影响得以被夸大，而与此同时，作为一个无心而为的结果，二月革命的意义则被贬低了。

❻其次，像其他"成功的"革命一样，二月革命未能产生最让人满意的历史记载。❼尽管1838年六月革命以及1871年巴黎公社被所有评判标准认为是19世纪法国历史的分水岭，但是它们同样为社会历史学家提供了一个明显优势：作为政府当局试图查出并惩罚叛党的意外收获，这些失败的起义产生了大量无价的文件史料。

　　❶1830年7月和1848年2月这些成功的起义，它们的后果截然不同。❷起义的经验不断被复述，但参与者大多继续他们的日常生活，从未将其活动记录下来。❸那些发挥过显著作用的人变成了高度渲染的文字记述的对象，或者有时成为当代期刊中歌颂性文章的对象。❹诚然，每次起义中公认的领袖们会写回忆录。❺但是，尤其是当这类文档和起义失败后为每个被逮捕的人所准备的详尽法律卷宗相比的时候，它们有可能是极不可靠的、缺乏代表性的而且没有被系统地保存。❻因此，如果想为一次成功的革命建立起包含所有参与者的一个综合而又可信的记录，或者要回答我们可能针对起义者的社会背景提出的最基本的问题，那么这可能会十分困难，甚至根本不可能。

3s 版本

❶二月革命背景介绍。

❷二月革命被忽略。

换对象❸其他三场革命有记录。

换对象❹二月革命没有有效记录。

第一段3s：二月革命没有有效记录。

❶两个原因导致二月革命没有有效记录。

❷❸❹❺原因一：二月革命太顺利导致没有有效记录，六月革命进展不顺利而有记录。

❻原因二：成功革命没有有效记录。

换对象❼失败革命有有效记录。

第二段3s：二月革命没有有效记录的原因。

换对象❶❷❸成功革命没有有效记录。

❹有记录。

However ❺没有有效记录。

小结：❹❺封装与❸取同。

❻有有效记录的意义。

第三段3s：成功革命没有有效记录。

全文3s版本：二月革命没有有效记录。

文章点拨

　　1. 本文的主旨不能简单地认为是"二月革命没有记录"，而应该是"二月革命没有有效的记录"。这是因为根据第一段第二句，"关于二月革命是有一些故事性的描述的"，因此有记录。但是，根据第四句，二月革命缺乏有效的描述（useful description）。这是一种程度取反，考生很容易就给忽略掉了。

　　2. "有效"描述的同义改写：useful, most desirable, invaluable

　　3. 本文中用到了大量的换对象取反。其中，第二、第三两段构成了段间的换对象取反。第二段第七句讲失败革命有有效记录，第三段则开始讨论成功革命，并证明成功革命没有有效记录。

例题讲解

Which of the following is the most logical objection to the claim made in the third paragraph?

下面哪一项是对于第三段观点的最有逻辑的反驳？

答案： (B) The backgrounds and motivations of participants in the July insurrection of 1830 have been identified, however cursorily. 1830年7月革命的参与者的动机和背景被识别出来了，尽管很粗略。

解析： 第三段的观点为成功革命没有记录，与上一段失败革命有有效记录取反。因此要反驳第三段观点，只要二月革命和七月革命有一场有记录就可以，因此(B)正确。

Passage 055

绘画和音乐可以类比，但_____

原文翻译

❶比较音乐作品和视觉作品时会产生有趣的问题。❷我们熟悉这种把一个领域里的术语简单转移到另一领域的做法。❸在绘画和音乐的比较中，基本问题可以表述成：能不能用看绘画作品的方式听音乐作品？❹音乐和绘画的要素不完全相同。❺它们可能相似，但相似不是相同。❻那么有没有这种可能，即在不同的感官条件中体现出相同的普遍特征？

❶要弄清楚一件作品的普遍特征与感官条件之间的关系，我们必须先分清两个事实。❷首先，一件视觉或听觉作品的普遍特征是由可分辨的部分以及这些部分的相互关系决定的。❸因此，在这些部分或者这些部分的相互关系中任何明显的变化都会导致某些普遍特征发生变化。❹第二，局部或者局部关系的变化可能不会使其他整体普遍特征发生变化。

3s 版本

❶比较音乐作品和视觉作品时会产生有趣的问题。

❷术语可以从一个领域转移到另一领域。

❸能否用看绘画作品的方式听音乐作品？

❹❺音乐跟绘画的要素不完全相同，只是类似。

❻不同的感官方式是否能表达相同的普遍特征？

第一段3s：绘画作品与音乐作品是否能表达相同的普遍特征？

❶对于回答第一段的问题要区分两点。

❷❸一、局部特征的变化会改变某些普遍特征。

❹二、局部特征变化不会改变其他普遍特征。

小结：❷~❹封装，顺承❶。

第二段3s：局部特征的变化只会改变某些普遍特征。

全文3s版本：绘画和音乐可以类比，但不完全相同。

文章点拨

本文主要分析的问题是音乐和绘画这两种不同的艺术形式是否会表达出相同的特征。文章写得比较抽象，我们可以用两个具体的例子帮助理解：爱国主义绘画和爱国主义音乐。

本文第一段最后提出问题：不同的感官方式是否能表达相同的普遍特征。这里的"感官方式"即指代"听觉"（音乐）和"视觉"（绘画），普遍特征可以认为是两种艺术形式表达的内容，在这个例子中则指的是"爱国主义"。

第二段提出了两个要点。第一点在于局部特征的变化会改变某些普遍特征。这里的"变化"指的便是绘画和音乐之间的差异。因此第一点放在这个例子中，指的便是爱国主义绘画和音乐在局部特征上的差异会导致两种作品在总体特征上的差异，但要注意，只是影响了某些总体特征。第二个要点是局部特征变化不会改变其他普遍特征。也就是说尽管绘画和音乐之间局部特征的差异导致在某些方面的普遍特征上有差异，但是其他的普遍特征并没有因此而产生差异。所以这篇文章在分析完这两个要点后，也就回答了第一段最后提的问题：绘画和艺术尽管有所不同，但是可以类比，这在内容上也是一种程度取反。

例题讲解

Which of the following statements is most likely be a continuation of the passage?

下面哪一项最有可能是本文的续写？

答案： (A) The search for broad similarities thus begins by understanding and distinguishing these two facts. 因此寻求普遍的相似性应该从理解和区分这两个事实开始。

解析： 将此选项带入第二段成为第五句。这五句话之间都是同向关系，因此(A)选项可以成为续写。

Passage ⟨056⟩

*Wuthering Heights*的不同部分可以_____，但不能统一_____

原文翻译

❶许多研究Emily Bronte的小说*Wuthering Heights*的评论家，将小说的第二部分看作是对第一部分进行评论的一种互补，尽管第二部分没有完全逆转第一部分，而在小说第一部分中对于"浪漫"的解读得到了更充分的证实。❷将小说的两部分看作一个整体，受到了小说复杂结构的支持，而这种复杂结构体现在小说对叙述者们以及时间交替的复杂运用之中。❸必须承认的是，这些因素的存在并不能说明作者对于小说结构的意识可与Henry James相比；但这些因素的存在确实试图把小说中的不同因素统一起来。❹然而，任何试图将小说中所有形形色色的因素统一起来的做法，在某种程度上注定是无法令人信服的。❺这不是因为这样的一种解释会僵化成为一个主题（尽管僵化在对这部或任何一部小说的解释中总是危险的），而是因为*Wuthering Heights*中一些难以调和的因素具有无法否认的力量，它最终无法包括在一个包罗万象的解释中。❻在这一方面，*Wuthering Heights*跟*Hamlet*有相同特点。

3s 版本

❶❷*Wuthering Heights*的前两个部分可以统一。

❸*Wuthering Heights*的不同部分可以统一。

However ❹不能统一所有的不同部分。

❺不能统一所有不同部分的原因。

❻*Hamlet*也不是所有的部分都能统一。

全文3s版本：*Wuthering Heights*的不同部分可以统一，但不能统一所有部分。

文章点拨

1. 程度取反

本文第四句However在这里引导了程度取反，前面说"可以统一不同部分"，后面说"不能统一所有不同部分"，前后两句有程度差异，因此为程度取反。

【例】Many philosophers disagree over the definition of morality, but most disputants fall into one of two categories. 很多哲学家对于道德的定义有分歧，但是大多数有争议的人都属于两种范畴中的一种。

【析】but之前有分歧，but之后依然有分歧，但是but之后将分歧的程度进行了限定，限定在了两种分歧之中，因此but前后程度取反。

2. 第一句counterpoint的理解

counterpoint一词在字典上往往给出"对位法"的解释，所谓对位法可以理解为本身不同的两段谱子放到一起演奏的时候会产生和谐的效果，即本来不同的东西放到一起可以产生互补的效果。这就好比一对夫妻，一个人内向，另一个人外向，性格不同，但是在一起的时候会产生很互补的效果。因此counterpoint可以翻译成"互补"。

3. 第一句if it does not reverse的理解

当if夹在两个逗号中间且前后内容相反时，if前面的counterpoint既有相同之处，又有不同之处；而if之后的not reverse强调相同，排除了counterpoint中不同的地方，因此if前后取反，在此处翻译成"尽管"。

【例】Another potent objection came from the physicists led by Lord Kelvin, who contested the assumption of previous geologists and biologists that life had existed for billions of years, if not infinitely. 另外一个强有力的反驳来自于LK领衔的物理学家，他们对于地质学家和生物学家之前的假设——生命已经存在了数百万年，尽管不是无穷的——提出了质疑。

【析】not infinitely（有限地）与billions of years（几十亿年）构成对立，因此if表让步。

4. 与counter有关的单词

① counterpart *n.* 对应的人或物 someone's or something's counterpart is another person or thing that has a similar function or position in a different place.

【析】counterpart的含义正如词典中给出的解释一样，从本质上讲是表示"相同"。比如，这个大学有一个校长，另一个大学也有一个校长，这两个校长不是一个人，但是却起到了相同的作用，地位相当，功能一致，互相对应，于是就是counterpart的关系。

【例】Recently researchers have developed the concept of tunneling temperature: the temperature below which tunneling transitions greatly outnumber Arrhenius transitions, and classical mechanics gives way to its quantum counterpart. 最近，研究者们提出了隧穿温度的概念：在这个温度以下，隧穿效应导致的转化远远多于阿伦尼乌斯转化，经典力学让位于它的量子力学对应物（指代隧穿效应）。

② counterpoint *n.* 令人满意的对比 something that is a counterpoint to something else contrasts with it in a satisfying way.

【析】counterpoint表示两个完全不同的、构成对立的事物，放到一起时却能产生令人满意的、和谐的效果。很多词典中对于counterpoint还有音乐术语"对位法"之意。对位法是在音乐创作中使两条或者更多条相互独立的旋律同时发声并且彼此融洽的技术。通过"对位法"之意，是不是可以对counterpoint有一个更直观的了解呢？

【例】Many critics of Emily Bronte's novel *Wuthering Heights* see its second part as a counterpoint that comments on, if it does not reverse, the first part. 许多对于Emily Bronte的小说《呼啸山庄》的批评家将它的第二部分看作是第一部分进行评论的和谐一致的对立，尽管并没有完全地逆转第一部分。

例题讲解

According to the passage, which of the following is a true statement about the first and second parts of *Wuthering Heights*?

根据本文，下面哪一个是正确的关于*Wuthering Heights*的前两个部分？

答案： (D) The second part provides less substantiation for a "romantic" reading. 第二部分提供了更少的浪漫主义解读。

解析： 定位到本文第一句：第一部分有更多的浪漫主义。反推之，第二部分的浪漫主义就是更少。

Unit 08

必做

练习题目

GRE 让我认识到自己有多弱，同时也让我们
认识到自己可以有多强。

——黎天宇
北京航空航天大学
微臣教育线下 400 题课程学员
2015 年 12 月 GRE 考试
Verbal 164 Quantitative 168

Passage 057

Gutman正确强调了_____和_____对_____的重要性

原文翻译

❶Herbert Gutman在其1976年对美国奴隶制度的研究中，像Fogel、Engerman和Genovese一样，正确地强调了奴隶们的成就。❷但是和这些历史学家不同的是，Gutman没有把这些成就归功于种植园主。❸进一步说，Gutman认为我们必须注意到黑人家庭以及奴隶们扩大的亲属体系，这样才能理解那些重要的成就是如何成为可能的，例如对于文化遗产的保护以及群体意识的发展。❹他的发现引起了人们的注意。

❶Gutman主要通过一种巧妙的方法再现了家庭和扩大的亲属结构，这种方法是每位历史学家本应该利用的方法——可量化的数据（quantifiable data），在这个例子中，数据主要来自种植园的出生记录。❷他还利用了前奴隶们的描述来调查数据背后隐含的人类现实。❸这些数据来源表明，在奴隶聚集的区域中双亲家庭占绝大多数，这和解放后奴隶中的情况相同。❹尽管Gutman承认由奴隶贩卖造成的分离很频繁，但他证明奴隶们倾向于稳定的一夫一妻制(monogamy)，这一点在贩卖并不频繁的种植园中最能得到体现。❺Fogel、Engerman和Genovese用不太确定的方式指出双亲家庭占主要地位；然而，只有Gutman强调了奴隶对稳定的一夫一妻制的偏爱，并且指出稳定的一夫一妻制对奴隶文化遗产的意义。❻Gutman有说服力地论证：黑人家庭的稳定有助于包括民间传说、音乐以及宗教表达在内的黑人文化的代代传递，因此它在维持文化遗产方面也起到重要作用，而这种文化遗产是从黑奴们不断地从其在非洲和美洲的经历中提炼出来的。

❶Gutman对（奴隶）亲属关系其他方面的分析也取得了重要的发现。❷Gutman发现堂兄妹堂姐弟之间很少结婚，这种同外部通婚（exogamy）的倾向和种植园主的内部通婚（endogamy）形成鲜明的对比。❸Gutman认为，对外部通婚的偏好可能源于西部非洲对婚姻的规定，尽管在不同部落中这些规则并不相同，但是所有的规则都包括禁止近亲结婚。❹Gutman提出，堂兄妹、堂姐弟结婚的禁忌很重要，因为它是一种标志，它表明奴隶间存在着一种对扩大的亲缘网络的强烈意识。❺远房亲戚会照料与家庭分离的孩子，这个事实也表明了这种意识。❻当血缘关系很少的时候，就像在美国西南部新建的种植园中的情况一样，"虚拟的"血缘安排就取代了真正的血缘关系，直到新的同血缘模式发展形成。❼Gutman利用有力的证据证明，这种扩大的亲缘结构——他认为是在十八世纪中期至后期发展起来的——为奴隶之间所存在的那种强烈的集体意识提供了基础。

❶总而言之，Gutman的研究十分重要，因为它对某些奴隶的成就给出了一个逻辑缜密以及新颖的解释，这一解释正确地强调了奴隶们自身所拥有的资源。

3s 版本

❶ Gutman与其他历史学家研究中的共同点——都强调了奴隶的成就。

But ❷ Gutman与其他历史学家的不同——没有把成就归功于种植园主。

❸❹ Gutman认为黑人家庭和扩大的亲属关系对成就很重要。

第一段3s：与其他学者不同，Gutman注意到了黑人家庭和亲属关系的重要性。

❶❷ Gutman利用数据和前奴隶的描述进行对黑人家庭和扩大的亲属关系的研究。

❸资料表明奴隶中双亲家庭占大多数。

❹奴隶们偏爱稳定的双亲家庭。

❺❻对稳定双亲家庭的偏爱有助于黑人文化的传递与保存。

第二段3s：奴隶中对稳定的双亲家庭的偏爱有利于黑人文化的传递与保存。

❶❷ Gutman发现奴隶很少内部通婚。

❸禁止内部通婚的原因。

❹❺❻禁止内部通婚所导致的外部通婚扩大了亲属网络。

❼扩大的亲属网络为集体意识（黑人文化）提供了基础。

第三段3s：黑人奴隶扩大的亲属网络为集体意识提供了基础。

❶ Gutman的研究正确强调了奴隶所拥有的资源。

第四段3s：Gutman的研究正确强调了奴隶所拥有的资源。

全文3s版本：Gutman正确强调了黑人家庭的稳定和扩大的亲属关系对于黑人文化传承的重要性。

文章点拨

1. 本文的行文结构

第1段：描述Gutman和其他历史学家的相同点和不同点，指出Gutman的研究强调两点——黑人家庭的稳定和扩大的亲属关系。

第2段：介绍黑人家庭的稳定。黑人偏好一夫一妻制，这对于文化传承很重要。

第3段：介绍黑人奴隶扩大的亲属关系，为集体意识提供了基础。

第4段：对Gutman的研究给出正面评价。

文章结构是总分总。同时全篇对Gutman的评价都是正评价。这种全文正评价在GRE的阅读文章中极其罕见。

2. 与credit有关的短语

① give sb. credit for sth. 归功于…

【例】But unlike these historians, Gutman gives plantation owners little credit for these achievements. 但是和这些历史学家不同的是，Gutman没有把这些成就归功于种植园主。

② get credit for 因…而受到好评

【例】The social sciences are less likely than other intellectual enterprises to get credit for their accomplishments. 比起其他学科，社会科学不太容易因为它们的成就而受到好评。

③ lend credibility to 增加…的可信度

【例】The author mentions the results of flotation experiments on plant seeds most probably in order to lend credibility to the thesis that air currents provide a method of transport for plant seeds to Hawaii. 作者提到了植物种子的漂浮实验结果，这最有可能是为了增加大气环流能够将种子传播至夏威夷这一假说的可信度。

例题讲解

1. Which of the following is the most appropriate title for the passage, based on its content?
根据文章内容，以下哪个选项可以作为文章的题目？

答案： (B) Gutman's Explanation of How Slaves Could Maintain a Cultural Heritage and Develop a Communal Consciousness. Gutman对奴隶如何维持文化传承和发展共同意识的解释。

2．Which of the following best describes the organization of the passage?

以下哪个选项最好地描述了文章的行文结构？

答案： (E) The author presents the general argument of a historical study, describes the study in more detail, and concludes with a brief judgments of the study's value. 文章的作者展现出对于一个历史研究普遍性的论述（第1段），用更多细节描述这个研究（第2、3段），并且对研究的价值给出了一个简短的评判作为结束（第4段）。

Passage *058*

尽管_____提议严格限制抗生素，但_____对此并不在意

原文翻译

❶食品及药物管理局（Food and Drug Administration）最近提议，要对使用抗生素促进食用动物的健康和生长的行为进行严格限制。❷添加到饲料中的药物，不仅能杀死许多微生物体，而且有利于那些对抗感染药物的抗药性菌类出现。❸例如，青霉素（penicillin）和四环素（tetracyclines）已经不像以前那样有疗效了。❹抗药性主要是由那些被称作"质粒"（plasmid）的基因环状物给予的，它们能在不同种类、不同菌类之间交换。❺质粒也是分子生物学家在进行基因移植实验时依靠的两种手段之一（另一种是病毒）。❻甚至现在的指导方针禁止实验室使用质粒，这些质粒携带着对抗抗生素的基因。❼但是，尽管国会就是否应该加强对科学家在实验室中的限制（即限制抗生素等的开发）的辩论非常火热，但他们对已经产生了已知有害影响的不明智的农业实践却不是很在意。

3s 版本

❶ FDA提议严格限制抗生素。

❷❸限制抗生素的原理。

❹❺❻实验室限制抗生素。

Yet ❼国会对此并不在意。

全文3s版本：尽管FDA提议严格限制抗生素，但国会对此并不在意。

文章点拨

句内句间关系分析

Yet, while congressional debate rages over whether or not to toughen these restrictions on scientists in their laboratories, little congressional attention has been focused on an ill-advised agricultural practice that produces known deleterious effects.

本句开头的Yet表明句间转折，与前面一句话取反。同时，本句话内部又有while引导的句内让步，因此while之后的分句应该与前面的句子取同，于是读到这里可以对while之后的分句产生预判——限制抗生素。

另外，本文前六句都是FDA的观点，第七句是国会的观点，因此就算第七句没有yet，因为这句话和前面的内容发生了观点持有者的转变，两部分也应该转折。

例题讲解

1. In the passage, the author is primarily concerned with:

   本文主旨：

答案： (C) describing a problematic agricultural practice and its serious genetic consequences. 描述一种有问题的农业实践以及其严重的遗传学后果。

解析： 参考各句的3s版本，这篇文章主要在说FDA提议限制农业实践中的抗生素使用(a problematic agricultural practice)并介绍抗生素的危害，(C)选项符合。另外，本题容易错选(E)选项。原文第一句说restriction on use of antiotics to promote，限制的是促进健康和生长的抗生素；而(E)选项说的是restriction intended to promote，限制是为了促进健康和生长，两者意思完全相反，但如果看得不细的话就会搞混。

2. According to the passage, the exchange of plasmids between different bacteria can results in which of the following?

   根据这篇文章，质粒在不同细菌中的交换会导致下面哪一个选项？

答案： (A) Microorganisms resistant to drugs 微生物的抗药性
解析： 本题同义改写第四句。

Passage 059

讨论了＿＿＿＿＿＿对气候变化的影响

原文翻译

❶气候条件随地球大气成分的变化而精妙地变化。❷如果大气层发生了变化——比如在大气气体组成的相对比例发生变化——那么气候可能也会改变。❸例如，水蒸气的微量增加会增加大气蓄热能力，并会使得全球气温上升。❹相反，水蒸气的大量增加会增加云层的厚度和面积，从而减少到达地球表面的太阳能。

❶大气中CO_2浓度对气候变化有重要影响。❷地球的大部分入射能量是依靠短波辐射，这种辐射往往可以轻易地穿过大气中的CO_2。❸然而，地球会把接收到的能量以长波的形式再辐射出去，CO_2吸收长波辐射，之后再把辐射传送回地球。❹这个现象被认为是温室效应，它可以导致一个星球表面温度的上升。❺这个影响的一个极端例子是金星，其表面被大部分由CO_2组成的厚厚云层覆盖，据测量它的表面温度是430℃。❻如果大气中CO_2含量减少，那么气温下降。❼根据一个可接受的理论，如果大气中CO_2浓度减半，那么地球会完全被冰覆盖。❽然而，另一个同样可以接受的理论说，CO_2

浓度减半仅仅会导致地球温度下降3℃。

❶如果由于山林大火或火山活动的增加而致大气中CO_2含量增加，那么这会产生一个更温暖的气候。❷依赖温暖和CO_2的植物生长过程可能会被促进。❸其结果是植物会利用越来越多的CO_2。❹最终CO_2浓度会减少，而气候随之变得凉爽。❺气温的降低会使得很多植物死亡；CO_2会因此回到大气中，并且气温会逐渐回升。❻因此，如果这个过程出现，那么大气中CO_2的含量可能出现长期的波动，即气温普遍按照一定量有规律地上升和下降。

❶一些气象学家认为，化石燃料的燃烧使得大气中CO_2浓度升高，并且使得地球气温上升了至少1℃。❷可是假定地球气温上升的1℃可能实际上只是几个区域的气温增加，这个增加量被限制在气象站众多的区域，并且只由大气环流模式的变化引发。❸其他地区，例如南半球的大洋区，可能在经历着未被人们发现的相同温度的降低，这是由于气象记录站的短缺。

3s 版本

❶❷气候条件随地球大气成分的变化而变化。

❸水蒸气轻微上升导致变暖。

换对象❹水蒸气显著上升导致降温。

第一段3s：气候条件随地球大气成分的变化而变化。

❶CO_2浓度对气候变化有重要影响。

❷❸❹❺CO_2起到保温作用。

❻CO_2降低使温度下降。

❼CO_2减半会导致地球温度降到0度以下。

❽CO_2减半会导致地球温度降低3度。

第二段3s：CO_2浓度与温度呈正相关。

❶❷❸❹❺自然条件下CO_2的波动使得气温发生波动。

❻CO_2的含量长期的波动使得气温有规律变化。

第三段3s：自然条件下CO_2的波动使得气温发生波动。

❶CO_2增加使温度上升。

But ❷❸气温增长可能是由于气象记录站的短缺。

第四段3s：人为因素的CO_2与全球温度无关。

全文3s版本：讨论了CO_2浓度对气候变化的影响。

文章点拨

换对象的标志：in contract

A slight increase in water vapor, for instance, would increase the heat-retaining capacity of the atmosphere and would lead to a rise in global temperatures. In contrast, a large increase in water vapor would increase the thickness and extent of the cloud layer, reducing the amount of solar energy reaching the Earth's surface.

这是本文第一段的一个节选。这个段落中第一句话说水蒸气的微量增加会增加温度，第二句话在讲水蒸气的大量增加会降低温度，两句话中，一句讲"微量增加"，一句讲"大量增加"，是典型的换对象，同时一个温度上升一个温度降低，句义前后取反。段落中的in contract并不是转折标志词，而是换对象的标志。同样的表达法还有：on the contrary，on the other hand。见到这种表达法之后，便可以产生预判：下文会发生换对象，句义取反。

📉 **例题讲解**

The author is primarily concerned with
本文主旨是

答案： (C) discussing effects that changes in the CO_2 level in the atmosphere might have on climate 导论了CO_2的变化对于气候产生的影响。

解析： (C)选项中的effects用了复数，即指代文章最后两段自然条件下以及人为因素产生的CO_2对于气候产生的不同影响。

Passage 060

Wagner首先从＿＿＿＿＿＿角度分析黑人诗歌，发现宗教和＿＿＿＿＿＿是相互融合的

📉 **原文翻译**

❶ Jean Wagner 对美国黑人诗歌研究做出最持久的贡献是他如下的主张，即美国黑人诗歌应该用宗教也用世俗的参照框架来进行分析。❷起源于圣歌（spiritual）并从Wesleyan赞美诗集之中借鉴了其早期形式、节奏、词汇以及狂热激情的文学传统，对美国黑人诗歌而言，这种方法显然是非常恰当的。❸但在Wagner之前，一种仅把黑人诗歌放在政治和社会抗议的背景中进行分析的世俗观点，却在这一领域中占据了主导地位。

❶正是Wagner最早证明了种族和宗教情感在美国黑人诗歌中的有机融合。❷他指出这二者形成了一种共生结合（symbiotic union），其中宗教的情感常常被应用于种族问题，种族问题也常常被放在形而上学的层面（宗教的层面）去考虑。❸ Wagner发现这一点在黑人圣歌中得到了最有力的体现，在黑人圣歌中，对现世自由的渴望以及对后世灵魂超度的希望被不可分割地交织在一起。

📉 **3s 版本**

❶❷ Wagner认为要从宗教和世俗两方面来分析黑人诗歌。

But ❸之前的人只考虑世俗的角度。

第一段3s：Wagner从宗教和世俗两方面来分析黑人诗歌。

换对象❶ Wagner是第一个用宗教分析黑人诗歌的人。

❷❸宗教和种族情感相互融合。

第二段3s：Wagner首先用宗教分析黑人诗歌，发现宗教和种族情感是相互融合的。

全文3s版本：Wagner首先从宗教角度分析黑人诗歌，发现宗教和种族情感（secular）是相互融合的。

文章点拨

本文关于"宗教"的同义改写：religious, spiritual, metaphysical, hope for salvation in the next

本文关于"世俗"的同义改写：secular, racial issues, freedom in this world

例题讲解

It can be inferred from the passage that, before Wagner, most students of Afro-American poetry did which of the following?

从文章可以推测出来在Wagner之前，学生会对大多数黑人诗歌做下面哪件事情？

答案： (B) Ignored at least some of the historical roots of Afro-American poetry. 忽略黑人诗歌根源的至少一个方面。

解析： 根据文章，Wagner是第一个研究宗教根源的人，因此在Wagner之前的学生都不会研究宗教，选项中被忽略的方面是黑人诗歌宗教方面的根源。

Passage 061

社会性文献揭示出从神话中获取的史料是_____的

原文翻译

❶在很大程度上，作为女权主义运动（feminist movement）的结果，历史学家近年来把大量精力用在更准确地确定妇女在不同历史时期的地位上。❷虽然对女性当代的研究成果显著，但对此之前的研究却因众多原因而更加困难：资料数量有限，支离破碎，难以理解，且经常自相矛盾。❸因此，一些早期关于女性的学术研究没有遭到质疑并不令人惊讶。❹其中一个实例就是Johann Bachofen在1861年论述Amazons的论文，Amazons是一个与古希腊同期的由女性统治的社会，但关于这个社会是否存在仍有疑问。

❶Bachofen基于神话和传说至少保留了历史事实的核心这一前提，他认为女性在许多古代社会中占据着统治地位。❷他的研究基于对古代史料来源中的参考材料的全面研究，而这些参考材料涉及Amazonian和其他带有母系习俗的社会——在这些社会内，亲缘关系和财产所有权均通过女性来追溯。❸可以找到一些支持他理论的证据，如从Herodotus，公元前5世纪的希腊"历史学家"，那里获取的证据曾谈到某个Amazonian社会，即Sauromatae，在此社会内，女性狩猎并在战争中作战。❹该社会中的女性必须在战斗中杀死一个人之后才能结婚。

❶然而，古代神话的最早记录者们记录了史实的这一假设是有问题的。❷如果人们开始审视为什么古人会提及Amazon人，情况将会变得显而易见：古希腊对这些社会的描述，不是为了呈现亲眼看见的历史事实——真的存在Amazon社会——而是为女性统治可能产生的后果提供"道德教训"（moral lesson）。❸例如，Amazon人经常被描绘成巨人和半人马的同类，成为注定要被古希腊英雄屠杀的敌人。❹Amazon社会的习俗没有被刻画成一个体面的社会应有的习俗，而是被刻画成为一个与合乎常规的古希腊习俗相对立的习俗。

❶因此，我认为对于记述神话的古希腊男性来说，描述Amazon人的目的是说教，要教导古希腊的男性和女性这样一个道理，即那些脱离了传统社会而形成的纯女性群体是有破坏性且危险的。❷有关Amazon人的神话是用来为男人统治的现状作论据支持的，在这种状况下，仅仅由单一性别构成的群体是不允许与社会永久性隔绝开来的。❸如此说来，Bachofen依赖神话来获取有关女性地位的史料是有误导性的。❹也许能告诉当代历史学家关于古代世界的妇女的最多信息的史料是如墓碑、遗嘱、婚约一类的社会性文献。❺对这类文献资料的研究已经开始展现出我们犯了多么大的错误，即当我们试图只从文学材料中（尤其是从神话中）获取的对古代世界的理解错误。

3s 版本

❶历史学家确定妇女在不同历史时期的地位。

❷❸现代的妇女地位可以确定，但是早期的难以确定。

❹比如Bachofen关于早期Amazons的研究。

第一段3s：古代女性的早期学术研究的困难。

❶ Bachofen的研究前提是神话传说中存在史实。

❷ Bachofen的研究基于Amazonian相关的参考资料。

❸❹有证据支持Bachofen的研究理论——女性在古代社会占主导地位。

第二段3s：有证据支持Bachofen对于Amazonian的研究理论。

Nonetheless ❶古代神话不真实。

❷❸❹古人对Amazons社会的描述是基于女性统治的后果的道德教训。

第三段3s：对Amazons社会的描述并非史实。

❶古人描述Amazons社会的目的是说教。

❷有关Amazon人的神话是用来为男人统治的现状作论据支持的。

❸ Bachofen依赖神话的研究是具有误导性的。

❹❺社会性文献证明从神话中获取的史料是不准确的。

第四段3s：社会性文献证明从神话中获取的史料是不准确的。

全文3s版本：社会性文献揭示出从神话中获取的史料是不准确的。

文章点拨

这篇文章段间关系清晰，论述的内容完整。

第一段作者提出了文章讨论的对象，尽管历史学家对于当代女性的地位研究成果显著，但是对于早期的女性学术研究因为各种原因而十分困难，之后给出了Bachofen关于早期Amazons的研究这样一个例子。

第二段中，作者对于Bachofen的研究进行具体的描述，他的研究主要来自于神话传说。

第三段第一句句首的Nonetheless表明，第三段和第二段段间关系取反。作者认为古代神话是不真实的，其目的不是为了描述历史，而是为了提供道德教训。

最后一段中，作者对Bachofen的研究给出了负面评价。同时也在最后给出了改进建议。

例题讲解

1. The primary purpose of the passage is to

   文章主旨是

答案: (E) criticize the value of ancient myths in determining the status of women in ancient societies 批判了古代的神话在确定女性在古代社会地位时的价值

解析: 本题目(B)选项是个干扰项。文章确实花了很大篇幅来讨论Bachofen理论的后果,但这仅仅是作者为了佐证第一段提出的观点(神话获取史料不靠谱)而举出的例子。参考全文的3s版本,(E)选项表达准确。

2. The author's attitude toward Bachofen's treatise is best described as one of

以下各选项描述作者对Bachofen理论的态度是(态度题)

答案: (D) pointed disagreement 尖锐的反对

Passage **062**

要关注Olsen的作品所植根的_____传统

原文翻译

❶ Tillie Olsen的小说和散文被广泛并理所当然地认为对美国文学做出了主要贡献。❷她的作品尤其被同时期的女权主义者看重。❸可是没有多少Olsen的读者意识到她对主题的选择和洞察来源于之前的文学传统——20世纪前10年和20世纪20年代多数社会主义者和无政府主义者的激进政治思想传统,以及20世纪30年代遗留下来的旧左翼传统(Old Left tradition)。❹我并不是说可以根据政治起源完全解释她作品中的生动流畅,也不是说她的作品完全被左翼政治影响。❺我想表达的是,作品的中心思想,即有关阶级和性别对人们生活的影响的深刻认识,主要归功于之前的文学传统,而大多数文学评论家还没有对这种文学传统引起足够的重视。

3s 版本

❶ Olsen被认可。

❷ Olsen尤其被同时代女权主义者认可。

Yet ❸ 很少有人意识到Olsen的作品要归因于早期的文学传统,该文学传统是一种激进的政治思想传统。

❹并不要求关注政治对Olsen作品的影响。

❺要关注Olsen的作品所植根的文学传统。

❹❺封装,顺承❸。都是在表达需要关注Olsen作品所植根的文学传统。

全文3s版本:要关注Olsen的作品所植根的文学传统。

文章点拨

对本文第三、四句的理解

本文在第三句中对文化传统的定义:文学传统是一种激进的政治思想传统。于是有很多人认为我们要关注Olsen作品中的政治思想的影响。但本文作者的观点很确定:应该研究文学传统,于是作者在第四句中排除掉了研究政治的可能,接着再引出第五句,再次强调我们应该研究文学传统。

⬇ **例题讲解**

In the sentence "I do not...influence on it", the author does which of the following?

在 "I do not...influence on it" 这句话中，作者做了下面选项中的哪一件事情？

答案： (E) Denies possible interpretations of an earlier assertion. 否认了之前观点的可能性解读。

解析： 对于之前一个观点的可能性解读指的是用政治研究Olsen的作品。

Passage 063

介绍物质领域的_____个层次的基本粒子和_____

⬇ **原文翻译**

❶我们可以区分三个领域的物质，或者说量子阶梯（quantum ladder）上的三个层次。❷首先是原子领域（atomic realm），它包括原子世界、原子相互反应以及由原子形成的结构，例如分子、液体和固体、气体和等离子体（plasma）。❸这个领域内包括原子物理、原子化学以及在某种意义上原子生物学的全部现象。❹在这个领域内发生的能量交换具有一种较低的层级。❺假如这些交换的能量低于一个电子伏特（one electron volt），例如房间内空气分子之间发生的碰撞，那么原子和分子即可被看作基本粒子（elementary particle）。❻也就是说，它们具有"有条件的基本性"，因为它们保持一致，在任何低能量交换的碰撞或其他过程中保持不变。❼假如原子或者分子来到更高的能量交换层，比如10^4电子伏特的能量交换层，那么原子和分子将会分解成为原子核（nucleus）和电子；在此层面上，后两种粒子必须被视作基本粒子。❽在地球、行星以及恒星的表面上，我们可以发现量子阶梯的第一层上的结构和过程的实例。

❶下一个梯级为核领域（nuclear realm）。❷在这个领域里，能量交换层次更高，在数百万电子伏特的水平上。❸只要我们所处理的是原子领域之中的现象，我们就不可能获得这个数量级能量，而且绝大多数原子的核表现出惰性：它们不发生变化。❹然而，当我们应用数百万电子伏特的能量时，核反应、核聚变裂变以及放射过程同时发生；那么我们的基本粒子就是质子（proton）、中子以及电子。❺此外，核反应过程还产生中微子（neutrino），这是一种质量和电荷都无法测定的粒子。❻在宇宙中，人们可以在星球中心或星球爆炸中获得这个层次上的能量。❼的确，星球辐射出来的能量就是核反应产生的。❽我们在地球上发现的天然放射性物质是一些历时很久的残留物，这些现存于地球的残留物形成于一次大规模的星体爆炸，这次爆炸将它们溅射到太空中。

❶量子阶梯上的第三梯级是亚核领域（subnuclear realm）。❷在这里我们处理的是几十亿电子伏特的能量交换。❸我们遇到的是活跃的核子（nucleon）、新类型粒子——例如介子（meson）、重电子（heavy electron）、夸克（quark）以及胶子（gluon），还有大量的反物质（antimatter）。❹胶子是某股力量（强力）的量子，或者说是最小的单位，正是这股力量将夸克结合在一起。❺只要我们所处理的是原子领域或核领域，便不会产生这些新类型的粒子，核子保持其惰性。❻但在亚核能量层上，核子和介子可能是由夸克构成的，这样，夸克和胶子便充当基本粒子。

3s 版本

❶我们可区分三个领域的物质。

❷❸原子领域的定义。

❹交换的能量很低。

❺❻交换的能量低于一个电子伏特时，原子和分子是基本粒子。

❼在更高的能量交换层，原子核和电子是基本粒子。

❽在星球的表面可以观察到原子领域。

第一段3s：原子领域的定义及内在过程。

❶第二阶梯是核领域。

❷交换的能量更高（百万电子伏特）。

换对象❸原子领域无法获得这种能量。

However ❹在百万电子伏特时，质子、中子及电子成为基本粒子。

❺核反应过程还产生中微子。

❻❼❽可以在星球中心或星球爆炸中获得这个层次上的能量。

第二段3s：核领域的粒子及内在过程。

❶第三阶梯是亚核领域。

❷交换的能量异常高（几十亿电子伏特）。

❸❹胶子是基本粒子。

换对象❺在前两个领域中无法获得这种能量。

But ❻亚核领域中，胶子和夸克是基本粒子。

第三段3s：亚核领域的粒子及内在过程。

全文3s版本：介绍物质领域的三个层次的基本粒子和内在过程。

文章点拨

本文典型的总分结构。第一句会给出文章总体的写作目的，接下来每段都单独描述一个领域，每个领域都会介绍其交换能量的高低，以及相应的基本粒子有哪些。

需要注意的是，本文第二段首句中的rung并非ring的过去分词形式，而是它本身就是名词，表示"阶梯的一级"。

文中出现的粒子的名词有：质子（proton）、中子（neutron）、电子（electron）、中微子（neutrino）、原子（atom）、分子（molecule）。

这些单词虽然不是强词，但是在GRE考试中经常出现，建议考生需要能够辨识出来。其中neutrino、atom和molecule出现的频次极高，需要额外注意。

例题讲解

The author organizes the passage by

作者通过下面哪种方式组织本文

答案：(C) describing several levels of processes, increasing in energy, and corresponding sets of particles, generally decreasing in size 描述了几个层级的过程，能量递增，并且列举了相应的一系列例子，尺寸递减

解析： 本文三段话分别描述的是原子领域、核领域和亚核领域，这三个领域所需的交换能量从几个电子伏特涨到几百电子伏特，再到几十亿电子伏特。每个领域对应着不同的基本粒子。同时基本粒子也随着能量递增而变小。

Passage 064

解释为什么Beauvoir_____

📖 原文翻译

❶ Simone de Beauvoir的作品对Betty Friedan的作品产生了巨大的影响——事实上，它使Friedan的作品备受推崇成为可能。❷那么为什么是Friedan（而不是Beauvoir，既然Beauvoir影响了Friedan）成为了美国妇女解放运动的先驱呢？❸政治条件，以及某种反知识分子的偏见（反智主义偏见），使美国民众和媒体做好了准备，从而能更好地接受Friedan于1963年发表的非激进的和高度实用的*The Feminine Mystique*一书，而不是Beauvoir在*The Second Sex*中对女性境遇的理论化解读。❹1953 年，当*The Second Sex*以译著的形式首度在美国出现时，整个国家已进入麦卡锡时代（1950~1954）寂静的、恐惧的堡垒之中，而人们怀疑Beauvoir信奉马克思主义思想。❺即使是*The Nation*这样一份一般来说较为自由的杂志，也警告其读者要注意*The Second Sex*作者的"某些政治倾向"。❻公开承认对妇女受压迫的存在，对50年代的美国来说过于激进了，而Beauvoir的结论，即妇女经济条件的改变，尽管本身并不充分，但依然是改变妇女境况的"基本因素"，这一点则更让美国人无法接受。

📖 3s 版本

❶ Beauvoir的作品对Friedan的作品产生了巨大的影响。

Why, then ❷ 为什么Friedan成为了先驱？（为什么Beauvoir反而没有成为先驱？）

❸政治环境和反智主义偏见使得Beauvoir的理论化解读不受待见。

❹❺当时反共的政治环境使得Beauvoir不受待见。

❻ Beauvoir的观点太激进使其不受待见。

全文3s版本：**解释为什么Beauvoir不被认为是美国女性解放的先驱。**

📖 文章点拨

本文最重要的一句话应该是第三句。这句话总结了Beauvoir不受待见的原因：

第一点：政治环境。根据第四句，当时的美国进入到了麦卡锡年代，并且Beauvoir被怀疑是马克思主义的支持者，因此会不受待见。

第二点：反智主义偏见。根据第三句，Beauvoir对女性情况有理论化的解读（Beauvoir's theoretical reading），theoretical即为知识分子的表现，因此不受待见。

第三点：Beauvoir的思想是极端的。在第三句中，Friedan是deradicalized，因此可以预判Beauvoir是极端的。在文章最后一句中，确实提到了Beauvoir的思想很极端，导致当时的美国人难以接受。

例题讲解

According to the passage, one difference between The *Feminine Mystique* and *The Second Sex* is that Friedan's book

根据本文，*The Feminine Mystique*和*The Second Sex*之间的差异，在于Friedan的书

答案： (E) concentrates on the practical aspects of the questions of women's emancipation 关注于女性解放问题的实践方面

解析： 本题首先根据两本书的名字得知定位到文章第三句。这句话中提到Friedan的书更加pragmatic，同义改写(E)选项的practical。

Passage 065

评论_____

原文翻译

❶*Mary Barton*，尤其是在前几章，是一个对于19世纪40年代英国工人所受苦难的感人写照。❷这本书最令人印象深刻的是作者Elizabeth Gaskell所做的强烈的、煞费苦心的努力，这是为了传达工人家庭日常生活的经历。❸她的方法部分上是纪实的：小说包括精心注释的方言、茶话会上食物价格的准确细节、Barton起居室中家具的逐件记载、对民歌*The Oldham Weaver*的改编（也是加注释的）。❹这种纪录手法的好处是很可观的，尽管有一种轻微的距离感。

❶作为中产阶级的一员，Gaskell以局外观察者和报道者的身份来处理工人阶级的生活，而这部小说的读者总是能意识到这个事实。❷但是在她的报道中，在绿色牧场里漫步，在Barton家里饮茶以及在"贫穷与死亡"这一章中John Barton和他的朋友们在地下室中发现挨饿的一家人，这些都是真实的富有想象力的再创造。❸事实上，为了对这类家庭的情感和回应进行同样令人信服的再创造（这比仅仅易于集中的细节素材更重要），英国小说界不得不要等60年才等到了D. H. Lawrence 的早期作品。❹即使Gaskell没有通过自己参与到工人阶级的生活中这一行为来证实*Mary Barton*创作中所体现的令人信服的有关工人们情感和回应的再创造，她也仍然在这些场景的描述中体现出了自身有足够说服力的，情感上本能的认知。

❶*Old Alice's History*这一章极好地展现了老一代工人从乡村和郊区到城市工业中心的情景。❷Job Legh 是一位致力于生物学研究的织布工人和自然主义者，对他的描述生动地体现出他对城市工业化环境的一种回应：对于活物的喜爱僵化成一种偏执，这恰好和他所在的环境形成鲜明对比。❸之前的章节——有关工厂工人春天在绿色牧场上散步；有关Alice Wilson在地下室里回忆的在她再也看不到的家乡中用树枝做扫帚的情景；有关Job Legh专心研究钉在板上的昆虫——这些所有的描写抓住了一代人对于工业主义新的痛苦经历的独特回应。❹前几章中的其他章节生动地描绘了和他人进行本能合作行动的发展，这样的合作已经在工人中变成一种重要的传统。

3s 版本

❶*Mary Barton*这本书是对于工人遭遇的写照。

❷Gaskell努力描述工人阶级的每日生活。

❸❹*Mary Barton*这本书写得很真实。

第一段3s：*Mary Barton*这本书写得很真实。

❶Gaskell只能以局外人的方式观察工人阶级生活。

But ❷Gaskell是真实的再创作。

小结：❶❷封装，与上一段顺承。

❸❹Gaskell的再创造具有真实性。

第二段3s：即使Gaskell是中产阶级，依然对工人阶级的描述很真实。

❶❷❸农村工人被带到城市，面对工业化的情绪变化。

❹工人合作关系的形成。

第三段3s：工人对于工业环境的回应。

全文3s版本：评论*Mary Barton*这本书。

文章点拨

本文第一段四句话都是顺承关系，认为*Mary Barton*这本书写得很真实。第二句中的everyday life，第三句中的documentary都是表示真实的评价。在第四句中出现了even though引导的句内取反，主句部分说这本书很真实，从句就应该在说不真实，而这种"不真实"在原文的表达为"轻微的疏远感"。这种轻微的距离感源自于这部作品纪实性的描述(太客观以至于没有什么感情)。

第二段的第一句得到：Gaskell作为中产阶级的一员（中产阶级比工人阶级高），没有办法真正进入工人的生活，因此没有工人生活的一手资料，于是这本书就不会很纪实（某种层面上也是distancing的体现）。但是之后的But取反，又开始说这本书很真实。

本文第三段继续介绍这部作品的特征。主要讲工人所要面对的城乡之间的矛盾，以及面对工业化的不适应。最后一句则在说工人之间相互合作。

例题讲解

It can be inferred that the author of the passage believes that *Mary Barton* might have been an even better novel if Gaskell had

从文中可以推断，本文作者认为*Mary Barton*有可能变成一本更好的书，如果Gaskell能够

答案： (E) managed to transcend her position as an outsider 成功的超越她旁观者的身份

解析： 本题本质上在问*Mary Barton*的缺点。要定位到第一段最后一句的让步部分，或者第二段第一句，再或者第二段最后一句的让步部分。这几处定位点都是在讲同样的缺点——Gaskell没有真正地进入到工人阶级生活。因此正确答案就是取反该缺陷，选(E)。

Passage **066**

文科不受待见但被_____，但_____

原文翻译

❶相比其他智力活动，社会科学很少因为其成就而受到称赞。❷可以认为，其原因是社会科学的理论和概念的构建特别容易理解：人类的智力十分容易理解与人类自身有关的真理。❸并且社会科学的发现一旦被提出、命名之后，它们马上被吸收进已有的智慧中，接着这些发现就失去了作为科学发展的独特性。

❶人们低估社会科学和过度应用社会科学形成了鲜明的反差。❷博弈论（game theory）要为国际联盟变化的研究做出贡献。❸评价研究要为社会计划的成败进行评估。❹经济学和人口学的模型则成为检验有关社会安全的财政基础的决定性工具。❺然而，这种对社会科学成果的仓促应用也是可以理解的：公共政策必须不断地被制定出来，并且决策者会自然而然地认为，就算是试探性的发现和没有经过检验的理论也比没有成果、没有理论对决策的指导好得多。

3s 版本

❶社会科学没有因为他们的成就获得称赞。
❷❸因为理论和概念容易理解并被融合从而失去独特性。
第一段3s：社会科学不受待见。

❶社会科学不受待见但被过度滥用。
❷❸❹讲了文科社会科学被过度滥用的例子（game theory, evaluations research, models）。
Yet ❺这种过分的使用是可以被理解的。
小结：段一与段二之间关系顺承，顺承关系。
全文3s版本：文科不受待见但被过度滥用，但可以理解。

文章点拨

本文主旨句是第二段第一句，讲社会科学的境况是矛盾的。全篇文章通过第一段"社会科学不受重视"与第二段"社会科学被过度使用"构成矛盾，用来证明第二段第一句。

其中，第二段的Yet只是段内转折，前面说过度使用，Yet之后说过度使用是合理的，尽管有转折，但是并不影响第二段首句的"矛盾"。这也是一个比较微妙的程度取反。

例题讲解

The author is primarily concerned with
本文主旨是

答案：(D) explaining a peculiar dilemma that the social sciences are in 解释了社会科学处于的一个窘境

Unit 09

必做

练习题目

考试是提高人生台阶的机会，GRE 是决定未来留学的转折，祝微臣小伙伴考出自己心仪的成绩。

——于梦雅

卡迪夫大学，微臣教育 2016 暑假 325 课程学员

2016 年 11 月 GRE 考试

Verbal 160

Passage 067

猴子的进攻行为不是因为_____，而是为了_____

原文翻译

❶研究猴子群体行为的调查者总是对猴子的攻击冲动以及因此产生的对攻击行为的群体控制的需求有浓厚的兴趣。❷因此，有关描述猴子攻击行为和引发攻击的原因，以及控制这种行为的群体机制的研究，就成为对猴子群体行为的首要研究。

❶研究者一开始认为猴子们会为了环境中的资源争斗：饥饿的猴子会为食物争斗，口渴的猴子会为水争斗，并且总的来说，任何时候只要在猴群中有一只以上的猴子同时寻找同一个刺激物时，争斗就会发生并且会以某种斗争的形式得到解决。❷然而，当Southwick通过减少空间或限制食物的实验只能暂时增加群体内斗争的时候，为刺激物而争斗的理论开始受到质疑。❸实际上，食物的缺乏不仅没有增加斗争，反而还在某些情况下使得斗争频率减小。

❶关于动物在野外食物极度匮乏的条件下的研究也显示出，饥饿的猴子付出了几乎全部的能量去觅食，几乎没有为群内斗争保存能量。❷此外，后来很多对灵长类动物群体的研究，例如Bernstein的研究所提供的证据显示，一个最强有力的、会引发斗争的刺激是在一个有组织的群体中引入一个入侵者。❸这种引入所产生的后果，会比任何其他专门设计的、让猴子产生斗争的实验的后果都要严重。

❶这些关于入侵者的研究认为，同一物种中成年成员首次被引入给另一成员时，两者之间会表现出相当大的敌意，因为在没有社会秩序的情况下，必须建立一种秩序来控制动物间的关系。❷当单个新的动物被引入一个现存的群体组织中时，新来者会碰到更严重的斗争。❸在第一种情况下，斗争建立起了群体秩序，而在第二种情况下，已定居的动物会围攻入侵者，从而一开始就把新动物排除在现存群体单元之外。❹几只动物的同时入侵会缓解这个结果，这只是因为群体把注意力分散到了多个目标。❺然而，如果这几只被引入到群体中的动物建立了自己的群体单元，每一个群体也许会作为一个整体来和另一个群体斗争；但是同样地，没有个体会遭受大规模攻击，并且群体的凝聚力防止了更长时间的个体斗争。❻失败群体的投降，而不是胜利群体不加控制的发泄，减少了后续攻击的强度和次数。❼因此，猴群看起来主要是为了维持它们已经建立起来的社会秩序，而不是为了敌意本身而组织起来的。

3s 版本

❶❷人们研究猴子的攻击冲动以及群体约束机制。

第一段3s：人们研究猴子的攻击冲动以及群体约束机制。

❶猴子为了食物缺乏而斗争。

However ❷❸证据显示食物缺乏反而使猴子斗争减少。

第二段3s：食物缺乏并不会增加猴子内部斗争。

❶猴子不会因为食物缺乏而斗争。

❷❸入侵者会导致斗争。

第三段3s：入侵者会导致斗争。

❶一个动物个体见到另一个新的动物个体时，会显示出敌意。（一对一）

换对象❷新的动物个体引入到动物群体中时，会受到更大的敌意。（一对多）

❸第一种情况通过斗争建立新秩序；第二种情况通过斗争将新动物排除出原有秩序。

小结：❶❷封装，顺承❸。

换对象❹多只动物的同时入侵减少分配到个体的敌意。（多对多）

However ❺多只动物的入侵还可以建立社会秩序，同时分配到个体的敌意会减少。

❻失败群体的投降会减少后续的攻击强度。

小结：❹❺❻封装，多对多的情况下，单个个体受到的敌意会减少。

❼猴子是为了已有的秩序而进攻。

第四段3s：猴子是为了维持已有的秩序而进攻。

全文3s版本：猴子的进攻行为不是因为食物缺乏，而是为了维持原有秩序。

文章点拨

第一段提出本文的研究内容——猴子的攻击行为的原因。

第二段先是提供一个证据来说明是食物缺乏导致猴子的攻击行为，接着句间取反，提供了一个反面的证据，来说明并不是食物缺乏导致猴子的入侵行为。

第三段提出新猜想：外来入侵会导致猴子攻击。

第四段详细分析了外来入侵导致猴子发动攻击的原因及其内在的群体因素。本段前两句分别描述了两种情况：一个个体遇见另一个个体（一对一），以及一个个体遇见一个集体（一对多）。一对一遭遇的攻击小于一对多。之后分析了这种情况的原因。在一对一的情况中，因为原本就没有秩序，因此发动攻击是为了建立新的秩序。而在一对多的情况中，原有的集体本来是有秩序的，引来的异类会破坏这种秩序。为了维持原有的秩序，群体需要攻击外来的异类。第四、五句所描述的情况，则是在讲一个集体受到的攻击最终会分摊到个体，因此个体受到的攻击不会太大。其中第五句的however只是将前一句描述的情况进行了补充，又增加了多只动物同时入侵时会建立社会秩序这一论点。本段最终的结论是猴子是为了维持秩序而产生的敌意。

全篇针对猴子的攻击行为的产生给出了两个原因——缺乏食物和秩序被破坏。文章否定了第一个原因（只能带来短暂的冲突），认可了秩序被破坏这个原因。

例题讲解

According to the author, studies such as Southwick's had which of the following effects on investigators' theories about monkeys' social behavior?

根据作者，Southwick的研究对于研究者关于猴子社会行为的研究带来了怎样的影响？

答案： (E) They cast doubt on investigators' theories that could account for observed patterns of aggression among monkeys. 它们质疑了研究者的可以解释在猴子中观察到的入侵模式的理论。

解析： 本题根据人名定位到第二段第二句，在however之后，因此起到反对之前观点的作用。选项中的theories指代第二段第一句中的观点。

Passage

_____以及什么人移民

📖 原文翻译

❶在最近的一项研究中，David Cressy分析了17世纪30年代英国人移居新英格兰的活动中的两个关键问题：什么样的人移民，以及他们为什么要移民。❷ Cressy利用当代书面证据、海运目录和海关记录，发现绝大多数成年移民者具备熟练的农业和手工业技能、读写能力，并且他们是以家庭为单位组织起来的。❸以上每一个特征都鲜明地区分了17世纪30年代移民到新英格兰的21,000人和18世纪移民到美国的约377,000英国人。

❶至于移民者的移民原因，尽管Cressy并不否认这样一个常被提起的事实，即17世纪30年代移民中的一些人，特别是那些组织者和神职人员，提出了对于移民动机的宗教解释，但他发现这些解释一般仅在事后回顾中才占有最重要的位置。❷当不考虑主要行动者时，他发现宗教解释不常被提及，他总结道：大多数加入移民队伍的人希望物质得到改善。

📖 3s 版本

❶最近研究移民到新英格兰的两个主要问题：为什么移民和什么人移民。

❷移民的三个特点。

❸两批移民者之间的不同。

第一段3s：什么样的英国人移民。

❶移民者前期是因为宗教原因，but不是后期的主要原因。

❷后来移民的原因是物质改善。

第二段3s：英国人移民的原因。

全文3s版本：为什么英国人移民，以及什么人移民。

📖 文章点拨

本文第一段第一句直接点明这篇文章的写作目的：解释什么人移民以及为什么移民。接下来解释什么人移民。第二段则很自然地解释移民的原因。其中，从第二段第一句的frequently noted fact便可得知这是一个多数人持有的观点，后文必然要被反驳，紧接着句内便把这一观点反驳掉。最后提出真正的移民原因：物质改善。这两段话可以进行广义封装，顺承第一段首句。

📖 例题讲解

In the passage, the author is primarily concerned with

本文主旨

答案：(A) summarizing the findings of an investigation 总结了一项调查的发现

解析：an investigation：David Cressy给出的分析。findings：什么人移民；为什么移民。

Passage **069**

大型动物用_____补偿较低的_____以与小型动物抗衡

原文翻译

❶人们很早就已经知道，任何动物身上氧化新陈代谢（oxidative metabolism，即用氧气将食物转化为能量的过程）的速度，都会对其生存方式产生重大影响。**❷**例如，小型动物较高的新陈代谢率能给予它单位体重持久的能量和活力，但代价是它们需要不间断地消耗水和食物。**❸**而大型动物有相对低的新陈代谢率，仅凭着间断的饮食也可以生存下去，但它每单位体重产生不了多少新陈代谢的能量。**❹**人们或许会假设，如果仅考虑氧化新陈代谢速率的话，如果那些较小较活跃的动物成群结队发起攻击，它们可以捕食较大的动物。**❺**要是不存在无氧糖酵解（anaerobic glycolysis）这个重要的均衡因素的话，小型动物能做到这一点。

❶无氧糖酵解指的是在没有氧气的情况下，将肌糖原（muscle glycogen）分解成为乳酸和ATP（一种提供能量的物质）产生能量的过程。**❷**无氧糖酵解产生能量的数值是糖原数量的一个函数——在所有脊椎动物身上，糖原数量大约是其肌肉湿重的0.5%。**❸**因此，一个脊椎动物的无氧能量储备是与该动物的大小成正比的。**❹**例如，如果一些食肉动物向一头100吨重的恐龙（它一般表现得迟缓呆钝）发起攻击的话，这头恐龙极有可能在瞬间通过无氧糖酵解产生出相当于3000个人在最大程度上通过氧化新陈代谢产生的能量。**❺**这足以解释许多大型动物是如何成功地与那些更为活跃的"邻居"相竞争的：用糖酵解弥补较低的氧化新陈代谢率。

❶然而，这种补偿也有缺陷。**❷**任何动物的糖原储备在全力搏斗中最多只能维持供能两分钟，此后，仅剩下普通的氧化新陈代谢作为能量来源。**❸**剧烈活动结束后，体液中的乳酸含量极高，大型动物在恢复之前都易受攻击，在恢复过程中，乳酸在肝脏重新转化成葡萄糖，这些葡萄糖中的一部分随后被传递回肌肉进行糖原的再合成。**❹**在此过程中，动物通过无氧糖酵解迅速积累起来的巨大的能量缺失必须予以弥补，从比例上看，这种能量的缺失对于较大的脊椎动物来说要远大于小型脊椎动物。**❺**例如，小型动物仅在几分钟之内就能补充尽最大努力所消耗的糖原，而大恐龙却需要三个多星期的时间。**❻**这似乎会让人觉得，大型脊椎动物身上这种无休止的漫长复原期将对其生存构成严重不利的影响。**❼**但幸运的是，肌肉糖原只在必要的时候才会被使用，而且会按所需要的量使用。**❽**只有在大型动物惊慌失措的时候，或在生死攸关的厮杀中，所有糖原储备才会被耗尽。

3s 版本

❶有氧代谢对生存方式有影响。

❷小型动物代谢率高。

换对象**❸**大型动物代谢率低。

小结：**❷❸**封装顺承**❶**。

❹仅考虑有氧代谢，小型动物会捕食大型动物。

❺无氧糖酵解起到了均衡作用（小动物无法捕食大动物）。

第一段3s：无氧糖酵解的均衡作用使得小型动物不能捕食大型动物。

❶无氧糖酵解的概念。

❷❸❹无氧能量储备是与该动物的大小成正比的。

❺大型动物用糖酵解弥补较低的氧化新陈代谢率。

第二段3s：大型动物用糖酵解与小型动物抗衡。

However ❶这种补偿有缺陷。

❷❸❹❺❻大型动物糖原恢复时间很长。

Fortunately ❼❽恢复时间长发生的可能性很低。

第三段3s：这种补偿的缺陷没有那么严重。

全文3s版本：大型动物用糖酵解补偿较低的氧化新陈代谢率以与小型动物抗衡。

文章点拨

1. 换对象取反

本文第一段第二句在讲小型动物，第三句在讲大型动物，两句之间没有出现but等表示明显转折的连词，但是两句话所表达的内容截然相反，因此在这里出现了换对象取反。所谓的换对象取反就是指两句话讨论的主要对象不同，则通常意味着两句话的主要内容是要取反的。

2. fortunately表示取反

本文最后一段第六句在讲长时间的恢复对于大型动物是不利的，但第七句又在讲这种不利影响其实很少存在，两句话内容相反，这种取反则是由fortunately引导的。fortunately以及unfortunately是除了but、yet、however、nevertheless以外出现概率最高的表示句间转折的词汇。

例题讲解

1. The primary purpose of the passage is to
   本文的主旨是

答案： (E) explain anaerobic glycolysis and its effects on animal survival 解释了无氧糖酵解及其对于动物生存产生的影响

2. According to the author, a major limitation of anaerobic glycolysis is that it can
   根据这篇文章，无氧糖酵解的一个主要限制在于它能够

答案： (B) necessitate a dangerously long recovery period in large animals 导致在大型动物中产生很危险的长期恢复

解析： 本题定位点为"limitation"，问的是无氧糖酵解的缺陷，故定位到第三段前六句。根据文章，无氧糖酵解带来的缺陷即为使得大动物恢复时间很长，因此选(B)。

Passage  070

_____的机理

原文翻译

❶尽管病原体不停地落在皮肤上，它们发现皮肤不是一个很有利的环境，并且在皮肤没有受伤的情况下，病原体很难定居。❷皮肤的这种"自我灭菌"（self-sterilizing）能力是源自于所有发育良好的生态系统保持内稳态（homeostasis）的倾向，或者是保持现状的倾向。

❶生活在土壤、水体以及其他地方的物种很少在皮肤上繁殖。❷没有受伤的皮肤对很多人类病原体来说也是不利的环境。❸对于某些物种，皮肤酸性太高，也太干燥。❹皮肤表皮的持续脱落进一步阻碍了入侵病原体的定居。❺然而，最有趣的抵御机制是源于定居植物群（指代后文的革兰氏阳性菌）的新陈代谢活动。❻不饱和脂肪酸（Unsaturated fatty acid），一种在表皮上收集到的皮脂内的脂类的重要组成部分，阻碍了一些细菌和真菌皮肤病原体的生长。❼这些酸是皮肤上一些革兰氏阳性菌群落新陈代谢的产物，这些细菌能够分解更复杂的、刚分泌的皮脂上的脂类。

3s 版本

❶皮肤不适合病菌生长。

❷皮肤的自我灭菌能力源自内稳态。

第一段3s：皮肤的内稳态使其具有自我灭菌能力。

❶❷❸❹四种皮肤抵御机制。

However ❺菌群新陈代谢也是抵御机制。

❻❼定居菌群分解脂类产生的不饱和脂肪酸起到灭菌作用。

第二段3s：皮肤灭菌的灭菌机理。

全文3s版本：皮肤灭菌机理。

文章点拨

1. 本文的程度取反

本文第二段前四句话列举了皮肤的四种灭菌机制。接下来出现了however。按照往常的判断，however之后有可能会反驳这四种灭菌机制，或者直接说皮肤无法灭菌。但是第五句话说的则是最有趣的灭菌机制。However前面讲灭菌机制，后面讲最有趣的灭菌机制，这便是一种程度取反。

2. 并列列举

本文第二段前四句话列举了四个皮肤抑菌机制，这也是一种并列列举的呈现方式，同时，本文第三题正好是针对该部分出的EXCEPT题，因此可以按照"只记位置不记内容"的原则进行处理。

例题讲解

Among the natural defenses of the skin against pathogenic organisms are all of the following EXCEPT the

下列每一选项都是皮肤的灭菌机制，除了哪个选项？

答案： (C) tendency of the pathogens toward homeostasis 病原体向稳态的趋势

解析： 本题中(A)(B)(C)(D)四个选项都可以在原文第二段找到对应，其中(A)(B)(D)三项出现在原文第二段前三句构成的并列列举中。

Passage 071

Verdi通过对歌剧的＿＿＿＿＿＿＿和＿＿＿＿＿＿＿的处理，使之变成了高雅艺术

原文翻译

❶从民俗（folklore）到废品（junk），"流行艺术"有多种含义，因此我们不可能准确地定义它。❷流行艺术的两极是足够清晰的，但是两极之间的区域却比较模糊。❸例如，20世纪30年代好莱坞西部电影中就有民俗的元素，但与其说它像高雅艺术或者民间艺术，不如说它更像是废品艺术。❹有伟大的废品艺术存在，就像有糟糕的高雅艺术存在一样。❺George Gershwin的音乐剧是伟大的流行艺术，他并没有追求成为高雅艺术。❻然而，Schubert和Brahms在作品中运用了民俗主题的流行音乐元素，旨在追求高雅艺术。❼而Verdi的情况则不同：他运用了流行流派——配有音乐的资产阶级情节剧（19世纪歌剧的准确定义）——并且他没有改变流行流派的基本特征，就把它变成了高雅艺术。❽这种音乐流派仍是音乐中最伟大的成就之一，并且人们只有意识到这种流派粗劣的特点，才会充分欣赏这类音乐。

❶作为这种在艺术上转变的例子，我们应该考虑一下Verdi是如何看待19世纪歌剧中典型政治元素的。❷一般在这些歌剧情节中，一个男性或女性英雄——通常只是被刻画为一个不受阶级约束的个体——夹在两个极端之间而无法脱身：一端是贵族不道德的堕落，而另一端是底层社会领导人教条的僵化或不可告人的贪欲。❸Verdi用充满动感和活力的音乐把这种幼稚而且不太可能的俗套进行改变，所用的音乐比初次听到时更加微妙。❹仍然有些场景和咏叹调听起来像是拿起武器的召唤，并且在它们首演时观众就是这么理解的。❺这样的曲目赋予了歌剧中本来被掩盖的政治信息直观性，并且唤起了某些超过歌剧本身的情感。

❶我们还可以考虑下Verdi对于角色的处理。❷在Verdi之前，音乐剧中没有任何角色，只存在一系列让歌手表达感情状态的情景。❸任何在这些歌剧中寻找连贯一致的心理刻画的尝试都是不明智的。❹唯一具有连贯性的就是歌手的发声技巧：当演员阵容发生变化的时候，新的咏叹调总是被从其他歌剧中改编而来的片段而取代。❺在另一方面，Verdi刻画的角色有真正的连贯性以及完整性，尽管许多场合下，这种连贯性仅仅是薄弱的音乐剧中的连贯性。❻角色的完整性是通过音乐来实现的：一旦角色确立了自己的地位，Verdi便不会像18世纪的作曲家那样，为了不同歌手而重新编写乐曲，或同意对其做出更改，或是在任何一部歌剧中使用他人的咏叹调。❼当他修改歌剧的时候，那仅仅是为了达到戏剧上的简洁和有效性。

3s 版本

❶流行艺术含义多，无法准确定义。
❷❸❹艺术的中间地带很模糊。

❺ Gershwin是流行艺术，但不追求高雅。

However ❻ Schubert和Brahms追求高雅艺术。

换对象 ❼ Verdi与众不同，他把流行艺术变成了高雅艺术。

小结：❺❻❼封装，体现三种不同的处理流行和高雅艺术关系的方式。

❽只有了解Verdi艺术中的通俗，才能充分欣赏。

第一段3s：Verdi与众不同，他把流行艺术直接变成了高雅艺术。

❶我们要考虑Verdi对政治元素的处理。

❷一般的歌剧中的政治元素。

换对象❸❹❺ Verdi用音乐对情节进行改造，赋予政治直观性。

小结：❷~❺封装，与❶顺承。

第二段3s：Verdi对于19世纪歌剧中政治元素的处理方式。

❶我们要考虑Verdi对角色的处理。

❷ Verdi之前的音乐剧没有角色。

❸❹之前的歌剧中没有连贯的心理描绘，只有连贯的发声技巧，可随意修改。

换对象❺❻❼ Verdi的音乐剧中兼有连贯性与完整性，不会随意修改。

小结：❷~❼封装，与❶顺承。

第三段3s：Verdi对于歌剧中角色的处理方式。

全文3s版本：Verdi通过对歌剧的政治元素和角色的处理，使流行艺术变成了高雅艺术。

文章点拨

　　文章的第一段开头通过介绍流行艺术范围广泛，从民俗到废品都包含。民俗和废品之间的艺术都称为流行艺术。民俗和废品这两者很好区分，但是其间的艺术难以辨别。之后给出了流行艺术的例子。好莱坞西部电影既然包含民俗元素，因此它就是流行艺术，但是更接近于废品的那一端，而不是民俗的那一端，更何况是高雅艺术（高雅艺术不同于流行艺术，要比流行艺术更高级）。第四句的意思就是废品和高雅艺术差别很清晰。GG的例子是流行艺术，是更接近于民俗艺术那一端的流行艺术，但是"不求上进"，自身没有想进阶为高雅艺术。S和B则是想要成为高雅艺术的流行艺术。最后的Verdi是流行艺术，而同时又将流行艺术转变为高雅艺术。

　　文章的第二段介绍Verdi如何改造19世纪歌剧中的政治元素。

　　文章的第三段介绍Verdi如何处理歌剧中的角色，让自己的歌剧中的角色具有连贯性和完整性。

　　第二、三段均通过使用对比的方式，来反衬Verdi的特征。这种反衬也为文章后面的题目设置打下伏笔。在我们的方法论中，即换对象。

背景知识

　　居塞比•威尔第（Giuseppe Verdi，1813~1901），意大利伟大的歌剧作曲家。19世纪40年代，意大利正处于摆脱奥地利统治的革命浪潮之中，Verdi以自己的歌剧作品《伦巴底人》《厄尔南尼》《阿尔济拉》《列尼亚诺战役》等以及革命歌曲等鼓舞人民起来斗争，有"意大利革命的音乐大师"之称。这和我们文章第二段提到的there are scenes and arias that still sound like calls to arms相呼应。50年代是Verdi创作的高峰时期，他写了《弄臣》《游吟诗人》《茶花女》《假面舞会》等七部歌剧，奠定了歌剧大师的地位。后应埃及总督之请，为苏伊士运河通航典礼创作了《阿伊达》（Celeste Aida），而这部作品难度非常之高，被称作"男高音歌手的噩梦"。

⬇ 例题讲解

1. Which of the following best describes the relationship of the first paragraph of the passage to the passage as a whole?

以下哪个选项最好地说明了第一段在全文中的作用?

答案: (B) It leads to an assertion that is supported by examples later in the passage. 第一段引出了一个观点，这个观点在后文被例子所支持。

解析: 第一段的末尾引出了文章要讨论的主题，Verdi将流行艺术改变成高雅艺术，而文章的后两段分别从政治元素以及角色处理的角度对其进行证明。

2. According to the passage, all of the following characterize musical drama before Verdi EXCEPT:

根据文章，在Verdi之前的音乐剧有哪些特征，除了:

答案: (E) music used for the purpose of defining a character 为了定义角色而使用音乐

解析: 在Verdi之前music drama应该定位到文章第三段，这段中对Verdi和之前的音乐剧进行了对比。(E)选项对应文章中Before Verdi, there were rarely any characters at all in musical drama。所以(E)正确，为了定义角色而使用音乐。

Passage

_____的起源

⬇ 原文翻译

❶在人类历史进程中，有关看着他人进食或当着他人的面进食存在很多严格的禁忌。❷人们试图对这些禁忌做出解释，所依据的要么是在满足了身体需求和没有满足身体需求的人之间（吃饭和没吃饭的人之间），要么是那些早已获得满足的人与那些不知羞耻地狼吞虎咽的人之间的不平等的社会关系。❸毋庸置疑，这样的因素确实存在于这些禁忌中，但从根本上来说还有一个因素更重要。❹在史前时代，在食物如此珍贵旁观者又是如此饥饿时，不将自己少得可怜的食物分一半给别人是难以想象的，因为旁观者每一个眼神都是一次对生命的乞求。❺进一步说，在这个时期，人们生存在核心家庭或大家庭家族内，分享食物其实是在维系自己的家庭，或更广泛的意义上说，是在保存自我。

⬇ 3s 版本

❶人类对于吃饭有禁忌。

❷禁忌源于不平等的社会关系。

换对象❸还有更重要的因素。

❹❺禁忌源于缺少食物。

全文3s版本：禁忌的起源。

本文为现象解释型文章。第一句提出一个现象：对于吃饭的禁忌。第二句提出第一种解释。第三句到第五句通过换对象来提出另外一种解释。但是要注意，这里的第二种解释并没有反驳上一种，而仅仅是对第一种解释进行补充。

例题讲解

According to the passage, the author believes that past attempts to explain some taboos concerning eating are

根据本文，作者认为过去想要解释关于吃饭的一些禁忌的尝试是

答案： (D) incomplete 不完整的

解析： 对应于第三句but之后的"additional element"，表明老观点不完整。

Passage 073

人类关系通过直觉、常识容易理解，但是_____

原文翻译

❶人类关系自古就引起了人们的注意。❷人类之间的沟通方式被记录在无数神话、民间故事、小说、诗歌、剧作和通俗或哲学文章中。❸虽然人类关系所具有的全部含义并不明显，但是只需看一眼便能理解的人类复杂的感情和行为却多得惊人。❹在此基础上，心理学在各门科学中有着独特地位。❺"直觉的"知识可以是非常透彻地并有效帮助我们理解人类的行为，而在自然科学中这种常识类知识（直觉类）是相对原始的。❻如果我们把现代世界上所有自然科学知识都抹去，我们不仅会没有汽车和电视，我们甚至可能会发现，普通人无法顺利解决滑轮和杠杆这样的基本的力学问题。❼从另一个角度讲，如果我们把世界上所有心理学知识都抹去，人际关系中的许多问题还是可以和以前一样被轻易解决。❽我们仍然会"知道"如何避免去做别人要求我们做的事情以及如何使别人同意我们的意见；我们仍然会"知道"别人什么时候生气，什么时候开心。❾人们甚至还可以提出许多合理的解释，来解释自身行为和感情的许多原因。❿换句话说，普通人非常了解自己和他人，尽管（理解力）没有用公式表达出来或者只是被模糊地体会到，这依然能使人以多少能适应的方式去和其他人交流。⓫ Kohler在谈到心理学与物理学相比缺少伟大的发现时，解释了这一点，他说："人们在创建科学心理学以前很长时间，就已经非常熟悉精神生活中几乎所有的领域。"

❶矛盾的是，虽然我们拥有所有自然的、直觉的、常识性的能力来理解人类关系，但人类关系的科学是最后发展的学科之一。❷针对这个悖论有不同的解释。❸其中一种解释认为，科学会摧毁人们有关自身的自负、乐观的幻想；但是我们会问，那人们为什么总还喜欢去阅读悲观的、揭露真相的作品——从《传道书》（*Ecclesiastes*）到Freud呢？❹还有人提出，正是因为我们已经用直觉了解人了解得那么多，所以我们缺乏科学研究的动力：对于显而易见的事情人们为什么还要发展出理论、进行系统的观察或做出预测呢？❺总之，人类关系的这个领域，有大量的文献记录，但科学论述十分贫乏，这与物理领域完全相反，在物理领域几乎没有非科学的书。

3s 版本

❶❷ 人类之间的关系自古就引起注意，有着大量记录。

❸❹ 人类情感的易理解使得心理学在学科中地位独特。

❺ 人类关系与物理学的差异——直觉的易理解性。

❻ 没了自然科学知识，人类无法解决问题。

On the other hand **❼❽❾** 没有心理学知识，人际关系问题照常解决。

❻❼❽❾ 封装，顺承 **❸❹**。说明人类情感、行为是容易理解的。

❿⓫ 在创建心理学之前，人类就已经熟悉精神生活的领域。

第一段3s：凭借直觉，人类关系很容易理解。

Paradoxically **❶** 尽管直觉、常识很多，但关于人类关系的学科发展缓慢。

❷ 对于上面的矛盾有不同的解释。

❸ 科学会摧毁人类的自负和乐观的解释不成立。

❹ 因为通过直觉已知的很多，所以缺乏科学研究的动力。

❺ 人类关系的科学性研究相对少。

第二段3s：人类关系的科学性研究相对少。

全文3s版本：人类关系通过直觉、常识容易理解，但是科学性研究相对少。

文章点拨

这篇文章有两段，分别描述两个方面的问题。

第一段主要通过对比来阐述人类关系是容易理解的。人们通过直觉的知识就可以大量地理解人类之间的行为，而物理学等自然科学，如果没有知识，很多问题便无法解决。而在心理学出现之前，人类的关系也容易理解。

第二段中，作者指出，因为常识性的知识很多，所以人类关系学科的科学研究发展缓慢。之后给出了两种不同的解释。作者的结论是关于人类关系的科学性研究相对较少。

例题讲解

1. The author refers to people who are attracted to "pessimistic, debunking writings" in order to support which of the following ideas?

   作者提及人类总喜欢阅读"悲观的、揭露真相的作品"旨在支持以下哪个选项的观点？

答案：(E) It is doubtful that the science of human relations developed slowly because of a desire to maintain pleasing illusions. 对人类关系的科学发展缓慢是因为我们想要维持令人满意的幻想这一说法提出了质疑。

解析：引号部分在第二段第三句的but之后出现，是对but前面观点的反驳。but前面认为因为我们要维持自己的虚荣所以人类关系的科学发展缓慢。

2. The author implies that attempts to treat human relations scientifically have thus far been relatively

   作者暗示系统研究人际关系的企图迄今为止是相对

答案：(A) unilluminating 没有启发意义的

解析：题干中有一个短语thus far，这个短语相当于我们之前学过的so far，表示"迄今为止"，不要理解成

far from这种取反的短语。这道题目的答案应该定位到文章最后一句"with its vast literary documentation but meager scientific treatment"，这里的meager scientific treatment就是对应unilluminating。

Passage 074

从_____来分析墨西哥文化

原文翻译

❶对墨西哥-美国文化的传统研究一直面临着只有墨西哥式和美国式两种解释。❷对于这种文化，现在我们也必须按照墨西哥裔美国人所经历的那样来考察：从一个独立自主的民族变成新来居民的同胞，最后变成一个被征服的民族，一个在自己的土地上持有许可的少数民族。

❶当西班牙人首次来到墨西哥时，他们同当地的印第安人通婚并吸收印第安人的文化。❷这种文化适应的殖民政策在19世纪初墨西哥取得Texas时得到了延续，并把当地印第安人引入墨西哥人的生活和政治体制中。❸19世纪20年代时，美国公民因Texas土地适宜种植棉花而迁移到那里。❹当移民人数越来越多时，用征服本地人的办法来获取土地的政策开始盛行。❺两种思想不断发生冲突，发展到顶点就爆发了军事冲突，结果美国获胜。❻这样，墨西哥人突然被剥夺了自己的传统文化，为了生存他们不得不逐渐演化为独特的美籍墨西哥人的思想行为方式。

3s 版本

Traditional ❶以前从美国和墨西哥的角度分析墨西哥裔美国人文化。

Now ❷要从墨西哥裔美国人的经历来分析墨西哥文化。

第一段3s：要从墨西哥裔美国人的经历来分析。

❶墨西哥同化西班牙文化。

❷墨西哥同化Texas印第安人。

❸❹❺美国征服墨西哥。

❻墨西哥裔美国人的文化形成。

第二段3s：墨西哥裔美国人的文化形成过程。

全文3s版本：从墨西哥裔美国人的经历来分析墨西哥文化。

文章点拨

本文第一段说"要从墨西哥裔美国人的经历来分析墨西哥文化"。第二段看似与第一段无关，但仔细看会发现第二段是第一段的研究结果，因为文章最后一句变成了一个墨西哥人用第一人称来进行叙述，这便是从墨西哥人的角度去分析墨西哥文化的证据。

例题讲解

According to the passage, a major difference between the colonization policy of the United States and that of Mexico in Texas in the 1800's was the

根据本文，美国和19世纪初Texas墨西哥的殖民政策的区别在于

答案: (D) treatment of the native inhabitants 对待当地居民的方式

解析: 根绝文章第二段，墨西哥人对于Texas的方式是文化同化，而美国人对于墨西哥人则采取了文化侵略和征服的方式。

Passage 075

Coltran对爵士乐所做出的_____

原文翻译

❶不同爵士乐风格的倡导者总是试图提出理由来证明，他们前辈的音乐风格并没有包含能明确定义爵士乐基本特征的内容。❷因此，20世纪40年代的摇摆舞音乐（swing）被50年代的博普音乐（bebop）所轻视，而博普音乐家又遭到60年代自由爵士音乐家的攻击。❸80年代和90年代的新博普爵士音乐家几乎攻击其他每一个人。❹黑人萨克斯演奏大家John Coltrane使得这场由博普音乐到新博普音乐的倡导者掀起的争论更加复杂，因为在他自己的音乐历程中，他汲取了所有这些爵士乐风格的精华。❺他对所有形式的爵士乐的影响是无法估量的。❻在他的声望达到顶峰时，Coltrane放弃了演奏这种给他带来名气的博普音乐风格，去探索爵士乐更深远的未来。

❶也许Coltrane认为，爵士乐唯一的基本特征是即兴，在他从博普爵士乐到根据宗教的、印第安和非洲曲调而进行的开放式的即兴演奏的过程中，这是一个不变的特质。❷另一方面，这位执着的研究者和惊人的技巧家，每天坚持花费好几个小时按理论书反复练习音阶，从未能完全抛弃博普音乐曲调中一连串快速精巧的音符和装饰音的影响。

❶两个风格特征形成Coltrane演奏次中音萨克斯的方式：第一，他喜欢演奏以曲调为基础的一连串快速音符；第二，他依靠沉重有力的、合乎规则的带有重音的拍子。❷前者使Coltrane演奏出"纸片声"，在这里，他使渐快的重音越来越快，形成"丰满均称"的和谐。❸后者意味着他的节奏感不但接近博普音乐，而且几乎接近摇滚乐。

❶三张唱片显示出Coltrane充满活力的探索。❷和Miles Davis一起录制*Kind of Blue*使得Coltrane发现自己要超越博普音乐，去探索宗教的曲调。❸在这里，他主要围绕重复的主题进行长时间、汹涌的独奏，这是一种有组织的演奏方法，不同于不受拘束的、爵士萨克斯演奏家Ornette Coleman在独奏中不断转变或改变曲调。❹在唱片*Giant Steps*中，Coltrane首次作为领奏登台，引入了自己的创作。❺在这里，纸片音、强调重音、反复和急速演奏是每一个独奏的组成部分，乐句形式的多样化是独特的。❻Coltrane 的探索产生了巨大成功。❼唱片*My Favorite Things*是另一种重要探索。❽在这里，Coltrane演奏高音萨克斯，这是爵士音乐家很少使用的乐器。❾其音效令人震惊。❿高音萨克斯的尖锐音效使得原来听起来低沉忧伤的音乐主题听起来有一种令人疯狂的幻觉。

❶当Coltrane开始为Impulse! Label公司录制唱片时，他仍在不断探索。❷他的音乐变得喧闹而激昂。❸他对摇滚音乐家的影响是巨大的，这包括摇滚乐吉他演奏家Jimi Hendrix, 他追随Coltrane，把运用重复基调的、扩展了的吉他独奏提升为某种摇滚乐的艺术形式。

3s 版本

❶❷❸后一代的爵士乐音乐家会攻击前一代的爵士音乐家。

❹❺ John Coltran汲取了所有爵士乐风格精华。

❻ John Coltran探究爵士乐更深远的外延。

第一段3s：John Coltran探究爵士乐更深远的外延。

❶ Coltran认为爵士乐的唯一基本特征是即兴。

On the other hand换对象❷ Coltran每天坚持练习固定内容。

第二段3s：Coltran对爵士乐的两方面看法。

❶ Coltran演奏的两个风格特征。

❷第一个特征让他演奏出"纸片声"。

换对象❸第二个特征让他接近摇滚乐。

第三段3s：Coltran演奏的两个风格特征。

❶三张唱片体现出Coltran对爵士乐的探索。

❷❸ Coltran在唱片*Kind of Blue*中的探索。

换对象❹❺❻ Coltran在唱片*Giant Steps*中的探索。

换对象❼❽❾❿ Coltran在唱片*My Favorite Things*中的探索。

小结：❷~❿封装，与❶顺承。

第四段3s：三张唱片体现出Coltran对爵士乐的探索。

❶ Coltran依旧在探索。

❷❸ Coltran对摇滚乐演奏有巨大影响。

第五段3s：Coltran的探索对摇滚乐有巨大影响。

全文3s版本：Coltran对爵士乐所做出的音乐探索以及带来的影响。

文章点拨

全文是大顺子结构，没有过多的复杂信息。文章中的大量信息是对Coltran的爵士乐的特点的描述。

文章第一段先介绍了背景，每个时代的爵士音乐家都会看不起前辈音乐家，目的是为了引出Coltran这位汲取了所有爵士乐风格精华的大师。最后一句点明文章主题，Coltran对爵士乐进行了更深层次的探索。

文章的第二段介绍了Coltran对于爵士乐两方面的理解。

文章的第三段介绍了Coltran音乐中的两个风格特征。

文章的第四段具体用三张唱片来对Coltran对爵士乐的探索进行了详细阐述。

文章的最后一段告诉我们Coltran的探索是持续的，他的影响力已经超出了爵士乐。

🔽 背景知识

1. 博普音乐

　　博普音乐是爵士乐中重要的流派之一，开始于20世纪40年代早期，发展到1945年才开始显山露水的极富革命性的、在当时看来很极端的爵士乐新类型。它强调和声变化和个人即兴。可以用六个字来概括博普音乐的艺术标准，即"高技术、快速度"。

　　博普音乐的乐手们凭着极高的演奏技术，极力地张扬自己的音乐个性以此来体现他们的个人意识。博普音乐给人的第一印象总是各种乐器在不断地、交替地做着快速的即兴独奏（solo），让人越听越兴奋。因为这种高水平的技术与其极端的精神，为博普音乐带来了两方面的影响，一方面让它成了一种被严肃对待的艺术，但另一方面却也让它远离了之前广大的听众。这一点在我们GRE的填空题目中也有所体现：Bebop's legacy is a mixed one: bebop may have won jazz the right to be taken seriously as an art form, but it alienates jazz's mass audience, which turned to other forms of music such as rock and pop.

2. Tenor

　　Tenor这个词有两个含义：如果作名词，那么它的含义是"男高音歌唱家"；如果作形容词，那么它的含义则是"次中音的"。这是因为男高音没有女高音的音高，所以只能是次中音。

3. 纸片音

　　The sheets of sound的中文翻译为"纸片音"。1958年1月，Coltran重新加入Miles Davis的乐团。同年十月，爵士乐评Ira Gitler创造了"纸片声"（sheets of sound）一词来形容Coltran所发展出的音乐风格，指Coltran为了在一个小节内尽可能地填入最多的内容，必须要将演奏速度加快，每分钟上百个音符如瀑布般奔流，以达到声音质量"薄如纸片"的效果。

🔽 例题讲解

1. The primary purpose of the passage is to
   文章主旨是

答案：(A) discuss the place of Coltrane in the world of jazz and describe his musical explorations 讨论了Coltrane在爵士乐的世界中所处的地位，描述了他的音乐探索

2. Which of the following best describes the organization of the fourth paragraph?
   以下哪个选项最好地描述了第四段的结构?

答案：(A) A thesis referred to earlier in the passage is mentioned and illustrated with three specific examples. 一个在前文被提及的论点被指出，然后用三个具体的例子进行详细阐述。

解析：第四段第一句就是这段话的论点——三张唱片体现出Coltran对爵士的探索，之后用三个具体例子对这个论点进行阐述。

3. In terms of its tone and form, the passage can best be characterized as
   这篇文章的语气和态度是

答案：(C) enthusiastic praise 热情赞扬

解析：本文态度极为难得，因为GRE文章很少出现完全对一个人、一件事或者一个观点完全正评价。这里的enthusiastic可以对应文章中的His influence on all types of jazz was immeasurable, this dogged student and prodigious technician, Coltrane's searching explorations produced solid achievement以及His influence on rockers was enormous都是对于Coltrane高度的评价。其余几个选项(A) dogmatic explanation 武断的解释；(B) indignant denial 愤愤不平的否定；(D) speculative study 推测的研究；(E) lukewarm review 不热情的回顾。

Passage 076

国民性格因为其_____以及_____使其难以被社会科学家考虑

原文翻译

❶如今，当社会学家讨论经济和社会发展时，国民性格（National character）并没有被正式考虑在其中。❷尽管社会学家们认为人与人之间存在差异，同时这些差异应以某种方式被纳入考虑，但他们至今没有想出任何方法能将这些变量囊括到经济、社会发展的正式模式中。❸这样做的困难在于定义不同国民性格的数据的性质。❹当人类学家和其他专家试图描述一个小规模的同类部落或村落的文化规范时，他们的证据要比揭示存在于一个复杂的、由许多完全不同的群体所构成的现代独立国家的规范这个艰巨的任务要确凿得多。❺性格判断的本质使这种情形变得更加复杂，因为这些判断过分依赖于印象，并且因为这些印象是以定性（qualitative）的术语表达出来的，因此我们几乎不可能在两个国家的两种国民性格之间进行可靠的比较。

3s 版本

❶社会科学家不考虑国民性格。

❷人与人的性格差异没有办法被考虑。

❸❹国民性格数据的多样性使其难以被考虑。

❺性格判断的定性化描述也使得国民性格难以被考虑。

全文3s版本：国民性格因为其数据的多样性以及定性化的描述本质使其难以被社会科学家考虑。

文章点拨

本文主要解决的问题是为什么社会科学家不考虑国民性格。作者给出了两个原因。第二、三、四句说明第一个原因：人与人之间的差异导致国民性格的数据太复杂以至于没有办法考虑。第五句在讨论第二个原因：国民性格总是被定性化描述的（即主观描述），因此无法被社会科学家考虑。

文章结构为顺子结构。尽管逻辑关系一直顺承，但是因为背景的不熟悉，以及新信息的展开（两个导致不考虑国民性格的原因），使得阅读过程相对艰难。

文章提到的因为数据量大导致研究给人formidable的感觉也是ETS经常喜欢考查的题材。请看下面两个填空题的例子：

1. Historian Barbara Alpern Engel's task in writing a book about women in Russia must have been a daunting one, because the diversity of the Russian empire's peoples meant that Russian women could never be treated as a homogeneous group.

2. Part of what currently makes it so challenging to arrive at a scientific understanding of the living world is that while technological advances have produced a cascade of data—from detailed genome sequence to the

sophisticated satellite imagery that documents the planet's ecosystems—our ability to apprehend these data still lags far behind their acquisition.

例题讲解

Which of the following best describes the organization of the passage?

下面哪一个选项最好地描述了本文的结构?

答案: (A) A problem is presented and reasons for its existence are supplied. 呈现出一个问题,这一问题存在的原因被提供。

解析: A problem:国民性格没有被社会科学家考虑。

Reasons指代两个原因:数据的多样性以及国民性格的定性化描述。

Unit 10

必做

练习题目

自信与乐观的心态，帮你攻克的不仅是 GRE 考试。

——王裕平

华中科技大学 / 浙江大学，微臣教育线上课程学员

2016 年 3 月 GRE 考试

Verbal 163

Passage 077

_____的女性受到的歧视最多，其次是_____，再次是_____

原文翻译

❶ 在完全自由并且开放的市场经济中，雇主的类型——政府或是私人——理应几乎或根本不对男女两性的收入差异产生影响。❷ 但是，如果存在对一种性别的歧视，那么政府雇主和私人雇主产生歧视的程度不太可能完全一样。❸ 歧视程度的差异会导致与雇主类型有关的收入差异。❹ 考虑到政府雇主和私人雇主的性质，很有可能是私人雇主会有更大的歧视差异。❺ 因此，我们可能想到如果女性被歧视，那么政府雇佣相比私人雇佣对于女性收入会有更积极的影响。❻ Fuchs的一项研究结果支持了这个假设。❼ Fuchs的结果表明，在其他因素完全一样的情况下，在某个产业中完全由政府雇佣组成的女性收入会比完全由私人雇佣组成的收入高14.6%。

❶ 此外，Fuchs和Sanborn认为，来自消费者的歧视对于个体经营的女性的收入影响会比政府雇佣和私人雇佣对于个体经营女性的收入影响要大。❷ 为了验证这个假设，Brown从1970年的人口普查结果中选择了大量白人男性和女性工人样本，然后把他们分为三类：私人雇员，政府雇员以及个体经营者。❸（黑人工人没有选入样本是为了避免由种族差异导致的收入差异）。❹ Brown的实验设计控制了样本的教育程度、劳动力参与程度、流动程度、工作积极程度以及年龄，这是为了消除这些因素对于研究结果解释的影响。❺ Brown的结果表明，雇主和消费者会把男性和女性区别对待。❻ 对于男性来说，个体经营的收入最高，私人雇佣次之，而政府雇佣最低。❼ 对于女性来说，这个顺序正相反。

❶ 我们可以从Brown的研究结果中推断出，消费者对于女性个体经营者存在歧视。❷ 此外，女性个体经营者可能比男性更难得到好雇员，而且会遇到来自供应商和金融机构的歧视。

❶ Brown的研究结果明显与Fuchs的论证一致，即来自消费者的歧视比来自政府雇主或私人雇主的歧视对于女性收入的影响更大。❷ 另外，女性为政府雇主比为私人雇主工作有更好的表现，这一事实意味着私人雇主存在歧视女性的行为。❸ 这些结果并没有表明政府不歧视女性。❹ 然而，这些结果指出，如果政府歧视女性，那么它的歧视对女性收入的影响不如来自私人雇主的歧视的影响大。

3s 版本

❶ 在市场完全开放情况下，雇主类型不会导致男女收入差异。

However ❷ 政府雇主和私人雇主产生歧视的程度不一样。

❸ 歧视程度的差异导致收入的差异。

❹ 私人雇主有更大的歧视差异。

❺ 政府雇主女性收入更高。

❻❼ Fuchs的研究表明政府雇主女性收入更高。

第一段3s：雇主类型的差异导致女性收入受歧视的差异（私人雇主的歧视更大）。

❶ 来自消费者的歧视相比于雇主类型的差异对个体经营的女性收入影响更大。

❷❸❹ Brown的研究。

❺消费者和雇主有性别歧视。

❻男性个体经营收入最高。

换对象❼女性个体经营收入最低。

小结：❻❼封装，顺承❺。

第二段3s：消费者对于女性个体经营者的收入歧视最大。

❶消费者对于女性个体经营着存在歧视。

❷女性个体经营者还会受到其他方面的歧视。

第三段3s：女性个体经营者受到各方面歧视。

❶消费者对于女性收入歧视最大。

❷私人雇主歧视女性。

❸政府也有可能歧视女性。

However ❹政府歧视对于女性收入的影响小于私人雇主产生的影响。

第四段3s：消费者对于女性收入影响最大，其次是私人雇主，再次是政府雇佣。

全文3s版本：个体经营的女性受到的歧视最多，其次是私人雇佣的女性，再次是政府雇佣的女性。

文章点拨

本文是女性题材的文章，主要任务是将各种歧视对于女性收入的影响程度进行排序。

文章第一段将私人雇佣和政府雇佣这两个因素进行排序，私人雇佣的女性受到的歧视大于政府雇佣。第二、三段讨论了消费者产生的影响。其实本质上对于个体经营的女性来说，她们的雇主就是消费者。结论是个体经营的女性受到的歧视最大来源于消费者。最后一段则论述了政府雇佣的歧视情况，认为政府对女性依然有歧视，只是其程度要小于前两者。因此，女性在收入上受到的歧视排序是：个体经营>私人雇佣>政府雇佣。

例题讲解

According to Brown's study, women's earnings categories occur in which of the following orders, from highest earnings to lowest earnings?

根据Brown的研究，女性收入以下面哪种从高到低的顺序排列？

答案：(B) Government employment, private employment, self-employment 政府雇佣，私人雇佣，个体经营

解析：本题定位到文章第二段第六句，Brown的研究结论就是在说明这样一种排序，而这个排序同时又是本文所主要指出的。

Passage 078

＿＿＿＿＿比＿＿＿＿＿更受欢迎

原文翻译

❶在Homer的两部史诗级诗歌中，*Odyssey*比*Iliad*更受人们欢迎，这可能是因为前者包含了更多容易被读者理解的神话特征。❷*Odyssey*的主题（用Maynard Mack的分类）是"生活似奇观"，因为读者被各种情节吸引着，基本上从外在来观察英雄奥德赛；然而，悲剧Iliad呈现的是"生活似内心感受"：它要求读者了解Achilles的内心，而Achilles的动机让他成为不讨人喜欢的英雄。❸此外，*Iliad*比*Odyssey*更多展现众神卷入人间活动的复杂性，而且到了一个现代读者都觉得这种复杂性没有必要的程度，*Iliad*不如*Odyssey*那么令人满意，*Odyssey*对神的公正的体系更简单。❹最后，由于*Iliad*展现的是历史上可以证实的战斗——围攻特洛伊，这部史诗因此产生了一些有关历史的问题，而这些问题在*Odyssey*这部作品所想象的欢乐世界中并不存在。

3s 版本

❶*Odyssey*比*Iliad*更受欢迎。

❷*Odyssey*比*Iliad*更受欢迎。

❸*Odyssey*比*Iliad*更受欢迎。

❹*Odyssey*比*Iliad*更受欢迎。

全文3s版本：*Odyssey*比*Iliad*更受欢迎。

文章点拨

本文第一句是主旨句，并且从*Odyssey*是喜闻乐见的神话故事来说明它更加受欢迎的第一个原因。第二句从人物形象的角度，*Odyssey*的人物更受欢迎。第三句说*Odyssey*的情节设置更加简单。第四句则在说*Odyssey*是神话故事，没有历史考证的问题，因此更加受欢迎，而*Iliad*描述的则是历史事实，有历史考证的问题，因此受欢迎程度没那么高。

例题讲解

The passage is primarily concerned with
本文主旨是

答案：(E) developing a contrast 进行对比

Passage 079

尽管生物控制法可以解决欧洲蕨的蔓延，但是_____

❶几个世纪以来，欧洲蕨一直在它集中的地方——丛林区——进行蔓延，但是近来欧洲蕨还在英国整个北部和西部开阔的农村地区以惊人的速度在增加。❷欧洲蕨是难以对付的竞争者，它以挤掉其他植物的生长空间的方式降低放牧地的价值。❸这种欧洲蕨本身对牲畜有毒，同时也促使羊虱大量繁殖，羊虱不单袭击羊群，还传播疾病。❹对一些人同样重要的是欧洲蕨影响受威胁的居住地，并影响具有娱乐用途的山地的利用，即使不少人仍在欣赏欧洲蕨的优美。

❶用生物方法对欧洲蕨进行控制也许是唯一经济划算的解决办法。❷一种阻止欧洲蕨蔓延既便宜又能自给自足的可能的方法是引入该植物的天敌。❸一开始外来的掠食者不受其自己天敌的制约，很可能迅速繁殖，战胜预期要消灭的目标。❹由于欧洲蕨遍及全世界，这种方法有广阔的应用空间。❺可选用的昆虫是出生在南半球的两种飞蛾，它们目前是研究的对象。

❶当然，只有能证实控制目标生物的生物仅以目标杂草为食时才会被安全地释放。❷这种筛选实验至今困难重重。❸首批大量装运的飞蛾病死了。❹室内饲养足够的欧洲蕨有困难，飞蛾也不易利用切断的茎。❺这些是把昆虫培育成控制生物所普遍存在的问题。

❶人们也预见了其他问题。❷决策者需要考虑许多因素和意见：例如，与当前的方法相比，生物控制方法所花费的成本以及清除欧洲蕨对风景、野生动物和植物所造成的影响。❸事实上，科学家已经掌握评估用生物方法控制欧洲蕨的影响所需的大量信息，但是这些信息也分散在许多个人组织和政府机关中间。❹对于环境保护来说，潜在的收益能超过损失，因为几乎没有什么植物、昆虫、哺乳动物的生存是只与欧洲蕨相关的，许多植物、昆虫和哺乳动物由于其他植物的回归、由于更加多样化的栖息地而受益匪浅。❺但是用生物控制方法尝试的法律后果是一个可能的雷区。❻例如，许多农村房客仍然具有拥有"必需品"的权利，以及把砍下的欧洲蕨作为牲畜的垫子的权利。❼如果他们的这些权利被剥夺，会造成什么后果呢？❽一旦某种控制生物释放出来，人们很难控制其蔓延速度。❾土地所有者不想控制欧洲蕨的话，他们应该得到什么样的合适的照顾呢？❿根据法律，释放控制生物必须由州环境部长批准。⓫但是英国缺乏收集赞成和反对释放控制生物证据的法律和行政机构。

❶欧洲蕨在英国蔓延。

❷欧洲蕨降低放牧地的价值。

❸欧洲蕨破坏牲畜。

❹欧洲蕨影响人类居住地。

第一段3s：欧洲蕨在英国的蔓延带来的种种破坏。

❶用生物方法控制欧洲蕨。

❷通过引入天敌控制欧洲蕨。

❸❹这种方法有广阔的应用空间。

❺目前的研究对象是南半球的两种飞蛾。

第二段3s：通过引入天敌控制欧洲蕨。

❶要筛选只以杂草为食的生物。

❷❸❹❺这种筛选困难重重。

第三段3s：筛选合适的天敌在实验方面有困难。

❶在社会层面，还存在其他问题。

❷决策者需要考虑许多因素和意见。

❸评估生物方法所需要的信息分散在很多人手里。

❹生物控制法对于环境保护来说是有利的。

But ❺生物控制法有法律问题。

小结：❹❺封装，说明有问题。

❻❼农村房客需要欧洲蕨。

❽人们很难控制所使用的生物的蔓延。

❾补偿土地拥有者也是个问题。

❿⓫英国缺乏相关行政机构。

小结：❷~⓫封装，顺承❶。

第四段3s：使用控制生物法还有很多社会问题。

全文3s版本：尽管生物控制法可以解决欧洲蕨的蔓延，但是还有很多问题需要考虑。

文章点拨

1. 文章的结构

本文结构清晰，属于问题解决型文章。第一段介绍了欧洲蕨问题的严重性。第二段提出解决方案——生物控制法。紧接着文章针对这一方法进行了评价，认为该方法的执行存在理论和实践上的问题。文章的第三、第四段是精彩的argument文章，对第二段提出的解决方案进行全方位的评估。

2. 这篇文章为GRE作文也提供了思路上的借鉴

在GRE的Issue作文中，有一类题目被称作"建议类"题目，该题目要求我们阐述该建议在什么情况下有利、什么情况下不利。面对一个可能比较大而空的建议，考生往往难以下笔。而这篇文章就为我们提供了一个应对"建议类"Issue题目的策略。

这篇文章的第一段描述了欧洲蕨的猖獗及其带给人们的危害。这一段其实起着交代背景的作用。而在"建议类"题目的写作中，我们也不妨先用一段来描述建议实施的社会背景。

这篇文章的第二段和第三段提出了一个可能的建议及其优缺点。这两段整体上呈现出欲抑先扬的特点。而我们在写"建议类"文章时，也可以先讨论建议的好处，接着再通过描述建议的隐患或者实施的困难来驳倒这个建议。

这篇文章的最后一段比较发散，提到了建议在其他层面可能存在的问题。而我们在GRE写作中也可以借鉴这一思路，对建议可能产生的后果做更广的演绎，描述它可能带来的其他有利或者不利的结果。

我们来看一道例题：

Universities should require every student to take a variety of courses outside the student's field of study.

Write a response in which you discuss the extent to which you agree or disagree with the recommendation and explain your reasoning for the position you take. In developing and supporting your position, describe specific circumstances in which adopting the recommendation would or would not be advantageous and explain how these examples shape your position.

根据上文提到的思路，可以列出以下的参考提纲：

第一段：建议实施的背景（现代大学生的综合素质普遍偏低）

第二段：题目建议的好处（可以提高学生的综合素质）

第三段：题目建议可能存在的问题（学很多课不代表学生能够吸收，学生可能反而会因为精力不济而在每一门课上都发挥不佳）

第四段：题目建议可能存在的其他问题（大学可能需要承受超出自身能力范围的教学负担；学生可能以纯应试的态度来对待这些课程，从而忽略知识和方法论的吸收）

第五段：总结（题目中的建议弊大于利）

从这个例子可以看出，GRE的Verbal材料是GRE作文很好的参考。只要同学们留心，就一定能在阅读和填空的材料中发现更多的可能性。

3. 第一段第四句解析

No less important to some people are bracken's effects on threatened habitats and on the use of uplands for recreational purposes, even though many appreciate its beauty.

本句话出现倒装现象，正常语序应该是bracken's effects...are no less important to some people, even though many appreciate its beauty.

and on是平行结构省略，中间省略了bracken's effects。

例题讲解

It can be inferred from the passage that the screening tests performed on the biological control agent are designed primarily to determine

从文章可以推测出对于生物控制媒介的筛选实验被主要用于确定

答案：(C) the risk it poses to species other than the target 对于目标生物之外所产生的风险。

解析：本题定位到第三段第一句：只有能证实控制目标生物的生物仅以目标杂草为食时才会被安全地释放。这就表明，要保证控制生物媒介本身不会对欧洲蕨以外的生物产生影响。

Passage 080

女性为富人打工是_____所导致的

原文翻译

❶当女性劳动力有可能对家庭收入提供较大支持时，在中世纪不断陷入贫困的工人中间的绝望感逐渐减轻了。❷在1300年之前，我们发现女织工甚至在采用意大利和法国的禁止预支工资以购买物资的政策的情况下，都能够独自找到为富有承包者打工的工作。❸历史学家往往把这种禁令简单解释为女性经济从属地位的证据，因为这迫使女工去向放高利贷的人求助；然而，这几乎一定是对于技艺更高的女性享有有区分度的报酬的反应。❹纱线可以被不规则、不光滑地纺织，但完美、顺滑的纱线价值更高。❺为商人承包者工作的女性小时工，其收入很难比童工高；女工像承包者一样工作、按完成的精美作品的件数计酬，她们就能成功冲破阻碍，享受到合理的、有区分度的报酬。

3s 版本

❶女性劳动力可以为家庭提供支持。

❷女性独自为富有的人打工。

❸这并不说明女性属从属地位，而是对于技艺更高的女性享有有区分度的报酬的反应。

❹❺报酬理应有区分度。

全文3s版本：女性为富人打工是报酬有区分度所导致的。

文章点拨

however何时表示句间转折，何时句内转折？

① 当However首字母大写放到句首时，引导句间转折。

【例】At first, the Bluestockings did imitate the salonnieres by including men in their circles. However, as they gained cohesion, the Bluestockings came to regard themselves as a women's group and to possess a sense of female solidarity. 起初，英国沙龙（Bluestockings）通过在社交圈里包括男性模仿了法国沙龙（salonnieres）。然而，随着他们凝聚力越来越强，英国沙龙开始将自己视为女性团体并且拥有了一种女性团结感。

【析】第一句3s版本：Bluestockings在沙龙中包含了男性；第二句3s版本：Bluestockings 渐渐重视女性的团结。两句话句义取反。

② however放到句中，前面是逗号时，句间转折。

【例】According to the conventional view, serfdom in nineteenth-century Russia inhibited economic growth. Melton, however, argues that serfdom was perfectly compatible with economic growth. 根据传统的观点，19世纪俄国的农奴制度阻碍了经济的发展。然而，Melton认为农奴制度以经济增长相适应。

【析】第一句3s版本：农奴制度不好；第二句3s版本：农奴制度好。However句间转折。

③ however放到句中，前面是分号时，句内转折。例如本文第3句：

【例】Historians have usually interpreted this prohibition simply as evidence of women's economic subjection, since it obliged them to turn to usurers; however, it was also almost certainly a response to a trend toward differential reward for women's higher skill.

【析】however之前是在讲历史学家的老观点，认为女性独立为富有的人打工是受到经济压迫的表现，however之后是作者的观点，认为女性的这一行为是追求更高酬劳的表现。

例题讲解

The primary purpose of the passage is to

本文的主旨是

答案： (B) present historical facts and offer a broader interpretation of those facts than has been offered in the past 呈现历史事实并且对于那些事实提供了相比于过去更广泛的解读

解析： 呈现历史事实是文章前两句的内容。过去的解读指第三句中认为女性居于次要地位的观点，而更广泛的观点则是指这是女性报酬有区分度的表现。

Passage 081

史料＿＿＿＿＿＿＿了19世纪80年代肉类加工业的真实工作情况

原文翻译

❶最近一项关于芝加哥肉类加工业的历史资料，考察了该行业从19世纪30年代出现一直到19世纪90年代的发展情况。❷作者认为：当时肉类加工业有高工资、良好的工作环境和发展前景，并且由于劳资关系很和睦，工人们不与劳工运动的煽动者合作。❸由于这份历史资料认为肉类加工业的工作条件高于当地标准，所以经常发生的劳资纠纷，尤其是在19世纪80年代中期的纠纷，就无法被解释清楚。❹这份研究忽视了在美国劳工运动史上19世纪80年代这个关键年份，同时也忽视了肉类加工业工人的努力是全国劳工改革运动的一部分。

❶事实上，19世纪末的其他史料记载到，由于低工资和不卫生的工作条件在工业区内住房条件退化、疾病流行、婴儿死亡率高。❷芝加哥大学的另一些数据指出，在肉类加工厂工作是很危险的。❸Theodore Roosevelt总统委托的政府调查发现肉类加工厂不卫生，这最终导致了1906年肉类加工业的考察法案（Meat Inspection Act）的通过，而社工也观察到大多数工人工资低，且过度劳动。

❶该史料也许过分乐观，因为大多数关于19世纪80年代的最新数据和信息没有经过充分分析。❷实际上19世纪80年代的情况持续下滑，这是由于肉类加工工艺流程的重组和大批非技术工人的流入。❸部分上市由于可供选择的非技术工人使得劳动力变得低廉而导致的工人地位的退化并没有被涉及。❹虽然有详细记录肉类加工工人的工作的打算，但是作者并没有去区分技术工人与19世纪80年代以后占工人绝大多数的非技术工人的工资和条件的差别。❺尽管由于在复杂的屠宰、切割、包装过程中技术工人的极端重要性，有技术的工人的工作条件尚可容忍（虽然工人们经常抱怨工资低、工作条件差），但后者（非技术工人）的报酬和条件就很差了。

❶作者误解了肉类加工业工人对工业园区的感情的来源，这种误解可以解释史料为何出现错误概括。❷史料的作者对工人的自豪感和满足感的叙述，与其说是源自于对肉类加工业的热爱工人们，有着一个拥有巨大的院子和复杂的工厂的行业，倒不如说是源自于芝加哥南部民族的团结一致和勃勃生机。❸事实上，芝加哥南部群体的力量成功地发动了一个社会运动，该运动有效处理了肉类加工业工人的生计问题。

3s 版本

❶一项历史资料研究了19世纪30年代到19世纪90年代的芝加哥肉类加工业。

❷该资料认为当时肉类加工业劳资关系很和睦。

not accounted for 负态度❸没有解释清楚19世纪80年代的劳资纠纷。

❹该史料忽略了肉类加工工人参与进劳工改革运动。

第一段3s：史料忽略了19世纪80年代的劳工改革运动。

❶其他资料表明当时的肉类加工业工作条件不好。

❷肉类加工厂工作很危险。

❸政府调查发现当时肉类加工业工人状况不佳。

第二段3s：当时肉类加工业工作条件不好。

❶该史料对信息缺乏充分分析。

❷肉类加工工艺流程的重组和大批非技术工人流入。

❸没有讨论非技术工人的流入。

❹未能将技术工人和非技术工人进行区分。

❺非技术工人的条件比技术工人差。

第三段3s：该史料对于很多信息缺乏充分分析。

❶史料误解了肉类加工业工人的情感来源。

❷工人的情感源于芝加哥南部社区的群体情感。

❸社区的情感力量促使了一场社会运动。

第四段3s：史料误解了肉类加工业工人的情感来源。

全文3s版本：史料忽略了19世纪80年代肉类加工业的真实工作情况。

文章点拨

本文是一篇典型的驳论文。第一段前两句引出一份史料的观点，认为19世纪80年代芝加哥肉类加工业的劳资关系很和睦。接下来文章从第三句开始对这一观点进行反驳。

文章第二段通过列举其他资料，指出当时的肉制品加工业劳资关系并不和睦。第三段通过强调技术工人和非技术工人之间的收入差距说明史料对某些信息的分析是不充分的。第四段着重讲了史料对于工人之间情感的分析是带有误解的。史料认为工人之间的团结之感可以表明他们对于工作状况的满足，但实际上这种团结源自于社区的情感，并且促使了一场劳工社会运动。

这种从头批到尾的文章在GRE的阅读中极其罕见，正如全篇歌功颂德的文章一样，毕竟critical thinking的写法应该展现事物的多面性。

例题讲解

The author of the passage uses the second paragraph to
作者写第二段的目的是

答案：(E) present evidence that is intended to refute the argument of the history discussed in the passage 提出证据去反驳文中所讨论的史料中的观点

解析：本题虽然在考查段落的功能，但本质上和句子功能题是一样的，正确答案就是这段话的3s版本。这段话就是通过列举其他资料的证据来证明文中第一段的史料是站不住脚的。因此(E)选项正确。

Passage  082

目前不能使用核聚变，而应使用_____

原文翻译

❶一个普遍的误解是，核聚变产生能量的过程是没有放射性的；事实上，核科学家现在如此热衷的氘氚反应就会产生 α 粒子和中子（neutron）。❷（中子的作用是从环绕反应器的锂再生区中产生氚）。❸另一个普遍的误解是，由于海水中含有大量的氘，所以核聚变能量实际上是无限能量的来

源。❹事实上，核聚变所能产生的能量是由锂元素的量所限制的，锂元素和地壳中的铀元素一样多。❺尽管应该继续研究可控核聚变，但是只有到核聚变被证明切实可用时，能源项目才可以依靠它。❻对近期来说，我们必须继续利用水能发电、核裂变发电以及化石能源发电来满足我们对于能源的需求。❼这些早就广泛使用的能源之所以得到广泛使用是有充分原因的。

3s 版本

❶❷误解1：核聚变是有放射性的。

❸❹误解2：核聚变的能量也并非是无限的。

❺目前不能使用核聚变。

❻❼应该使用早已广泛使用的能源。

全文3s版本：目前不能使用核聚变，而应使用早已广泛使用的能源。

例题讲解

1. The primary purpose of the passage is to
   本文的主旨是

答案：(D) caution against uncritical embrace of nuclear fusion power as a major energy source 警告不要不客观地把核聚变能量当作主要能源

2. Which of the following statements concerning nuclear scientists is most directly suggested in the passage?
   文中直接给出了下面哪个关于核科学家观点的选项？

答案：(D) Nuclear scientists have not been entirely dispassionate in their investigation of the deuterium-tritium reaction. 核科学家关于氘-氚反应的研究并非是完全客观的。

解析：本选项定位到原文第一句：核科学家如此热衷地探索（exploring with such zeal）氘-氚反应。zeal与not dispassionate同义改写。

Passage 083

将关于_____的新老理论进行_____

原文翻译

❶如果一个超新星（大质量星球的爆炸）引发了高密度的气体云层和灰尘层形成恒星，并且如果由云形成的质量最大的恒星也演化为超新星、触发新一轮恒星的形成，循环往复，那么一系列能形成恒星的区域便随之产生。❷如果许多这样的连锁反应在一个以不同方式旋转的星系中形成的话，那么恒星的分布将类似于观察到的螺旋状星系（spiral galaxy）内的恒星分布。

❶这个推理思路是一个令人兴奋的、关于螺旋状星系结构新的理论基础。❷建立在这个理论上的计算机模拟再现了许多螺旋状星系的外观，而且模拟并不假定基本密度波的存在，而基本密度波是最为人们所广泛接受的螺旋状星系大尺度结构理论的特点。❸这个理论认为螺旋状密度波的形式贯穿星系的中央层面，将气体和尘埃的云层压缩，而这些云层则坍缩为一颗颗星球，形成一个螺旋状结构。

3s 版本

❶❷超新星引发的一系列循环过程，加上不同的旋转方式会导致螺旋星系的形成。

第一段3s：螺旋星系的形成所需要的两个条件。

❶上文提出的是螺旋星系形成的新理论基础。

❷新理论不需要涉及密度波，老理论需要。

❸老理论认为是密度波导致螺旋星系的形成。

第二段3s：新老理论不同。

全文3s版本：将关于螺旋星系形成的新老两种理论进行对比。

文章点拨

文章针对一个现象给出两个解释，是新老观点的对比。二者的过渡出现在第二段的第二句。在描述新理论的同时，提出了老理论。二者的差异在于解释螺旋星系的时候，新理论不需要密度波这个概念，而老理论需要借助密度波这个概念。

例题讲解

The primary purpose of the passage is to

本文主旨是

答案：(D) describe a new theory of spiral-galaxy structure and contrast it with the most widely accepted theory 描述了螺旋状星系形成的新理论，并且和被广泛接受的理论进行对比

Passage 084

研究昆虫和脊椎动物的_____促使社会生物学的产生

原文翻译

❶用相同的参数和定量理论来分析白蚁群和猕猴群时，我们就会有一门统一的学科：社会生物学。❷情况真的会这样吗？❸随着我的研究的进展，我对昆虫社会和脊椎动物社会之间的功能相似性有了越来越深刻的印象，而对最初看起来鸿沟一般的结构差异印象越来越浅。❹思考一下白蚁和猕猴。❺二者都形成了占据领土的合作型群体。❻在这两种社会中都存在明确的劳动分工。❼这两个群体的成员都能互相通报有关饥饿、警报、敌情、等级地位、生殖状况的信息。❽从专家的观点来看，这种比较第一眼看起来似乎非常肤浅——甚至更糟糕。❾但正是由于这种刻意的过度简化，一个普遍性的理论才开始形成。

3s 版本

❶❷通过研究白蚁和猕猴来研究社会生物学。

❸更多地关注二者的相似性。

❹❺❻❼白蚁和猕猴相似性的体现。

❽专家会认为这种相似比较肤浅。

But ❾这种简化的研究可以帮助形成普遍性的理论。

小结：❽❾封装，和❶~❼顺承。

全文3s版本：研究昆虫和脊椎动物的相似性促使社会生物学的产生。

文章点拨

由本文最后一句中所谓"过度简化"（oversimplification）可以联想到中学物理课的"小滑块"。小滑块就是一个被过度简化的物理模型，在运动过程中忽略了很多因素，比如物体的形状所导致的重心位置的变化等等。但正是通过这种简化的小滑块，我们才能得到很多物理上的基本理论。

本文中很多处都用到了both一词。这个词出现表明是在强调二者共同点，并且也在强调白蚁和猕猴这二者共同做出的贡献。

例题讲解

Which of the following best summarizes the author's main point?

以下哪个选项最好地概括了作者的主要观点？

答案： (E) A study of the similarities between insect and vertebrate societies could provide the basis for a unified science of sociobiology. 对于昆虫和脊椎动物相似性的研究会为统一社会生物学提供基础。

Passage

Duparc为何在有生之年_____——作品不追求理想化

原文翻译

❶所有Francoise Duparc的现存画作融合了肖像画和风俗画的风格。❷她的绘画对象似乎都是她的熟人，而这些人是应她邀请来摆造型的；在她的绘画中，她抓住了这些人物在日常生活中的做作与自然，而这些恰恰构成了风俗画的特征。❸但是风俗画，特别是描绘底层阶级的风俗画，在18世纪的法国并没有受到人们的关注。❹同样也选择了风俗画题材的Le Nain兄弟以及Georges de La Tour被人们忽略了。❺他们如今很高的地位是由于当下的截然不同的、更为民主的政治环境以及一个截然不同的审美标准：我们不再要求艺术家们为了道德教育而创作出完美的人类形象，而是把这种理想化处理看作是对真理的歪曲。❻ Duparc没有美化她的作品，谨慎地避免去评价她的对象。❼简单地说，她的作品既没有升华，也没有说教。❽虽然她的天赋没有被18世纪法国同时代的人完全忽视，但她的这种克制很大程度上解释了她的作品为什么在她有生之年没有受到青睐。

3s 版本

❶ Duparc融合了肖像画和风俗画的特点。

❷ Duparc的肖像画有风俗画的特点。

❸风俗画题材被人忽视。

❹过去Le Nain和Georges de La Tour的风俗画被忽略。

时间对比❺现在Nain和Tour受欢迎。

❻❼❽因为Duparc没有因为说教而理想化自己的作品而受到忽视。

全文3s版本：Duparc为何在有生之年不受欢迎——作品不追求理想化。

📎 **文章点拨**

1. 对于本文的理解

本文第五句话表面是在讲Nain和Tour的风俗画在现在很受欢迎，但其实是想通过现代人和过去的人审美的区别来暗指Nain和Tour的风俗画在当时不受欢迎的原因。Nain和Tour的风俗画很自然，现代人喜欢自然，因此受欢迎。反推之，当年的人喜欢不自然的、刻意美化过的画，于是Nain和Tour的风俗画在当时不受欢迎。同时，根据第一、二句，Duparc的风俗画很自然，因此还可以推断出Duparc的风俗画在当时也不受欢迎。而文章最后也确实说明了这一结论。

2. 填空练习

❸But genre painting, especially when it portrayed members of the humblest classes, was never popular in eighteenth-century France. ❹The Le Nain brothers and Georges de La Tour, who also chose such themes, were largely__①__(ignored). ❺Their present __②__(high standing) is due to a different, more democratic political climate and to different aesthetic values: we no longer require artists to provide __③__(ideal) images of humanity for our moral edification but rather regard such idealization as a __④__(falsification) of the truth. ❻Duparc gives no __⑤__(improving message) and discreetly refrains from judging her subjects. ❼In brief, her works neither elevate nor __⑥__(instruct). ❽This __⑦__(restraint) largely explains her lack of popular success during her lifetime, even if her talent did not go completely __⑧__(unrecognized) by her eighteenth-century French contemporaries.

① 与❸的never popular取同。

② 与❹时间对比取反。

③ 与后面的such idealization同义重复。

④ 通过but与edification正评价取反。

⑤ 与前一句moral edification同义重复。

⑥ 与edification同义重复。

⑦ 通过this指示代词，与上一句refrain同义重复。

⑧ 主句不受欢迎，even if句内取反，从句说受欢迎，因为已经有了not，因此空格处填不受欢迎。

📎 **背景知识**

关于genre painting

在17世纪之前，欧洲主流的画作是宗教画，描述的是《圣经》中的故事，一般为教堂所用。米开朗基罗就为梵蒂冈的西斯廷教堂绘制了大量的宗教画，比如众所周知的《创世纪》和《最后的审判》。

随着艺术的发展，绘画的内容也不只局限于宗教，艺术家开始绘制描绘人物的"肖像画"，描绘外在世界的"风景画"，而当艺术家们把人物、风景结合在画面中的时候，这种对于日常生活和场景的描绘便成了"风俗画"，也就是genre painting。由于风俗画往往描述的是普通人的日常生活与社会全景，所以这种题材往往不会被自诩高雅的艺术家与评论家所看重，所以风俗画的绘者通常默默无闻，我们很少在艺术史里能看到风俗画大师的名字。

这种风俗画长卷在中国也有代表，北宋名画《清明上河图》就是典型的风俗画长卷，描述了当时东京汴梁的繁华的风土人情，是我国古代艺术的瑰宝。

例题讲解

According to the passage, modern viewers are not likely to value which of the following qualities in a painting?

根据这篇文章，现代读者不会认可下面哪个绘画特征？

答案：(C) The moral lesson imparted by the painting 绘画的道德说教

解析：根据文章最后两句，过去的人喜欢道德说教，再根据第五句，现代人审美发生变化，所以现代人不喜欢说教。

Passage

_____是名称误用

原文翻译

❶流动的熔岩迅速冷却时形成的火山熔岩被称为枕状岩（pillow lava）。❷当熔岩直接喷发进水中（或冰下）时，或发生在当熔岩流过海岸线并进入水体时，这种迅速冷却就会发生。❸尽管"枕状岩"这一术语暗示了某种确定的形状，但实际上地质学家却不同意这种叫法。❹一些地质学家认为，枕状岩的特征是分散的椭球形岩块。❺其他地质学家将枕状熔岩描述成一大块纠缠在一起的圆柱形的、与熔岩流相联结的瓣状物。❻这种争论很大程度上可能来自于对枕状熔岩原初构造的无根据的推断，而这些推断是根据露出地表的岩层中被侵蚀的枕状岩的二维截面得到的。❼事实上任何一块由相互连结的熔岩流裂片构成的、联结在一起的岩块的截面，外观几乎都是这种分散的椭球形。❽足够多的、完好无损的枕状岩的三维图像，在确定枕状熔岩流真正的几何形状上特别重要，人们由此确定其起源方式。❾的确，"枕状岩"这一术语本身暗示着互相分离的岩块，或许是一个名称上的误用。

3s 版本

❶❷枕状岩的定义。

❸科学家关于"枕状岩"的叫法有争议。

❹有的人认为枕状岩是椭球形。

换对象❺其他人认为枕状岩是瓣状。

小结：❹❺封装顺承❸。

❻争论来自二维截面的推断

❼❽枕状岩是椭球形。

❾"枕状岩"是名称误用。

全文3s版本："枕状岩"是名称误用。

文章点拨

　　本文前两句首先提出枕状岩的定义。第三句认为"枕状岩"的叫法有争议。根据做题经验，既然说到"有争议"，那么接下来肯定要从正反两方面去进行论证，也就是说会出现广义封装的现象。于是，第四句有人提出这种熔岩是椭球形，第五句有人提出这种熔岩是瓣状。第四、第五两句矛盾，于是封装起来，顺承第三句。接下来第七、第八两句证明了枕状岩是椭球形，而不是"枕状"，于是进一步说明"枕状岩"是名称误用。

例题讲解

In the passage, the author is primarily interested in

文章作者主要感兴趣的是

答案：(A) analyzing the source of a scientific controversy 分析一个科学争议的来源

解析： 争议指"枕状岩"的叫法是否合理。

Unit 11

必做

练习题目

世界那么大，我想去看看。感谢 GRE，让我
记住了那段感动自己的时光。感谢微臣，让我复习
GRE 轻松许多。

——刘慧
第三军医大学，微臣教育线上课程学员
2016 年 11 月 GRE 考试
Verbal 162

Passage *087*

道德的定义主要在于＿＿＿＿＿

原文翻译

❶许多哲学家在道德一词的定义上意见不合，但大部分争论者都可以归入两大类中的一类：个人中心论者（egocentrics）和社会中心论者（sociocentrics），个人中心论者将道德定义为对自我实现的追求，社会中心论者则将道德定义为个人对于社会的义务。❷真相是什么呢？❸幸运的是，"道德"一词的起源可以提供一些线索。❹"Mores"这个词最初指的是有文字记载之前的文化的习俗。❺Mores，这种体现了每种文化支配每个公民的理想准则，是在这样一种信仰中发展而来的，即一个社会的基础在于将个人能力的培养运用到对社会的服务之中。❻这些习俗涉及诸如觅食、参与战争以及人际关系。❼因此，我认为"道德"必然涉及整个社会所崇尚的一切。❽但是自我实现对于道德也是重要的，因为不追求自我实现的公民，不管多么有美德，也无法履行道德所赋予他们的义务。

3s 版本

❶关于道德定义的争议落在了个人中心和社会中心两类观点。

❷❸道德一词的起源可以给真相一些线索。

❹❺❻道德起源于习俗，是将个人能力运用到对社会服务之中。

❼道德和社会中心有关。

However ❽自我实现对道德也很重要。

全文3s版本：道德的定义主要在于个人对社会的义务。

文章点拨

文章第一句就引入本篇文章的讨论话题，关于道德的定义到底是个人中心还是社会中心。第二句设问，第三句提到道德这个词的起源可以帮助解释这个问题。从第四句到第六句，文章都在介绍道德的起源和背后的含义。最终作者得出自己的观点，道德更多与社会中心有关，尽管自我实现对道德也很重要。

例题讲解

1. The primary purpose of this passage is to
文章的主旨是

答案： (B) resolve a dispute 解决一个争议

解析： 作者从自己的角度出发，用"道德"一词的来源，解决了关于道德定义的争议。

2. It can be inferred from the passage that the author would be most likely to agree with which of the following statements regarding sociocentrics and egocentrics?
根据文章，作者最有可能同意以下哪个关于社会中心论和个人中心论的观点？

答案： (A) The position of the sociocentrics is stronger than that of the egocentrics. 社会中心论的观点要比个人中心论的更强烈。

解析： 文章的最后一句不是作者的最终观点，最终观点是第七句，因为里面出现了must be这种非常绝对的词语，所以作者认为社会比个人重要。

Passage 088

Wilson为Lewis所写的传记_____

原文翻译

❶ A. N. Wilson为C. S. Lewis而作的传记气势磅礴，令人印象深刻，并且很多地方思路敏锐并且论证充分。❷但是这部作品中也有不少地方处理得很随便，有失作者的身份。❸ Wilson是一位小说家，也是一位造诣深厚的传记作家，但他没能做到任何一个作家在处理像Lewis这样的主人公时都应该能做到的事情，即采取一个一致的观点来描述和评论由Lewis所创作的、不同主题的文学作品。❹作者需要去决定什么样的作品要进行详细研究，而什么样的作品只是一笔略过。❺ Wilson并没有想清楚这个问题。❻例如*Till We Have Faces*是Lewis对于丘比特和普赛克故事的改编，也是他处理得最好、最感人的作品之一，却只是被Wilson略微提及，尽管这部作品详细说明了Lewis的心路历程；而Lewis的次要作品*Pilgrim's Regress*却被Wilson进行了详细的考察。

3s 版本

❶ Wilson为Lewis所写的传记非常优秀。

But ❷这部传记中有的地方处理得不够好。

❸ Wilson对于如何评述Lewis多样的作品没有给出一个一致的观点。

❹❺❻ Wilson对于Lewis的作品主次不分。

全文3s版本：Wilson为Lewis所写的传记不够好，内容主次不分。

文章点拨

文章针对Wilson的一部作品给予了评价。主要强调Wilson的不足之处。

如果要将本文拓展成长文章，应该在前面出现另一个作家，他也写了和Wilson相同的主题，但是处理方法不同。GRE的很多短文章都是长文章高潮部分的节选。长文章的讨论往往是：一个老观点，一个新观点，作者针对新观点进行评价。而文章中的高潮就是作者对于一个事物的评价。短文章因为篇幅所限，会直接截取最后的评价部分。

例题讲解

1. Which of the following best describes the organization of the passage?

下列哪个选项最好地描述了文章的结构？（文章结构题）

答案： (A) An evaluation is made, and aspects of the evaluation are expanded on with supporting evidence. 做出了一个评价，这个评价中的一些方面被支持的证据被进一步阐述。

解析： 在这里，文章的第一句对于Wilson的作品给出了评价，在第二句中对于这部作品的某些方面给出了扩展的负面评价，之后用证据支持了这些负面评价。

2. Which of the following best describes the content of the passage?

下列哪个选项最好地概括了文章的内容？（主旨题）

答案： (C) An appraisal of a biography by A. N. Wilson 对一本由A. N. Wilson所写的一本传记的评价

Passage **089**

Chicano人的西班牙语作品和英语作品的＿＿＿＿＿以及＿＿＿＿＿

原文翻译

❶虽然历史上正规西班牙语教育的机会的缺乏在一开始限制了一些Chicano人磨炼自己的写作技术，以及从而成为西班牙语作家的机会，但他们的双语文化显然培养了一种生动的、引人入胜的口述传统。❷因此，通常通过强调口述文学的创造性，这些Chicano作家形成了铿锵有力且让人着迷的语言，这也是他们的西班牙语作品的特征，而他们的英语作品往往缺乏灵性。❸这种西班牙语与英语之间的差异并不令人感到意外。❹当这些作家用西班牙语写作时，他们会接近他们这个社区的口语传统，而在社区中，出版、支持和有启发性的回应很快会在当地报纸中体现出来。❺然而，英语作品通常需要消除语言里的微妙差别和口语用法、采取正式的语气、调整主题或想法来满足全国性出版物的不同的需求。

3s 版本

❶ Chicano人具有生动的口述传统。

❷ Chicano的西班牙作品迷人，而英语作品不生动。

❸ 西班牙语和英语存在写作差异。

❹ 西班牙语写作接近接近当地口语传统。

❺ 英语写作更加正式，满足全国读者需求。

❹❺封装，顺承❸。体现西班牙语写作和英语写作之间差异的原因。

全文3s版本：Chicano人的西班牙语作品和英语作品的区别以及存在差异的原因。

文章点拨

本文第一句指出Chicano人的双语文化培养了他们吸引人的口述传统。第二句说因为这种口述传统，以至于他们的西班牙语作品引人入胜，而英语作品不够生动，点明了西班牙语写作和英语写作之间的不同。而第三句体现这种差别很正常。第四句和第五句分别解释了西班牙语和英语之间的差异。

背景知识

"Chicano"（奇卡诺）一词是20世纪中期后墨西哥裔美国人的代名词，他们属于Hispanic（西班牙裔美国人）的一个分支，说西班牙语和英语。特殊的时代连同墨西哥裔美国人所具有的特殊的历史和血统，造就了"奇卡诺"奇特的文化现象。

　　作为一种称谓，从20世纪40年代开始使用"奇卡诺"这个词，当时许多生活在美国的美籍墨西哥后裔喜欢用这个词表明自己的种族身份。20世纪60年代，美国墨西哥族裔兴起一场旨在争取平等权利的社会运动，"奇卡诺"迅速成为运动的文化标志，更加广泛地出现在政府文件、主流文化媒体及社会的各个方面，以至代替了传统的"墨西哥裔美国人"（Mexican-American）的称谓，成为具有特定时代与文化内涵的专用名词。

　　"奇卡诺人"作为美国的少数族裔中的一员，也是ETS非常喜欢考查的话题之一，在TOEFL和GRE考试中都多次出现。要注意的是：使用Chicano这个词来指墨西哥裔美国人时要小心，这个词在西南部一些地区有种族骄傲色彩；在另一些地区它可能被认为是贬义。关于"墨西哥裔美国人"大家可以参看一部美剧Betty（《丑女贝蒂》）。

　　Hispanic（西班牙裔美国人）表示来历或出身可以溯及西班牙语国家或文化的人，使用普遍，包括了两个半球所有讲西班牙语的民族，并且强调不同团体的语言上的共同特征，尽管他们在别的方面共同点很少。这个词被广泛地用于官方和非官方的语境中，并且被完全接受。

例题讲解

1. The passage is primarily concerned with doing which of the following?

   文章的主旨是

答案：(B) Describing and accounting for a difference in literary styles 描述并解释了文学风格中的一种差异

解析：文章从第二句开始说西班牙语写作和英语写作风格有差异，并在第三句明确写出其存在差异，并且在最后两句话中解释了其中的原因。

2. Which of the following best describes the function of the last two sentences of the passage?

   文章最后两句话的功能是

答案：(D) They explain the causes of a phenomenon mentioned in the third sentence of the passage 它们解释了文章第三句话中提到的一个现象的原因

解析：文章最后两句话从西班牙语写作和英语写作的角度，对比展现出两种写作差异背后的原因，从而解释了第三句中所提到的两种语言之间的差异。

Passage 090

生物能影响其生存环境，甚至能_____自身生长

原文翻译

　　❶尽管生物深受其周围环境影响是一个事实，但同样重要的是，许多生物也能显著地影响环境，这有时甚至会抑制生物自身的生长。❷一个生态系统（ecosystem）的生物组成部分对淡水水域的影响通常比对海洋系统或陆地系统的影响显著，这是因为许多淡水水体的规模小。❸生物对环境的重要影响往往与它们的生理机能相关，尤其是生长和呼吸。❹在生物生长过程中，它们会耗尽所在生态系统中的基础营养物质，因而抑制了自身或其他物种的生长。❺Lund证明了Windermere湖中的

Asterionella水藻不能在自身创造的环境中生存。❻每年春天，这种植物开始在湖中迅速生长，耗尽湖水中的硅酸盐，导致在晚春时再也没有足够的硅酸盐来维持它们的生长。❼其结果是这种水藻的数量骤降。

3s 版本

❶生物能影响其生存环境，甚至会抑制自身生长。
❷生物对淡水水域的影响更大。
❸生物对环境的影响与生物生理机能相关。
❹生物影响环境的过程中会抑制自己生长。
❺❻❼水藻不能在自身创造的环境中生存。

小结：❺❻❼封装。与❹顺承，❷~❼封装与❶顺承。

全文3s版本：生物能影响其生存环境，甚至能抑制自身生长。

文章点拨

本文第一句指出了全文的主旨：生物能影响其生存环境，并甚至能影响自身生长。第二句提出这种影响在淡水水域更显著。第三句阐述了这种影响与生物的生理机能相关。第四句说明生物影响环境有时也会抑制自己的生长。第五、六、七句用水藻的例子解释了生物如何用生理机能影响环境和这如何限制了生物自己的生长。

例题讲解

The primary topic of the passage is the way in which
文章主旨是

答案： (B) organisms can change their own surroundings 生物可以影响环境
解析： 定位第一句主旨句，(B)选项与第一句3s版本构成同义替换。

Passage 091

铁树依赖_____传粉，依靠_____传粉很困难

原文翻译

❶实验表明，昆虫可以为铁树（一种少见的，棕榈树状的热带植物）传粉。❷此外，从原栖息地迁出的铁树——也离开了它们栖息地的昆虫——通常不结果实。❸不过，我们不能忽略有关铁树风力传粉的趣闻报道。❹铁树雄性球果的构造满足风力传粉的要求，大量花粉从较大的球果上洒落下来。❺例如，Cycas circinalis的雄性球果会散落约100立方厘米的花粉，其中大部分花粉都很有可能随风传播。❻然而，许多雄性铁树球果相对较小，因此产生的花粉也少。❼此外，大多数雌性铁树球果的结构看起来和风力传粉的要求不一致。❽只有卷属铁树的雌性胚珠可以接触到空气中的花粉，因为只有这种种属的胚珠是由大孢子叶松散包裹，而不是被紧密球果包裹的。

3s 版本

❶昆虫可以给铁树传粉。

❷铁树依赖昆虫传粉。

小结：铁树以来昆虫传粉。

Nevertheless ❸铁树可以风力传粉。

❹❺较大的雄性球果满足风力传粉的要求。

小结：铁树可以风力传粉。

Still ❻许多雄性球果产生花粉少。

❼大多数雌性球果不具备风力传粉的结构。

❽只有卷属铁树满足风媒传粉的条件（即其他铁树无法风力传粉）。

小结：铁树风力传粉很困难。

全文3s版本：**铁树依赖昆虫传粉，依靠风力传粉很困难。**

文章点拨

文章出现两次句间转折。第一次句间转折（Nevertheless）企图说明铁树可以通过风力进行传粉。第二次句间转折（Still）说明只有卷属铁树可以依赖风力传粉。still引导句间转折。这种句间关系的转折中，still是连词词性。虽然在GRE阅读中出现很少，但是考生需要留意。在本文中，第六句开头的still起到了句间取反的作用。当still放在句首后面有逗号单独使用时，still相当于however。以本文第五、六句为例来进行分析：

❺The male cone of Cycas circinalis, for example, sheds almost 100 cubic centimeters of pollen, most of which is probably dispersed by wind. ❻Still, many male cycad cones are comparatively small and thus produce far less pollen.

第五句3s：铁树可以依赖风媒传粉。

第六句3s：铁树风媒传粉很困难。

两句之所以出现转折，是因为still放在第六句句首。

例题讲解

The passage suggests that which of the following is true of the structure of cycad cones?

根据文章，下面哪个关于铁树球果的结构的选项是正确的？

答案： (E) The structure of male cycad cones is consistent with a certain means of cycad pollination, but that means is inconsistent with the structure of most female cycad cones. 雄性铁树球果的结构与铁树传粉的某种途径是一致的，但是这个途径与大多数雌性铁树球果的结构是不一致的。

解析： "雄性铁树球果的结构与铁树传粉的某种途径是一致的"对应第四句，其中certain means对应原文风力传粉。"这个途径与大多数雌性铁树球果的结构是不一致的"对应第七句，大多数雌性铁树球果的结构看起来和风力传粉的要求不一致。

Passage 092

当代历史学家不应该＿＿＿＿＿＿＿＿＿妇女选举权运动

原文翻译

❶某些20世纪女权主义者认为，女性的家庭地位是决定妇女社会地位的一个核心因素，受该观点的影响，某些史学家低估了妇女选举权运动（Woman Suffrage Movement）的重要意义。❷这些史学家认为，19世纪的选举权运动，并没有那么激进，因此，这项运动的重要程度比不上道德改革运动和家庭女权主义这类运动，而在两次19世纪的运动中，妇女为获取家庭内部更大的权力和自治而奋斗。❸的确，通过强调这些斗争，这些史学家拓宽了19世纪女权主义的传统观点，但却从历史上伤害了女性选举权运动。❹19世纪的女权主义者和反女权主义者，都把对公民选举的需求视为妇女抗议中最激进的因素，一部分是因为选举权运动的成员所要求获得的权力不是基于家庭，即妇女的传统空间。❺当代史学家在评估19世纪女权主义作为一种社会力量时，应考虑这些历史事件实际参加者的感受。

3s 版本

❶❷❸历史学家低估女性选举权运动。

时间对比❹19世纪女性认为选举权运动是最重要的。

❺当代历史学家不应该低估女性选举权运动。

全文3s版本：当代历史学家不应该低估妇女选举权运动。

文章点拨

文中的时间对比：本文前三句表达的是当代历史学家的观点，认为女性争取家庭当中的地位是最重要的，因而低估了女性选举权运动。第四句是19世纪女权主义者和反女权主义者的观点。时间不同，观点不同，她们的观点认为女性选举权运动是最重要的，与当代历史学家的观点取反。第五句作者给出了对于当代历史学家的呼吁。

例题讲解

The author implies that which of the following is true of the historians discussed in the passage?
作者暗示下面哪一项是关于文中所讨论的历史学家的正确选项？

答案： (D) Their assessment of the significance of nineteenth-century suffragism differs considerably from that of nineteenth-century feminists. 他们对于十九世纪女性选举权运动的意义的评价明显与19世纪女权主义者不同。

解析： 本文的历史学家是当代的，而女权主义者是19世纪的，同时他们的研究对象都是女性选举权运动的重要性。时间不同，状态不同，因此历史学家给出的评价应该与19世纪的女权主义者不同。

Passage **093**

小群动物比大群动物有更高的警觉性未必是为了应对捕食者，还有可能是为了＿＿＿＿＿＿

原文翻译

❶小群动物比大群动物的警觉性更强，一个解释是认为警觉行为（如抬头观望）是针对掠食者的。❷如果说处在动物群边缘的动物更加警觉是因为它们承受着更大的被抓住的危险，那么小动物群体中个体平均警觉性应该更高，因为动物群越小，处在动物群边缘的动物数占整个动物群的比例就越大。

❶然而，如果警觉行为并不直接针对掠食者，那么我们就需要做出不同的解释了。❷ J. Krebs发现小群中的大苍鹭比大群中的大苍鹭更加频繁地抬头，这仅仅是因为吃得不好。❸ Krebs的猜想是小群中的苍鹭在找苍鹭群，它们能够带领小群苍鹭去食物条件更好的地方，而这些地方通常能吸引大批苍鹭。

3s 版本

❶动物的警觉性是针对捕食者的行为。

❷小群动物比大群动物警觉性更高是因为小群动物更容易被捕食。

第一段3s：小群动物比大群动物有更高的警觉性是为了应对捕食者。

However ❶警觉性可以和其他因素有关。

❷❸小群苍鹭比大群苍鹭更警觉是为了找到食物条件更好的地方。

第二段3s：警觉性不是针对捕食者而是为了找到食物条件更好的地方。

全文3s版本：小群动物比大群动物有更高的警觉性未必是为了应对捕食者，还有可能是为了更好地觅食。

文章点拨

对第一段第二句的理解

可以把动物群想象成一个球，球越大，表面的动物占整个群体的比例就越小，因此当一个动物群体比较小时，边缘的动物占整个群体的比例就会比大的动物群体大，因此要承受更高的被捕食的概率。再比如，一个3乘以3的方阵中，边缘的动物数量占总数量的8/9；而一个6乘以6的方阵中，边缘的动物数量占总数量的7/12，小于3乘以3方阵。

边缘比例的问题在填空中也经常出现，请看下面一个填空题的例子：

Among wide-ranging animal species, populations at the edge of the species' range are frequently exposed to less favorable and more variable conditions than those in other parts on the range. As a results, the animals' abundance is often lower at the periphery.

例题讲解

Which of the following best describes the relationship of the second paragraph to the first?

下面哪一个选项最好地描述了第二段和第一段的关系？

答案： (D) The second paragraph provides an example of a case in which the assumption described in the first paragraph is unwarranted. 第二段提供了一个案例，在这个案例中，第一段描述的假设是不成立的。

解析： 第二段提供的案例是苍鹭。苍鹭的警觉性和捕食者无关，而是为了更好地觅食。而第一段的假设说警觉性是为了针对捕食者，因此苍鹭的案例使得第一段的假设错误。

福音音乐和圣歌都是_____的

原文翻译

❶不可否认的是，二十世纪早期黑人福音音乐（Black gospel music）在很多重要方面与黑奴圣歌（slave spiritual）有所不同。❷圣歌是以民歌的形式被创造和传播的，而福音音乐是由专业人士创作、出版、拿到版权后出售的。❸可是，即兴创作对于福音音乐仍然是很重要的。❹人们去听福音歌曲录制的全部曲目就会了解到，黑人福音歌手几乎不会两次演唱完全一样的歌曲，他们也从不循规蹈矩地按照乐谱来演唱。❺他们从自己的感觉以及当时"心灵驱使"出发，演唱的是爵士音乐家口中的"无意识编排"的曲目。❻这种即兴元素反映在福音音乐的出版方式上。❼黑人福音音乐作曲家为白人合唱团创作的谱曲很完整，在其中指明了不同的声部和伴奏，但为黑人歌手创作的音乐只有一个声线以及一个钢琴伴奏。

3s 版本

❶❷福音音乐和圣歌是不同的。

Nevertheless ❸福音音乐是即兴的。

❹❺❻❼福音音乐和圣歌都是即兴的。

全文3s版本：福音音乐和圣歌都是即兴的。

文章点拨

本文前两句话是顺承关系，都在说福音音乐和圣歌是不同的，接着第三句出现Nevertheless表示转折，但是这句话仅仅是在说福音音乐是即兴的。之后的四句话都在顺承此句，但是不能武断地认为通篇文章都只是在说福音音乐是即兴的。根据句间关系的转变，第三句应该强调两种音乐形式的共性。因此从第三句开始都应表达福音音乐和圣歌都是即兴的。全篇文章3s版本为：福音音乐和圣歌都是即兴的。这一点在后续的题目中也有考到。

背景知识

1. 黑人音乐

在GRE阅读中，黑人是我们常见的主题。通常情况下，黑人一出现便通常会与"突破传统"有关，从而给人留下一种"任性"的印象。我们通过下面两种音乐形式来感受一下黑人是如何用音乐来表达"任性"的。

2. 灵歌（Spiritual）

　　Spiritual除了作形容词表示"精神上的"之外，还可以作名词表示"灵歌"或"圣歌"，是流行于美国黑人群体中的一种宗教音乐。同时spiritual也是一种诗歌的形式。既然是宗教音乐，那么我们可以很自然地联想到这种音乐给人的印象应该是空旷、飘渺的。我们最熟悉的灵歌代表人物之一便是在2012年不幸辞世的惠特妮•休斯顿。

　　美国黑人中间常见的宗教音乐除了灵歌之外，还有福音音乐（gospel music），这两者之间的区别是：spiritual更偏向民间创作，而gospel则更多地由专业的作曲家创作。

3. 爵士乐（Jazz）

　　爵士乐是GRE文章中最常出现的音乐形式之一。但凡出现，往往就是在强调爵士音乐家的追求自我，而"即兴"便是Jazz最常用的创作及演奏手法。黑人爵士音乐家在进行现场演奏的时候往往不喜欢按照谱子去演奏，同一首曲子、同一位乐手在不同时期听起来也是不一样的，因此现场录音的价值极高。同时，因为即兴，所以更加精彩，当然这在另一方面也表明了黑人的个性。

　　著名影片《海上钢琴师》（*The Legend of 1900*）当中的斗琴片段，便是爵士音乐发明人与本片主人公1900之间的一场巅峰对决。从这部影片中我们便可以近距离感受Jazz的风采。

　　爵士乐可以被认为是蓝调（Blues）的衍生物，而猫王又将蓝调完美地融入到摇滚乐之中，使其发扬光大。爵士乐和蓝调共同组成了美国黑人流行音乐的基石。

例题讲解

The passage suggests which of the following about Black gospel music and slave spirituals?
本文提到下面哪个关于黑人福音音乐和黑奴圣歌的选项？

答案： (B) Both had an important improvisatory element 两者都有很重要的即兴元素
解析： 根据本文后四句得知两种音乐的共同点是都有即兴的元素。

Passage 095

肾上腺素通过增加血液中_____含量来调节记忆力

原文翻译

　　❶尽管我们知道肾上腺素（adrenaline）能调节记忆力，但是肾上腺素并不会从血液进入脑细胞。❷于是我们遇到一个明显的矛盾：一种并不直接作用于大脑的激素如何能对大脑的功能有如此巨大的影响呢？

　　❶最近，我们检验了其中一种大脑外激素活动与记忆调节有关的可能性。❷因为动物分泌肾上腺素的一个结果是血糖（血液中的葡萄糖）含量增加，所以我们测试了葡萄糖对老鼠记忆力的影响。❸我们发现，如果老鼠在训练后马上注入葡萄糖，老鼠在第二天实验时的记忆力会提高。❹其他证据是由负向发现得到的：一种叫肾上腺素功能对抗剂（adrenergic antagonist）的药物，会阻碍体表肾上腺受体，这种药物会扰乱肾上腺素调节记忆的能力，但并不影响由非肾上腺素激发的葡萄糖所引起的记忆力的提高。❺如果肾上腺素是通过增加血糖含量来影响记忆力的调节，那么其实验结果就应是这样。

3s 版本

❶肾上腺素能调节记忆力，但是肾上腺素并不从血液进入脑细胞。

❷提出问题：肾上腺如何对大脑产生影响？

第一段3s：提出问题：肾上腺如何对大脑产生影响？

❶大脑外的某种活动可能会解释这个矛盾。

❷测试了葡萄糖对老鼠记忆力的影响。

❸老鼠注射葡萄糖，第二天记忆力会提升。

❹负向实验也证明了葡萄糖导致记忆力提升。

❷~❹封装，顺承第一句。说明脑外活动如何解释。

❺肾上腺素是通过增加血液中葡萄糖含量来调节记忆力。

第二段3s：肾上腺素通过增加血液中葡萄糖含量来调节记忆力。

全文3s版本：肾上腺素通过增加血液中葡萄糖含量来调节记忆力。

文章点拨

文章第一段先指出了一个明显的矛盾，引出本文希望研究的问题，即肾上腺素如何对大脑产生影响。

第二段先假定了一个可能的理论方向，并通过正反两个实验，来验证观点——肾上腺素是通过增加血液中葡萄糖含量来影响记忆力的调节。其中，第二段第二句已经给我们提供了一个假设，那就是肾上腺素可以提升血液中葡萄糖水平。第三句之所以提到要在训练之后，是为了让老鼠消耗掉体内存储的葡萄糖。而第四句的负向实验，通过抑制肾上腺素的作用，来证明就是葡萄糖导致记忆力上升，而非肾上腺素通过其他的途径导致记忆力上升。

例题讲解

1. The author refers to the results of the experiment using adrenergic antagonists as "negative findings" most likely because the adrenergic antagonists

   作者将肾上腺素功能对抗剂的实验结果称为是"负向发现"最可能是因为肾上腺素功能对抗剂

答案： (B) did not affect glucose's ability to enhance memory 没有影响葡萄糖提高记忆的能力

解析： 肾上腺素功能对抗剂抑制了肾上腺素本身提高记忆的能力，但是不会影响葡萄糖提高记忆的能力。因此，肾上腺素提高记忆的能力应该是通过葡萄糖进行作用的。因为该药物没有影响葡萄糖，因此反向证明肾上腺素对记忆力的作用可能是通过葡萄糖来施加的。

2. The passage provides information about which of the following topics?
   文章提供了关于下面哪一项的信息？

答案： (C) The reason that the effects of glucose on memory were tested 葡萄糖对于记忆的影响被测量的原因

解析： 首先本题(B)很容易错选。不选(B)的原因是the effects of adrenaline on memory regulation实际上是已经知道的，科学家现在更加关心的是其中的原理（而不是effects）。文章介绍了检验一种可能原理的实验，即探究葡萄糖对记忆的影响，并解释了这样实验的原因，故(C)正确。

Passage 096

Smith有关_____的理论不正确

原文翻译

❶写到Iroquois部落时，Smith认为部落酋长通过会议一直维持对Iroquois部落联盟及其从属部落政治事务的完全控制，而唯独管理宗教事务的权力是属于shamans的。❷根据Smith的看法，19世纪末酋长会议的瓦解和随之而来的首领政治权力的削弱这两个事件让酋长更多地参与宗教事务，而在此之前这个分工一直存在。

❶然而，Smith没有意识到部落酋长和shamans之间权力的分配并不是一直存在的；进一步讲，它是19世纪早期Iroquois在保护区重新定居的结果。❷在重新定居(resettlement)之前，酋长会议只控制了部落联盟的一般政策；个体部落——最主要通过长屋——来管理自己的事务。❸在长屋中，部落首领既影响政治也影响宗教事务。

3s 版本

❶ Smith认为一直存在政治上和宗教的分工。

❷这种分工直到19世纪后期瓦解。

第一段3s：Smith认为分工一直存在。

However ❶ Smith是不对的，并不是一直有分工。

❷❸在resettlement之前，分工不是这样的。

第二段3s：Smith有关分工一直存在的理论不正确。

全文3s版本：Smith有关分工一直存在的理论不正确。

文章点拨

本文不同事件及观点对应的时间关系

时间段	Smith	作者
19世纪早期之前	酋长和shamans之间存在分工	和smith的分工不一样
19世纪早期~19世纪晚期		有分工
19世纪晚期之后	政治上和宗教的分工瓦解	没有具体说

例题讲解

It can be inferred that the author of the passage regards Smith's argument as
可以推断出来文章作者认为Smith的观点是

答案： (C) accurate in some of its particulars, but inaccurate with regard to an important point 在某些事实上很精确，但是对于一个重要的时间点上不精确

解析：particulars指19世纪早期到19世纪晚期以及19世纪晚期之后，这两个时间段Smith给出的分工判断是正确的。an important point指的是19世纪早期resettlement这一时间点，在这个时间点之前Smith的分工描述是错误的。

Unit 12

必做

练习题目

杀 G 之路，虽布满荆棘，然而一旦走完，内心那种满满的成就感和喜悦感，是对自己最大的回报！

——高宇飞

清华大学 / 纽约大学，微臣教育线上课程学员

2016 年 11 月 GRE 考试

Verbal 162 Quantitative 170

Passage

_____的影响使科学家无法轻易预测气候变化

原文翻译

❶直到20世纪80年代末，理论学家和大型计算机气象模型都未能准确预测出云层系统是在促进还是削弱全球变暖。❷一些研究显示，海面上空层积云增加4％就可以抵消大气中二氧化碳的成倍增长，阻止可能出现的全球范围气温增高。❸但另一方面，卷云的增加会导致全球变暖。

❶云层是气候模型中最具有缺陷性的元素，有14个类似的模型都表现出了这一点。❷与一个二氧化碳翻倍的世界中的天气预报作比较，研究者们发现，如果不考虑云层因素，这些模型的结果非常一致。❸但是当我们把云层因素包含进来时，预报产生的结果差别就很大了。❹由于这些差异让模型预测得不准确，科学家无法简单预测世界气候变化会有多快，他们也无法指出哪个地区会面临灰尘满天的干旱或是更加致命的风季。

3s 版本

❶云对于全球变暖的影响很难确定。

❷ S云可以降低全球变暖。

换对象❸ C云可以导致全球变暖。

小结：❷❸封装顺承❶。

第一段3s：云对于全球变暖的影响很难确定。

❶14个模型证明了云对于全球变暖的影响很难确定。

❷不考虑云的因素，所有模型结果一致。

But❸考虑云的因素，结果有千差万别。

小结：❷❸封装顺承❶。

❹科学家无法轻易预测气候变化。

第二段3s：云的影响使得科学家无法轻易预测气候变化。

全文3s版本：云的影响使得科学家无法轻易预测气候变化。

文章点拨

第一段第二、三两句通过讲两种不同的云对地球气候产生了不同影响，说明云对于全球变暖的影响很难确定。

两段之间是顺承关系。第二段通过将14个模型通过控制变量的方法来说明当考虑到云的因素时，气候会很难预测，说明云是一个难以捉摸、最具有缺陷性的干扰因素。

⚑ 例题讲解

The information in the passage suggests that scientists would have to answer which of the following questions in order to predict the effect of clouds on the warming of the globe?

根据文中的信息，科学家需要回答下面哪个问题才能预测云层对于全球变暖的影响？

答案： (A) What kinds of cloud systems will form over the Earth? 什么类型的云会在地球上空形成？

解析： 根据本文第一段后两句，我们已经明确地知道S云可以降低全球变暖，而C云可以导致全球变暖，因此想要知道云层对于全球变暖的影响，只要知道地球上空形成了什么类型的云即可。

Passage  098

通过气泡中的空气和冰中的氢元素来研究史前_____和_____的关系

⚑ 原文翻译

❶对极地冰层下面细小气泡中含有的史前空气的分析以及对于那些气泡周围的冰的成分的分析可以揭示过去160,000年间地球大气层二氧化碳的水平以及全球温度之间的关系。❷对当空气被困到气泡时的全球气温的估计，依赖于测量在气泡周围的冰中的氢元素和其更重的同位素——氘——的相对含量。❸当全球温度相对比较低时，含有氘的水会凝结并且在到达极地之前就形成降水；因此，当全球温度更低时，两极的冰沉积物会含有相对比较少的氘相比于全球温度更高时的冰沉积物。❹基于这种信息的全球温度的估计，结合极地表面以下的冰中的气体二氧化碳含量的分析，表明在后冰川温暖时期，大气层中的二氧化碳上升了大约40%。

⚑ 3s 版本

❶通过气泡中的空气和冰来研究史前二氧化碳和全球温度间的关系。

❷测量气泡周围冰中氢和氘的相对比例。

❸温度越低，冰中氘含量越低。

❷❸封装，介绍温度的确定是需要借助另一个变量，氢元素。

❹温度和二氧化碳之间的关系。

全文3s版本：通过气泡中的空气和冰中的氢元素来研究史前二氧化碳和全球温度间的关系。

⚑ 文章点拨

本文主要描述了确定史前全球温度和二氧化碳关系的方法。其中，借助冰中氢和氘的相对比例，可以推测温度的高低，再有被困气体中二氧化碳的含量，确定该时刻二氧化碳和温度之间的关系。

对于初级GRE备考者来说，这是一篇长难句多、背景极其不熟悉的文章。但是有关南极气泡正是科考人员最感兴趣的研究对象，也是ETS在理工类文章中十分偏好的题材。

文章并没有直接提出大家熟悉的尝试，温室气体，即二氧化碳的增加会导致温度增加。文章通过对一个新内容的描述——氘与氢的比例——来介绍温度和冰的构成的关系，然后再指出温度和二氧化碳的关系。全文看起来是在介绍温度和二氧化碳的关系，其实是在介绍氢与二氧化碳之间的关系。在后面的题目中，也主要涉及二者之间的相关性问题。

例题讲解

It can be inferred from the passage that the conclusion stated in the last sentence would need to be reevaluated if scientists discovered that which of the following were true?

从文章可以推测出来，如果科学家发现下面哪一项是正确的，就需要重新评估最后一句话的结论？

答案： (C) Air bubbles trapped deep beneath the polar surface and containing relatively high levels of carbon dioxide are surrounded by ice that contained relatively low levels of deuterium. 极地表面以下的并且含有相对高浓度水平二氧化碳的气泡被含有低水平的氘的冰围绕着。

解析： 根据文中第二句，氘含量低，温度应该低。根据文章的第四句，温度低，则二氧化碳含量低。氘和二氧化碳应该正相关。但是选项二者一高一低是负相关，所以需要重新评估。

Passage 099

法案背后有_____

原文翻译

❶1973年的濒危物种法案将"野生濒危物种是自然生态系统中最珍贵的一部分"的概念写进法律政策中。❷这个法案在美国国会几乎全票通过，这反映出当时环境保护主义在全美国越来越流行，但它掩盖了一场激烈的争论。❸受影响的企业坚持之前的野生动物政策，该政策根据某个物种的经济价值来评价这个物种。❹这些企业力争通过限定关键术语的定义来使法案的影响达到最小，但是他们几乎在每一个问题上都失败了。❺法案将"野生动物"定义为几乎所有类型的动物——从大型哺乳动物到无脊椎动物——以及植物。❻"捕猎"野生动物被广泛定义为任何威胁珍稀物种的行为；对于物种生存至关重要的区域被联邦政府作为"重大栖息地"来保护。❼尽管这些定义立法描述了环境保护人士的坚定目标，但实施法案时做出政治上的妥协决定的是：什么经济利益要为生态的稳定平衡而被放在一旁。

3s 版本

❶将保护濒危物种写入法案。

❷法案掩盖了一场辩论。

小结：法案背后有一场辩论。

❸❹企业想要最小化法案的影响。

❺❻国会想要最大化法案的影响。

❼总结这场辩论。

全文3s版本：法案背后有辩论。

文章点拨

1. 本文为典型的debate类文章，即整篇文章都是在描写一场辩论。而要描述一场辩论，则要把正方观点和反方观点分别呈现出来。本文第三、四句即为企业一方的观点，第五、六句为国会一方的观点，第七句通过though引导句内的对比来总结这场辩论。提前了解debate这种文章的写作套路，以后再见到类似的文字就不会觉得句间关系混乱了。

2. 本文第二句：The nearly unanimous passage of this act in the United States Congress, reflecting the rising national popularity of environmentalism, masked a bitter debate.

unanimous passage（一致同意）与bitter debate（激烈的争论）构成取反，这种取反由mask导致，表示前后的不一致。

📖 例题讲解

According to the passage, which of the following does the Endangered Species Act define as a "critical habitat"?
根据这篇文章，下面哪一项是濒危物种法案对于"重大栖息地"的定义？

答案：(C) A natural area that is crucial to the survival of a species and thus eligible for federal protection 一个对于物种生存很关键并且适合被选为联邦保护地的自然区域

解析：本题同义改写第六句。

Passage 100

具体说明_____与_____的不同之处

📖 原文翻译

❶从20世纪前十年到20世纪50年代，美国女服务员创建了一种工会制度，该制度基于服务行业包含的技能以及这些技能的实施标准。❷这种"行业工会制度"（occupational unionism）与当时在工厂工人中盛行的"工地工会制度"（worksite unionism）不同。❸女服务员工会的地方分会寻求的是控制整个城市的女服务员行业，而不是使某些雇主的员工加入工会。❹行业工会制度的运作是通过职业介绍所，介绍所为同意只通过工会雇佣员工的雇主提供免费的员工就业安排。❺职业介绍所为工会女服务员提供集体就业的安全保障，而非个别职位的安全保障——这是一种工地工会提供的基本保障。❻这就是说，一个女服务员失业了，地方分会并不干涉该雇主，而是把这位女服务员安排到其他地方，当职位紧缺时，地方分会把工作时间平均分配给工会所有成员，而不是根据长幼分配。

📖 3s 版本

❶建立了一种工会制度。

❷指出occupational unionism与worksite unionism之间的不同。

❸❹❺❻具体的不同之处。

全文3s版本：具体说明occupational unionism与worksite unionism的不同之处。

📖 文章点拨

From the 1900's through the 1950's waitresses in the United States developed a form of unionism [1]{based on the unions' [2][defining the skills [3](that their occupation included)] [4]and [enforcing standards for the performance of those skills]}.

1：过去分词倒装，based之后的内容整体修饰unionism。

2&4：and并列defining和enforcing，共同充当unions'的宾语。

3：定语从句倒装，稀释skills。

例题讲解

The primary purpose of the passage is to

本文的主旨是

答案： (E) describe an approach by contrasting it with another approach 通过与另一种方法进行对比而描述了一个方法

解析： an approach指代 occupational unionism；another approach指代 worksite unionism。

Passage 101

_____促使科学家去探索地质事件周期性

原文翻译

❶重大的地质事件可能会按固定的时间间隔发生，这个理论的起源可以追溯到对海洋生物灭绝的研究，而不是对火山活动的研究，也不是对板块构造地质学（plate tectonics）的研究。❷在20世纪80年代早期，科学家们开始着重关注这些海洋生物如何灭绝的问题。❸两位古生物学家，Raup和Sepkoski，收集了在过去2.68亿年中灭绝的大量海洋生物物种的名录，并且发现许多物种在短暂时期内突然消失。❹令人惊奇的是，发生大量物种灭绝的时间间隔是固定的。

❶之后的研究显示，陆地爬行动物和哺乳动物的灭绝也是按周期发生的。❷把这些发现跟Raup和Sepkoski的研究结合在一起，科学家假设存在某种重复发生的、能够深深影响生物的强大力量。❸一个有关强大到可以影响地质事件发生的力量的猜想，使得地质学家去探索火山活动、海床扩展和板块运动周期性的证据。

3s 版本

❶❷地质事件的固定时间间隔是通过研究海洋生物的灭绝而得到的。

❸❹大量海洋物种灭绝的时间间隔是固定的。

第一段3s：大量海洋物种灭绝的时间间隔是固定的。

❶陆地爬行动物和哺乳动物的灭绝也是按周期发生的。

❷科学家认为有一种力量在影响生物。

❸这种力量使得科学家去探索地质事件周期性的证据。

第二段3s：生物的周期性灭绝是促使科学家去探索地质事件周期性的原因。

全文3s版本：生物的周期性灭绝促使科学家去探索地质事件的周期性。

文章点拨

本文第一句提出一个理论：地质事件是按照周期发生的。而这一理论是通过对海洋生物灭绝的周期的研究得到的。接下来第三、第四句介绍了Raup和Sepkoski的研究：海洋生物灭绝是有周期的。

第二段在上一段的基础上又提出了一个新的发现：陆地爬行动物和哺乳动物的灭绝也是按周期发生的。因此有一种力量在影响生物，而这种力量也会影响地质事件。所以科学家研究地质事件的周期性这一课题的灵感来自于动物的周期性灭绝。

例题讲解

The passage suggests which of the following about the "force" mentioned in the passage?

本文提到下面哪一项关于文中提及的"力量"？

答案： (D) Its existence was not seriously considered by scientists before Raup and Sepkoski did their research. 在Raup和Sepkoski做研究之前，它的存在并没有被认真地考虑。

解析： 本文第一句在说海洋生物的灭绝周期促使科学家研究地质事件的发生周期，而Raup和Sepkoski的研究成果就是海洋生物的周期性灭绝。同时根据第二段，这种"力量"最终使得科学家探索地质事件的周期性。因此可以推测，这种"力量"在Raup和Sepkoski做研究之前并没有被认真地考虑。

Passage

Turner对于宗教的定义_____

原文翻译

❶尽管Victor Turner的作品在人类学以外的领域中成果丰硕，但是他对仪式的定义过于狭隘了。❷他说宗教仪式（ritual）是"规定的正式仪式活动，且与常规技术活动相反，相信信仰的存在和信仰的力量"。❸"常规技术活动"指的是一个社会群体为了生存而获取物质需要的手段。❹Turner把仪式和技术分离开来的做法让我们认识到，节日和庆祝活动只是表演而没有其他目的，但是这个做法掩盖了其他宗教活动的实用目的，例如让农作物生长或是治愈病人。❺进一步说，Turner的定义暗示了宗教活动和神秘信仰之间必然的联系。❻然而，并不说所有的宗教活动都有宗教性质；一些宗教与神秘存在无关，并且个体只是被要求去参加宗教活动而不需要去信仰这个宗教。❼因此，Turner的宗教活动行为遵循信仰的假设限制了他的定义在跨文化宗教研究中的用途。

3s 版本

❶ Turner对于宗教的定义过于狭隘。

❷ Turner认为宗教仪式与神秘信仰有关，与技术常规无关。

❸ Turner将宗教仪式与技术常规相区别。

❹ 这么做不对。

❺ Turner认为宗教仪式与神秘信仰有必然联系。

However ❻ Turner观点不对。

❼ Turner对于宗教的定义过于狭隘。

全文3s版本：Turner对于宗教的定义过于狭隘。

文章点拨

　　本文第一句与第七句遥相呼应，共同说明本文主旨；第二句是Turner对于宗教的定义，主要有两方面，认为宗教仪式与神秘信仰有关，而与技术常规无关。第三、四句可以封装到一起，共同用来反驳Turner观点中与技术有关的内容。第五、六句则可以封装到一起共同反驳Turner观点中与神秘信仰有关的内容。

例题讲解

According to the passage, which of the following does Turner exclude from his conception of ritual?
根据这篇文章，Turner将下面哪一项从宗教仪式概念中排除出去了？

答案：(D) Routines directed toward practical ends 针对实用目的的常规
解析：该选项同义改写第四句。

Passage **103**

有一个理论解释了＿＿＿＿＿＿＿

原文翻译

　　❶ Benjamin Franklin证实闪电是云层间或者云层与地面间正电荷或负电荷的转移。**❷** 这种电荷的转移要求电荷均匀分布的中性云被分隔成不同区域而呈带电状态。**❸** 分隔得越远，云的电压或电位越高。**❹** 科学家既不知道雷雨云中电荷分布的确切情况，也不知道多大的间隔才能足够支持电闪雷鸣的巨大电压。**❺** 根据降水假说，降水导致了电荷间隔的发生。**❻** 在雷雨云中较大的水滴向下降落，经过较小的悬浮水滴。**❼** 水滴间的碰撞把负电荷转移到沉降的水滴中，留下带正电荷的悬浮水滴，由此在较低的充满着带负电荷雨滴的雷雨层中产生正偶极（positive dipole），而在这个正偶极中，雷雨云的下部充满带负电荷的雨滴而上部充满带正电荷的悬浮雨滴。

3s 版本

　　❶什么是闪电。
　　❷发生电荷转移的必要条件。
　　❸分隔决定电压。
　　❹科学家不知道这种分隔如何形成。
　　❺降水导致电荷分隔。
　　❻❼解释这种分隔如何形成。

全文3s版本：有一个理论解释了闪电形成的条件。

文章点拨

本文为典型的现象解释型。第一句引出富兰克林对于闪电的定义，接下来提出电荷的分隔会决定闪电的产生。于是，接下来整篇文章都用来解释这种分隔是如何形成的。

例题讲解

The passage is primarily concerned with discussing which of the following?

这篇文章主要关注于讨论下面哪个问题？

答案： (A) A central issue in the explanation of how lightning occurs 用于解释闪电如何发生的一个重要问题

解析： (A)选项中的"a central issue"指代的便是分隔是如何形成的。

Passage 104

Woolf是一个_____，她的写作手法是_____

原文翻译

❶"我想批判当前的社会制度，并且表现出它在最为剧烈动荡的时候是如何运转的。"❷Virginia Woolf有关她创作*Mrs. Dalloway*的意图的让人深思的陈述通常被评论家忽视，因为这个陈述突出的是她与传统"诗人"小说家形象截然不同的文学兴趣的方面，诗人小说家关心的是审视人物梦游和想象的状态以及关心跟随个体意识错综复杂的途径。❸但是Virginia Woolf既是一个现实小说家，又是一个诗意的小说家，既是一个幻想家，也是一个讽刺作家和社会评论家：文学评论家傲慢地忽略Woolf批判社会的眼光是站不住脚的。

❶在她的小说中，Woolf深入考虑的问题有：个人是如何被他们所处的社会环境塑造（或改造）的，历史的力量是如何冲击人们的生活的，阶级、财富以及性别是如何决定人们的命运的。❷她的大多数小说源于用现实主义手法表达的社会环境以及特定的历史时代。

❶Woolf对于社会的关注一般不被承认，因为她极其厌恶艺术中的政治宣传。❷在她的小说中，改革者的形象通常具有讽刺和强烈批评的意味。❸即便当Woolf从根本上赞同改革者工作的时候，她认为那些进行社会改革并拥有信息和纲领的人是狂妄的、不真诚的，他们没有意识到政治思想如何服务于心理需求。❹（她在*Writer's Diary*中说："唯一真实的人是艺术家们，而那些社会改革家以及慈善家们打着热爱同胞的幌子，其实他们怀有不可告人的欲望……"）❺Woolf也憎恨小说中所谓的"说教"，并且批评了小说家D. H. Lawrence（及其他作家）作品中这种说教的写作方式。

❶Woolf本人的社会评论是通过观察而非直接评论的语言表达的，因为对于她来说，小说是一种深思的艺术，而不是直接的艺术。❷她描述现象，并且提供了可以判断社会及社会问题的材料；应该是读者自己把这些观察到的现象放在一起看，然后理解它们背后连续统一的观点。❸作为一个道德家，Woolf用旁敲侧击的方式去创作，巧妙地动摇了官方接受的道德标准，对此进行暗示和质疑，而非断言、主张或作证：她的作品是讽刺作家的艺术。

❶ Woolf的文学榜样是像Chekhov和Chaucer这样敏锐的社会观察者。❷就像她在 *The Common Reader* 中说的那样，"可以这样说，不是因为Chaucer说了或写了什么，（我们）才制定出某条法律或者立一块石碑；但当我们拜读他的作品时，我们在字里行间都能感受到道德的教诲。" ❸像Chaucer一样，Woolf也是用评价和理解的方式去认识她所在社会的根和枝，她的这种决定对于创作出艺术而非论辩性文章至关重要。

🔖 3s 版本

❶❷ Woolf被忽视。

But ❸ Woolf是社会评论家，不应被忽略。

第一段3s：Woolf作为社会评论家不应该被忽略。

❶ Woolf的主要关注内容。

❷ Woolf使用现实主义的手法。

第二段3s：Woolf使用现实主义的手法。

❶ Woolf厌恶政治宣传。

❷❸❹ Woolf厌恶改革者。

❺ Woolf厌恶说教的写作方式。

第三段3s：Woolf厌恶评论性的写作手法。

换对象❶❷❸ Woolf的写作是客观的记录而非主观的评论。

第四段3s：Woolf的写作是客观的记录而非主观的评论。

❶❷❸ Chaucer影响了Woolf。

第五段3s：Chaucer影响了Woolf。

全文3s版本：Woolf是一个社会评论家，她的写作手法是客观的记录。

🔖 文章点拨

本文第三、四段在描写Woolf喜欢和厌恶的写作手法时，将客观记录的手法和主观评价的手法进行了对比，在论述的过程中，使用了大量的"客观记录"和"主观评价"的同义改写。描写客观和主观的写作手法的文章在GRE阅读中屡见不鲜，在此我们总结一下相关的同义改写。

客观记录：observation, contemplative, describe phenomena, provide materials, passive, record

主观评价：commentary, active, judge, assert, advocate, bear witness, propaganda, preach, purposeful, shaping force

🔖 例题讲解

Which of the following would be the most appropriate title for the passage?

以下哪个选项最适合作为本文的标题？（主旨题）

答案： (E) Virginia Woolf's Novels: Critical Reflections on the Individual and on Society Virginia Woolf的小说：对个人以及社会的辩证反映

解析： 根据本文3s版本：Virginia Woolf的作品是客观记录现实的，因此选(E)。

Passage **105**

介绍了热点，并且描述热点既可以起到_____的作用，又可以起到_____的作用

❶100多个火山活动的区域散落在地球各处，它们被认为是热点（hot spot）。❷与大多数火山不同，热点仅仅出现在大陆和海洋板块的边界处，这些板块组成了地壳；大多数热点存在于板块内部的深处并被固定在地球表面地层的深处。❸可以通过岩浆来区分热点和其他火山，热点的岩浆比处在板块边缘的火山的岩浆含有更多的碱金属。

❶在某些情况下，板块移动经过热点会留下死火山的残迹，这就好像风经过烟囱带走烟雾一样。❷太平洋板块粗略按照从东向西北的路线经过一个热点，形成一排地质年龄递增的火山群。❸其他两个太平洋岛屿链——Austral山脉以及Tuamotu山脉——和夏威夷岛屿链的构造类似；它们也是从东到西北排成一线，其东端是最近火山活动的区域。

❶对于太平洋板块和其他板块移动的观点已经没有争议了；板块的相对移动已经被详细地重建出来了。❷然而板块的相对运动与地球内部的关系还未能被简单地确定下来。❸热点为解决两个大陆板块是在反向运动，还是其中一个板块静止而另一个板块漂离的问题提供了测量手段。❹有关一个大陆板块静止的让人信服的证据是，在某些热点处几个时期熔岩是重叠在一起的，而不是按照时间顺序向外扩散的。❺的确，从热点火山的路径来重建有关板块的运动假定热点不运动，或是近似不运动。❻几项研究支持了这个假设，其中一项研究表明，世界范围内的重大热点似乎没有在过去的1000万年里移动。

❶除了作为参考系，热点显然还影响着地球上板块移动的地质物理进程。❷大陆板块在一个热点附近停留的时候，从深层涌出的材料形成了一个宽的圆丘，这个圆丘在形成过程中会产生深深的裂缝。❸在某些情况下，大陆板块可能沿着某些裂缝完全断裂，这样热点就引发了一个新海洋的形成。❹因此，就像之前的理论解释大陆板块移动那样，热点活动可能也提出一个理论来解释其可变性。

❶有一种火山区域是热点。

❷热点在板块内部。

❸热点岩浆与火山不同。

第一段3s：热点与火山不同。

❶❷❸板块移动经过热点会留下死火山的遗迹。

第二段3s：板块移动经过热点会留下死火山的遗迹。

❶板块的相对移动没有争议。

However ❷板块的相对运动与地球内部的关系尚未确定。

❸热点可以解决这个争议。

❹一个版块静止，另一个漂移。

❺这个观点是基于假设。

❻但可以证实。

第三段3s：热点作为参考系证明了板块一个静止一个漂移。

❶❷❸❹热点影响着板块移动的地质物理进程。

第四段3s：热点影响着板块移动的地质物理进程。

全文3s版本：介绍了热点，并且描述热点既可以起到记录的作用，又可以起到影响的作用。

📖 文章点拨

comprise *v.* 包含；由…组成 If you say that something comprises or is comprised of a number of things or people, you mean it has them as its parts or members.

【例】The author fails to distinguish between the wages and conditions for skilled workers and for those unskilled laborers who comprised the majority of the industry's workers from the 1880's on. 作者没有能够在有技能的工人和1880年代以后组成工业工人主体的无技能工人的薪水和境况做出区分。

compromise

① *v.* 损害 If someone compromises themselves or compromises their beliefs, they do something which damages their reputation for honesty, loyalty, or high moral principles.

【例】Although some of the sources of Islamic law were pagan, its integrity as a sacred law was not compromised by their incorporation. 尽管有一些伊斯兰法的来源是异教的，但是它作为宗教法律的整体性并没有被他们的融合而破坏。

② *v.* 妥协 A compromise is a situation in which people accept something slightly different from what they really want, because of circumstances or because they are considering the wishes of other people.

【例】The overall scheme by which genetic information is rationed out（ration out: *adv.* 应按配额给定地）in organisms, therefore, must involve a compromise between two conflicting priorities: precision and the avoidance of gross mistakes. 因此，在有机体中的基因信息定额分配所采取的普遍策略必须包含两个相互冲突的优先级之间的妥协：精确性和避免明显的错误。

📖 例题讲解

The primary purpose of the passage is to
本文的主旨是

答案：(D) describe hot spots and explain how they appear to influence and record the motion of plates 描述了热点，并且解释了热点是如何影响并记录了板块的移动。

解析："describe hot spots" 对应文章前两段；"record the motion of plates" 对应第三段；"influence" 对应第四段。

Passage  106

不应该研究黑奴民间故事起源，应该研究＿＿＿＿＿＿

原文翻译

❶不幸的是，对于美国黑奴民间故事中个别民间故事的确切起源地点的争论势头大大盖过了对这些故事意义和作用的分析。❷黑奴的民间故事与非洲文化的延续性并不取决于加入并且永久保存特定原始形态的民间故事。❸黑奴的民间故事与非洲传统最明确的相似点体现在民间故事在奴隶生活中所占据的地位以及奴隶在民间故事中汲取的意义上。❹美国黑奴并没有不加区分地从他们生活的白人世界中照搬民间故事。❺使黑人最受影响的是，那些在功能意义和审美感染力方面，与在黑人祖先家乡深深扎根的故事很相似的欧美故事。❻不管黑奴的故事来自哪里，其基本特点是黑奴很快就把语言、措辞风格、人物塑造的细节和情节为己所用。

3s 版本

❶关于黑奴民间故事起源，不应该研究起源，应该研究意义和功能。

❷起源不重要。

❸应该研究意义和功能。

❹❺不起源于白人，而起源于意义和功能。

❻起源不重要，功能重要。

全文3s版本：不应该研究黑奴民间故事起源，应该研究意义和功能。

文章点拨

阅读中常见表示"时间长"的单词汇总：

long-standing: A long-standing situation has existed for a long time. 长期存在的

prolonged: A prolonged event or situation continues for a long time, or for longer than expected. 长期的

extended: If something happens for an extended period of time, it happens for a long period of time. 长期的

perpetual: A perpetual feeling, state, or quality is one that never ends or changes. 永恒的

例题讲解

The author's main purpose is to
本文的主旨是

答案： (C) change the focus of a field of study 改变一个研究领域的焦点

解析： 本文3s版本是不研究起源，应该研究意义和功能。根据文章第一句，对于起源的研究曾经占领的主导地位，但是作者认为不应该研究起源，于是便是对于研究焦点的一种转变。选项中的"a field of study"指代的是黑人民间故事。

Unit 13

必做

练习题目

眼前这一篇篇 GRE 阅读文章，也是过去和未来无数勇士的战场：想想他们骄傲的誓言，虔诚的探索，失落的彷徨，和终于扬起的笑容，我们也便不再孤独。

——汪垲赋
西交利物浦大学，微臣教育 2016 寒假全程班学员
2016 年 6 月 GRE 考试
Verbal 160 Quantitative 170

Passage

如何解决＿＿＿＿＿＿＿＿的问题

原文翻译

❶众所周知，分子层面上的生物变化会导致形态形成学的后果，这些后果会影响组织和器官的形成和分化。❷指出胚胎（embryo）中的基因突变以及生物合成过程的干扰也许会导致生物形态（结构）异常的后果，这一点是多此一举的。❸然而，尽管人们已经知道很多分子层面上的原因和后果，并且尽管在不同种类的胚胎中我们已经积累了大量化学和形态学的数据，但是我们对基因控制形态遗传的理解非常不完整。❹导致这种情况的原因之一可能是，分子生物学家和形态学家说不同的语言。❺当前者说信使RNA和蛋白质分子的构象的变化时，后者在说外胚胎（ectoderms）、内胚胎（hypoblasts）和神经嵴（neural crest）。

❶解决这个困境的方法之一是试图找到一些有关形态遗传的现象，即分子生物学家和形态学家都能理解和讨论的现象。❷由于形态遗传一定是个体细胞行为变化的基本结果，以下观点看似是符合逻辑的，即请形态学家依据细胞接触的变化、细胞繁殖率的变化或者相似现象，来描述有关形态遗传所观察到的事件。❸一旦这些完成了，去询问有关这些变化的分子背景问题也就变得合适了。❹例如，一个人也许会问细胞接触的变化是否会反映细胞表面分子数量的变化，或者会问细胞扩散中细胞移动性增强的分子基础是什么。

❶这类研究已经在进行之中了：细胞以不同的方式从组织中释放出来，然后扩散到一个薄层，由此来展现它们的行为。❷在许多场合，这种细胞展现了再次聚集（reaggregate）的能力，而在此之后，不同类型的细胞可能把自己从不同的层次中区分出来，甚至进入更复杂的有关形态遗传的事件中。❸但在绝大多数情况下，由于细胞团块的厚度和不透明性，细胞在完好的胚胎中的行为是难以研究的。❹但是，海胆（sea urchin）的胚胎有这样一个优点，即因为它太透明了，以至于每个细胞在发育过程中都能轻易观察到。❺因此，通过延时摄影把海胆胚胎的发育过程记录下来，研究者们也许能发现以前未知的细胞行为的特点。❻也许用这种方法能提供一种媒介，通过这种媒介分析学家和形态学家彼此能关于基因控制形态遗传有更有效地交流。

3s 版本

❶❷基因变化导致生物形态的异常。

However ❸❹❺对基因控制形态形成的理解还不完整。

第一段3s：基因控制形态形成的理解还不完整。

❶解决方法是找到相关的并且是两派人都能理解的东西。

❷形态学家所做的贡献。

❸❹分子生物学家做的贡献。

小结：❷❸❹封装顺承第❶句。

第二段3s：解决方法是找到相关的并且是两派人都能理解的东西。

❶❷这类研究正在进行。

But ❸绝大多数情况下这种研究没法进行。

However ❹❺可以再在海胆中进行。

❻这种方法可以提供研究媒介。

第三段3s：可以用海胆来解决问题。

全文3s版本：如何解决对于基因控制形态形成的理解还不完整的问题。

文章点拨

表示取反的短语

本文第一段第三句话中的"our understanding of how genes control morphogenesis is still far from complete"一句中，far from就可以看成是not。与之类似的词组还有：other than, rather than, all but, anything but.

【例】Analysis is focused on group behavior rather than on particular events in an individual's life. 分析关注于集体行为而非个体生活中的特定事件。

【例】The passage evaluated the isotope-ratio data obtained in several areas in order to eliminate all but the most reliable data. 文章评价了从几个地区得到的同位素比率数据，目的是删除所有的数据，留下可靠的数据。

【注】当all but后面加形容词是，all but等于almost。

【例】Salazar's presence in the group was so reassuring to the others that they lost most of their earlier trepidation; failure, for them, became all but unthinkable. Salazar 在团体中的存在让其他成员如此安心以至于他们之前的胆怯都不复存在; 对于他们而言,失败几乎是不可想象的。

【例】That she seemed to prefer dabbling to concentrated effort is undeniable; nevertheless, the impressive quality of her finished paintings suggests that her actual relationship to her art was anything but superficial. 不可否认的是,她看起来更喜欢浅薄的涉猎而不是专注的努力;尽管如此,在她已 经完成的绘画作品中所展现的精湛品质表明她对于艺术作品的态度绝对不是肤浅的。

例题讲解

The author's primary purpose is to

本文主旨是

答案：(D) explain a problem and suggest a solution for it 解释了一个问题并且提出了一个解决 方案。

解析：本文第一段就是在解释"基因控制形态形成的理解还不完整"这一问题，第二、三两段则是在说解决方法。

Passage 108

_____个原因使学者认为_____是实施犯罪的主体

原文翻译

❶即便在少年法庭中受起诉女性的数量稳步增加时，刑事司法学者对于美国男性青少年是实施犯

罪的主体仍然心照不宣。❷我们提出两个原因解释这个观点为什么存在。❸第一，女性青少年被控告的罪行大多不涉及受害者（例如逃学），并不涉及对于个人或者财物的明显伤害。❹如果这些行为是由成人做的，那么它们甚至不会被认为是可起诉的；如果是男性青少年做的，法庭通常会仁慈地对待他们。❺因此讽刺的是，女性犯罪者的困境几乎没有被仔细研究，因为她们通常是因为次要犯罪而被控告的。❻第二，法庭一直以来以女性尤其脆弱为基本原理，来证明对被当作反社会的年轻女性的生活进行所谓预防性干预是正当的。❼人们对女性性别的固有印象是一个弱势且依赖于男性的性别，这个印象导致了对女性比对男性进行更早的干预及更长时间的错误监管。

3s 版本

❶学者认为男性青少年是实施犯罪的主体，而非女性。

❷两个原因。

❸❹❺原因一：女性犯罪不重要。

❻❼原因二：对女性有预防性干预。

小结：❸~❼封装，顺承❷。

全文3s版本：两个原因使得学者认为男性青少年是实施犯罪的主体。

文章点拨

justice

① *n.* 司法 the legal system that a country uses in order to deal with people who break the law.

【例】The juvenile justice system cannot correct its biases because it does not even recognize them. 青少年司法系统没能纠正它的偏见因为它都没有认识到这些偏见。

② *n.* 司法 a judge

【例】Some justices have refused to find any legislative classification other than race to be constitutionally disfavored. 某些法官拒绝认为种族之外的任何立法分类都是违反宪法的。

justification *n.* 正当的理由 A justification for something is an acceptable reason or explanation for it.

【例】Studies indicate that justifications excusing harmful actions might include public duty, self-defense, and provocation. 研究表明原谅有害伤害的正当理由包括公共责任、自卫以及挑衅。

justify *v.* 证明…有理 To justify a decision, action, or idea means to show or prove that it is reasonable or necessary.

【析】justify=defend=support=支持

【例】They justify any action that protects them from harm. 他们认为任何保护他们免受伤害的 行为都是正当的。

例题讲解

Which of the following statements best expresses the irony pointed out by the authors in the highlighted portion?

下面哪项最好地描述了黑体部分作者所提出的讽刺?

答案：(B) The predicament of male delinquents receives more attention than that of females because males are accused of more serious crimes. 这种讽刺指的是一种偏见：男性犯罪相比于女性会得到更多的关注，因为男性被认为会导致更严重的犯罪。

解析：本题定位到原文第五句。文章第五句说女性很少被起诉因为她们是次要罪犯，因此男性相应地会得到更多关注，因为他们是主要罪犯。

Passage

臭氧总量是＿＿＿＿＿的结果，（会/不会）被补充

原文翻译

❶平流臭氧层（stratospheric ozone layer）并不是完全均匀统一的层，它也不出现在地球的相同海拔高度上。❷它在两极地区离地球最近，而在赤道地区离地球最远。❸在平流层中，臭氧（ozone）通过自然过程被不断产生和分解。❹在白天太阳把一部分氧气分子分解成单个氧原子，这些单个氧原子与还未分离的氧气分子参与反应产生臭氧。❺然而，太阳光还分解臭氧，把它变回普通的氧气。❻此外，自然而然出现的氮氧化物（nitrogen oxides）进入这个循环并且使分解反应加速。❼任何一个时刻的臭氧量是臭氧产生反应和臭氧分解反应平衡的结果。

❶由于氧分子的分离直接取决于太阳辐射强度，所以臭氧生成的最大速率出现在热带地区。❷可是在热带，臭氧被分解得也是最快的，并且风的循环模式把富含臭氧的大气层上部带离赤道。❸事实证明，臭氧总量最大的地区是高纬度地区。❹例如，在典型的白天，Minnesota地区上空的臭氧量比向南900英里外Texas地区的臭氧量高30%。❺臭氧层的密度和高度也随着季节、天气、太阳活动数量的变化而变化。❻不过，在地球上空的任何一片区域，由自然过程维持的长期平均值可被合理地认为是恒定的。

❶地球附近的臭氧量仅仅是平流层中臭氧量的一小部分，并且人们认为臭氧层和地面附近分子的交换是相当少的。❷此外，臭氧分子是如此不稳定，以至于只有近地面的微量臭氧可以到达平流层而不被分解，所以臭氧层不会大量地被近年在地面附近发现的、浓度增加的臭氧补充。❸地面附近的臭氧以及平流层中的臭氧的长期平均值是受这两个区域不断分解和产生臭氧的过程控制的。❹这就是为什么科学家如此关心人类注入平流层的化学品，例如氮氧化物，即促进臭氧分解的催化剂。❺如果明显地消耗臭氧层，那么更多紫外线辐射会穿过地球表面并对许多活生物体造成损伤。

3s 版本

❶❷平流臭氧层是不均匀的。

❸臭氧不断地产生和分解。

❹臭氧的形成过程。

However ❺ 臭氧的分解过程。

❻氮氧化合物加速臭氧的分解。

Nevertheless ❼臭氧的产生和分解是平衡的。

第一段3s：臭氧量是臭氧产生和分解平衡的结果。

❶ 在热带，臭氧生成最快。

However **❷** 在热带，臭氧分解也是最快的。

❸❹ 臭氧在高纬度最多。

❺ 臭氧层也随着条件的变化而变化。

小结：臭氧的含量随条件而发生变化。

Nevertheless **❻** 臭氧含量是长期平衡的。

第二段3s：臭氧含量是长期平衡的。

❶ 地球附近的臭氧量很少，与臭氧层的分子交换也很少。

❷❸ 臭氧层不会被补充。

❹❺ 科学家关注臭氧层的破坏。

第三段3s：臭氧层不会被补充，因此科学家关注臭氧层的破坏。

全文3s版本：臭氧总量是自身分解和生成平衡的结果，不会被补充。

文章点拨

本文的三段是顺承关系。第一段通过臭氧的形成和分解原理层面，来说明臭氧总量是自身分解和生成平衡的结果，不会被补充。第二段以热带的臭氧为例，来说明臭氧自身的平衡。第三段则以地球附近的臭氧为例，来说明臭氧不会被补充。

背景知识

在本文中，臭氧层起到了抵挡来自太阳的紫外线的功能，但是实际上，臭氧本身是一把双刃剑。

在大气层中的臭氧形成臭氧层可以抵挡紫外线，保护地面的生物。在地面的臭氧，如果量很少的话，可以起到净化空气的功能；但如果量很大的话，臭氧反而成了一种污染物，是城市中最严重的光化学污染物。比如在一篇具有极高复现率的阅读文章中有以下描写：

Methanol's most attractive feature is that it can reduce by about 90 percent the vehicle emissions that form ozone, the most serious urban air pollutant. 甲醇最吸引人的特征使它可以降低90%可以形成臭氧的车辆排放物，臭氧是最严重的城市空气污染物。

例题讲解

According to the passage, which of the following has the LEAST effect on the amount of ozone at a given location in the upper atmosphere?

根据本文，下面哪一项对于上层大气中特定位置的臭氧含量有最小的影响？

答案： (D) Ground-level ozone 地面的臭氧

解析： 本答案定位到第三段第二句：臭氧层不会大量地被地面附近的臭氧补充。

Passage **110**

伟大的喜剧艺术是_____的

原文翻译

❶伟大的喜剧艺术从不脱离世俗，它不是为了让我们感到神秘，它也并不把与善不同的所有事物归为邪恶，从而拒绝承认事物的两面性。❷伟大的喜剧演员认为真相可以表现为很多形式，因此他们试图强调社会活动中的矛盾，而不向神圣目标、宇宙目标以及自然法则求助来掩盖或者超越这些矛盾。❸伟大喜剧艺术中超越的时刻就是社会性的时刻，这源于一个信念：尽管我们想成为神，但我们是人类。❹艺术家描写的喜剧社会是一个理性的、有爱心的、充满欢乐和同情的人的社会，人们愿意承担由于理性行为而引起的风险。❺伟大的喜剧艺术不向神灵或者恶魔求助，而是激起人们理智的勇气，这种勇气来源于人可以作为人类而行动的信念。

3s 版本

❶❷❸❹❺伟大的喜剧艺术是世俗的、客观反映现实社会的。

全文3s版本：伟大的喜剧艺术是世俗的、客观反映现实社会的。

文章点拨

1. 本文结构

本文是一个很典型的顺子结构，每句话内容相似，都在说伟大的喜剧艺术是世俗的、客观的。但是文章会给人一种十分抽象的感觉，原因在于文科文章惯用的同义替换。

本文的同义替换：

客观/世俗：truth may bear all lights, social; reason, joyful, compassionate, rational, human

不客观：otherworldly, mystify, ambiguity, divine, extrasocial, god, demon

2. 与bear有关的短语

① bear out 证实

【例】The effects of the mechanization of women's work have not borne out the frequently held assumption that new technology is inherently revolutionary. 女性工作机械化的影响尚不能证实人们经常持有的一种假设，即新科技在本质上都是革命性的。

② have a bearing on 与…有关

【例】More generally, however, whether or not a composition establishes a new principle in the history of music has little bearing on its aesthetic worth. 但更为广泛地来看，一首曲子是否在音乐史上建立新的门派与它自身的美学价值没有太大关系。

③ bring something to bear on 借助…处理某事

【例】Such a practice of bringing a greater variety of social science disciplines to bear on a problem than the nature of the problem warrants worries scholars. 部分学者对过分使用社会科学来处理一个问题感到担忧，因为从这个问题的本质来看并不需要它们。

⊙ **例题讲解**

Which of the following is the most accurate description of the organization of the passage?

下面哪一个选项可以最好地描述这篇文章的结构?

答案: (C) A series of assertions related to one general subject 与一个总话题有关的一系列观点

解析: 本文是很典型的大顺子结构,每句话都在不断重复同一个观点,因此(C)选项合适。

Passage

针对_____给出不同的解释

⊙ **原文翻译**

❶候鸟在水面上按照既定航线飞行的能力是一种神秘的现象。❷鸟类、蜜蜂以及其他物种能够不通过任何外界感官的线索而知道时间,而且这个"生物钟"显然对它们的"方向感"有所帮助。❸例如,它们可以利用太阳或者星星的位置,再加上一天中的时刻,来找到北方。❹但是仅有方向感是不能解释鸟类如何在海上导航的:在一个正在向东飞行的鸟群被一个风暴远远地刮向南方后,鸟群会采取正确的东北方向航道来补偿偏差。❺也许有科学家认为候鸟是通过天体导航来得知自己的地理位置,就像人类的导航器利用星星和行星一样,但是这需要鸟类具有极佳的地图感(map sense)。❻研究者现在知道有些种类可以感受磁场,这使候鸟能够通过探测磁场强度变化来确定它们的地理位置。

⊙ **3s 版本**

❶候鸟在水面上按航线飞行是一种神秘现象。

❷❸生物钟对导航有帮助。

But ❹生物钟导航无法解释鸟类在海上的导航。

❺有科学家认为鸟通过天体导航,但不对。

❻现在发现鸟类通过磁场导航。

全文3s版本:针对候鸟水面迁徙的导航方式给出不同的解释。

⊙ **文章点拨**

文章第一句提出鸟类在海面上具有方向感这一问题,下文对这一问题给出了三个解释。第二、三句给出生物钟的解释,但是在第四句被否定。第五句给出通过天体进行导航,在句内的but后被否定。第六句给出通过磁场进行导航这一尝试性的解释。

⊙ **例题讲解**

The main idea of the passage is that

本文主旨是

答案: (B) the means by which animals migrate over water are complex and only partly understood 动物在水面上进行迁徙的方式是复杂的,而且只被部分理解

Passage 112

介绍热泵的_____、_____、_____以及缺陷

原文翻译

❶热泵（heat pump）的使用受到抑制在很大程度上是由于人们对广告商的声明持怀疑态度，即对于每单位被消耗的电能来说，热泵可产生多达两单位的热能，所以这显然违背能量守恒定理。❷热泵使流动的制冷剂（fluid refrigerant）在闭合环路里面循环，制冷剂不断在液态和气态之间交替。❸制冷剂在开始时以低温低压蒸汽状态进入由电动机驱动的压缩机（compressor）。❹离开压缩机时，制冷剂是稠密热蒸汽状态并且进入叫作冷凝机（condenser）的热交换机，这个热交换机把制冷剂中的热量转到第一团空气中。❺现在制冷剂是高压冷却的液体，它遇到了使液体压力降低的流量限制。❻随着压力的降低，制冷剂膨胀，其中一部分汽化变冷。❼制冷剂随后通过第二个热交换机——蒸发机（evaporator），蒸发机把空气中的热量传到制冷剂中，降低第二团空气的温度。❽在两个热交换机中，一个被放在室内，另一个在室外，这样每个交换机分别与室内和室外的不同气体相遇。

❶制冷剂在热泵中的流向是由阀门（valve）控制的。❷当制冷剂的流向被逆转时，热交换机也互相转换其功能。❸这个流向逆转能力使得热泵可以对空气进行加热或者冷却。❹现在，如果在特定条件下一个热泵释放的热能比消耗的电能还多，那么能量守恒定律是否被质疑了？❺没有，一点也没有：通过蒸发机而额外输入到循环流动制冷剂中的热能足以解释能量平衡中的差异。

❶不幸的是，这里存在一个实际的问题。❷热泵的加热能力随着室外温度的下降而降低。❸加热能力下降是由于压缩机中一次流过的制冷剂质量的减少。❹加热能力和制冷剂质量流率成正比：被压缩制冷剂的质量越少，传递到热泵循环中的热量就越少。❺流经单速旋转压缩机的制冷剂气体，其体积流率是大致恒定的。❻但是进入压缩机的制冷剂气体的压力要低于较暖气体的压力。❼因此，制冷剂的质量——以及它因此携带的热能——要低于另一种情况下的质量，即制冷剂气体在被压缩之前温度较高的情况。

❶那么这里存在着一个热泵真正缺陷：在极寒冷的气候条件中——即最需要热量之时——热泵却最不能提供充分的热量。

3s 版本

❶热泵不被广泛使用是因为违反了能量守恒定律。

❷❸❹❺❻❼❽热泵的工作原理。

第一段3s：热泵的工作原理。

❶❷制冷剂流向逆转，热交换机功能也逆转。

❸❹❺热泵符合能量守恒定律。

第二段3s：热泵符合能量守恒定律。

Unfortunately ❶❷❸❹❺❻❼热泵的加热能力随着室外温度的下降而降低。

第三段3s：热泵的加热能力随着室外温度的下降而降低。

❶热泵的缺陷是在寒冷的情况下，不能提供充分热量。

第四段3s：热泵的缺陷。

全文3s版本：介绍热泵的原理、使用、影响因素以及缺陷。

文章点拨

1. 文章行文结构

文章中第一段在开始就提出一个看似矛盾的现象，热泵与能量守恒定律相矛盾。之后在第一段中作者就详细描述了热泵的原理。

文章第二段相比于第一段，从另外一种可能性描述了热泵的工作原理，从而得出结论，其实热泵并没有违背能量守恒定律。

第三段用Unfortunately开头，逻辑关系与上一段取反，具体阐述热泵在工作中所面临的实际问题，加热能力会随着室外温度的下降而下降。

最后一段顺承上一段，总结概括热泵的缺点：在寒冷的情况下，无法提供充分的热能。

2. 与put有关的短语

① put another way 换句话说

【例】Put another way, it may be that on average 99 percent of all deaths in a population arise from density-independent causes, and only one percent from factors varying with density. 换句话说，可能人口中99%的死亡产生于与人口密度无关的原因，只有1%的死因是与人口密度变化的因素相关的。

② put up with 忍受

【例】I am often impressed by my own tolerance toward other people's idiocies: what is harder to appreciate is that they, in their folly, are equally engaged in putting up with mine. 我常常被自己对于他人极度愚蠢所表现出来的忍耐力所感到惊讶，但更难接受的是那些人对于我的愚蠢也能如此忍耐。

③ put forth 提出，发出

【例】The author describes some features of a historical study and then uses those features to put forth his own argument. 作者描述了某一历史研究中的部分具体细节，并由此提出他自己的理论。

④ put forward 推荐，提出

【例】The other, and in my view correct, type of answer was first put forward by Fisher in 1930. This "genetic" argument starts from the assumption that genes can influence the relative numbers of male and female offspring produced by an individual carrying the genes. 另一种在我看来正确的解释由 Fisher 在 1930 年提出。这种与基因相关的解释建立在这样一个假设上：基因可以影响基因携带者后代中男性和女性的比例。

例题讲解

1. The primary purpose of the passage is to
   本文的主要写作目的是

答案：(C) describe heat pumps, their use, and factors affecting their use 描述了热泵、它们的使用以及影响使用的因素

2. The author resolves the question of whether heat pumps run counter to the principle of energy conservation by
   作者如何对热泵是否与节能原理背道而驰的问题进行分析？

答案：(C) supplying additional relevant facts 提供额外相关事实

解析：作者通过前两段对热泵原理的论述，给出了额外的相关事实，来说明热泵并没有违背能量守恒定律。

Passage 113

音乐是非洲文化中_____的重要手段

原文翻译

❶学者们通常没有意识到，在美国，音乐在保存非洲文化中的重要地位。❷尽管学者们正确地指出，奴隶制剥夺了黑人身上某些文化元素——他们的政治与经济体制，但他们低估了音乐在维持其他非洲文化价值方面的重要性。❸与一些其他文化的音乐不同，非洲音乐以对人生全部理解为基础，而生活中音乐不是一种孤立在社会之外的领域。❹在非洲文化中，音乐无所不在，不仅仅服务于宗教，而且服务于生活的所有方面，包括生老病死，工作娱乐。❺一个社会所创造出来使自身永存的方法得以形成，来保存这个社会中具有本质意义的文化遗产的各个方面。❻音乐，就像一般意义上的艺术一样，构成了非洲文化中如此不可分割的一个部分，以至于它在奴隶制的解体过程中以及在奴隶制解体之后，变成了保存文化的至关重要的手段。

3s 版本

❶❷学者们忽略了音乐在保存非洲文化中的重要地位。

❸❹音乐在非洲文化中无处不在。

❺❻音乐是非洲文化中保存文化的重要手段。

全文3s版本：学者不对，音乐是非洲文化中保存文化的重要手段。

文章点拨

文章第一句提出了文章的中心思想，认为学者们没有正确认识到音乐在保存非洲文化中的重要地位。后续，文章通过解释音乐在非洲文化中是服务于生活各方各面的，是保存文化的重要手段，来进一步阐释音乐在非洲文化中的重要性。

例题讲解

The primary purpose of the passage is to

本文主旨是

答案：(C) correct the failure of some scholars to appreciate the significance of music in African 纠正了一些学者不能认识到音乐在非洲文化中的重要性

Passage **114**

讨论检验肽类激素在除了下丘脑之外大脑的部位形成的方法和_____

原文翻译

❶直到大约五年前，肽类激素（peptide hormones）可以在下丘脑（hypothalamus）以外大脑任何部位形成的想法还让人们感到震惊。❷科学家认为，肽类激素是由内分泌腺（endocrine glands）分泌的，而且下丘脑被认为是大脑唯一的内分泌腺。❸更重要的是，肽类激素无法穿越大脑血液的屏障，研究者们相信它不会到达了下丘脑外的任何区域，而下丘脑产生这类激素并把它们释放到血液中。

❶但是实验室中的发现质疑了有关肽类激素的观点，人们在实验室发现当肽类激素的抗血清被注射到大脑中时，它会在大脑其他区域，而不是下丘脑，发生凝固现象，这意味着那里存在激素或者是和抗血清发生交叉反应的物质。❷然而，免疫学上用抗血清检测肽类激素的方法是不准确的。❸（这个方法）可能出现交叉反应，且不能确定被抗血清检测到的物质是激素还是只是与它相似的物质。❹此外，这种方法无法确定检测到的物质的实际产生部位。

❶然而，新的分子生物学的方法为我们寻求答案提供了一个途径。❷我们可以制作出特定的互补DNA（cDNA），这种DNA是寻找肽类激素的信使RNA（mRNA）的分子探针。❸如果脑细胞制造激素，那么细胞内会含有这种mRNA。❹如果脑细胞制造的物质和肽类激素相似但不是肽类激素，那么cDNA还是会和mRNA结合，只是不会和与肽类激素的mRNA结合得一样紧。❺含有这些mRNA的细胞之后就会被分离出来，它们的mRNA就会被解码以确定它们的蛋白质产物和真正的肽类激素相似的程度。

❶用cDNA探针检测肽类激素的分子方法也比免疫方法快得多，因为对肽类激素进行许多次枯燥的提纯、培养抗血清需要几年的时间。❷ Roberts表达了许多研究人员的心声，他说："我经过训练而成为一位内分泌学家。❸但是我越来越清楚地意识到内分泌学中需要引入分子生物学。❹蛋白质提纯的过程真是太慢了。"

❶如果就像用cDNA探针的初步测试表明的那样，肽类激素还可以在除了下丘脑以外的其他部位产生，那么我们必须提出一种理论来解释其在大脑中的作用。❷有人提出，激素是唯一的生长调节剂，但是Rosen的有关老鼠大脑的工作指出这个观点并非正确。❸许多其他研究人员提出，这种肽类激素可能用于脑细胞间的信息交流。

3s 版本

❶过去人们认为肽类激素不会在下丘脑之外的任何部位形成。

❷下丘脑是大脑唯一分泌肽类激素的地方。

❸肽类激素不会到达下丘脑之外的区域。

第一段3s：过去人们认为肽类激素不会在下丘脑之外的任何部位形成。

But ❶用抗血清实验证明肽类激素存在于下丘脑以外的区域。

However ❷用抗血清检测肽类激素的方法不准确。

❸用抗血清检测到的物质不能确定是激素还是其他相似物质。

❹这种方法无法确定检测到的物质的实际产生部位。

第二段3s：用抗血清检测肽类激素的方法不准确。

However ❶❷可以用cDNA探针来检测肽类激素。

❸❹❺ cDNA探针检测肽类激素原理。

第三段3s：cDNA探针检测肽类激素的方法以及原理。

❶用cDNA检测肽类激素的分子方法比免疫方法（抗血清法）更快。

❷❸❹免疫方法太慢，分子生物学方法更好。

第四段3s：用cDNA检测肽类激素的分子方法比免疫方法更快。

❶我们需要解释肽类激素在大脑中的作用。

❷肽类激素不起生长调节作用。

❸肽类激素可能用于脑细胞间的信息交流。

第五段3s：讨论肽类激素在大脑中的作用。

全文3s版本：讨论检验肽类激素在除了下丘脑之外大脑的部位形成的方法和肽类激素的功能。

📝 文章点拨

　　文章第一段陈述了肽类激素是否存在下丘脑之外的脑部其他地方的问题以及肽类激素在脑部中的作用，引出全文的讨论。

　　第二段通过陈述实验室的免疫学的方法，即抗血清实验的方法，指出肽类激素存在于下丘脑以外的区域。随后又指出免疫学的方法可能不准确，并具体指出其局限性。

　　第三段指出了分子生物学的新方法，并简述其利用cDNA寻找肽类激素信使mRNA的实验原理。

　　第四段指出分子方法（cDNA探针）较免疫学方法更快更准确的优势。

　　第五段讨论了肽类激素的功能，指出其可能不起生长调节作用，也可能用于脑细胞间的信息交流。

📝 例题讲解

1. Which of the following is mentioned in the passage as a drawback of the immunological method of detecting peptide hormones?

   以下哪个选项是文中提到的用免疫方法探测肽类激素的缺点？

答案：(E) It involves a purification process that requires extensive training in endocrinology. 这种方法中有一个需要经过内分泌学长期训练才能达成的净化过程。

解析：对应文章第四段第一句，说到与cDNA探测的方法对比，免疫方法会花费多年无聊的时间进行提纯（take years of tedious purifications to isolate peptide hormones），extensive training对应years。

2. Which of the following titles best summarizes the passage?

   以下哪个选项的标题能最好地总结全文？

答案： (D) Peptide Hormones: How Scientists Are Attempting to Solve Problems of Their Detection and to Understand Their Function 肽类激素：科学家们如何尝试解决他们的探测问题和理解他们的功能

解析： 文章第一段引出全文讨论，第二、三、四段讨论了两种不同的探测肽类激素的方法，第五段讨论了肽类激素的功能。

Passage

夏威夷岛上植物的种子通过_____方式由鸟类远距离传播

📖 原文翻译

❶鉴于夏威夷群岛从来没有同其他大片陆地相连，那里种类繁多的植物很可能是种子长距离传播的结果，这一传播过程要求有运输种子的方式，同时也要求种子产出地区和种子接受地区的生态环境相同。

❶有关种子传播的方式存在一些争议。❷有些生物学家认为，洋流和气流把植物的种子传播到夏威夷。❸但是漂浮实验的结果以及低温气流质疑了这些假设。❹更有可能的是种子通过鸟类传播，要么通过外部方法，即种子偶尔粘到鸟类羽毛上；要么通过内部方法，即鸟吞食果实后排泄出种子。❺虽然很有可能种子更多地通过内部方法而非外部方法到达夏威夷的，但是我们知道更多的是外部方法。

📖 3s 版本

❶夏威夷的植物是种子远距离传播的结果。

第一段3s：夏威夷的植物是种子远距离传播的结果。

❶种子传播方式有争议。

❷有人认为是洋流和气流导致种子传播。

Yet ❸上述假设不对。

❹种子通过鸟类传播，有外部和内部两种方式。

❺种子通过外部方式。

第二段3s：种子通过外部方式由鸟类传播。

全文3s版本：夏威夷岛上植物的种子通过外部方式由鸟类远距离传播。

📖 文章点拨

本文首段描述一个现象：夏威夷的植物是种子远距离传播的结果。接下来文章对此进行解释。第二段首句认为关于这个现象的解释存在争议。既然有争议，那么后文至少会有两种解释。后文给出了两种解释：洋流气流和鸟类传播。之后通过实验，排除掉洋流气流的假设，最终认为是鸟类传播中的外部方式使植物种子传到夏威夷。

📖 例题讲解

The author mentions the results of flotation experiments on plant seeds most probably in order to
作者提到植物种子的漂流实验最主要的目的是

答案：(D) challenge the claim that ocean currents are responsible for the transport of plant seeds to Hawaii 挑战一个观点：洋流导致植物种子传播到夏威夷。

解析：定位到第二段第三句，由Yet开头，因此与前句取反。前一句是说杨柳导致种子传播到夏威夷，因此第三句的功能便是挑战上一句的观点。

Passage

银冕中有很多暗物质，这个现象的最佳解释是_____

原文翻译

❶现在人们已经确定，银河系比迄今为止所想象的要广阔得多，质量也大得多。❷然而，在银河系的冕（corona，即外缘，该星系的很大一部分质量均位于此）的成分中，全部可见物质仅仅是银冕中非常少的一部分。❸因此，绝大部分的银河系边沿物质必定是暗的。

❶这是为什么呢？有三个明显的事实。❷第一，矮星系（dwarf galaxies）和球状星团（globular clusters）——银冕的绝大多数星球可能汇集于其中——主要由古老的星球组成。❸第二，年代久远的星球不会特别明亮。❹第三，没有人在银冕中发现诸如氢气和一氧化碳之类的气体物质构成的云团，而这些气体云团构成了银河系的明亮部分。❺因此，尽管仍带有相当的推测性，但目前有关银冕暗淡最佳解释是，它主要是由年代久远、已燃尽的星球构成的。

3s 版本

❶银河系很大。

However ❷银冕中的可见物质很少。

❸因此，银冕中有很多暗物质。

第一段3s：银冕中有很多暗物质。

❶有三个事实可以解释银冕有很多暗物质。

❷银冕中有很多老星球。

❸老星球不亮。

❹没有可以构成明亮部分的气体云团。

小结：❷❸❹封装。

❺最佳解释：银冕主要由老星球构成。

第二段3s：银冕主要由老星球构成，导致银冕很暗。

全文3s版本：银冕中有很多暗物质，这个现象的最佳解释是银冕主要由老星球构成。

文章点拨

本文第一段介绍了银河系有很多暗物质这个现象。第一句讲了银河系很大，第二句阐述了然而银冕中可见的物质很少，因而推断出了银河系不可见的物质即暗物质很多。

第二段提供了解释银河系有很多暗物质的原因。第一句总起了有三个原因。第二句阐述了第一个原因，银冕中有很多老星球。第三句阐述第二个原因，老星球都不亮。第四句阐述最后一个原因，银冕中没有明亮的奇特云团。第五句总结银河系有很多暗物质的主要原因是银冕主要由老星球构成。

例题讲解

The passage as a whole is primarily concerned with

文章的主旨是

答案： (D) stating a conclusion and adducing evidence that may justify it 阐述一个观点并援引证据证实该观点

解析： a conclusion指的是银冕由大量暗物质构成。第二段的二、三、四句均为第五句提供了证实的证据。

Unit 14

必做

练习题目

不断让努力触及自己的极限，把结果交给时间。

——王晓瑜

Passage **117**

使欧洲蜂群_____也许可以抵御寄生螨

原文翻译

　❶共同饲养非洲蜜蜂和其他蜜蜂有一个优点是可以抵制寄生螨Varroa jacobsoni的入侵，这种寄生螨是现代养蜂业的主要威胁。❷在欧洲部分地区，尽管养蜂人采取了预防措施，可这种寄生螨仍然是毁灭性的，会杀死很多蜜蜂群落。❸但是在巴西，自1972年以来Varroa jacobsoni寄生螨一直存在于非洲化蜜蜂中，但即使养蜂人没有采取任何预防措施，一个蜂群都没有损失。❹寄生螨在未成熟蜜蜂的卵细胞中产卵，发育中的寄生螨以蜂蛹的血淋巴（hemolymph）为食。❺但是寄生螨在非洲蜜蜂中的繁殖要比在欧洲蜜蜂中少。❻某些研究人员指出，这种抗寄生螨入侵的性质可能和非洲蜜蜂的工蜂发育期较短有关，并且这妨碍了某些寄生螨生长成熟。❼最近，寄生螨已经成为北美的欧洲蜜蜂群的严重问题。❽使这些蜜蜂非洲化也许是抵御这种寄生螨的最佳措施。

3s 版本

　❶共同饲养非洲蜜蜂和其他蜜蜂可以抵制寄生螨。

　❷在欧洲，尽管养蜂人采取预防措施，但寄生螨仍杀死很多蜜蜂。

　But ❸在巴西，即使养蜂人没有采取预防措施，寄生螨没有杀死非洲化蜜蜂。

　小结：❷❸封装，顺承❶。

　❹寄生螨的发育过程

　But ❺非洲蜜蜂中的寄生螨要比在欧洲蜜蜂中的少。

　小结：❹❺封装。

　❻抗寄生螨入侵的性质可能和非洲蜜蜂的工蜂发育期较短有关。

　❼❽使欧洲蜂群非洲化也许可以抵御寄生螨。

　全文3s版本：使欧洲蜂群非洲化也许可以抵御寄生螨。

文章点拨

　　文章开始先阐述了共同饲养非洲蜜蜂和其他蜜蜂可以抵制寄生螨的事实，之后对比了欧洲和巴西的蜜蜂对寄生螨的应对能力不同，并解释了寄生螨的生存原理，最后得出结论。非洲蜂的特点可以让寄生螨无法生存，因此欧洲蜂需要非洲化才能抵御寄生螨。

例题讲解

The passage suggests that which of the following was true of the honeybee colonies described in the highlighted part?

根据文章黑体部分，下面哪个关于蜜蜂群落的选项是正确的？

答案： (B) They were not Africanized. 它们没有非洲化。

解析： 描述的是欧洲蜜蜂，它们与非洲蜜蜂不一样，容易受到寄生螨的影响。

Passage **118**

人类的思想内容不变，形式会针对_____作相应变化

原文翻译

❶对人类环境的敏锐反应可以解释某些普适思想存在的原因。❷公元二世纪的学者Rabbi Meir告诫自己的弟子，要看罐子装了什么，而不要看罐子本身，他说："这是因为许多新罐装的是旧酒。"❸这就是他强调形式和思想之间区别的重要性，以及思想的完整性比思想的形式更为重要的方式。

❶创造性思想不仅根据时代和环境的需要得以幸存下来，而且还会在环境改变的压力下以新形式取代旧形式。❷例如民主，作为一种思想起源于古希腊并且被传到了西欧以及美洲。❸但是它并没有保持古希腊的形式：它经历数次改革，现在存在于多个国家中。❹民主政府也在形式上不同，因为民主在原则上是变化的，所以会针对地方需要做出反应。

3s 版本

❶人类思想会对环境做出反应。

❷思想的形式会变而内容不变。

❸思想的完整性比形式更重要。

第一段3s：思想的形式会变而内容不变。

❶思想会适应环境。

❷民主思想的环境会发生变化。

But ❸民主没有保持原有的形式。

小结：❷❸封装，顺承❶。

❹民主政府的形式也适应于环境。

第二段3s：思想会针对环境作相应变化。

全文3s版本：人类的思想内容不变，形式会针对环境作相应变化。

文章点拨

文章的第二句话引用了Meir的一句话，他所说的"罐子"指的便是人类思想的形式，而"旧酒"指的是人类思想的内容。结合第二段，"民主"是一种思想，因此可以类比第一段中的"酒"，而民主政府作为民主的载体，是民主的体现形式，因此可以类比第一段的"罐子"。因此，本文第3题就应该选(C)。

The "new pitcher" mentioned in paragraph 1is the equivalent of which of the following elements in the author's discussion of democracy?

第一段提到的"新罐子"和下面在作者对于民主的讨论中哪一个元素是等价的？

答案：(C) A modern democratic government 现代民主政府。（"modern"对应"new"）

例题讲解

The author is primarily concerned with

本文的主旨是

答案：(B) discussing an important characteristic of human ideas 讨论人类思想中一个重要的性质

解析：an important characteristic指的是人类的思想形式会针对环境做出改变。

Passage **119**

实验并没有说明_____与_____行为有关

原文翻译

❶在神经行为的研究领域中，很少有比60年代早期研究蛋白质合成与学习行为之间关系的研究更有前途的了。❷此研究的概念框架直接来源于分子生物学，分子生物学显示，基因信息储存在核酸中，并在蛋白质中表现出来。❸为什么后天获得的信息不能这样呢？

❶建立蛋白质合成和学习行为的关系的第一步，似乎是通过干扰蛋白质的产生来阻碍记忆功能（导致记忆缺失）。❷我们很幸运地发现了一种非致命剂量的嘌呤霉素（puromycin），它一开始可以完全阻碍大脑中蛋白质的合成，并能可靠地产生失忆症状。

❶然而，在蛋白质合成和学习行为之间的联系真正建立起来之前，我们开始怀疑抑制蛋白质的合成是不是嘌呤霉素产生失忆的方法。❷首先，其他药物，如戊二酸——它们自身是强有力的蛋白质合成的抑制剂，要么未能在某些能被嘌呤霉素轻易诱发的情况中引起失忆，要么产生跟嘌呤霉素时间进程不同的失忆。❸第二，人们发现嘌呤霉素可以通过破坏氨基酸链来阻碍蛋白质合成，并且由此产生的碎片被怀疑是某些情况下失忆的真正原因。❹第三，报道称嘌呤霉素导致包括癫痫在内的大脑异常。❺因此，人们不再将蛋白质合成的减少与失忆联系起来，而且嘌呤霉素导致失忆行为的替代机制也已经被提出。

❶因此，嘌呤霉素是让人失望的。❷尽管它被认为是失忆研究中的不太理想的药剂，当然仅仅在我们原先抑制蛋白质合成的环境中不太理想。❸感到挫败之余，我们第一个反应仅仅是改变药物而非我们的概念导向。❹然而，在很多这样的挫败之后，我们不太可能只用过去的方法在蛋白质合成和学习行为之间建立稳固的联系。❺我们的用药经验表明，所有的失忆药剂经常会以一种看起来与其蛋白质合成无关的方式干扰记忆。❻更重要的是，干扰或加强大脑中蛋白质的产生和学习行为有因果关系的想法，似乎是过于简单且没有效果的。❼把车里的电池拿掉，车就无法行驶。❽长距离高速开车，车里的电池就会充分充电。❾这些事实都没有证明是电池给汽车供能；只有在掌握全面的汽车系统之后，我们才能揭示它的运转机制，以及电池在该系统中的作用。

3s 版本

❶❷❸研究蛋白质合成与学习行为之间的关系有前途。

第一段3s：蛋白质合成与学习行为之间的关系有前途。

❶研究的第一步是发现通过干扰蛋白质来产生失忆。

❷嘌呤霉素可以导致失忆。

第二段3s：研究发现嘌呤霉素可以导致失忆。

However ❶怀疑嘌呤霉素导致失忆的机理。

❷❸❹❺怀疑嘌呤霉素导致失忆的机理的三个原因。

第三段3s：嘌呤霉素试验方法有问题。

❶❷❸我们想通过改变药物来重新建立蛋白质合成与学习行为之间的关系。

❹❺❻❼❽❾之前的试验方法是错的。

第四段3s：之前的试验方法是错的，我们要改变自己的概念导向。

全文3s版本：我们的实验并没有说明蛋白质合成与学习行为有关。

📖 文章点拨

fashion *n.* 方式 If you do something in a particular fashion or after a particular fashion, you do it in that way.

在GRE阅读中，fashion一词很少会作为"时尚"一义出现，更多的是表示"方式"，等于way。比如本文中的这句话：More importantly, the notion that the interruption or intensification of protein production in the brain can be related in cause-and-effect fashion to learning now seems simplistic and unproductive.

再举一例：Do invertebrate predators with full mobility address nutrient needs in the same fashion as sit-and-wait invertebrate predators with limited mobility?（拥有完全移动能力的无脊椎动物捕食者是否与有限运动能力的静止不动的无脊椎动物捕食者以同样方式应对营养需求？）

📝 例题讲解

The primary purpose of the passage is to show that extensive experimentation has
本文主要目的是为了说明大量实验

答案： (E) not supported the hypothesis that learning is directly dependent on protein synthesis 没能支持学习是直接依赖于蛋白质合成的这一假说

Passage 120

_____和_____在生物圈的碳循环中各司其职

📖 原文翻译

❶整个生物圈，像在里面生长的单个生物体一样，处于化学动态之中。❷在这个内稳态系统（homeostatic system）里，很多有机化合物被持续地合成、转化和分解；总体来说，这些过程组成了碳循环（carbon cycle）的主要部分。❸为了使这个循环平稳运转，降解和合成一样重要：绿色植物产生大量聚合物（比如细胞质）以及数不清的其他化合物（比如植物碱、萜烯以及黄酮），而绿

色植物不能把这些化合物作为呼吸产生能量的来源。❹这些化合物中碳的释放几乎完全依赖于有氧和无氧细菌以及特定种类的真菌。❺有的细菌和真菌有独特并且极其重要的生化性质，可以催化许多不活泼物质的氧化反应，从而开始一系列产生二氧化碳的反应，许多碳元素就再次还原成可以迅速进入生命循环的形态。

3s 版本

❶生物圈处于化学动态中。

❷内稳态中存在碳循环。

❸绿色植物负责循环中的合成。

❹❺菌类负责碳的释放。

全文3s版本：植物和菌类在生物圈的碳循环中各司其职。

文章点拨

sphere不仅有"球"的意思，还有"领域"的含义，这个含义在GRE阅读中很常见。在本文的biosphere一词中，sphere充当了词根，表示"圈"。

【例】The private sphere is more appropriate than is the public sphere as the setting for plays about political events. 作为政治事件的剧本所发生的背景，私人领域比公共领域更合适。

例题讲解

The author implies that which of the following is the primary reason that degradation is as important as synthesis to the smooth operation of the carbon cycle?

作者暗示下面哪个选项是导致降解与合成在保证碳循环平稳运行方面一样重要的主要原因？

答案：(C) Decomposition permits the recycling of carbon that would otherwise be fixed in certain substances. 降解使一些会在其他情况下固定在某些物质中的碳循环起来。

解析：本题定位到文章第三句冒号之后。冒号之前表明观点：降解和合成一样的重要，冒号之后给出原因。

Passage 121

二氧化碳_____，导致全球_____

原文翻译

❶地球大气层中的二氧化碳分子会作为一种单向热量过滤网（one-way screen）来影响地球上的热平衡。❷虽然二氧化碳分子允许太阳光能量最集中的可见光通过，但这些分子也吸收从地球表面发出的、波长较长的红外线辐射能，这部分辐射如果没有被吸收就会被输送到太空中。❸为了使地球的平均温度恒定，从地球发出的辐射能必须和太阳辐射能相平衡。❹要是大气中没有二氧化碳，热量便更容易从地球上散失。❺而地球表面的温度也会低得多，低到使得海洋凝结成一个大冰块的程度。

❶然而目前潜在的问题是二氧化碳过多。❷在过去的一百年中，人们燃烧化石燃料（fossil

fuel）以及砍伐森林的行为使得大气中二氧化碳的含量增加了15%，而目前二氧化碳含量仍然在因我们而增加。❸二氧化碳的增加是否能够导致全球平均气温升高，以及气温的升高是否会对人类社会产生严重后果呢？❹我们可以把温度变化作为二氧化碳增加量的函数来建立数学模型，而模型的计算结果告诉我们问题的答案很可能是肯定的。

❶在现有条件下，海拔5~6千米处的温度是零下18℃（这个海拔以下叫作辐射高度）。❷高度每下降1千米，气温上升约6℃，而地表平均温度约为15摄氏度。❸而二氧化碳含量增加意味着有更多二氧化碳分子来吸收红外辐射能。❹随着大气吸收红外辐射能能力的增加，辐射高度和地表温度必然上升。

❶有一个数学模型预测，如果大气中二氧化碳含量翻倍，那么地表平均气温增加2.5℃。❷这个模型做了两个假设：一是大气相对湿度保持不变；二是以及气温随着海拔升高以每千米6.5℃递减。❸对于相对湿度恒定的假设十分重要，因为大气中的水蒸气也会有效吸收红外波长的辐射。❹由于热空气比冷空气可以容纳更多的水分，所以只有在大气中水蒸气含量随着温度上涨而上涨的时候，相对湿度才会保持不变。❺因此，更多红外辐射会被吸收然后反射回地表。❻随之而来的地表变暖会熔化冰雪，减少地球对热能的反射。❼更多的辐射能会被吸收，这将会导致地表温度进一步的增加。

3s 版本

❶二氧化碳影响地球热平衡。

❷❸❹❺ 二氧化碳通过控制地球热损失来影响平衡。

第一段3s：二氧化碳通过控制地球热损失来影响平衡。

❶二氧化碳过多带来问题。

❷二氧化碳增加。

❸❹二氧化碳的增加对人类造成严重后果。

第二段3s：二氧化碳的增加对人类造成严重后果。

❶❷全球变暖正在发生。

❸❹二氧化碳的增加导致全球变暖。

第三段3s：二氧化碳的增加导致全球变暖。

❶❷❸❹❺❻❼二氧化碳增加导致全球变暖的原因。

第四段3s：二氧化碳增加导致全球变暖的原因。

全文3s版本：二氧化碳增加，导致全球变暖。

文章点拨

otherwise的用法

在阅读中理解otherwise只需要先判断otherwise在本句话中的词性，根据词性即可得到单词的含义。具体词性与词义的对应如下：

① adv.→方程等号前后取反→"不然/在其他情况下"

② pronoun→"something else" "别的东西"

③ 与之前单词明显并列→词性上与之前单词并列，词义上与之前单词取反

【例】In physics, subject and object were supposed to be entirely distinct, so that a description of any part of the universe would be independent of the observer. The quantum theory, however, suggests otherwise, for every observation involves the passage of a complete quantum from the object to the subject, and it now appears that this passage constitutes an important coupling between observer and observed. 在物理学当中，研究的主体和客体被认为是完全分开的，因此对宇宙任何部分的描述都与观察者无关。然而，量子理论却表明了别的东西，因为每一次观察都包含一个完整的量子从客体到主体的通过，并且现在看来这种通过构成了重要的观察者和被观察者之间的联系。

【析】suggest是及物动词，后面只能跟名词或代词，因此判断otherwise在这里是代词，于是代入something else之意得到本句话的含义。

【例】I must emphasize that I am not making a plea, disguised or otherwise, for the exercise of illusionist tricks in painting today, although I am, in fact, rather critical of certain theories of non-representational art. 我必须强调我今天并没有给魔术师的绘画戏法找虚伪的或其他的借口，尽管实际上我对于非写实主义的艺术的某些理论持有批评态度。

【析】or otherwise的结构明显与前面disguised并列，因此otherwise在这里词性上与disguised一样都是形容词，词义上与之前单词取反，disguised "虚伪的"，因此otherwise在这里可以翻译成 "不虚伪的" 或者直接翻译成 "其他的"。

【例】It was supported by many who otherwise opposed public dissent. 他被很多不然/在其他情况下会反对公开不满的人所支持。

【析】otherwise明显是副词，因此在这里充当方程等号前后取反（support与oppose构成对立），翻译成 "不然"。

▼ 例题讲解

The primary purpose of the passage is to
本文主旨是

答案：(B) discuss the significance of increasing the amount of carbon dioxide in the atmosphere 讨论了大气层中越来越多的二氧化碳所产生的影响

Passage 122

独立战争之前人们对奴隶的态度很_____，并最终导致奴隶的_____

▼ 原文翻译

❶在美国殖民地区人民为了独立拿起武器奋起反抗英国殖民者之前，黑奴制度就已经根深蒂固了。❷但是对很多人来说，这个情况的内在矛盾总会使他们感到尴尬。❸ "这对我来说好像是一个极其邪恶的阴谋，" Abigail Adams 在1774年写信给她的丈夫时说， "我们为之奋斗的东西就是我们每天从那些和我们有同样自由权利的人们那里掠夺来的东西。"

❶和Abigail Adams一样，许多美国人在独立战争期间都意识到他们自相矛盾的立场，他们并不

反对解放这些黑奴。❷基督教公谊会教徒和其他宗教团体组织了反奴隶的团体，而同时许多人也解放了他们的奴隶。❸事实上，在独立战争结束之后的几年之内，大多数东部的州都制定了逐步解放奴隶的条款。

3s 版本

❶独立战争之前黑奴制度就已根深蒂固。

But ❷❸美国人民对黑奴制度的态度自相矛盾。

第一段3s：美国人民对黑奴制度的态度自相矛盾。

❶❷独立战争期间人们开始解放奴隶。

❸独立战争结束后很多州解放了奴隶。

第二段3s：独立战争结束后很多奴隶得到了解放。

全文3s版本：独立战争之前人们对于奴隶的态度很矛盾，并最终导致奴隶的解放。

文章点拨

while的用法

在GRE阅读中，99%的while都表示句内的让步转折。

① 当while放句首时，while表示让步。

【例】While chocolate was highly esteemed in Mesoamerica, where it originated, its adoption in Europe was initially slow. 尽管巧克力在它的起源地中美洲深受欢迎，但是它在欧洲一开始的接受程度很低。

② while在句中，通常表达转折，翻译成"然而"。

【例】Unlike the cores of the inner planets, the Moon's core contains little or no iron, while the typical planet-forming materials were quite rich in iron. 不像内部行星的地核，月球的地核几乎不包含铁，然而典型的成星物质富含铁。

③ 偶尔，while在句中表示"同时"。

【例】Quakers and other religious groups organized antislavery societies, while numerous individuals manumitted their slaves. 基督教公谊会教徒和其他宗教团体组织了反奴隶的团体，而同时许多人也解放了他们的奴隶。

Passage

介绍_____

原文翻译

❶一种最简单且最为人们所知的晶体就是离子盐（ionic salt），离子盐中最典型的例子就是氯化钠或普通食盐。❷离子盐基本组成成分是离子：即得失一个或多个电子而带电的原子或分子。❸例如，在形成氯化钠的过程中，钠离子给出一个电子（而带正电）并且氯原子得到一个电子（而带负电）。❹离子通过相斥电性而与其他离子连接，而且它们紧密排布，像紧紧塞满的球体。

❶最近，Michigan State大学的科学家制造出一种新的晶体，称为电子晶体（electride）。❷在电子晶体中，阴离子（带负电的离子）完全被电子取代，这些电子被束缚在由整齐堆积的阳离子自然形成的腔体里。❸电子晶体是第一个离子盐的例子，而离子中阴离子的位置被电子占据。

❶和其他种类阴离子不同，阴离子电子的行为并不像简单带电球体。❷尤其是由于它们质量很轻以及它们隔着很远距离还有相互作用的趋势，所以它们不能被固定在某个位置。❸进一步讲，它们在组成腔体的原子间移动，并且和周围腔体中的电子产生相互作用，这个作用可能是位置的交换。

❶电子晶体的性质在很大程度上依赖于束缚电子的腔体之间的距离。❷当被束缚的电子相距很远时，它们之间并没有强烈的相互作用，而是像一排分离的负电荷一样。❸当这些电子互相靠近的时候，它们开始展现出类似大量相同粒子聚在一起的整体效应的性质。❹当它们相距更近时，整体效应处在支配地位并且电子"离域（delocalize）"：电子不再被紧紧束缚在单个腔体中，而是或多或少地通过阳离子结构中空间区域自由活动。

❶通过从许多材料中合成电子晶体，我们能够改变阳离子腔体的几何结构和它们与周围阴离子的联系。❷由此产生的性质可能让电子晶体变为经济划算且实用的新材料及器件的基础。❸例如，由于某些电子晶体中电子的结合很弱，这些晶体可在高效光感探测器中，其中一个冲击光子释放一个电子，从而产生一个小的电流。❹同样，这种结合很弱的性质也会让电子晶体成为有用的太阳能转换器材料和电池中阴极材料。❺一个困难是电子晶体会通过与空气及水的反应而产生分解的趋势。❻研究者正在想办法增加它们的稳定性。

3s 版本

❶离子盐是一种常见的晶体。
❷离子盐基本组成成分是离子。
❸❹离子盐的形成过程。
第一段3s：离子盐是一种常见的晶体。

❶科学家制造出电子晶体。
❷❸电子晶体中阴离子的位置被电子占据。
第二段3s：介绍电子晶体。

❶阴离子电子与其他阴离子不同。
❷阴离子电子不能被固定在某个位置。
❸阴离子电子可与周围电子相互进行位置交换。
第三段3s：阴离子电子与其他阴离子不同。

❶电子晶体的性质依赖于束缚电子的腔体之间的距离。
❷当距离远时，电子直接没有强烈的相互作用。
换对象❸当距离近时，电子展现出整体效应。
换对象❹当距离更近时，电子通过阳离子结构中空间区域自由活动。
第四段3s：电子晶体的性质依赖于束缚电子的腔体之间的距离。

❶❷通过从许多材料中合成电子晶体，电子晶体能成为新材料和器件的基础。
❸有些电子晶体可以用于高效光感探测器。

❹也可以用于太阳能转换器材料和电池中阴极材料。

obstacle ❺一个困难是电子晶体会分解。

❻研究者正在想办法增加它们的稳定性。

第五段3s：通过从许多材料中合成电子晶体，电子晶体能成为新材料和器件的基础。

全文3s版本：介绍了电子晶体的性质。

文章点拨

文章第一段通过对晶体的描述和离子盐的原理来为后续对新晶体的讨论奠定科学的知识基础。

第二段提出了文章讨论的主题，新型晶体电子晶体。并讲述了电子晶体在原理中的独特性，即阴离子是完全被电子取代的。

第三段阐述了电子晶体重的阴离子电子独特的行为，它可以与其他电子产生相互的作用。

第四段具体阐述了第三段的相互作用，并说明这种相互作用于电子和腔体之间的距离相关，距离不同的情况下，电子的运动会有不同的效果。

第五段阐述了电子晶体应该如何应用。电子晶体在很多新材料和器件中都起到很重要的作用。但是电子晶体的应用仍然有一定的局限性，就是电子晶体的稳定性不够强。

例题讲解

The passage is primarily concerned with discussing

文章主旨是

答案：(B) the characteristics of a new kind of crystal 一种新型晶体的特性

解析：a new kind of crystal 指电子晶体。

Passage 124

区分_____和_____

原文翻译

❶水文地质学（hydrogeology）是一门研究水在地表中、土壤中、岩石中以及大气中的性质、分布、循环的科学。❷水循环作为这门科学中一个主要的话题，指的是多种现象组成的完整循环，即水以大气中的气态转变成液态和固态的降水，降水随后进入地表，最后通过蒸发和蒸腾作用（evaporation and transpiration）重新变成大气中的水的形态。

❶"地质水文学"这个术语有时候会被错误地当作"水文地质学"的同义词。❷地质水文学研究的是地下水。❸很多地质岩层都含有水，却不是水循环的一部分，这是因为地质变化已经把水隔离在地下了。❹这些系统正确的叫法是地质水文系统而不是水文地质系统。❺只有当一个系统具有与水文学循环中的水相联系的自然或者人工界限的时候，整个水系才能被称为水文地质系统。

3s 版本

❶水文地质学的概念。

❷水循环的概念。

第一段3s：介绍水文地质学。

❶地质水文学会和水文地质学搞混。

❷❸❹地质水文学的概念。

换对象❺水文地质学的概念。

小结：❷~❺广义封装，顺承❶。

第二段3s：区分水文地质学和地质水文学。

全文3s版本：区分水文地质学和地质水文学。

文章点拨

本文第二段第一句说"地质水文学"会和"水文地质学"搞混。所谓"搞混"，就意味着这两个术语之间存在不同，所以接下来将这两个术语分开进行介绍，出现换对象，同时两个术语最终封装到一起，与第一句取同。

例题讲解

The author refers to "many formations" primarily in order to

作者指出"很多地质岩层"的主要目的是

答案：(A) clarify a distinction 澄清一个区别

解析：本题定位到第二段第三句，这句话存在的目的是为了将水文地质学和地质水文学进行区分。

Passage

没有一种语言是_____的

原文翻译

❶某些语言学家一致认为每种语言都是一个载体，可用来完美地表达使用这种语言的民族的思想，这一语言学思想在某种程度上与曼彻斯特经济学派所坚信的观点相同，构成了一种完全对等的理论，而该经济学派认为，供求关系制约着一切并调节至最佳状态。❷正如这些经济学家对大量供求规律使实际需求不得满足的实例视而不见那样，许多语言学家对下述情形也可谓是充耳不闻，在这些情况下，语言的性质本身就有可能导致日常交谈中的种种误解，因此在这种情况下，为了表达说话者的意图，一个词语必须经过修饰或界定："他拿了他的拐杖——不，不是约翰的，而是他自己的。"❸没有一种语言是完美的，假如我们承认这一真理，我们同样也必须承认，对不同语言的相对优劣，或对不同语言中的不同细节进行分析并不是无稽之谈。

❶语言学家认为语言是完美的媒介。

换对象❷作者认为语言学家忽视语言性质本身可能导致日常交谈的误解。

❸没有一种语言是完美的。

全文3s版本：没有一种语言是完美的。

文章点拨

文章开头先提出了一个语言学家共识的观点，即语言是完美的，这是一个老观点，因此这种老观点一定会被反驳。第二句话与第一句话构成转折因为两句话构成了换对象，第一句是语言学家的观点，第二句是作者的观点。第二句话中还通过将语言学家和经济学家的理论的进行类比，指出这两种观点其实都很极端，进而阐明作者认为这两种观点都不正确的观点。随后文章又指出语言并不是完美的，因为语言本身可能导致日常交谈的误解。最后作者驳斥了传统语言学家的观点，认为没有一种语言是完美的。

例题讲解

The primary purpose of the passage is to

文章主旨是

答案： (B) refute a belief held by some linguists 驳斥了一些语言学家的观点

解析： a belief指的是语言是完美的。

Passage

地震反射法能准确描绘_____，该方法一直是_____的最重要的工具

原文翻译

❶由于地震反射法（seismic-reflection method）在描绘地表下情况的准确性，该方法一直是探寻石油储量最重要的工具。❷在实地作业中，地表下情况是这样被描绘的，即通过将一系列波列源，例如小规模炸药爆炸，排列为一个网格模式。❸当每一个波列源被触发时，它就产生一个波列，该波列会以一个特定速度向下移动，下移的速度仅仅取决于岩石的弹性特征。❹当波列穿过岩石的界面时，界面的弹性特征一般会突然改变，这导致一部分能量反射回到地面被地震仪记录下来。❺地震记录必须加以处理来校正波源与接收器之间的位置差异，排除无关的波列影响，以及纠正来自岩石界面的多重反射。❻然后，把每一个特定波列源位置获取的数据综合起来，得出一个地下物理剖面图，而这一剖面图最终能被用来选择钻探目标。

3s 版本

❶地震反射法一直是探寻石油储存的最重要的工具。

❷制造波列源，并将其排列为一个网络模式。

❸波列以特定速度向下移动。

❹界面弹性特征改变，波列反射回地面。

❺纠正无关波列。

❻地震反射法可以得出一个用来选择钻探目标的地下物理剖面图。

小结：❷❸❹❺❻封装，顺承❶。

全文3s版本：地震反射法能准确描绘地表下情况，该方法一直是探寻石油储存的最重要的工具。

文章点拨

本文先提出了地震反射法可以描绘地表下情况和探测石油储备，接下来进一步用一系列机制阐述了该方法是如何运作的。

例题讲解

1. The passage is primarily concerned with

本文主旨是

答案：(A) describing an important technique 描述了一项重要的技术

解析：地震反射法是一个重要的技术。

2. Which of the following best describes the organization of the passage?

下面哪项最好地描述了本文的组织结构？

答案：(C) An assertion is made, and a procedure is outlined. 阐述一个观点，然后一个流程被概述。

Unit 15

选做

练习题目

付出等于收获的事情很少，但 GRE 是。早早搞定 GRE 给我一种前方忽然明亮的感觉，它是我们的雄心对自己的第一句问候。

——李苏毅
北京邮电大学，微臣教育线上课程学员
2016 年 3 月 GRE 考试
Verbal 162

Passage 127

介绍20世纪最伟大的女性雕塑家Nevelson的_____与_____

原文翻译

❶ Louise Nevelson被许多评论家认为是20世纪最伟大的雕塑家，这个观点尤其值得关注，因为直到最近，雕塑界仍存在对女性艺术家的最强烈抵制。❷新石器时代以来，雕塑一直被视为是男性的特权，部分程度上或许纯粹是因为生理方面的原因：人们误以为女性不适合做雕石、刻木、摆弄金属这些繁重的手工劳动。❸直到20世纪时，女雕塑家才被当作主流艺术家，并且只有在美国被认可，特别是自20世纪五六十年代以来，女性雕塑家们展现出了非凡的独特性和创造力。❹她们地位的提升伴随着雕塑本身在美国的发展：尽管在20世纪40年代之前美国已经出现了一些富有才华的雕塑家，但是只有在1945年之后，当纽约迅速变成世界艺术之都时，美国才产生了一些重要的雕塑作品。❺一些最杰出的作品就出自女性之手。

❶到现在为止，这些女性中最杰出的便是Louise Nevelson，她在许多评论家的心目中是当代在世的最具独创性的女艺术家。❷一位著名而有影响力的评论家Hilton Kramer对她的作品评述道："对我而言，我认为Nevelson女士在其他画家常常失败的地方取得了成功。"

❶她的作品被用来和Picasso的立体派结构、Miro的超现实主义物体以及Schwittdrs的Merzbau作比较。❷Nevelson第一个承认她确实受到了这些作品的影响，并且她还受到非洲雕塑以及土著美洲人和前哥伦布时期艺术的影响，但她吸收融合了这些影响并创造出了一种独特的艺术，这种艺术表现了都市风景以及20世纪的审美观。❸Nevelson说："我一直希望能向世人展示艺术的无处不在，但它必须通过有创造力的头脑展现。"

❶Nevelson用的材料大多是像废弃包装箱一类的木质物件、破家具以及被扔掉的建筑装饰物——这些是她多年积存下来的——她组装出极具美感和力度的建筑物般的结构。❷她不用草图，只是自由地创作，将物体粘合或钉在一起，将它们涂成黑色，或更少见的白色或金黄色，将它们放在盒子里。❸这些聚合在一起的艺术品、墙，甚至整个的环境都营造出一种神秘的、几乎让人敬畏的氛围。❹虽然她否认她作品中具有任何象征性的或宗教意图，但作品的三维立体的恢宏气势而且甚至它们的标题，例如*Sky Cathedral*以及*Night Cathedral*，都暗示出这样一种宗教寓意。❺在某些方面，她最为雄心勃勃的作品更接近于建筑，而不是传统雕塑，此外，无论是Louise Nevelson本人还是她的作品，都无法被归类到任何明确的分类之中。

3s 版本

❶ Nevelson是20世纪最伟大的女性雕塑家。

❷新石器时代以来雕塑都被看作是男性特权。

❸直到20世纪，女性雕塑家在美国才被认可。

❷❸封装，顺承❶，说明20世纪女性雕刻家被认可。

❹❺女性雕塑家地位的提升伴随着雕塑在美国的发展。

第一段3s：女性雕塑家在20世纪中期的美国才被认可为艺术家，Nevelson是她们中最伟大的。

❶ Nevelson是女性雕塑家中最杰出的。

❷ Nevelson的作品受到了评论家的好评。

第二段3s：Nevelson是女性雕塑家中最杰出的，受到了评论家好评。

❶ Nevelson的作品被用来和很多风格进行比较。

❷ Nevelson承认自己的作品受到了多种风格的影响，并且创造出了自己独特风格。

❸ Nevelson希望用创造性的头脑为世人展现艺术无处不在。

第三段3s：Nevelson的艺术风格来源和理念。

❶ Nevelson的创作材料。

❷ Nevelson的创作方式。

❸ Nevelson的创作令人敬畏，暗含宗教意图。

❺ Nevelson以及其作品无法被归类。

第四段3s：Nevelson的创作特色。

全文3s版本：介绍20世纪最伟大的女性雕塑家Nevelson的作品创作理念与创作特色。

📝 文章点拨

1. 文章第一句话中提出了many critics的观点，他们认为Louise Nevelson是20世纪最伟大的雕塑家。通常而言，如果GRE阅读中出现many、prevalent、prevailing、consensus之类的观点要在后文中进行反驳。而本篇文章并没有对many critics的观点进行驳斥，这一点要引起大家特别关注，不要看到many就一定是错误的，还需要看后面是不是有诸如however这样的句间关系转折词。

2. 本文讨论的对象是女性的雕塑家，这也是ETS喜欢的"反三观"题材文章，喜欢考察少数群体的状况。在传统意义上来说，女性是不能从事某些职业的，但是在这篇文章里，ETS旗帜鲜明地反驳了这种传统观点，并且举出了女性艺术家的杰出代表。对于少数群体的关注与肯定，是ETS特别喜欢的阅读素材。

📝 背景知识

Louise Nevelson是20世纪最重要的雕塑家，最负盛名的雕塑是她创作的墙、木头、像墙一样的拼贴画、多个盒子和分割间，带给观众具有压迫感的放松。同时她的艺术风格也受到了毕加索的影响，她赞扬毕加索"giving us the cube"，而这种"cube"也为她立体风格的雕塑提供了根基。

她曾经说过"Some of us come on earth seeing-some of us come on earth seeing color"，这对应了我们文章中所提到的"I have always wanted to show the world that art is everywhere, except that it has to pass through a creative mind"。

文章中出现的Picasso（毕加索）是立体主义的旗手，Miro（米罗）是超现实主义的大师，而Schwittdrs（施威特斯）是达达主义的代表人物之一。

📝 例题讲解

1. The passage focuses primarily on which of the following?

本文主旨是

答案： (B) The work of a particular artist 一位特定的艺术家的作品

解析： 这里面的a particular artist指的就是Louise Nevelson。

2. The author quotes Hilton Kramer most probably in order to illustrate which of the following

作者引用Hilton Kramer的目的有可能是为了证明下面哪个选项？

答案：(C) The extent of critical approval of Nevelson's work 评论家对于Nevelson作品认可的程度

Passage 128

雌蕊的形态特征可以_____植物花粉浪费，但该特征_____不明

原文翻译

❶在过去的研究中，风媒授粉（pollination by wind）一直被看作是一个以随机事件为标志的繁殖过程，在此过程中，风的随机性（所导致的划分损耗）被大量花粉的产生所补偿，因此新种子的繁殖得以保证，而其代价是传播所需的花粉要远超过实际花粉的使用量。❷由于花粉粒在长距离的运输过程中潜藏着巨大危险，根据上述观点来看，风媒授粉植物补偿了由随机事件造成的花粉损失，其途径是制造出大于虫媒授粉（pollinated by insects）植物所产生的花粉量的一至三个数量级的花粉量。

❶然而，一些风媒授粉植物所独有的特征可减少花粉浪费。❷例如，许多风授粉植物在风速过慢或湿度高时，就停止释放花粉。❸近期的研究表明，植物还利用另一种方法来补偿风媒授粉的低效率。❹这些研究指出，植物通常通过在植物雌蕊形成的特定空气动力环境来利用花粉运动学规律。❺正是这些雌蕊的形态决定了在花粉的必经之路上的空气扰动的情况。❻气流干扰的速度及方向会和植物花粉的物理属性结合起来，在雌蕊表面产生一种该植物所特有的花粉碰撞模式。❼鉴于这些表面进行有策略的排布，这种组合大大提升了雌蕊捕捉花粉的效率。

❶一个尚未解决的重要问题是，风媒授粉植物的雌蕊的形态特征是对风媒授粉的一种进化适应，还是仅仅是偶然发生的。❷对这一问题作完整解答至今仍然不可能，因为对于每一种植物来说，必须在植物自身独特的功能背景中来评估适应能力。❸但是，必须指出的是，尽管在某些植物种类中确实存在进化适应的证据，但将形态特征归因于适应的做法，我们应该对其持谨慎态度。❹例如，带有胚珠的松球的鳞苞综合体的螺旋状排布，就是松柏目植物雌蕊的所在位置，这对气流模式的形成与产生非常重要，而这些气流模式在松球的表面盘旋上升，从而把空气的花粉从一个鳞苞传播至下一个鳞苞。❺但是，这些模式不能被看作对于风媒授粉的一种适应，因为螺旋状排布出现在一系列非风媒授粉的植物后代身上，并被看作一个所有维管植物（vascular plant）都具备的特征，而松柏目植物仅是维管植物中的其中一种。❻因此，这种螺旋形排布不可能是对风媒授粉直接适应的结果。

3s 版本

❶传统观点认为为了避免风媒授粉的随机性，传播所用的花粉超过实际的使用量。

❷风媒授粉使用的花粉量是虫媒授粉的花粉量的一到三个数量级。

第一段3s：植物通过产生大于实际使用量的花粉来避免风媒授粉的随机性。

However ❶一些特征可以减少花粉的浪费。

❷在不利的环境下减少花粉释放来减少浪费。

recent ❸❹通过利用花粉运动的物理原理减少花粉浪费。

❺❻❼雌蕊的形态决定气流干扰模式，进而决定花粉传播模式。

小结：❸~❼封装，新观点介绍如何减少花粉浪费。

第二段3s：植物如何减少花粉浪费。

❶❷雌蕊的形态特征是进化适应还是偶然发生的，这一点没有定论。

However ❸不能绝对认为形态特征是进化适应的结果。

❹螺旋状排布是有利于气流模式的一种形态。

However ❺❻螺旋状排布并非是适应性的结果。

小结：❹❺❻封装，举了一个不是适应性的例子，顺承❸。

第三段3s：雌蕊的形态特征由何导致原因不明。

全文3s版本：雌蕊的形态特征可以减少植物花粉浪费，但该特征由何导致原因不明。

文章点拨

本文第一段第一句开头的traditionally证明是一个老观点，认为植物要通过浪费花粉的方式来避免风媒授粉的随机性。

第二段However与上一段取反，介绍植物也可以通过一定的特征来减少花粉的浪费。其中，第一种减少浪费的方式是在气候不利的条件下停止释放花粉。第三句的recent，证明是一个新观点，认为植物通过雌蕊的形态特征来达到节约花粉的目的。

第三段试图对这种节约花粉的方式进行解释，认为雌蕊形态很难得到结论说是适应性的结果还是偶然发生的。第三句程度取反，认为不能绝对的认为这种形态特征就是适应性的结果（这里的程度取反是指，就算是适应性结果，但还应该有其他因素参与作用）。第四、五、六句举了一个例子，这个例子说明至少螺旋状结构不是适应性的结果。但这个时候作者并没有排除适应性这种可能，只能说明螺旋状结构这个例子并不是适应性的结果。

例题讲解

1. It can be inferred from the passage that the claim that the spiral arrangement of scale-bract complexes on an ovule-bearing pine cone is an adaptation to wind pollination would be more convincing if which of the following were true?

   从文章可以推断，带有胚珠的松球的鳞苞综合体的螺旋状排布是适应于风媒授粉的，下面哪个选项正确的话可以增加这一观点的可能性？

答案： (A) Such an arrangement occurred only in wind-pollinated plants. 这种分布只会在风媒授粉的植物中存在。

解析： 本题为改善题，只需将原文相关内容取反即可。根据第三段第五句，螺旋状结构在非风媒授粉的植物中也存在，因此说明螺旋状结构并非适应性的结果。因此，只要说明只有风媒授粉植物中才存在螺旋状结构，即可增加螺旋状结构是适应性的结果的可能性。

2. The passage suggests that the recent studies cited in paragraph 2 have not done which of the following?

   本文提到在第二段所引用的最近的研究没有做下列哪一件事？

答案： (E) Demonstrated that the morphological attributes of the female reproductive organs of wind-pollinated plants are usually evolutionary adaptations to wind pollination. 证明风媒传粉植物的雌蕊的形态属性是进化对于

风媒传粉的适应。

解析：本题问的是没有做到的事情，所以一定得是文中明确的说明没有被做到的事情才能选。(E)选项，根据第三段，是否是适应性行为确实没有证明，因此(E)正确。而(A)选项从文中无法得知是否进行区分。(B)选项对应第二段第四句。(C)选项对应第四句"雌蕊附近"。(D)选项对应第二段第六、七句。

Passage 129

物种数量变化由_____和_____共同调节

原文翻译

❶和Gilbert White、Darwin以及其他人很久以前观察的一样，所有物种都表现出一代比一代个体数量增加的天生能力。❷生态学家的任务是弄清长期维持种群数量内在增长力的环境因素和生物因素。❸不同种群表现出来的动态行为的多样性使得这个任务变得更加困难：一些种群年年数量大致不变；一些种群数量则展现出规律的多和少；还有一部分种群数量变化巨大，这些种群数量会爆发式增长和毁灭式减少，在有些时候这种数量变化仅仅是和天气有关，而其他情况下则和天气无关。

❶为了梳理这种混乱的变化模式，某个思想流派提出把种群分成两组。❷这些生态学家断定，相对稳定的种群具有和密度相关的生长参数；也就是说，出生率、死亡率以及迁移率都十分依赖种群密度大小。❸强烈变化的种群具有独立于种群密度的生长参数，这些种群数量的变化率在它受到环境变化的冲击时而涨跌，其波动方式完全不依赖于种群密度。

❶尽管这种二分法（dichotomy）有它的用处，但是如果我们过于机械地理解这个方法的话也会产生问题。❷一个原因是，没有一个种群完全被与种群密度无关的参数驱动。❸不管出生率、死亡率、迁移率围绕它们长期平均值波动有多么准确严密或者多么无法预测，如果没有依赖于种群密度的参数的影响，种群会在长期无限增加或减少（不考虑增加和减少相互抵消的奇迹）。❹换句话说，种群死亡数有可能99%是由独立于密度的因素决定的，而只有1%是由随密度变化的因素决定的。❺占1%的因素可能看起来不重要，并且产生这些因素的原因可能很难对应地确定。❻但是，不管我们是否能够认识到，这些因素通常会决定长期平均种群密度。

❶为了理解生态学家研究的性质，我们可以把和影响生长参数的依赖种群密度效应看作生态学家要分离和解释的"信号"，这个信号往往让种群数在低的时候增加、在高的时候减少，而把与种群密度无关的影响看作种群动态中的"噪声"。❷对于数量保持相对恒定的种群，或者是以重复周期增加和减少的种群，即使我们仍然不知道其中真正的生物学机制，我们还能比较容易地确定这种信号的特征。❸对于数量不规则浮动的种群，我们很可能没有足够的观察资料，不能指望从中提取出被噪声淹没的信号。❹但是现在我们明白，所有种群是被不同比例的种群密度相关及种群密度无关的影响共同调节的。

3s 版本

❶物种个体代代增加。

214

❷科学家要弄清楚种群增长的因素。

❸不同物种数量增加模式不同使得这一研究变难。

第一段3s：物种数量代代增加，模式不同。

❶物种分成两组。

❷稳定种群数量变化与密度相关。

换对象❸强烈变化种群数量变化不与密度相关。

小结：❷❸封装

第二段3s：将物种分成变化稳定和剧烈两种来进行研究。

problem❶这种二分法有问题。

❷❸任何种群都会被密度因素影响。

❹❺与密度有关的因素看起来不重要。

Yet❻与密度有关的因素会决定长期平均种群密度。

小结：❹❺❻封装

第三段3s：二分法有问题。

❶种群密度是"信号"，种群密度无关因素是"噪声"。

❷数量稳定种群容易确定种群密度与种群增长之间的关系。

换对象❸不稳定种群难以确定种群密度和增长之间的关系。

But❹物种数量变化由种群密度和种群密度无关因素共同调节。

第四段3s：物种数量变化由种群密度和种群密度无关因素共同调节。

全文3s版本：物种数量变化由种群密度和种群密度无关因素共同调节。

📖 文章点拨

本文第一段介绍了物种个体数量代代增加，但各物种增加的模式不同。

第二段将不同增长模式的物种分为两类，一组是稳定变化的，受到种群密度影响，另一组是剧烈变化的，受密度之外的因素控制。

第三段反驳上一段，认为不能把密度因素和非密度因素进行绝对划分。

第四段通过对两种增长模式的物种的分析，得出物种数量变化由种群密度和种群密度无关因素共同调节的结论。

📖 例题讲解

It can be inferred from the passage that the author considers the dichotomy discussed in the second paragraph to be

作者认为文章第二段所述的二分法具有哪种特征

答案： (B) useful, but only if its limitations are recognized 有用，但只在承认该方法局限性的前提下

解析： The dichotomy指代第二段提到的将物种分为两组分别解释其数量变化原因。此题定位到第三段第一句，第一句指出二分法有用，但过于机械的理解会产生问题，与(B)选项构成同义替换。

Passage 130

玻璃金属的_____、形成原理和_____

❶材料科学家以及固态物理学家通过大量研究，制造出一类被认为是非定形金属合金或玻璃金属的固体。❷理论研究者和应用研究者都对这些材料的结构性质产生了越来越大的兴趣。

❶当熔融的金属或金属合金被冷却至固体时，晶体结构（crystalline structure）就形成了，并且晶体结构取决于特定合金组成成分。❷相反，熔融的形成玻璃的非金属材料，在冷却时并不形成晶体结构，而是保持和它在液态时类似的结构——一种非定形结构。❸室温下，这两种材料的长期自然趋势是形成晶体结构。❹二者差别在于形成晶体结构的变化历程或速率，这个速率是由化学键性质以及原子相对移动的难易程度等因素决定的。❺因此在金属中，变化倾向于晶体结构迅速的形成，而在非金属中，晶体形成速率如此之慢以至于几乎任何冷却速率都足以形成非定形结构。❻为了形成玻璃金属，熔化的金属必须被急速冷却，这样结晶过程就被抑制了。

❶玻璃金属的结构被认为和液体金属的结构相似。❷伦敦大学已故的J. D. Bernal做了一个对于液体结构建模最初的尝试，而他为了达到可能的最大密度，把硬球堆积进橡胶容器。❸由此产生的随机密堆结构（random-packed structure）是建立玻璃金属结构模型的基础。❹基于Bernal式金属合金组成成分模型密度的计算，与通过实验测量金属中贵金属（noble metal）以及类金属（例如钯和硅的合金，或含有铁、磷以及碳的合金）的量而得到的值吻合得相当好，虽然还存在一些小的差异。❺真合金和Bernal模型中所用的硬球之间的一个差异是合金组成成分存在大小差异，所以对两组分合金来说用两种不同大小的球更合适。❻合金中较小的类金属原子可能填入较大金属原子组成的随机密堆结构的空隙中。

❶玻璃金属中最有前途的性质就是高强度以及高可塑性。❷在常规晶体材料中，人们发现这两个性质是呈反比关系的，而许多实际应用需要这两个性质同时存在。❸实际应用中剩下的一个可能被克服的障碍是这样的事实，即玻璃金属在稍微加热的时候就在比较低的温度下结晶了。

❶玻璃金属被制造出来。

❷研究者对其结构性质进行研究。

第一段3s：研究者对玻璃金属的结构性质进行研究。

❶金属冷凝时，形成晶体结构。

换对象❷非金属冷凝时，不形成晶体结构。

❸室温下，两种材料的长期自然趋势是形成晶体结构。

❹❺两种材料的区别在于晶体结构的形成速率。

❻熔化的金属必须被急速冷却，才能形成玻璃金属。

第二段3s：玻璃金属的形成原理。

❶玻璃金属的结构被认为和液体金属的结构相似。

❷❸❹❺❻验证玻璃金属结构的方法。

第三段3s：玻璃金属的结构和液体金属的结构相似。

❶❷玻璃金属中最有前途的性质就是高强度以及高可塑性。

❸玻璃金属实际应用中的一个可能障碍。

第四段4s：玻璃金属中最有前途的性质就是高强度以及高可塑性。

全文3s版本：介绍玻璃金属。

文章点拨

本文第一段先简单介绍了玻璃金属的定义，并提出了对玻璃金属结构的兴趣，以此引出对玻璃金属结构的进一步研究。

第二段通过对比金属和非金属，提出二者的差别在于晶体结构的变化历程或速率。进而文章又提出为了形成玻璃金属，融化的金属必须被急速冷却。

第三段进一步地探讨玻璃金属的结构，并提出玻璃金属的结构和液体金属的结构相似。并通过对液体结构建模的实验的描述，阐释玻璃金属和液体金属结构的相似性。

第四段根据玻璃金属的结构点出玻璃金属的重要性质：高强度和高可塑性。然而作者又点出由于玻璃金属在稍微加热的时候就在比较低的温度下结晶的特点，所以玻璃金属的应用仍有局限性。

例题讲解

The author is primarily concerned with discussing

文章主旨是

答案： (C) glassy metals and their structural characteristics 玻璃金属和它的结构特征

解析： 文章主旨是玻璃金属的结构和液体金属的结构相似。

Passage 131

因为_____提供的信息有限，神经发育系统中存在_____和_____之间的权衡

原文翻译

❶人们对于神经系统（nervous system）复杂组织的发现越多，越让人们感觉到基因可以成功地详细说明复杂的神经系统的发育这一观点是不可能。❷人类基因包含的信息少到甚至无法详细说明人类1011个位置神经细胞中任意一个细胞应该占据大脑的哪个半球，更不可能说明每个神经细胞形成的数百种连接了。❸基于这些原因，我们可以猜测在神经发育过程中一定存在某个重要的随机因素，特别是这些随机因素导致的误差一定并且确实出现在所有正常大脑的发育过程中。

❶这类误差最明显地表现在同基因（isogenic）的生物体中。❷即使在同样的条件下培育，同

基因生物体也很少会完全相同，而且它们之间的差异体现了很多随机差异，这些差异的产生源自生物体基因提供的有限信息。❸例如，在同基因水蚤身上，虽然它们每个视觉神经细胞的位置、尺寸和分支结构非常稳定，但细胞在连接性方面却存在一些差异，并且突触的数量差异巨大。❹这种差异性有可能是由视觉神经细胞的随机分布超过了基因控制的精确程度所导致的，并且它可以被最恰当地称为"不精确"，因为它的对立面——在均值周围的群集程度——一直被称为"精确"。

❶发育中的不精确性与发育中的错误应该被区分开：发育错误是指那些错误移位的神经细胞、错误的连接以及类似的情况。❷用电脑来类比，次要的舍入误差的发生十分普遍，并且这些误差类似不精确性，但是有时一个二进制数字被错误传输可能毁掉整个运算，这种错误传输类似于发育中的错误。❸因此，不精确性是一种在设计范围以内的、固有的、不准确的形式，但发育错误是严重错误的形式。

❶不精确性和严重错误都可以合理地归因于基因信息的缺乏，因为任何一种情况都可以通过增加更多的信息被降低。❷信息理论学家之间的一个普遍认同的原理是，密码和语言可以通过引入冗余信息来减少错误。❸然而，鉴于任何信息系统中所能利用的空间是有限的，冗余信息的增加反而会降低精确性。❹例如，当 π 被错误地写成英语"three point oen four two"时，即便一个印刷错误出现，人们也可以理解。❺然而，如果是给定24个空来填满阿拉伯数字，人们可以获得有关 π 更高的精确度；在这种情况下，π 可以被表述为23个有意义的数字，但任何误差都会极大地改变其意义。❻存在这样一种折衷平衡：一个系统在用被给定的有限数量信息的情况下，越是被精确地说明，它发生严重错误的危险性越高。❼因此对于生物体来说，基因信息被分配给生物体的整体方案，必定包括两个对立的优先原则之间的妥协：精确性与避免严重错误。

3s 版本

❶基因不可能说明神经系统的复杂性。

❷基因中所包含的信息太少。

❸神经系统中存在某种随机因素导致发育间的偏差（error）。

第一段3s：神经系统存在某种随机因素。

❶❷❸发育偏差最明显体现在同基因生物体中。

❹这种误差被我们称之为"不精确"。

第二段3s：给出"不精确"的误差在同基因生物体中的例子。

❶发育不精确和发育错误不同。

❷用计算机中的类比说明上述观点。

❸不精确性是在设计范围内的不准确，但是发展错误很严重。

第三段3s：发育不精确和发育错误不一样。

❶不精确错误和发育错误都源于信息不够。

❷冗余信息可以降低错误。

However ❸冗余的信息增加反而会降低精确性。

❹没有冗余信息，但表达结果准确。

However, ❺有冗余信息，反而可能会造成精确性的降低。

❹❺封装顺承❸，说明冗余信息增加会降低精确性。

❶❷整体与❸❹❺整体之间构成对立。说明冗余信息可以降低不精确性错误，但又会导致不精确错误。引出需要在冗余信息的量上进行平衡。

❻❼存在折衷的平衡——精确性与避免严重错误是两个原则的妥协。

第四段3s：精确性和避免严重错误之间需要权衡妥协。

全文3s版本：因为基因提供的信息有限，神经发育系统中存在追求精确性和避免错误之间的权衡。

文章点拨

文章中第一段第一句给出一个观察结果，基因所包含的信息太少，无法说明神经系统的复杂发育。第二句给出细节信息来支持基因所包含的信息少。最后得出结论，在发育过程中的神经系统存在某个随机因素会导致发育误差。

文章第二段主要介绍了在同基因生命体中的发育误差，引出不精确错误的概念。

第三段中将不精确错误和发育错误进行对比。

最后一段说明增加冗余信息可以降低不精确错误（第一、二句）。但也会增加不精确错误（第三、四、五句），所以最终需要在追求精确和避免错误之间进行权衡和妥协（第六、七句）。

例题讲解

1. Which of the following best expresses the main idea of the passage?

本文主旨是

答案： (B) Because of limitations on the amount of information contained in the genes of organisms, developing nervous systems are subject to two basic kinds of error, the likelihood of one of which is reduced only when the likelihood of the other is increased. 因为在有机体中的基因包含的信息数量是有限的，所以发育中的神经系统受制于两种基本的错误，只有当一种错误出现的可能性增加，另一种错误的可能性才会减少。

2. Which of the following best describes the organization of the first paragraph?

以下哪个选项最好地描述了第一段的结构？

答案： (D) An observation is made, specifics are provided to support it, and a generalization is derived. 一个观察被提出，给出了一些细节来支持观察，之后得出一个概括。

Passage 132

艺术家创造的视觉效果可以由_____解释

原文翻译

❶最近的发现表明，视觉信号（visual signal）进入了大脑的至少三个分离的处理系统，每一个系统都有自己独特的功能。❷第一个系统似乎处理关于形状感知的信息，第二个系统是处理关于颜色的信息，第三个系统是处理关于运动、地点和空间构成的信息。❸关于这三个系统功能和能力的认识可以清楚地解释艺术家是如何处理材料来创造令人惊奇的视觉效果的。

❶可以把这三个子系统的功能总结如下。❷小系统（parvo system）传输关于静止物体和对比色形成边界的非常详细的信息。❸然而，它并没有携带任何关于具体颜色的信息。❹因为很多关于物体形状的信息可以被它们的边界表示，我们猜测这个系统在形状感知上是很重要的。❺色块系统（blob system）处理有关颜色的信息，但不处理关于运动、形状识别或深度的信息。❻大系统（magno system）传输关于运动和深度的信息。❼它善于探测运动但是不善于仔细观察静止的画面。❽此外它似乎还是色盲；它不能感知在色彩对比的基础上才能看见的边界。

❶小系统中的细胞能在任何相关亮度的两种颜色中做出区分。❷另一方面，在色盲大系统中的细胞和黑白照片起到的作用相似：它们能传递出有关表面亮度的信息，但不能传递出它们颜色的信息。❸在任何一对颜色中，都存在一个特定的亮度比，在这个比例中两个颜色，例如红色和绿色，在黑白照片中会表现出同样的灰色渐变，因此任何它们之间的边界都会消失。❹同样地，在一些相对红绿亮度层次上，红色和绿色对于大系统来说完全一样。❺红色和绿色被称为是等亮度的。❻两个等亮度颜色的边界有颜色对比，但没有亮度对比。

❶许多艺术家似乎已经根据经验认识到了这些基本原理，并且已经把它们运用到最大化特定效果中。❷例如一些光效应绘画艺术（Op Art）的特效可能来自颜色混合，这些混合对小系统有强烈的刺激，但是对大系统的刺激较弱。❸一个和自身背景亮度相等的物体看起来是颤动的、不稳定的。❹其理由是小系统可以发出物体形状的信息，但是大系统不能看见物体的边界，并因此无法传递物体运动或位置的信息。❺因此它在画布上看起来跳来跳去、漂浮或颤动。

3s 版本

❶视觉信号进入大脑中至少三个分离的处理系统。

❷三个系统的功能。

❸艺术家创造的视觉效果可以由对这三个系统功能的认识来解释。

第一段3s：大脑中的三个系统可以解释艺术家创造的视觉效果。

❶总结这三个子系统的功能。

❷小系统携带关于静止物体和对比色形成的边界信息。

However ❸小系统没有携带具体颜色的信息。

❹小系统在形状感知上很重要。

换对象❺色块系统处理有关颜色的信息。

换对象❻大系统携带关于运动和深度的信息。

❼大系统善于探测运动但是不善于仔细观察静止的画面。

❽大系统不能感知在色彩对比的基础上才能看见的边界。

小结：❼❽封装，顺承❻。

❷~❽封装，承接❶。

第二段3s：总结这三个子系统的功能。

❶小系统中的细胞能区分任何亮度的两种颜色。

换对象❷色盲大系统不能传递颜色信息。

❸❹❺两种不同的颜色对于大系统来说完全一样。

❻两个等亮度颜色的边界有颜色对比，但没有亮度对比。

小结：❸❹❺❻封装，顺承❷。

第三段3s：在色盲大系统中的细胞能传递出亮度信息，不能传递颜色信息。

❶许多艺术家把这些基本原理运用到最大化特定效果中。

❷❸❹❺ Op Art就是一个例子。

第四段3s：许多艺术家把这些基本原理运用到最大化特定效果中。

全文3s版本：艺术家创造的视觉效果可以由对大脑中三个分离处理系统的功能的认识解释。

📑 文章点拨

本文第一段简短介绍了三个信息处理系统的基本功能，并指出了艺术家利用这三个系统处理信息的特点进行了基于视觉效果的艺术创作。

第二段为读者简单地介绍了三个系统的功能，着重介绍了小系统和大系统的具体功能和作用。

第三段顺承第二段对小系统和大系统的着重介绍，并深入介绍了两个系统的区别。这两个系统的区别使得两个等亮度颜色的边界有颜色对比，但没有亮度对比。

第四段承接第三段解释的小系统和大系统的特点和等亮度颜色的边界问题，讲解艺术家是如何利用这个特点来进行艺术创作的。文章举了Op Art的例子，讲解了艺术家利用信息处理系统的特点让图像在画布上看起来是跳来跳去的。

📑 例题讲解

1. The passage provides information about which of the following?

   文章提供了以下那个选项的信息？

答案： (B) Why the parvo system is considered to be responsible for shape perception 为什么小系统被认为是处理形状信息的

解析： 根据parvo system和shape perception定位第二段第四句。

2. The passage is primarily concerned with

   文章主旨是

答案： (A) describing subsystems of the visual system and showing their relevance to art 描述了视觉系统的亚系统，而且展现出它们与艺术的相关性

Passage 133

只保护妇女的劳工法是_____且无效的

📑 原文翻译

❶妇女特别保护劳工法的支持者经常持有以下观点，即废除这样的法律会毁掉用一个世纪时间才争取到的保护女性工人的成果。❷即使对法庭和雇主历史上的常规做法作一个简短的观察，也能看出这类法律的后果其实是苦涩的：在实践中，它们与其说是保佑，不如说是诅咒。

❶以性别界定的保护法通常是建立在有关妇女的需求和能力的老一套假设的基础之上，而雇主们通常会把它们当成歧视妇女的合法借口。❷例如，第二次世界大战后，工商企业和政府部门试图劝说妇女离开工厂的岗位，为归来的老兵在劳动力市场中腾出位置。❸限制女工每日劳动时间或每周劳动时间的州级法律的恢复或通过，实现了这一目标。❹雇主们只要宣布超时加班是在他们工厂中得到雇佣以及升职的一个必要条件，这样妇女就被合法解雇或被拒绝雇佣，或者是她们一直保持低工资水平，所有这一切都以"保护"她们身体健康的名义。❺当法律受到诉讼的挑战时，法庭通过确认这类法律的有效性，在过去几年中与雇主串通，建立起男女有别的、对女性更不利的条件，由此削弱了妇女在就业市场上的竞争力。❻同时，即使是最善意的立法者、法庭和雇主也经常对妇女的真正需求视而不见。❼立法者和法庭继续允许雇主提供雇员健康保险计划，这些计划包含所有已知的人类医疗伤残，除了那些与怀孕和生育相关的医疗伤残。

❶最后，只保护特殊群体的劳工法，在保护那些处于工作场所的工人时，常常是无效的。❷例如，有些化学品对育龄妇女构成生育危险；使用这些化学品的制造商们为了遵守法律，保护妇女免受风险，就不雇佣她们。❸因此，以性别界定的立法保护的只是假想的女性工人，但对保护实际雇员的安全不具有任何作用。❹这些行业对男性雇员构成的健康危险不能被忽视，因为足以导致胎儿生育缺陷或妇女不育症的有毒化学物质很可能会危害人类的新陈代谢。❺通过改变生产材料或工艺来减少此类危险的保护法，可能会对所有雇员有利，而不会产生任何歧视。

❶总之，面向妇女的保护劳工法是歧视性的，也不能满足预期的目标。❷立法者理应认识到，妇女会一直存在于劳动力中，并且她们的需求——良好的医保、体面的收入以及安全的工作环境——是所有工人的需求。❸无视这些事实的法律违背了妇女享受平等就业保护的权利。

3s 版本

❶妇女特别保护法的支持者不愿放弃这种法律。

换对象❷现实中，这种法律是诅咒。

第一段3s：现实中，针对妇女的劳动保护法是不好的。

❶❷❸❹雇主们会把对妇女的保护当作歧视的借口。

❺法庭和雇主一起对女性进行歧视。

❻❼善意的立法者、法庭、雇主也看不到妇女真实的需求。

第二段3s：保护女性的劳工法其实是歧视的借口。

❶❷❸❹只保护特殊群体的劳工法是无效的。

❺改变工艺和材料的保护法才有意义。

第三段3s：只保护特殊群体的劳工法是无效的。

❶只保护妇女的劳工法是具有歧视且无效的。

❷❸立法者应当意识到女性的真实需求。

第四段3s：立法者应当意识到女性的真实需求。

全文3s版本：只保护妇女的劳工法是具有歧视性且无效的。

⬇ 文章点拨

文章的第一段引出了本文讨论的话题——妇女特别保护劳工法。作者在第二句给出自己的态度，在实际操作中，这种法律与其说是保护，不如说是诅咒。

文章的第二段和第三段分别从两个角度对这种"诅咒"进行阐述。第二段主要强调了这种针对女性的保护法律会造成雇佣的歧视，而第三段指出了这种法律所谓的保护并没有实际效果。

文章最后一段进行了总结，认为立法者在立法时应该考虑女性的需求。

这篇文章说保护法竟然不起到保护的作用，同时涉及的对象是女性，也是ETS偏爱的主题。对于女性主题，大的宗旨是要为女性争取更多的权利。

⬇ 例题讲解

The main point of the passage is that special protective labor laws for women workers are
文章的主要观点说对于女性工人的劳动保护法是

答案：(B) harmful to the economic interests of women workers while offering them little or no actual protection 对于女性工人的经济利益有害同时给女性工人几乎没有或者甚至完全没有实际的保护

Passage **134**

并不像Davis认为的_____文化和_____的文化显得与众不同，而是_____与其他地区文化与众不同

⬇ 原文翻译

❶足以令人吃惊的是，现代历史学家对美国南部的历史，在南部开始变得自觉的、与众不同的具有"南方特色"之前，一直兴趣不大，南方是从1815年之后的几十年开始具有"南方特色"的。❷因此，在17和18世纪英国的北美殖民地帝国的文化历史中，南部的殖民地好像从来没有存在过一样。❸从殖民地时代以及独立战争时代兴起的美国文化被描述为仅仅是对新英格兰清教徒（puritan）文化的延伸。❹然而Davis教授近来提出，美国南部在这个早期时期与美国社会的其他部分与众不同，遵循着南部独特的文化发展模式。❺南部具有独特性的情况基于两个相关联的前提：一是五个南部殖民地文化的相似性比差异更明显；二是这些南部殖民地相像的因素也是它们和其他殖民地相区分的因素。❻Davis为第一个前提提供了极为大量充分的证据，人们可以毫无保留地接受这个前提；第二个前提则存在更多问题。

❶使第二个前提成问题的是把清教殖民地用作比较的基础。❷Davis十分恰当地强烈反对历史学家们赋予清教徒在美国文化形成中的过多影响。❸但是通过把清教徒当作一种衡量南方殖民地居民的成就与贡献的标准，Davis无意中对史学家夸大清教徒作用的做法起到了加强作用。❹从头到尾，Davis把研究的焦点放在南方和清教徒殖民地的一些重要并且不可否认的差异上：早期殖民开发的动机与模式，对自然界及印第安人的态度，以及对大都市文化影响的接受程度。

❶然而，近期学术界强有力地表明，那些早期新英格兰文化中似乎最"清教徒的"方面，例如

强烈的宗教趋向和团体意识，并不是典型新英格兰的全部，但很大程度上被限制在Massachusetts和Connecticut。❷因此，和清教殖民地形成对比的东西在Davis看来显得具有特殊南方特征——占有欲、对政治和法律强烈的兴趣以及培养大都市文化模式的趋势——不仅仅要比清教徒的Massachusetts和Connecticut展现的文化模式更具有英国色彩，并且几乎毫无疑问地构成大多数其他早期近代英国殖民地的特征，从Barbados北到Rhode Island和New Hampshire。❸那么，在美国殖民地居民生活更为广阔的框架内，是清教殖民地而非南部殖民地，才显得与众不同，并且即使是它们在殖民后期也迅速趋近于主流文化模式。

3s 版本

❶❷历史学家对于1815年之前的南方历史兴趣不大。

❸美国文化是清教徒文化的延伸。

However ❹ Davis认为南方有着独特的文化发展模式。

❺南方文化独特于美国其他区域的两个前提。

❻前提一被人接受，前提二则存在问题。

第一段3s：Davis认为南方殖民地相似性是区分它们和其他殖民地的这一前提存在问题。

❶问题在于把清教徒殖民地用作比较基础。

❷ Davis反对了清教徒的过多影响。

Yet ❸把清教徒作为比较标准，夸大了清教徒作用。

小结：❷❸封装，与❶取同。

❹ Davis用南方和清教徒殖民地对比。

第二段3s：Davis用南方和清教徒殖民地对比这一做法存在问题。

However ❶典型的清教徒特征其实范围很小。

小结：第三段❶应该和第二段的❹封装，顺承第二段的❶。封装后，更加明确地表达第二段的3s版本。

❷南方特征才是大多数殖民地的特征。

❸是清教徒殖民地，而不是南方，与众不同。

第三段3s：是清教徒殖民地，而不是南方，与众不同。

全文3s版本：并不像Davis认为的南方的文化和其他殖民区的文化显得与众不同，而是清教徒殖民区与其他地区文化与众不同。

文章点拨

文章的第一段提出Davis认为南方形成了自己独特的文化，基于两个前提，而第二个前提存在问题。

文章的第二段对第二个前提存在的问题给出解释。问题在于Davis的研究是基于南方和清教徒殖民地的比较，而这种比较会夸大清教徒的作用。

文章的第三段认为美国的主流文化不是清教徒文化，而是南方文化，所以南方文化不是与众不同。其实第二段和第三段应该合并，共同通过第二段第一句中的否定词problematic对第一段的Davis的观点给予否定。

此外本文第三段第二句是一个长难句：

Thus, what in contrast to the Puritan colonies appears to Davis to be peculiarly Southern—acquisitiveness, a strong interest in politics and the law, and a tendency to cultivate metropolitan cultural models—was not only more typically English than the cultural patterns exhibited by Puritan Massachusetts and Connecticut, but also almost certainly characteristic of most other early modern British colonies from Barbados north to Rhode Island and New Hampshire.

这句话具体的长难句分析可以参考《GRE/GMAT/LSAT长难句300例精讲精练》的229页。这句话的主语是was之前由what引导的名词性从句，所以这句的主语是what appears to be peculiarly Southern。而这句话的主语后面跟了一个双破折号引导的插入结构，而在这个插入语中用and的平行结构详细描述了南方的特征。导致这句话主语和谓语之间间隔过大，且信息繁杂，造成了巨大的阅读障碍。

背景知识

在文章第三段出现了New England，这是GRE经常会考到的一个美国的地理区域。17世纪初，英国英格兰的清教徒（Puritan）为逃避宗教压迫到了新英格兰地区（New England）。现在新英格兰地区包括美国的缅因州、新罕布什尔州、佛蒙特州、马萨诸塞州、罗得岛州和康涅狄格州六个州。"新英格兰地区"对于美国人来说，就跟中国"东三省"差不多。而新英格兰地区的人民会称呼自己为"New Englander"，也就像"东三省"的同学会说"俺们东北人"一样，是对自己的一种地理上的归属感。

例题讲解

1. The author is primarily concerned with
   文章的主旨是

答案：(B) refuting a thesis about the distinctiveness of the culture of the early American South 反对了一个认为早期美国南方文化与众不同的理论

解析：a thesis指的是文中Davis所提出的理论。

2. Which of the following statements could most logically follow the last sentence of the passage?
   下列哪个选项在逻辑上能接在文章最后一句之后？

答案：(B) Thus, convergence, not divergence, seems to have characterized the cultural development of the American colonies in the eighteenth century. 因此，趋同而非差异，看起来成了18世纪的美国殖民地文化发展的特征。

Passage 135

对_____的研究可以增强学生对传统学术研究方法的认知，对学生大有好处

原文翻译

❶学生们有可能在对传统学术研究方法知之甚少甚至一无所知的情况下获得高级英文学位。❷这种对传统学术研究的忽视会导致对女作家的研究的不利。❸如果在作家的经典作品——即那些被最广泛教授的作家的作品名册中——包含更多女性作家作品，那么学者们必须在历史研究和文本编辑方面

受到过良好训练。❹那些不知如何去阅读古代手稿、定位孤本、确定版本顺序等的学者，就缺乏一些修订作家名录的重要工具。

❶为了解决这些担忧，人们设计出一种实验性的、有关传统学术研究方法的教案，以便让学生意识到传统学问对任何一个当代批评家或理论家的作用。❷为了尽量减少传统课程中的人为因素，一种常用的做法已被放弃，即给学生指定大量的、从所有历史时期范围中抽出的小问题来作答的方法，尽管这一做法有其明显的优点，即至少能让学生粗略地了解一系列范围广泛的参考资料。❸取而代之地是，学生置身于一种集体努力之中，针对被忽略的十八世纪作家 Elizabeth Griffith 进行独创性的研究，这为学生们提供了文学考据的亲身体验，并激励他们对其自身研究工作的质量负责。

❶Griffith 的作品能为这一特定的教学目的提供许多有利条件。❷首先，有关 Griffith 的现存全部考据材料是如此之少，以至于一天就可读完；因此，学生们不需花太多的时间精力就掌握了全部文献，并且为自己的发现找到了一个明确的领域。❸Griffith 的剧本 *The Platonic Wife* 有3个版本，足以提供编辑方面的例证，但对于初学者来说这种材料不是很多，他们可以掌握。❹此外，由于 Griffith 在18世纪非常成功——正如她层出不穷的作品和获得的好评所表明的那样，但她却没有处在名作家之列，并几乎从文学史销声匿迹，这也对目前的古典作家名录提出了疑问。

❶Griffith 的作品范围意味着每个学生都可能成为世界范围内研究 Griffith 某一特定文章的权威。❷例如，一个研究 Griffith 作品 *Wife in the Right* 的学生拿到了该剧的第一版，并对其进行了几周的研究。❸这位学生会既惊讶又气愤地发现，此剧的标题在 Watt 所著的 *Bibliotheca Britannica* 中变成了 *A Wife in the Night*。❹这样的经历——在研究这样一个很少被注意到的作家的过程中是不可避免也是十分普遍的——起到了预防的效果，它让这位学生——我希望在他一辈子当中——反对不加鉴别就轻信使用参考出处的行为。

3s 版本

❶❷对传统研究的忽视不利于对女性作家的研究。

❸❹必须受过良好训练的学者才能修订名家名录。

第一段3s：应该重视传统学术研究的方法。

❶一种新的帮助学生意识到传统学问重要性的方法被提出。

❷老方法被抛弃。

❸针对 Griffith 的研究方法被提出。

第二段3s：针对 Griffith 的研究方法被提出。

❶ Griffith 的作品能为这一研究方法提供有利条件。

❷学生们不用花太多时间掌握全部文献。

❸ Griffith 容易掌握。

❹ Griffith 为古典作家名录提出了疑问。

第三段3s：Griffith 的作品能提供研究方面的三个有利条件。

❶❷❸ Griffith 的作品研究使得学生可以成为权威。

❹ Griffith 的作品研究可以让学生不会轻信使用参考出处。

第四段3s：Griffith 的作品研究可以让学生不会轻信使用参考出处。

全文3s版本：对于 Griffith 作品的研究可以增强学生对传统学术研究方法的认知，对学生大有好处。

文章点拨

这是一篇顺子结构的文章。全篇都没有出现But, Yet, However和Nevertheless。

文章第一段提出了一个现存的问题，即学生们对传统学术研究方法知之甚少。

第二段为第一段提出的问题提出了一个解决方法。第二段现提出原来的学习方法，并指出原来的学习方法的不足，提出了新的方法，并将其在Griffith的作品研究中进行实践。

第三段分成三点讲解了这个新方法在研究方面所具有的好处。

第四段指出新方法对学生带来的一个好的体验的例子。与第二段的give them an authentic experience of literary scholarship and to inspire them to take responsibility for the quality of their own work相呼应。这个呼应是大多数学生意识不到的。

例题讲解

1. The author of the passage is primarily concerned with

   文章主旨是

   答案：(C) describing an attempt to correct a shortcoming 描述了对于一个缺陷进行纠正的尝试

   解析：a shortcoming指第一段提出的"教学中学生对传统学术方法研究知之甚少"。

2. The author of the passage suggests that which of the following is a disadvantage of the strategy employed in the experimental scholarly methods course?

   下列哪个选项是作者提到的实验性学术方法课程的缺陷？

   答案：(E) Students were not given an opportunity to encounter certain sources of information that could prove useful in their future studies. 学生们没有机会见到某些被证明在未来是有用的信息来源。

   解析：本题定位到第二段第二句，但答案并不是直接改写的，需要推测。第二句说新的方法并没有给学生提供大量的历史资料，因此可以推断，这些学生见不到在未来有可能很有用的信息来源，因此(E)正确。

Passage 136

介绍了学者对女权主义研究的＿＿＿＿＿＿＿＿，并介绍一个和女权主义相关的派别的具体观点

原文翻译

❶研究美国历史的学者为了探索促使女权主义运动出现的环境，详细地研究了19世纪中期美国影响女性地位的经济和社会条件。❷然而，这些历史学家并没有充分分析那个时代特定女权主义的思想和活动的发展。❸此外，美国女权主义的思想来源也不明确，因为就算当历史学家考虑美国出现的那些女权思想和活动时，他们也未能意识到女权主义在当时是一个以欧洲为中心的世界性运动。❹那些被称为"单独的"以及"个体的"美国女权主义活动家事实上和一个运动——空想社会主义（utopian socialism）有关，这个运动已经在这20年中在欧洲普及女权主义思想，并在1848年在纽

约Seneca Falls召开的第一届女权大会时达到顶点。❺因此，要想完全理解19世纪美国女权主义运动的起源和发展，我们必须拓宽关注的地域范围，将欧洲也包含其中，并且必须扩充已经进行详尽研究的社会条件，将女权主义运动的政治主张的发展包含其中。

❶最早并最受欢迎的空想社会主义者是Saint-Simonian主义者。❷然而，Saint-Simonian主义特定的女权主义与该团体对早期社会主义的贡献相比，并没有得到足够的研究。❸这在两个方面让人们感到遗憾。❹到1832年为止，女权主义已经成为Saint-Simonian学说的焦点，并且吸引了其拥护者全部精力；因此，欧洲历史学家由于忽略了其女权主义而对Saint-Simonian主义产生了误解。❺此外，由于许多女权主义思想可追溯到Saint-Simonian主义，所以欧洲历史学家们对在法国和美国后期女权主义运动的认知仍然十分有限。

❶ Saint-Simonian的追随者大多是女性，他们将其女权主义思想建立在对Saint-Simonian的方案的解释上，这个方案就是用精神力量的统治代替野蛮力量，从而重新整合世界。❷世界新秩序将由一名男性和一名女性一起统治的，男性代表理性思考（reflection），女性则象征情感（sentiment）。❸这种互补性反映出一个事实，即虽然Saint-Simonian主义者没有拒绝男性与女性之间内在差异的观点，但他们预见到在他们的理想国中一种男性和女性同等重要的社会和政治角色。

❶只有少数Saint-Simonian主义者反对以男女性别差异为基础的关于性别平等的定义。❷这个少数派认为，两性中的个体出生时在能力和性格方面是相似的，并且他们将男女差异归为适应社会以及教育的结果。❸但是这两股思潮（Saint-Simonian主义者的多数派和少数派）所想象的共同结果是，新时代中女性会进入公共生活，而男女平等将会以一种改善的生活方式回馈男人和女人。

🍃 3s 版本

❶学者研究了19世纪美国导致女权主义的经济和社会条件。

However ❷学者没有充分分析女权主义的思想和活动的发展。

❸学者还忽略了欧洲的女权发展。

❺学者应该把欧洲女权和女权思想和活动的发展加入研究之中。

第一段3s：19世纪美国女权主义研究不充分的表现。

❶最早且受欢迎的空想社会主义者是Saint-Simonian。

However ❷ Saint-Simonian的女权主义没有得到足够研究。

❸ Saint-Simonian的女权主义有两点没有被足够研究。

❹欧洲历史学家对Saint-Simonian产生误解。

❺欧洲历史学家对于法国和美国后期女权主义认知有局限。

第二段3s：Saint-Simonian的女权主义没有得到足够研究。。

❶ Saint-Simonian多数派的女权主义观点。

❷新世界由存在差异的男女一起统治。

❸男性和女性有同等重要的社会政治角色。

第三段3s：Saint-Simonian多数派的女权主义承认男女差异，但是地位平等。

换对象 ❶❷ Saint-Simonian少数派反对男女性别差异。

However ❸ 两种思潮都认为男女平等。

第四段3s：Saint-Simonian主义者都支持男女平等。

全文3s版本：介绍了学者对于女权主义研究的不足，并介绍一个和女权主义相关的派别的具体观点。

文章点拨

文章第一段用美国的女权主义研究引入，说明其研究不充分。同时指出女权运动与空想社会主义有关。

第二段中，介绍了最早的空想社会主义Saint-Simonian。而学者因为对Saint-Simonian女权思想的忽视，导致了令人遗憾的两个方面。

第三段中，介绍了多数的Saint-Simonian的女权主义者观点-新世界由存在差异的男女一起统治。

第四段中，介绍少数的Saint-Simonian的女权主义者的观点：反对男女差异。但是多数和少数人的都认可男女平等。

例题讲解

The author's attitude toward most European historians who have studied the Saint-Simonians is primarily one of

下列哪个选项是作者对于大多Saint-Simonians学说的欧洲历史学家的态度之一？（态度题）

答案：(B) disapproval of their lack of attention to the issue that absorbed most of the Saint-Simonians' energy after 1832 反对学者在1832之后对于吸引了大多数Saint-Simonians精力的问题的关注不足

解析：这道题应该定位到文章的第二段。在文章第二段第四句中说：到1832年，女权主义成了Saint-Simonians学说关注的焦点。而学者对这个问题（the issue）是忽视的态度，对应lack of attention。作者认为忽视这一点是regrettable的，对应选项中的disapproval。因此答案选(B)。

Unit 16

选做

练习题目

决定我们一生的，不是我们的能力，而是我们的努力。

——曾润来
UIUC，微臣教育线下 400 题课程学员
2015 年 12 月 GRE 考试
Verbal 160

Passage 137

解释为什么死后成为超新星的星球数量少于人们的推测，并认为没有成为超新星的恒星变成了_____

原文翻译

❶直到最近，天文学家还在被红巨星以及超巨星的命运困惑着。❷当质量超过太阳当前质量（M☉）1.4倍的巨星的内核耗尽其核能时，它便支撑不住自身重量，塌缩成一个微小的中子星。❸在这次核的内爆过程中释放出的引力能会吹走大爆炸中的恒星——或称之为超新星——的残骸。❹由于所有星球中有大约50%的星球在形成初期的质量被认为大于1.4M☉，我们预计两个星球中就有一个以超新星的方式死去。❺但实际上，30个星球中只有一个会以这种暴亡的方式死去。❻其余星球以变成行星状星云这种更加平静的方式死去。❼很显然，大多数巨大的星球会丢掉足够的物质，从而使它们的质量在耗尽核燃料前降到1.4 M☉这个关键值以下。

❶支持这个观点的证据来自对于IRC+10216的观察，它是位于距地球700光年处一颗有规律跳动的巨星。❷人们通过环绕IRC+10216的云层里面氨（NH3）分子的红外观测推断出这个星球巨大的质量减少速率（每10,000年减少1M☉）。❸近期一氧化碳（CO）的微波观测显示出一个相似的损耗率，并且证明了逃逸的物质至少向外延伸1光年的距离。❹因为我们知道IRC+10216周围云层的大小，并且能利用我们观测NH3或CO的结果来测量逃逸速率，所以我们可以计算环绕星球云层的年龄。❺在过去的10,000年中，IRC+10216已经以分子和尘土颗粒的形式排出了相当于我们的整个太阳质量的物质。❻这意味着有的星球能够非常快速地丢掉大量物质，因此它们死后不会变为超新星。❼超新星的理论模型和数据以及行星状星云表明，形成初期质量约为6M☉的星球丢掉足够多的物质来使质量降到1.4M☉以下。❽例如，IRC+10216在生成后仅仅50,000年内将使质量降到1.4M☉以下，这段时间仅仅是它生命中的短短一刻。

❶但是IRC+10216在星球演化中处于什么地位呢？❷天文学家表示，像IRC+10216的星球实际上是"原始行星的星云"——古老巨星，其高密度的内核几乎但没有完全摆脱它们周围轻薄的气体层。❸星球一旦完全失去气体层，它暴露的内核便会变成行星状星云的中心星球，并且在最后剩余的气体层逃离到空间中的时候对其加热并离子化。❹这种构造是一个充分发展的行星状星云，对光学天文学家来说，一直很熟悉。

3s 版本

❶红巨星以及超巨星的命运困扰着科学家。

❷内核耗尽坍塌成中子星。

❸在质量降为1.4M☉之前耗尽能量会形成超新星。

❹有一半的恒星死后会变成超新星。

But ❺实际上只有三十分之一的恒星死后成了超新星。

小结：❷❸❹❺封装，超新星的数量与预测不一致。顺承❶所表达的困惑。

换对象❻大多数恒星会变成行星状星云。

❼在能量耗尽之前质量降为1.4M⊙会变成行星状星云。

第一段3s：坍塌变为超新星的恒星比人们认为的要少，这一点令人困惑。

❶ IRC+10216可以证明在能量耗尽之前质量降为1.4M⊙会产生行星状星云。

❷❸可以推算出IRC+10216的质量耗损速率。

❹知道IRC+10216的质量耗损时间。

❺ IRC+10216在过去10000年的质量损耗相当于一个太阳。

❻在能量耗尽之前质量降为1.4M⊙不会形成超新星。

❼❽ IRC+10216将需要50,000年用来将质量降为1.4M⊙。

第二段3s：IRC+10216证明了在能量耗尽之前质量降为1.4M⊙不会形成超新星。

But ❶ IRC+10216在星球演化中的地位是什么？

❷❸❹ IRC+10216是原始行星的星云。

第三段3s：IRC+10216是原始行星的星云。

全文3s版本：解释为什么死后成为超新星的星球数量少于人们的推测，并认为没有成为超新星的恒星变成了行星状星云。

📝 文章点拨

本文中用到的expire、die、implode、collapse都是恒星死亡的含义。本文主要谈论的是恒星演化过程的最后一个阶段——恒星死亡。根据恒星演化论，恒星核心质量小于太阳1.44倍的恒星将会演化为白矮星。核心质量大于1.44倍太阳质量而小于3.2倍太阳质量，整体为太阳8~15倍质量将演化为中子星，核心超过3.2倍太阳质量，演化为黑洞。

📝 例题讲解

Which of the following statements would be most likely to follow the last sentence of the passage?

下面哪个选项可以续写文章最后一句话？

答案： (D) It appears, then, that IRC+10216 actually represents an intermediate step in the evolution of a giant star into a planetary nebula. 那么，看起来IRC+10216实际上是巨星进化为行星状星云的中间过程。

解析： 根据文章最后一段，IRC+10216是原始行星状星云，因此它就是巨星进化为行星状星云的中间过程。

Passage 138

美国独立战争中_____人和_____人一样在争取_____

📝 原文翻译

❶多年以来，Benjamin Quarles所著的关于非裔美国人参与美国独立战争（American Revolution）中的重要论述，仍然是该领域中的杰出范例。❷根据Quarles的观点，这场战争的结果对于黑奴是复杂的，这些黑奴应召入伍参加英国的军队来反对美国人，是为了换取英国人所承诺的自

由：英国人奸诈地将许多参加战争的黑奴又倒卖到西印度群岛，而另一些奴隶则在加拿大和非洲获得了自由。❸基于Quarles对后者的分析的基础上，Sylvia Frey研究了迁移到加拿大的英国殖民地的黑奴。❹根据Frey的研究，这些难民——美国独立战争中最成功的非裔参与者——把自己看作是美国独立战争思想（ideological）的继承人。❺Frey看到，这种继承关系体现在，这些人和美国革命者向英国殖民者要求同样的权利：土地所有权、对仲裁机构的限制、对赋税的限制和宗教信仰自由。

3s 版本

❶ Quarles对于黑人参与美国独立战争的研究是杰出的。

❷ Quarles认为黑人参与独立战争使得一部分黑人在非洲和加拿大获得了自由，另一部分没获得自由。

❸ Frey研究了在加拿大获得自由的黑人。

❹ Frey认为这些获得自由的黑人把自己视作独立战争思想的继承人。

❺ 这些黑人要求在加拿大的更多自由。

全文3s版本：美国独立战争中在加拿大获得自由的黑人和独立战中的美国人一样在争取自由。

文章点拨

本文前两句话，Quarles给出了一个较完整的论述：一部分黑人自由了，另一部分依然没自由。其中自由的黑人又是居住于两个地方：非洲和加拿大。接下来Frey在Quarles基础上进行了更进一步的研究，研究了自由的黑人，而且是自由黑人中居住在加拿大的那一部分。

例题讲解

1. According to the passage, which of the following is true about the African American Revolutionary War participants who settled in Canada after the American Revolution?

    根据本文，下面哪项是关于在美国独立战争之后居住在加拿大的独立战争黑人参与者的正确选项？

答案： (E) They were more successful than were African American Revolutionary War participants who settled Africa. 他们比居住在非洲的美国独立战争黑人参与者更加成功。

解析： 本题定位到文章第四句：定居在加拿大的自由的黑人是独立战争中最成功的参与者。由此可知，相比于定居在非洲的获得了自由的黑人，定居在加拿大的更加成功。

2. Which of the following is most analogous to the relationship between the African American Revolutionary War participants who settled in Canada after the American Revolution and the American revolutionaries, as that relationship is described in the passage?

    下面哪一项最可以类比美国独立战争之后定居在加拿大的黑人独立战争参与者以及美国革命者之间的关系？

答案： (C) A child who has sided with a domineering parent against a defiant sibling later makes demands of the parent similar to those once made by the sibling. 一个小孩，这个小孩与一个喜欢支配别人的家长一起反抗一个不听话的姐妹，这个小孩之后开始给家长提和姐妹一样的要求。

解析： 原文中，American revolutionaries指美国人，African American Revolutionary War participants who settled in Canada指的是在独立战争之后定居在加拿大的非洲人，而这些非洲人一开始是帮英国人反对美国人的，但是后来这些非洲人开始给英国提出和美国人一样的要求。因此，(C)选项中的child类比定居加拿大的非洲人，parent类比英国人，sibling类比美国人。

Passage *139*

Griffith从_____，_____，_____以及_____等方面推动了电影的发展

原文翻译

❶实际说来，电影艺术的成熟是David W. Griffith（1875~1948）一手带动的。❷在Griffith之前，戏剧影片中的摄影技术仅仅是达到把演员放在静止的摄影机前面，并且当他们在台上时显示其全身影像。❸然而，在他的导演生涯初期，Griffith由于热爱Victorian时期的绘画，因此在摄影中运用了构图法（composition）。❹他设想，电影画面有一个前景和一个背景，当然还包括大多数导演喜欢的中景。❺到1910年，他用特写镜头（close-up）来展现场景或表演中的重要细节，并且用特长镜头（extreme long shot）来获得场面感和距离感。❻他对于电影可能性的鉴赏力产生了许多新奇的戏剧效果。❼通过把一个事件分割成多个片段并对每个片段用最适合的镜头位置进行拍摄，他得以在镜头之间变换侧重点。

❶Griffith还通过有创意的剪辑来实现戏剧效果。❷通过并排放置图像以及改变图像展示的速度和节奏，他得以随故事的发展来控制事件的戏剧程度。❸尽管他的制片人态度有些勉强，担心大众不能够接受由并排放置图像组成的情节，但是Griffith仍坚持己见，和其他日后成为行业标准电影语言元素一同进行试验。❹这些元素包括闪回镜头（flashback）、广泛的心理及情感上的探索、非正常时序的叙述以及为了增加悬念及刺激性的两个平行动作的交叉剪切。❺通过如此淋漓尽致地利用剪辑带来的种种可能性，Griffith将Victorian小说中的技法移植到电影里，并且展现了对电影在时间和空间上的驾驭能力。

❶除了发展电影语言之外，Griffith极大地扩展了（电影）主题的范围以及处理手法。❷他早期的作品显得十分兼容并蓄（eclectic）：作品不光包括了标准喜剧、音乐剧、西部影片以及恐怖片，还包括了对*Browning and Tennyson*文学作品的改编以及对社会问题的处理。❸他的野心随着他越来越多的成就而增长，同时美国电影也在成长。❹他在1911年重拍*Enoch Arden*时坚持认为，如此重要的题材无法在传统的一个盘片的篇幅之内得到充分展现。❺Griffith对美国制造的多盘片影片的引入引起了巨大的革命。❻两年之后，*Judith of Bethulia*这部精心制作的历史哲学片，运用了前所未有的四盘片，放映时间长达一个小时。❼从我们现代的观点来看，这部电影的自命不凡之处显得有点可笑，但是当时它引发了无休止的争论及讨论，并且让电影获得了文化上的巨大尊重。

3s 版本

❶ Griffith推动了电影的成熟。

时间对比❷ Griffith之前的电影没有构图。

However ❸ Griffith使用构图手法。

❹❺❻❼构图的具体方式。

第一段3s：Griffith使用构图的手法推动了电影的发展。

❶ Griffith使用有创意的剪辑。

❷ Griffith使用剪辑来控制事件的戏剧程度。

❸❹ Griffith使用的其他元素变成了标准规范。

❺ Griffith的剪辑展现了对电影的驾驭能力。

小结：❷~❺封装顺承❶。

第二段3s：Griffith使用有创意的剪辑推动了电影的发展。

❶ Griffith扩展了电影主题的范围以及处理手法。

❷ Griffith的作品兼容并包。

❸ Griffith的野心在增长，美国电影也在成长。

❹❺❻❼ 对于多盘片影片的引入带来了巨大的革命。

小结：❷~❼封装顺承❶。

第三段3s：Griffith扩展了电影主题范围以及处理手法。

全文3s版本：Griffith从构图、剪辑、涉猎主题以及处理手法等方面，推动了电影的发展。

文章点拨

本文是经典的顺子结构，段落之间没有出现转折。文章从三个方面来论述G对于电影事业的推动。

第一段是从构图的角度来进行说明。第二段从剪辑的角度进行阐述。其中第二句到第五句可以封装起来充当第一句中Griffith使用有创意的剪辑的例子。第三段从涉猎主题以及处理手法方面进行讨论。第一句总起，说了两方面内容：扩大电影主题以及扩大处理手法。其中第二句是扩大点睛主题的例子，第三句进行过渡，第四句到第七句则是扩大处理手法的例子。因此二到七句封装，充当第一句的例子。每段的说明中，都进行了G的方法与过去方法，或者对立思想的对比（比如，第二段producers的想法）。

例题讲解

It can be inferred from the passage that before 1910 the normal running time of a film was

从文章可以推断出来，在1910年之前，一部电影的时间是

答案：(A) 15 minutes or less 不超过15分钟

解析：定位到第三段第六句，用四盘片要放映一个小时，而以前的电影只有一盘片，因此长度应该不超过15分钟。

Passage **140**

需要研究_____

原文翻译

❶当我们考虑以往伟大的画家时，我们不能总是把有关美术和幻觉的研究分开。❷我说的幻觉是指对色彩、线条、形状等元素的推敲，这样的推敲引导我们把平面中的符号描绘成立体空间事物。❸我必须强调的是，我没为现在绘画中运用的幻觉手法做隐蔽或公开的辩护，尽管事实上我还是批判某些非写实的美术理论。❹但是争论这些观点会跑题。❺写实手法的发现及其影响是早期美术家的骄

傲，但是它现在变得不重要了，我对此一点也不会否认。❻可是我相信，如果我们接受与美术无关的时髦教条，那么我们就处于和以往的大师失联的危险中。❼目前对自然的写实被认为是司空见惯的原因就应该也是美术历史学家所极为感兴趣的。❽不管从什么意义上说，从没有出现过一个视觉图像如此廉价的时代。❾我们被海报、广告、连环画和杂志插画包围和困扰着。❿我们看到现实的方方面面被再现在电视、邮票以及食品包装袋上。⓫学校讲授绘画，练习绘画被当作消遣，并且许多普通业余爱好者掌握了一些在14世纪画家Giotto看来像魔术一般的技巧。⓬就算谷物盒上粗糙的色彩处理都会让与Giotto同时代的人惊讶不已。⓭可能有人会从这点得出谷物盒超越了Giotto的结论；我并不这么认为。⓮我认为写实技巧的胜利和普及美术历史学家和评论家提出了一个问题。

❶在这个方面，回忆一下希腊名言对我们有帮助，即"好奇是知识的开端，如果我们停止好奇，那么我们也会处于不再认识的危险之中。"❷我认为我们必须恢复好奇感，即对被形式、线条、阴影或色彩这些我们称之为"图画"的反映视觉现实的、神秘幻景所唤起的能力的好奇感。❸甚至连环漫画和广告，在被正确看待的情况下，都会为思想提供食粮。❹就像研究诗歌而不懂散文语言是不完整的一样，我认为美术的研究会愈发被探究视觉图像的"语言学"所补充。❺美术语言表达可见世界的方式多么显而易见，又多么神秘，以至于除了艺术家之外，大多数人还是对其了解甚少，而艺术家们就像我们使用所有语言一样地使用它（指视觉图像的语言学），不需要知道它的语法和句法。

⬇ 3s 版本

❶幻觉和艺术都需要研究。

❷幻觉的定义。

小结：应该研究幻觉。

❸幻觉不好。

But ❹应该研究幻觉。

小结：❸❹封装，与❷取同，应该研究幻觉。

❺写实已经不重要了。（言外之意是幻觉重要，因此❺和❹顺承）

Yet ❻写实重要。

❼应该研究写实已经司空见惯的原因。

❽❾❿⓫写实司空见惯的例子。

小结：❽❾❿⓫封装，与❼顺承，应该研究写实已经司空见惯的原因。

⓬⓭有些人关注于写实会超过Giotto。

But ⓮我认为应该研究写实的司空见惯。

小结：⓬⓭⓮封装，与⓫取同，应该研究写实的司空见惯。

第一段3s：应该研究写实。

❶人要保持好奇心。

❷恢复对于写实的好奇心。

❸研究写实。（本句中comics和advertisements与第一段第❾句中的comics和advertisements是一样的，都指示"写实"）

❹对于写实的必要性给出类比。（本句中的"linguistics"指代第❷句的"forms, lines, shades, or colors"）

❺需要研究写实。

第二段3s：需要研究写实。

全文3s版本：需要研究写实。

文章点拨

本文中的同义替换：

司空见惯：commonplace, so cheap, surrounded, assailed, vulgarization

写实：representation, visual image, reality, posters, advertisements, comics, magazine illustrations, television, postage stamps, food packages

好奇：should be of the greatest interest, create a problem; marvel; wonder at

例题讲解

Which of the following can be inferred from the passage about the adherents of "certain theories of nonrepresentational art"?

下面哪一项可以推测出来关于对"某些非表现主义艺术"的支持者？

答案：(A) They consider the use of illusion to be inappropriate in contemporary art. 他们认为幻觉的使用在当代艺术中是不合适的。

解析：本题定位于第一段第三句。第三句主句是"反对幻觉"，为负，因此让步的从句应为"支持幻觉"，为正。让步句子有critical of，因此"反对这些理论"是正向的，而"支持这些理论"就应该是负向的，即认为幻觉不好，所以选(A)。

Passage 141

腕足动物_____

原文翻译

❶在史前时代，腕足动物（brachiopod）是世界上最大量、最多样的生命形式之一：根据化石提供的信息，人类记载了超过30,000种类似蛤蜊的物种。❷现在腕足动物不像之前那么多，且现存物种没有被很好地研究，一部分是因为它们的内在肉状组织和壳没有商业价值。❸此外，和大量灭绝的物种不同的是，已知存活的大约300种物种在外观上相对单一。❹许多动物学家把这作为一个腕足动物无法在进化斗争中战胜其他海洋生物的信号。

❶然而，有几件事情表明这个传统的观点需要修正。❷例如，舌形贝属腕足动物（Lingula）有从5亿多年前延续到现在的、不间断的化石记录。❸因此，如果能长期生存是物种成功的标准的话，那么腕足动物是现存最成功的物种。❹另外，最近的研究表明，物种的多样性与其承受例如海底泥土取代沙层的环境变化的能力相比，不是那么重要。❺在现存腕足动物中，相对较高的统一性也许能针对环境变化对其提供更强的保护，因而这种统一性展现高度成功的适应性行为。

❶考虑到腕足动物长期聚集在单一海底底层而导致的特化（specialization）过程，我们就可以看出它们的一致性适应优势。❷那些可以在多种地表上生存的物种叫普适性物种（generalists），而那些只能在海底底部有限区域内的物种称为专一性物种（specialist）。❸例如，一个专一性物种在其底部有用来加大重量的瓣膜（valve），这个特征保证生物体粘在泥土以及相似海底底层上适当的位置，以满足取食的要求；其他物种分泌黏液，这些黏液把它们粘在水下峭壁上使其生存下去。❹化石记录显示出，大多数腕足动物家族遵循特定的特化方向。❺然而，在环境不稳定的时期，即专一性生物已经适应的某块海底底部不复存在时，这些生物很快会灭绝。❻可是，普适性物种不依赖于某一种海底底部，因此它们对于环境变化不那么脆弱。❼一个有关化石记录的研究显示，海底沉积物由白垩变为泥土之后，大量腕足动物灭绝。❽在白垩中发现的35个腕足物种中，只有6种在泥土中存活，且存活的都是普适性物种。

❶只要有足够多的普适性物种，并且北冰洋和亚北冰洋表明普适性物种是那里海洋群落的主要成员，那么腕足门动物看起来不太可能濒临灭绝。

3s 版本

❶史前腕足动物多。

❷现在数量少。

❸现存物种多样性小。

❹竞争力不行导致物种数量变少。

第一段3s：竞争力不行导致物种数量变少以及多样性降低。

However ❶否认第一段中的观点。

❷ Lingula的化石一直都存在。

❸从寿命的角度来看，腕足类很成功。

小结：从寿命的角度来看，腕足类很成功。

❹衡量多样性不如衡量对于环境变化的抵御能力。

❺多样性小反映出抵御环境变化的能力强。

小结：多样性小反映出抵御环境变化的能力强。

第二段3s：否认第一段观点。

❶腕足动物种类单一。

❷专一性物种（specialist）和普适性物种（generalists）的差异。

❸❹介绍专一性物种。

However ❺专一性物种不行。

❻❼❽普适性物种强。

小结：❸❹❺❻❼❽封装到一起顺承❷。

第三段3s：普适性物种生存能力强。

❶普适性物种不会灭绝。

第四段3s：普适性物种不会灭绝。

全文3s版本：腕足动物不会灭绝。

📖 文章点拨

1. 文章最后一句中"phylum"一词的推断

方法1：phylum一词之前有定冠词the，则表示所指代的内容在前文一定出现过，一定与腕足类动物有关。

方法2：根据段间关系推断，第三、四段是顺承关系，则两段应该都是在讲腕足类动物，phylum不可能指其他的动物。

界门纲目科属种的英文说法：kingdom（界）、phylum（门）、class（纲）、order（目）、family（科）、genus（属）、species（种）。

2. 本文主旨的推断

第一段中出现了时间的对比，在过去腕足类动物很多，而现在腕足类变少，因此未来的趋势一定是在说腕足类会灭绝。但是第二段However将第一段取反，因此全文最终写作目的是为了说明腕足类不会灭绝。

📖 例题讲解

In the passage, the author is primarily concerned with

本文主要写作目的是

答案： (B) reevaluating the implications of uniformity among existing brachiopod species 重新评价在现存腕足类动物中一致性的含义

解析： 本选项中implications有两方面含义：腕足类因为竞争力不行而数量下降；腕足类会灭绝。本篇文章从第二段开始就在反驳这两方面内容。

Passage 142

_____导致_____存在周期

📖 原文翻译

❶在过去的100万年中，地球气候平衡变化了8次，这使得山上的雪和北部高纬度地区的积雪终年积而不化。❷每一次，雪积聚而形成巨大的冰盖持续上万年，直到冰河期结束时带来温暖的气候。❸科学家推测，这些冰河周期最终是由天文因素导致的：地球轨道离心率（eccentricity）的慢速周期变化，以及地球自转轴倾斜方向的慢速周期变化。❹但是直到约30年前，由于缺少地球冰河时期时间的独立记录，这个假设变得不可验证。

❶之后在20世纪50年代，Emiliani完成了有关之前冰河时期第一个全面记录。❷这个记录在一个看起来很奇怪的地方——海底找到的。❸单细胞海洋生物"有孔虫"（foraminifera）寄生在碳酸钙构成的贝壳里。❹当有孔虫死亡沉到海底变成海底沉积物的一部分时，它们贝壳中的碳酸盐保留了它们生存的海水的某些特性。❺特别的是，贝壳中氧元素更重的同位素（氧-18）和一般氧元素（氧-16）的比例与水分子中这两种氧元素的比例相同。

❶人们现在了解到，海水中氧元素同位素（isotopes）的比例可以近似反映世界上冰川和冰盖内水的比例。❷一种气象蒸馏方法可以解释二者之间的联系。❸含有较重同位素的水分子往往比含有较

轻同位素的水分子更容易凝聚，并以降水的方式落下来。❹因而，当水蒸气从温暖的海面蒸发而远离海面，水中的氧-18比氧-16更快回到海中。❺在远处冰盖和山里冰川上的降雪中几乎没有氧-18。❻随着含有较少氧-18的冰的堆积，海洋中氧-18的含量变得相对丰富。❼冰盖长得越大，海水中氧-18的比例就越高——因而沉积物中氧-18比例也越高。

　　❶通过分析从海底沉积物钻出的芯，Emiliani发现同位素比例的起伏和地球的天文周期大致吻合。❷由于他的开辟性观察，人们在上百种芯中测量氧同位素的含量。❸一个综合记录的编年史使得科学家得出结论，即芯的记录和地球轨道的周期恰好相同。❹在过去的800,000年中，全球冰量每100,000年达到极大，这与地球轨道离心率变化周期相符。❺此外，每个周期上面的"褶皱"——冰量的小幅起伏——的间隔大致是23,000和41,000年，这与岁差以及地球自转轴的倾斜频率相符合。

3s 版本

❶❷地球气候存在周期。

❸天文学因素导致这种周期。

But ❹无法验证。

第一段3s：无法验证是天文学因素导致地球气候存在周期。

❶ Emiliani找到了完整的记录。

❷❸❹❺通过海底沉积物中氧同位素比例来研究水分子中氧同位素比例。

第二段3s：记录的发现方法。

❶氧同位素的比例可以反映冰中水的比例。

❷❸❹❺❻❼具体描述其中原理。

第三段3s：氧同位素的比例可以反映冰中水的比例。

❶❷❸❹❺同位素与天文周期同步。

第四段3s：同位素与天文周期同步。

全文3s版本：天文学因素导致地球气候存在周期。

文章点拨

本文如何用氧同位素的比例得到地球周期的？

　　理解这个问题最重要的一句话是第三段第七句：冰盖长得越大，海水中氧-18的比例就越高。冰盖大说明气温低，同时根据第二段，我们可以通过海底沉积物中氧-18的比例来推断某一时期海水中的氧-18比例，进而倒推当时的全球温度。根据最后一段，人们得到很多沉积物样本后，会发现在地球气候历史上，氧-18的变化周期与地球的天文学周期是一致的。

例题讲解

According to the passage, the large ice sheets typical of glacial cycles are most directly caused by
根据本文，冰山循环中典型的大型冰川是由什么最直接导致的？

答案： (E) the continual failure of snow to melt completely during the warmer seasons in northern latitudes and in mountainous areas 在暖季中雪不能持续地完全融化在高纬度地区和山区

解析： 本题定位到文章第一段的前两句。第一句讲积雪终年积而不化是形成冰山的原因。第二句则告诉我们这种大冰川是冰川循环中典型的冰山。因此(E)是正确的。

Passage 143

HDR_____

原文翻译

❶地球地壳岩石中储存的能量代表了一个近似无限的能量源，但是直到最近商业回收工作还只局限于开发地下热水以及/或地下蒸汽回收系统。❷这些系统在最近发生火山活动的区域中被开发出来，这些区域中高速率的热流引发了可见的、以喷泉和热温泉形式喷发的水。❸然而在其他区域中，热岩石也存在于靠近水面的地方，但是没有足够的水来产生喷发的现象。❹因此，当那些自发产生的地热流被认为不足以满足当前商业系统需要时，一个潜在的干热岩石（HDR）库就产生了。

❶由于近来的能源危机，建立HDR恢复系统的新概念——包括钻洞和把HDR和深层地壳中的人工储存库连接起来——正在逐渐发展。❷所有尝试从HDR里提取能量的努力，都需要人工刺激来产生足够大的渗透性或是建造封闭的流道，以推进通过岩石表面的流体循环来回收热能。

❶ HDR源区通常指含有温度高于150℃的地壳岩石、其深度不小于10千米、并且可以用当前可以得到的设备来钻探岩石。❷尽管钻探深于10千米的热源井在技术上是可行的，但流行的经济因素显然会决定那种深度钻探的商业可行性。❸温度低到100℃的岩石也可以用作空间加热；然而，如果为了产电，需要高于200℃的温度。

❶用来专门决定钻探到预定温度所需深度的地热梯度（geothermal gradient）在地热能回收中是一个重要因素。❷从美国石油地质学家协会记录的油气热源井的温度——深度数据中得到的温度梯度图表明，可开发的高温度梯度区域遍布全美。❸（然而，有很多地区不存在温度梯度记录。）

❶有迹象表明，HDR源区很大。❷如果平均地热温度梯度为每千米深度22℃，那么美国10公里深度的地壳岩石所含总能量为13000000亿亿英国热量单位的热能，这令人十分惊讶。❸如果我们做一个保守估计，即这些能量中只有0.2%可以被重新利用，这部分能量相当于美国所有剩余煤炭燃烧所释放的能量。❹剩下的问题是如何平衡好更深、更热、更昂贵的热源井与更浅、更冷、更便宜的热源井这二者与最终产品价值的关系。

3s 版本

❶商业系统的开发是有限的。

❷这些热流是自发的。

however ❸有的地方热流不自发。

❹不自发的地方有HDR。

第一段3s：介绍HDR的背景。

❶能源不够了，需要HDR。

❷ HDR需要人工刺激。

第二段3s：需要使用HDR。

❶ HDR勘探的条件。

❷❸经济因素决定HDR勘探条件。

第三段3s：经济因素决定HDR勘探条件。

❶地热梯度决定钻探深度。

❷可开发的高温度梯度区域遍布全美。

第四段3s：地热梯度是勘探HDR的另一个因素。

❶❷❸美国HDR能量巨大。

❹要平衡经济价值。

第五段3s：美国HDR经济价值巨大。

全文3s版本：HDR蕴含巨大经济价值。

📖 文章点拨

bound的用法

① 必然会 If you say that something is bound to happen, you mean that you are sure it will happen, because it is a natural consequence of something that is already known or exists.

【例】However, any interpretation that seeks to unify all of the novel's diverse elements is bound to be somewhat unconvincing. 然而，任何想要将小说所有不同元素统一起来的解读都注定是不令人信服的。

② 位于…的界线周围 If an area of land is bounded by something, that thing is situated around its edge.

【例】In all attempts to retrieve energy from HDR's, artificial stimulation will be required to create either sufficient permeability or bounded flow paths to facilitate the removal of heat by circulation of a fluid over the surface of the rock. 所有尝试从HDR里提取能量的努力，都需要人工刺激来产生足够大的渗透性或是建造封闭的流道，以推进通过岩石表面的流体循环来回收热能。

③ 界限 Bounds are limits which normally restrict what can happen or what people can do.

【例句】Law sets bounds to power. 法律约束权力。

📖 例题讲解

The primary purpose of the passage is to

本文主旨是

答案： (A) alert readers to the existence of HDR's as an available energy source 提醒读者HDR作为一种可以得到的能量来源的存在。

解析： 本文3s版本是HDR蕴含巨大经济价值。于是引起读者对于HDR的注意便是这篇文章的主要目的。

Passage

搞清楚_____和_____之间的差异很重要

原文翻译

❶人们可能会理所当然地想，每一个黑人作家都熟知黑人的经历。❷Henry James仔细考虑了一个类似的假设，他说："你注定要经历你的命运。那并不是说你就理解自己的命运。"❸在亲身经历和对亲身经历的理解之间的差异是艺术家需要跨越的最长的桥梁。❹Don L. Lee在他生动地描写黑人诗人"研究自己以及其他黑人的诗歌"时曾涉及这个关键点。❺为了将他自己作为黑人的苦难——或是喜悦——转变为对读者来说有用的认识，黑人作家首先必须要把脑海中的经历梳理一遍。❻只有这样他才能将黑人读者要重新探索的生活所需的事实以及意义富有感情地、前后一致地表达出来。❼一个由黑人作家组成、系统研究其他作家最好作品的文化团体展现出一种有活力的精神交流，这种用记载文字表达的交流有纠正和教育的意义，并且会变得越来越美丽。

3s 版本

❶人们认为黑人作家理解黑人经历。

换对象❷ James认为黑人作家不理解黑人经历。

❸❹❺❻❼在亲身经历和对亲身经历的理解之间有差异。

❽搞清楚这种差异有重要意义。

全文3s版本：搞清楚亲身经历和对亲身经历的理解之间差异有重要意义。

文章点拨

1. 本文中的同义改写

经历：experience, suffer your fate

理解：know, knowledge

2. 阅读中插入语的解决办法

GRE阅读中插入语经常存在，通常表现形式为在两个逗号中间或者在两个破折中间。而其存在的唯一目的就是使句子变长，增加句子阅读难度。针对阅读中的插入语通常有两种处理方式：忽略和回读。

可以忽略的插入语通常含义为"正如…所说"，例如：

① The black experience, one might automatically assume, is known to every Black author.

针对这句话，插入语完全可以忽略，它存在的意义就是分裂句子完整结构，增加阅读难度。

② In order to transform his own sufferings—or joys—as a Black person into usable knowledge for his readers...

本句话中两个破折号中间的"or joys"读不读对于理解文章不会产生影响，因此可以忽略。

然而有的插入语除了会增加句子阅读难度，同时还表明某些细节，会在文章后面出现细节题。针对这种插入语，在阅读的时候先跳过，阅读句子的主干内容，再回读插入语，记住这些细节在文章出现的位置，若在后面遇见定位到本句的细节题，则可直接通过同义改写做题。例如：

But recent studies of memory performance after sleep—including one demonstrating that sleep stabilizes declarative memories from future interference caused by mental activity during wakefulness—make this claim unsustainable. 但是最近的关于睡眠之后记忆表现的研究——包括一个研究证明了睡眠可以巩固描述性记忆使其免受醒着的时候有精神活动所导致的未来的干扰——使得这一观点站不住脚。

在阅读这句话的时候可以暂时先跳过破折号中间的插入语，先读句子的主干知道这句话削弱了之前的一个观点。之后再回读破折号内容，知道是详细描述最近的实验成果。

例题讲解

The author refers to Henry James primarily in order to
作者提出Henry James最主要的目的是

答案： (A)support his own perception of the "longest bridge" 支持他自己的观点关于"最长的桥梁"

解析： 本题属于句子功能题，正确选项应该是定位句的3s版本。Henry James在这篇文章中起到的作用，就是为了引出作者自己的观点。而作者观点的3s版本就是理解与经历之间存在差异，因此选(A)。

Passage 145

应该支持_____

原文翻译

❶对于地球扩张的假设从来都没有得到有力的支持，并且要不是历史上有大陆漂移学说，这种冷漠的态度也许是对一个明显不合理观点的一个合理反应。❷然而，我们应该记住的是，板块漂移学说曾经也被认为是虚无缥缈的，但在物理学家的证据迫使地理学家重新解释他们的数据之前，这种思想一直活跃着。

❶当然，通过断定目前大众对扩张学说的认识是错误的，从而对历史产生过激反应，这与重新支持大陆漂移学说的回应一样危险。❷这个例子不是精确的类比。❸漂流学说之前的、对世界形成的观点中几个严重的问题，可以用漂流学说解决，可是地球扩张学说似乎没有提供类似的好处。❹然而，如果物理学家能够表明地球的引力是随着时间减少的，扩张学说就要被重新考虑和接纳。

3s 版本

❶地球扩张的假设没有得到支持。

However ❷应该支持。

第一段3s：应该支持地球扩张的假设。

❶❷❸大众忽略地球扩张假设。

however ❹扩张假设应该被支持。

小结：❶~❹封装，顺承上一段。

第二段3s：扩张假设应该被支持。

全文3s版本：扩张假设应该被支持。

📖 文章点拨

两段之间为顺承关系，两段3s版本均为"应该支持地球扩张的假设"。但是第二段的前三句反而在说地球扩张假设可以不受支持，这是因为第二段第一句是由of course引导的让步句，接下来的第二、三句与第一句顺承，因此前三句的3s版本均为地球扩张假设可以不受支持。接下来第四句由however引导，前后取反，3s版本为应该支持地球扩张假设，因此最终第二段3s版本为"应该支持地球扩张的假设"。所以第二段的前三句没能顺承第一段是因为出现了of course引导的让步，面对这种情况，我们只需将让步的句子同转折的句子"封装"到一起，同更前面的一句话取同即可，放到本文中，则是第二段所有四句话封装后与第一段取同。除了of course，同样具有让步含义的表达还有"it is true that..., certainly..."。

📖 例题讲解

It can be deduced from the passage that the gravitational force at a point on the Earth's surface is
从文中可以推断出来，地球表面某一点的引力是

答案: (D) proportional to the size of the Earth 与地球体积成比例的

解析: 本题定位到文章最后一句：如果能说明地球引力随着时间而减少，那么扩张学说就应该被重新考虑。
既然地球在逐渐扩张，进而导致引力变小，因此可以推出地球引力是与地球体积成比例的。

Passage  146

人与动物的行为（能/不能）进行类比

📖 原文翻译

❶黑猩猩和儿童，海鸥和希腊人（注：也可译作"傻子和骗子"）——动物行为学家愉快地把人类文化行为的每一点和被基因控制的动物行为的每一点进行比较。❷确实，人类是动物；人类与其他动物共享某些相同的结构特征，并且某些人类行为和其他动物的行为类似。❸但是如果我们不能考虑到产生这种特殊行为的环境，那么这种相似性可能带有严重的误导性。❹因此动物形态学家把鸬鹚送树枝的行为和人类送礼物的行为做比较。❺可是鸬鹚送树枝的行为仅仅为了减少攻击性，并且这种行为可以和许多物种中其他抚慰仪式类似。❻人类送礼物的行为不光在不同文化中有形式和目的的差别，并且在同一种文化中的不同社会背景下也有所差别。❼这种行为中所有重要的部分都来源于社会背景。❽因此，在他们把人类作为文化个体研究之前，没有取得太大进展——除了提醒我们：我们是动物。

📖 3s 版本

❶动物行为学家将人类行为和动物行为进行比较。
❷人类行为和动物行为有相似之处。
But❸这种比较要放在特殊行为环境中。

❹❺❻❼鸬鹚送礼的行为和人类送礼的行为不同。

❽要将人类作为文化个体进行研究。

全文3s版本：人与动物的行为不能进行类比。

📝 文章点拨

文章的前两句说动物行为学家认为人的行为和动物的行为是类似的。第三句用But对上面的观点进行了否定，告诉我们应该考虑行为的环境。之后的第四句到第七句用鸬鹚送礼物的行为阐释了其实动物和人类之间的行为并不是完全相同的，要考虑行为背后的社会背景。最后文章给出结论，应该把人类作为文化个体来进行研究。

📖 例题讲解

The author is primarily concerned with

本文主旨是

答案：(E) arguing that the ethologists' assumption that human behavior can be straightforwardly compared with animal behavior is invalid 作者主要认为动物行为学家关于人类行为可以直接与动物行为比较的假设是无效的

Unit 17

选做

练习题目

GRE 是一场艰难的战斗，每当想要放弃，就激励自己，再坚持一下，所有的付出都有回报！

——黄君怡
哈尔滨工业大学，微臣教育线上课程学员
2016 年 11 月 GRE 考试
Verbal 161

Passage 147

Tolstoi的作品是_____的

❶"杰作是无声的，"Flaubert写道："它们像大自然的产物一样有安静的一面，就像大型动物和山脉一样安静。"❷这时Flaubert也许想到了*War and Peace*，这是一部巨大的无声作品，它深不可测、单纯朴素，通过其庄严的存在引发无尽的问题。❸Tolstoi的朴素，如评论家Bayley所说的，是"不可抗拒的、令人不安的"，因为这种朴素来自于"他那漫不经心的假设：世界就是他看到的那个样子"。❹像其他19世纪俄国作家那样，Tolstoi 是"令人印象深刻的"，因为他"所说即所想"，但是他和所有其他俄国作家及多数西方作家不同之处在于，他完全同生活融为一体，以至于我们忘记了他是一个艺术家。❺他本人就是他作品的中心，但是他的自我中心是与众不同的。❻像Bayley所说的，Goethe"只关心他自己"，而Tolstoi"除了他自己，什么也没有"。

❶尽管他的写作方式多样、人物性格多样，但Tolstoi与他的作品是一致的。❷在*Confession*中，他感人地描述了中年时著名的"转变"，这是他早期精神生活发展的顶峰，而不是对他早期精神生活的背离。❸从史诗记叙文转变到道德说教的寓言，从欢乐的生活态度转变到悲观主义和愤世嫉俗的生活态度，从*War and Peace*转变到*The Kreutzer Sonata*，这种明显的改变源于一个独立的、渴望从经验中获得真理的，同样焦躁不安、易受影响的心灵。❹Tolstoi在青年时期一篇报道Sebastopol战斗的文章中写道："真理是我的英雄。"❺真理一直是他的英雄——是他自己的真理，而不是别人的真理。❻别人敬畏Napoleon，相信个人能改变国家的命运；别人遵守无意义的宗教仪式，按照已确定的艺术标准形成自己的品位。❼Tolstoi则把所有这些偏见通通翻转过来；在每一个翻转中，他推翻"制度"、"机器"，推翻外来规定的信条，推翻常规的行为，主张无秩序、冲动的生活，主张独立思考的内在动力和解决方法。

❶在他的作品中，假与真总是表现为鲜明的对立：人们认为伟大的Napoleon跟真正伟大但被人忽略的、渺小的Tushin上尉相对立，或者Nicholas Rostov的实战经验同后来他对战役的报道相对立。❷单纯朴素总是同精巧复杂对立，通过观察得来的知识同源于他人信念的主张对立。❸Tolstoi神奇的单纯朴素就是这种对立的产物；他的作品是有关向自己提出问题并在探索中找到答案的记载。❹他的小说中最主要的人物就是进行这种探索的例证，人物的幸福取决于找到答案的程度。❺Tolstoi希望得到幸福，但他希望得到的只是来之不易的幸福，那种只能通过努力换取的、作为奖赏的、感情上的充实和智力上的净化。❻他看不起廉价的满足。

❶杰作是无声的。

❷*War and Peace*是无声的、朴素的。

❸❹Tolstoi的朴素来自于他与外界融为一体。

❺❻Tolstoi的自我中心与众不同，因为他与外界融为一体。

第一段3s：Tolstoi写作中的朴实无华来自于他与世界融为一体。

❶Tolstoi与他的作品是一致的。

❷Tolstoi的转变不是之前思想的背离。

❸❹❺Tolstoi的转变源于不变地对真理的渴望。

❻其他人会受到外界影响。

换对象❼Tolstoi是坚持真理独立思考的。

第二段3s：Tolstoi对于坚持对于真理的追求。

❶❷Tolstoi的作品里面体现着对立。

❸Tolstoi的朴素来自于作品的对立。

❹❺❻Tolstoi的小说主人公就是幸福和努力的对立。

第三段3s：Tolstoi的作品是单纯朴素的，是对立的产物。

全文3s版本：Tolstoi的作品是单纯朴素的。

📝文章点拨

1. 在文章第三段里面，出现了大量的表示对比含义的表达，这些表达非常精彩，甚至都可以改编成为GRE填空题目。具体如下：

In his work the artificial and the genuine are always exhibited in dramatic (i)_____: the (ii)_____ great Napoleon and the truly great, unregarded little Captain Tushin, or Nicholas Rostov's actual experience in battle and his later account of it. The simple is always pitted against the (iii)_____, knowledge gained from observation against assertions of borrowed (iv)_____.

第(i)空的方程等号是are，are前面说他的作品里面有artificial和genuine，既有假，也有真，所以作品是一个对立，空格(i)填opposition。空格(ii)，冒号前后相同，冒号前面说有对立，后面应该也是对立，所以空格(ii)和truly取反，表示"不是真正地"，填supposedly。第(iii)空的方程等号是pitted against，其实作用相当于之前的opposition，前后取反，所以空格(iii)和simple根据pitted against取反，填elaborate。第(iv)空的方程等号是against，前面的强词是observation，空格应该和observation取反，所以填faith。

所以这一段话中，一共出现了假和真的，被认为的伟大和真正的伟大，真实的战斗经历和事后的描述，简单和复杂，观察得来的知识和来自于宗教的言论，一共5组对立。

2. nothing but与anything but

① nothing but

nothing和but个相当于一个"负号"，负负得正，因此nothing but相当于only，中文就翻译成"只是"。例如本文第一段最后一句：Tolstoi was nothing but himself，本句就相当于Tolstoi was only himself。

② anything but：anything相当于"正号"，but相当于"负号"，因此anything but相当于"负号"，等于not。

【例句】Her actual relationship to her art was anything but superficial.

【改写】Her actual relationship to her art was not superficial.

【译文】她对于艺术作品的态度绝对不是肤浅的。

Passage 148

Thomas Hardy对创作中的冲动_____

原文翻译

❶作为一名作家，Thomas Hardy倾注于其小说中的创作冲动数量众多、不尽相同，并且它们并不总是和谐一致的。❷在某种程度上，Hardy感兴趣的是探索他笔下人物的心理，尽管他更多是被同情心而非好奇心驱使。❸他偶尔会感觉到创作喜剧（以全部的超然冷静）和闹剧的冲动，但他更经常倾向于看悲剧并将其记录下来。❹从"现实主义文学"这个短语的若干层面上来看，他也倾向于这种风格。❺他想描绘普通人；他想理性地（但不幸的是，甚至按计划地）思考他们的困境；他想精确地记录物质世界。❻最后，他不想单纯成为一名现实主义作家。❼他想超越他所认为的那种仅仅精确记录事物的平庸做法，并想表达他对超自然事物和奇异事物的认识。

❶在他的小说中，不同的创作冲动经常不可避免地为彼此牺牲。❷"不可避免"是因为Hardy不去关心Flaubert和James这些小说家所关心的创作方式，所以他选择了费力最少的创作道路。❸因此，一种创作冲动经常屈服于更加新鲜的创作冲动，不幸的是，原先的创作冲动并没有与新的创作冲动妥协，而是直接消失了。❹一种从未实现的理解现实的冲动，很有可能突然会给这样一种冲动让路，我们可不妨将这种冲动看作科学小说家精确、具体地记录一朵花的结构和纹理特征的冲动。❺在这种情况下，新的创作冲动至少是充满活力的，所以作家沉浸于其中并不会创作出一种松散的作品风格。❻但在其他情况下，Hardy会抛弃那种充满风险的、冒险的和极富活力的创作冲动，转而支持那种对他来说致命的、松散的创作冲动，来抽象地进行分类和用图表表述。❼当他沉浸在松散的创作冲动中时，他的作品风格——作家文学价值的可靠指标——一定会变得冗长。❽Hardy的缺点一方面来自于他没有能力控制好不同创作冲动的来来往往；另一方面来自于不愿意去培养和维持那些充满活力、充满风险的创作冲动。❾他向第一种创作冲动屈服，然后又向第二种创作冲动屈服，而他的创作灵感则飘忽不定；因此，他的每一部小说都显得参差不齐。❿他最具有控制力的小说*Under the Greenwood Tree*明显地展现出两种截然不同但仍可融合的创作冲动——要成为现实主义作家及史学家的欲望，以及要成为爱情心理学家的欲望——但小说情节的互相衔接过于微弱，难以将这两种创作冲动全然融为一体。⓫因此，即使是这部作品也分裂成为两个独立的部分。

3s 版本

❶ Thomas Hardy的创作冲动多样而不和谐。

❷ Thomas Hardy好奇角色的心理，但不是由好奇心驱使。

❸ Thomas Hardy在创作喜剧和悲剧冲动是矛盾的。

❹❺ Thomas Hardy有现实主义文学的冲动。

❻❼ Thomas Hardy不仅仅是一个现实主义作家。

封装 ❹~❼ 可以封装到一起，体现出Hardy对现实主义创作冲动的矛盾情绪。

封装 ❷~❼ 可以封装到一起，和第❶句取同，表明Thomas Hardy的创作冲动多样而不和谐。

第一段3s：Thomas Hardy的创作冲动多样而不和谐。

❶ Thomas Hardy的不同创作冲动需要彼此牺牲。

❷❸❹他选择了费力最少的创作方式——让新的冲动取代原有的冲动。

❺在有活力的冲动的情况下，Hardy文章不松散。

But ❻当放弃活力的冲动时，Hardy的文章松散。

小结：❺~❻封装，体现Hardy的文章松散。

❼ Hardy沉溺于松散的冲动时，他的作品很冗长。

❽ Thomas Hardy的缺点的两个来源。

❾ Thomas Hardy的每一部小说都参差不齐。

❿⓫他最好的小说也是不合格的。

第二段3s：Thomas Hardy对于创作中的冲动缺乏控制力。

全文3s版本：Thomas Hardy对于创作中的冲动缺乏控制力。

◎ 文章点拨

与light有关的短语

① shed/throw/cast light on 阐明、帮助理解

【例】An understanding of the functions and capabilities of these three systems can shed light on how artists manipulate materials to create surprising visual effects. 理解这三个系统的效用和能力能够帮助我们理解艺术家是怎么通过操纵材料来创造令人惊讶的视觉效果的。

② in (the) light of 考虑到、根据

【例】Only in the case of the February Revolution do we lack a useful description of participants that might characterize it in the light of what social history has taught us about the process of revolutionary mobilization. 只有在二月革命这个例子中我们缺乏对于参与者的有用描述，而基于社会历史有关革命动员过程能教给我们的内容，这些描述有可能勾勒出这场革命的性质。

③ bring to light 让人知道

【例】Is the author's purpose in writing this passage primarily to bring to light previously overlooked research on Mexican Americans? 作者写本文的主要意图是不是要向世人展示曾经被忽视的有关墨西哥裔美国人的研究？

④ throw light over 理解、启迪

【例】A desire to throw over reality a light that never was might give way abruptly to the desire on the part of what we might consider a novelist-scientist to record exactly and concretely the structure and texture of a flower. 一种从未实现的理解现实的欲望，很有可能突然会给这样一种欲望让路，我们可不妨将这种欲望看作科学小说家的欲望，即去精确、具体地记录一朵花的结构和纹理特征。

◎ 例题讲解

1. Which of the following is the most appropriate title for the passage, based on its content?
根据文章，下列哪个选项作文章的标题最合适？（主旨题）

答案：(D) Hardy's Novelistic Impulses: The Problem of Control Hardy 的小说创作冲动：控制的难题

2. Which of the following words could best be substituted for "relaxed" without substantially changing the author's meaning?

下列哪个单词在不改变作者原意的情况下替代"relaxed"最合适？（词汇题）

答案：(D) wordy 冗长的

解析：第二段第五句中出现了relaxed style这一概念，本句说如果Hardy采用了energetic impulse，就不会有 relaxed style。之后第六、七句说，如果不用energetic impulse，Hardy的风格就会变得verbose。所以这 里的relaxed = verbose = wordy。

Passage  149

Nahuatl语言可以表达_____

🔽原文翻译

❶古代美国人的语言是否被用来表达抽象概念，这一点在Nahuatl语言中得到清晰的回答。 ❷Nahuatl语言就像是希腊语和德语一样，是一门允许形成大量复合词的语言。❸通过词根或者语义 元素的结合，单个复合词可以表达出复杂的概念关系，这些概念通常会有抽象的普遍化的特征。

❶ tlamatinime人（"智者"）能够使用大量抽象术语去表达他们思想中的细微差别。❷他们也 可以使用其他形式的有隐喻含义的表达法，有的来自原创，有的是Toltec的发明。❸在这些形式中， Nahuatl语言最有特色的是两个单词的并列，因为这些词是同义词、关联词、甚至是反义词，所以可 以互相弥补来表达单一的想法。❹这些并列词被以隐喻的方法使用，这些词可以表达它们所指的物体 的特定或本质的特征：引入一个特定的诗歌形式作为一种习惯性的表达形式。

🔽3s 版本

❶ Nahuatl语言可以表达抽象的概念。

❷❸ Nahuatl语言通过复合词表达抽象概念。

第一段3s：Nahuatl语言通过复合词表达抽象概念。

❶ tlamatinime人用抽象语言表示思想细微差别。

❷还有其他方式表达隐喻含义。

❸❹通过并列的方式表达抽象含义。

第二段3s：Nahuatl语言还通过并列的方式表达抽象含义。

全文3s版本：Nahuatl语言可以表达抽象的概念。

🔽文章点拨

本文第一句提出古代美国人可以表达抽象概念，第二句和第三句封装顺承上一句，所以第一段就是在 说古代美国人通过Nahuatl语言来表达抽象概念。

第二段段间顺承上一段，主要讲表达抽象含义的具体方法。

According to the passage, some abstract universal ideas can be expressed in Nahuatl by

根据本文，一些抽象的概念可以在Nahuatl语言中表达，通过

答案： (D) putting various meaningful elements together in one word 把不同含义的元素在一个单词中进行组合

解析： 本答案同义改写第二段第二句。

Passage 150

_____或许可以解决人类视觉无法超越的极限

原文翻译

❶我们的视觉依赖于从我们想要看到的物体上反射或者辐射的能量。❷如果我们的眼睛可以接收并测量无限精细的感觉素材，那么我们就可以无限精确地感知这个世界。❸当然，我们眼睛先天的极限可以借助机械仪器来扩展；例如，望远镜和显微镜就极大地增强了我们的视觉能力。❹然而，这存在着一个最终的极限，无论我们用什么仪器都不能超越这个极限；这个极限的存在是因为我们无法感知比单个量子（quantum）能量更小的素材。❺因为这些量子被认为是能量不可分割的个体且不能被进一步细分，所以我们到达了一个无法进一步分解世界的境地。❻这就像孩子把不可分割的颜色圆片贴到油画布上来作画一样。

❶我们也许会想，可以利用超长波量子来超越这个极限；这种量子可以足够灵敏地传递极其精细的感觉素材。❷如果我们只想测量能量，这些量子十分有用，但是要想完全准确地感知世界，我们需要能准确测量我们希望见到的物体的长度和位置。❸从这个角度来说，超长波量子就没有用了。❹我们要想测量到百万分之一英寸的精度，就必须要有能测量到百万分之一英寸的测量工具；以一英寸为刻度的测量工具是没有用的。❺从某种意义上说，波长为一英寸的量子是刻度为一英寸的测量工具。❻超长波量子除了在超大尺寸测量以外用处不大。

❶尽管有这样那样的困难，量子在物理学上仍有重要的理论意义。❷过去人们常常认为，观察自然的时候，宇宙可以分为两个不同的部分，一个是观察的主体，另一个是被观察的客体。❸在物理学中，主体和客体也应该是完全不同的，这样，对宇宙任何一部分的描述是独立于观察者的。❹然而，量子理论并不这样认为，因为每一个观察都包括了一个完整的量子从客体进入主体的路径，而且现在看来，这个路径构成了观察者和被观察者之间重要的联结。❺我们要想更客观地观察自然，就不能明显区分主体和客体了。❻我们达到客观的尝试会扭曲作为单一整体组成部分的观察者和观察物之间的重要相互关系。❼但是，即便是对科学家来说，也只有在原子世界中这个新的进展才会在现象解释中产生明显的差异。

3s 版本

❶视觉依赖于从想要看到的物体上反射或辐射的能量。
❷❸我们眼睛先天的极限可以借助机械仪器来扩展。

However ❹❺❻我们的视觉存在一个无法超越的极限。

第一段3s：我们的视觉存在一个无法超越的极限。

❶我们可以利用超长波量子来超越这个极限。

useless ❷❸超长波量子无法测量物体的长度和位置。

❹❺❻超长波量子除了在超大尺寸测量以外用处不大。

第二段3s：超长波量子除了在超大尺寸测量以外用处不大。

❶量子在物理学上仍有重要的理论意义。

❷宇宙可以分为主体和客体两个部分。

❸物理学中主体和客体应该完全不同。

However ❹量子力学认为主体和客体有关系。

❺❻我们要想更客观的观察自然，就不能明显区分主体和客体。

but ❼这种做法只在原子世界中才能产生差异性。

第三段3s：量子在物理学上仍有重要的理论意义。

全文3s版本：量子或许可以解决人类视觉无法超越的极限。

文章点拨

文章第一段简单地解释了视觉的运作原理，并提出了我们的视觉存在一个无法超越的极限的问题。

文章第二段提出了一个可能可以解决视觉极限问题的理论，即超长波量子的理论，用这个理论，就可以超越视觉的极限。然而在超长波量子的运用中，仍存在局限，即超长波量子除了超大尺寸的测量外用处不大。

文章第三段进行了一个转折，虽然实际上超长波量子没有很大的作用，但是量子仍有重要的理论意义，即我们要想更客观的观察自然，就不能明显区分主体和客体。

例题讲解

The author uses the analogy of the child's drawing primarily in order to
作者用孩子画画的类比是为了

答案：(A) illustrate the ultimate limitation in the precision of sense-data conveyed by quanta 阐述量子感觉素材的精确性的局限性

解析：定位第一段第六句。

Passage

心理历史学在取代_____的同时本身也有缺陷

原文翻译

❶传统上，历史研究有固定的范围和侧重点——研究包括时代、国家、戏剧性事件以及杰出的领

袖。❷历史研究的方法也具有某些清晰明确的观念：如何探究某一历史问题，如何展现和证明其研究发现，什么构成了可接受且充分的证据。

❶任何一个关注近期历史学文献的人都可以证实，历史学研究正在发生一场革命。❷最近流行的研究主题直接来自社会学目录：研究人们的童年、工作以及闲暇时光。❸新的研究主题采用新的研究方法。❹以前历史主要是叙述性的，现在全部成为分析性的。❺例如"发生了什么？" "怎么发生的？"这样的过去的问题已经让位给"它为什么会发生？"这样的问题。❻在回答"为什么"这一问题的方法中，最突出的就是精神分析法（psychoanalysis），而它的应用使得心理历史学诞生。

❶心理历史学在历史学研究领域里不仅仅利用心理学解释问题。❷历史学家们总是在解释是恰当的、并有充分证据的时候利用它们。❸但是，这种对于心理学的实际运用并不是心理史学家想要的。❹他们是坚定的，不仅是对一般意义上的心理学，更是对Freud精神分析法。❺对Freud学说的肯定，排除了历史学家对他们一直以来所理解的传统历史学的坚持。❻心理历史学的"事实"不是源于历史，即对历史事件和其后果的详尽记录，而是源于对创造了历史的个人进行的精神分析；其演绎得出的理论不是源于他们生活中的这个或那个实例，而是源于某个关于超越历史的人类本性的观点。❼它否认历史证据的基本标准：证据是公开可获得的而能被所有的史学家评估。❽并且它违背历史学方法的基本准则，即史学家对那些有可能驳倒其论点的反面事例保持警惕。❾心理历史学家坚信自己的理论是完全正确的，也坚信他们的解释是对任何历史事件所能做出的"最深刻的"解释，而其他解释都无法触及真理。

❶心理历史学并不满足于违背历史学这一学科（从这样一种意义上来说，即用合适的方式来解释对过去历史的研究以及写作方式）；它也违背了过去的历史本身。❷它否认过去的历史具有完整性和自身的目的性，而在过去，人们的行动是出于许多不同的动机，历史事件也拥有许多不同的原因和后果。❸它将强加于过去的决定论也强加于现在，由此剥夺了人与事件的独特性和复杂性。❹它没有尊重历史的特殊性，而是将所有的历史事件，包括过去的和现在的，吸纳到一个单一的决定论模式中，而这一决定论模式被假定为在所有时间和情形中都是正确的。

3s 版本

❶❷传统的历史研究方法。

第一段3s：传统的历史研究方法。

❶❷❸❹❺历史学研究有了新的方法。

❻新方法是心理历史学。

第二段3s：心理历史学是历史研究的新方法。

❶心理历史学家不仅用心理学解释问题。

❷❸心理历史学家不仅用心理学解释问题。

注：❷❸封装顺承❶。

❹心理历史学家关注于Freud精神分析法。

❺心理历史学与传统的历史学不同。

❻❼❽具体的不同之处。

❾心理历史学认为自己是对的。

第三段3s：心理历史学与传统历史学之间的不同。

❶心理历史学违背了历史本身。

❷❸❹具体违背方式。

第四段3s：心理历史学违背了历史本身。（缺点）

全文3s版本：心理历史学在取代传统历史学研究的同时本身也有缺陷。

文章点拨

在GRE文章中存在一个"喜新厌旧、标新立异"原则，意为老的观点或大多数人持有的观点往往会被批判，而新的或少数人持有的观点往往会被支持。比如本文开头的traditionally即表明这是一个老观点，在后文往往会被反驳掉。第一段中这个老方法在第二段果然被新方法给取代了。

表示老观点或多数人持有的观点的表达有：long, widely held, conventionally, generally, until recently

表示新观点的常用表达有：current, recent, new, alternative

因此，以后见到类似的表达时，可以快速地做出预判：这个观点是要被支持还是被批判。

例题讲解

Which of the following best states the main point of the passage?

本文主旨是

答案： (A) The approach of psychohistorians to historical study is currently in vogue even though it lacks the rigor and verifiability of traditional historical method. 心理历史学家对于历史学研究的方法目前很流行，即使它缺少传统历史学方法的严谨和真实性。

Passage 152

人们难以将太阳活动同_____建立联系，并且很难研究_____

原文翻译

❶人们在几十年前就已知道，太阳黑子（sunspot）的出现有大致的周期性，这个周期平均是11年。❷此外，太阳耀斑（solar flare）的出现，太阳外层射线、紫外线辐射以及X射线辐射的波动，都与太阳黑子周期有直接关系。❸但是经过一个多世纪的研究，科学家们仍然没有弄清太阳活动的周期现象与地球上天气及气候之间的关系。❹比如，太阳黑子周期和相关磁极性周期一直是与可观察到的一些变量记录的周期性联系起来的，比如降水、温度和风的记录。❺然而，这种联系总是很弱的，一般具有不确定的统计学意义。

❶人们也在探索太阳变化的长期影响。❷17世纪晚期及18世纪早期欧洲观察者的太阳黑子活动记录的缺失使得一些学者推测当时太阳活动有一个短暂的停止（这段时间叫作Maunder极小期）。❸人们将Maunder极小期与16至19世纪欧洲的异常寒冷联系起来。❹然而，Maunder极小期的真实性还有待证实，特别是由于中国肉眼观察者对当时太阳活动的记录与Maunder极小期相悖。❺科学家们通过仔细检查间接的气候数据，例如古代树木年轮厚度的化石记录，来寻找太阳长期周期性的证

据。❻然而，这些研究未能将地球气候和太阳活动周期明确地联系在一起，甚至没有确定周期过去是否存在。

❶如果我们可以找到将太阳活动周期追溯到遥远过去的、连续且可靠的地理学及考古学证据，那么就会解决太阳物理学上一个重要的问题：如何建立太阳活动的模型。❷目前有两种太阳活动的模型。❸第一个模型假设了太阳内部运动（由自转和对流引起）和太阳大规模磁场相互作用而构成一个发电机，即一个把机械能转化为电磁能的装置。❹简而言之，太阳大规模磁场（的能量）是自给自足的，由此产生太阳活动的周期会维持下去，10亿年之内不会有什么变化。❺另一种解释假定了太阳大规模磁场是太阳在形成时获得磁场的一点残余，磁场无法被维持而保持不衰减。❻在这个模型中，依靠太阳磁场来维持太阳活动的机制会更快耗尽磁场。❼因此，人们预计太阳活动的周期特征会在长时间内变化。❽现代太阳观测时间跨度过短，无法揭示目前周期性的太阳活动是太阳的长期特征，还是只是一个短暂现象。

3s 版本

❶太阳黑子的出现有近似的周期性。
❷许多太阳活动都与太阳黑子周期有直接关系。
But❸太阳活动的周期现象与地球上天气及气候之间的关系不清楚。
❹太阳活动的周期现象和地球上天气及气候之间一直是联系起来的。
However❺这种联系很弱。
小结：❹❺封装，顺承❸。
第一段3s：太阳活动的周期现象与地球上天气及气候之间的联系不清楚。

❶人们在探索太阳变化的长期影响。
❷学者推测17世纪晚期及18世纪早期存在Maunder极小期。
❸人们将Maunder极小期与16至19世纪欧洲的异常寒冷联系起来。
However❹ Maunder极小期的真实性还有待证实。
小结：❷❸❹是没能将太阳活动同地球气候联系起来的第一个实验的例子。
❺科学家们通过仔细检查间接的气候数据，来寻找太阳长期周期性的证据。
However❻这些研究未能将地球气候和太阳活动周期明确地联系在一起。
小结：间接的气象数据也没能够得到太阳周期的证据。
第二段3s：人类研究未能将地球气候和太阳活动周期明确地联系在一起。

❶给太阳活动建立模型可以解释太阳活动。
❷目前有两种太阳活动的模型。
❸❹太阳大规模磁场是自给自足的，由此产生太阳活动的周期会维持下去。
换对象❺❻❼太阳大规模磁场会衰败，因此太阳活动的周期特征会在长时间内变化。
❽由于观测太短无法揭示目前周期性的太阳活动是长期还是短期的。
第三段3s：无法揭示太阳活动的周期。

全文3s版本：人们难以将太阳活动同地球气候变化建立联系，并且很难研究太阳活动周期。

📖 **文章点拨**

本文第一段讲述太阳的活动周期性与地球上的天气活动有一定的联系，但这种联系不明确并且十分微弱。

第二段讲述了人们对太阳活动变化的长期探索，包括第一个探索，即对Maunder极小期来源的观察和思考。第二个探索是从气候数据来探查太阳周期性的证据。而人类研究未能将地球气候和太阳活动周期明确地联系在一起。

第三段讲述了太阳活动的可能的两个模型，两个模型得出不同的结论，一个是太阳活动是太阳的长期特征，另一个是太阳活动只是一个短暂现象。但现在没有办法确定哪一种是正确的。

📖 **例题讲解**

1. According to the passage, late seventeenth and early eighteenth-century Chinese records are important for which of the following reasons?

   根据文章，17世纪晚期和18世纪早期中国的记录因为什么很重要？

答案: (A) They suggest that the data on which the Maunder minimum was predicated were incorrect. 这些记录暗示对推测Maunder极小期的数据是不对的。

解析: 根据Chinese records定位到第二段第四句，即中国的记录与极小期的观察相悖，因此，(A)选项为同义替换选项。

2. The author focuses primarily on

   作者的主要目的是

答案: (C) discussing the difficulties involved in linking terrestrial phenomena with solar activity and indicating how resolving that issue could have an impact on our understanding of solar physics 讨论了将地球现象与太阳活动联系起来的困难而且暗示如何解决这个问题对于我们理解太阳物理学存在影响

Passage 153

_____对古代文学研究有很大贡献

📖 **原文翻译**

❶现代考古发现仍然对古代文学研究有很大贡献。❷例如，40年前一个关于早期古希腊喜剧作家Aeschylus剧目的调查研究，有可能是以喜剧 *The Suppliant Women* 为开端的。❸很多因素对该剧目起到了内在作用，但可能合唱团（在该剧目中起主要作用）的显著地位是最特殊的，这让学者们认为该剧目是Aeschylus的早期作品之一。❹学者们公认的是，该戏剧真实反映了悲剧从合唱抒情诗中演化的早期阶段。❺该剧目被认为是公元前490年代的作品，无论如何，它都早于Aeschylus公元前472年的剧目 *The Persians*。❻之后到了1952年，在Oxyrhynchus发现的一块纸莎草纸碎片被公之于众，它陈述了官方情况和一次戏剧比赛的结果。❼这块碎片宣布Aeschylus的Danaid四部曲获得了第一名，而在这个四部曲中 *The Suppliant Women* 是开场剧目，并且在此过程中击败了Sophocles。❽Sophocles在公元前468年以前从来没有参加过任何戏剧比赛，而在这一年他取得

了自己的第一次胜利。❾因此，除非有特殊的辩解（例如，该四部曲是在Aeschylus的早期职业生涯中写的，但是直到公元前460年才完成），否则Danaid四部曲必须被放在公元前468年之后。❿此外，一些书信的碎片说明，Archedemides是公元前463年的统治者的名字，因此我们可能可以把剧目和准确日期联系起来，这几乎正好是在Aeschylus公元前467年的作品*Seven Against Thebes*和*Oresteia*之间。

❶纸莎草纸的含义在大部分古典学者中引起了轰动，学者们此前自信地认为不仅是合唱队的作用，语言、韵律以及人物性格也都指向早期年代。❷这个发现导致的结果不亚于对每个年代标准进行彻底重新评估，而这些标准已经被应用于Aeschylus的剧目，或是源自他的剧目。❸重新评估的活动进行得很活跃，并且一种新的信条已经传播开来。❹合唱队在*The Suppliant Women*中的显著地位已经不再被当作原始主义的象征，而是被看作与*Oresteia*类似的大型合唱歌曲。❺统计资料已经明确地表明或重新表明在文体上，*The Suppliant Women*确实是占据了现在已经变成了"原始"剧目的*The Persians*和*Seven Against Thebes*之后的位置，并且处于*Oresteia*之前。❻虽然新的教条看起来几乎完全是正确的，但是纸莎草纸的碎片引起了这样一种疑虑，即另一个残片还可能会被挖出来，来表明*The Suppliant Women*是死后出版的Danaid四部曲中的作品，还借此击败了Sophocles，并使作品的创作年代再一次陷入完全混乱之中。❼这种情形虽然不太可能发生，但它提醒了我们，也许纸莎草纸最有益的特征是它传达出来的这样一种信息，即想要对一个有创造力的作家的发展过程进行严格的划分和分类是极其困难的。

⬇ 3s 版本

❶现代考古发现对古代文学研究有很大贡献。

For example ❷ 40年前认为*The Suppliant Women*是Aeschylus的早期作品。

❸❹该剧目是Aeschylus的早期作品。

❺该剧目被认为是公元前490年代的作品。

时间对比❻❼❽❾ Danaid四部曲（*The Suppliant Women*的开场剧目）必须被放在公元前468年之后。

❿该剧目在Aeschylus公元前467年的作品*Seven Against Thebes*和*Oresteia*之间被创作。

第一段3s：现代考古发现对古代文学研究有很大贡献。一块纸莎草的考古发现改变了学者们对*The Suppliant Women*创作日期的认识。

❶纸莎草纸的发现打破了学者们原有的观念。

❷这个发现导致了需要对每个年代标准进行彻底重新评估的结果。

❸❹合唱队在 *The Suppliant Women* 中的显著地位已经不再被当作原始主义的象征，而是被看作与*Oresteia* 类似的大型合唱歌曲。

❺在文体上，*The Suppliant Women* 确实是占据了现在已经变成了"原始"剧目的*The Persians* 和*Seven Against Thebes* 之后的位置，并且处于*Oresteia*之前。

❻纸莎草纸的碎片引起了这样一种疑虑，即另一个残片还可能会被挖出来，让作品的创作年代再次混乱不清。

❼想要对一个有创造力的作家的发展过程进行严格的划分和分类是极其困难的。

第二段3s：想要对一个有创造力的作家的发展过程进行严格的划分和分类是极其困难的。

全文3s版本：现代考古发现对古代文学研究有很大贡献。

文章点拨

1. 文章结构

本文第一段先提出了全文章的中心观点，即现代考古发现对古代文学研究有很大贡献。后阐述了原来学术界对*The Suppliant Women*创作日期的判断，原先学术界认为该剧是作者的早期作品。后来考古界发现了一块纸莎草纸碎片暗示该剧的创作日期应该推后，在公元前467年。

本文第二段阐述了创作日期由于莎草纸碎片的发现被推后，学术界对该剧作者的作品有了新的认识，The Suppliant Women不再是原始主义的象征。同时，我们也认识到因为可能会有很多新的考古发现，所以想要对一个有创造力的作家的发展过程进行严格的划分和分类是极其困难的。

2. 在第一段中，莎草纸碎片发现后所指示出的作品时代顺序：

The Persians：472 BC→Sophocles获胜：468 BC→*Seven Against Thebe*：467 BC→Danaid四部曲（*The Suppliant Women*）：463 BC→*Oresteia*：459 BC

例题讲解

The author of the passage focuses primarily on

文章主旨是

答案：(B) recounting the effect of one archaeological find on modern ideas concerning a particular author's work 重新衡量针对某作者的作品的考古学发现的影响

解析： a particular author's work指的是Aeschylus的*The Suppliant Women*。Effect指的是推后对该剧创作时间的判断。

Passage 154

利用Vostok冰芯的数据，科学家可以更清楚了解_____与_____的关系

原文翻译

❶借助最近发展起来的冰川中空气样品的分析，目前科学家对过去160,000年中大气构成与全球气温变化之间的关系有了一个更清楚的了解。❷尤其是，科学家可以利用南极洲2,000米深处Vostok被挖掘到的冰芯的数据，来确定冰川的扩张和消退（降温和升温）期间的大气构成。❸涉及的技术类似于分析海洋沉积物核心所用的技术，其中氧气的两个普通同位素（^{18}O 和 ^{16}O）的比率精确地反映出过去的温度变化。❹对Vostok冰芯中氧气进行的同位素分析表明，在过去的160,000年中，全球平均气温波动变化达到10摄氏度。

❶ Vostok冰芯的数据还表明，同一时期内二氧化碳的数量也随着温度变化而变化：气温越高，二氧化碳含量越高；气温越低，二氧化碳含量越低。❷尽管在冰川消退期，二氧化碳含量的变化紧随着气温的变化，但在降温期，二氧化碳含量的变化滞后于气温变化。❸当然，二氧化碳与气温的关系无法确定大气构成的变化是否导致了升温和降温趋势，或者大气构成是被升温和降温趋势改变。

❶二氧化碳与气温的关系，在Vostok的整个记录中是连贯的、可预测的。❷但是，绝对温度变

化比人们所期待的要超出4至15倍，而人们的预期所依据的是二氧化碳自身吸收红外辐射或辐射热的能力。❸这种反应说明，除了吸热气体——即通常所称为的温室气体，某些正反馈也会扩大温度变化。❹这种反馈可能涉及陆地上和海洋中的冰、云或水蒸气，它们也都会吸收辐射热。

　　❶来自Vostok冰芯的其他数据显示，甲烷气体也与温度和二氧化碳密切相关。❷例如，在倒数第二个冰川期高峰与随后的间冰期之间，甲烷的含量几乎翻倍。❸在目前的间冰期范围内，它在过去短短的300年就已经增加了两倍多，并仍在迅速增长。❹尽管大气中甲烷的含量要比二氧化碳低两个数量级还多，但它仍不能忽视：甲烷的辐射特性使其在吸收辐射热上，就分子和分子相比，比二氧化碳高20倍。❺从气候学研究者建立的某个模拟模型的基础上看，在8,000至10,000年之前的最近一次冰川消退期间发生的升温过程中，甲烷似乎发挥了相当于二氧化碳25%的作用。

3s 版本

❶科学家了解在过去160,000年中，大气构成和全球气温变化的关系。

❷利用Vostok的冰芯可以确定冰川和大气构成的关系。

❸❹对Vostok的冰芯的分析表明全球气温波动变化达10摄氏度。

第一段3s：科学家利用对Vostok的冰芯的分析，了解大气构成和全球气温变化的关系。

❶ Vostok数据表明，二氧化碳数量随气温变化而变化。

❷在降温期，二氧化碳变化速度没有在升温时变化快。

❸二氧化碳与气温的关系无法明确他们之间存在因果。

第二段3s：二氧化碳数量和气温之间存在相关关系，但未必是因果关系。

❶二氧化碳与气温的关系是可以预测的。

However ❷温度的变化幅度却超出了人们基于二氧化碳做出的预期。

❸❹除了温室气体，其他正反馈也会扩大温度变化。

第三段3s：除了温室气体，其他正反馈也会扩大温度变化。

❶ Vostok数据表明，甲烷与气温和二氧化碳有关。

❷❸气温上升，甲烷数量增加迅速。

❹❺虽然数量少，但甲烷吸热能力强，其作用不容忽视。

第四段3s：甲烷对于气温的上升也很重要。

全文3s版本：利用Vostok冰芯的数据，科学家可以更清楚了解大气的构成（文中讨论二氧化碳和甲烷）与全球气温变化的关系。

文章点拨

这又是一篇有关冰中有包含物的文章，但是鉴于文章清晰的句间段间关系，只要学生能够坚持读完第一段的内容，后面的内容就简单很多。

之前的文章用来测定温度的同位素是氢元素的同位素。这篇文章使用的是氧的同位。文章第一段开门见山地说出了本文要讨论的对象——大气构成与全球温度变化的关系。而第二句提出了我们研究的数据来源Vostok的冰芯。在本段给出第一个数据，全球气温波动变化达10摄氏度。第二段中，主要展现了二氧化碳和气温变化之间的相关关系，同时说明二者未必有因果关系。第三段中，指出单纯考虑二氧化碳则无法精准预测气温上升的幅度，得出还有其他的正向反馈会导致气温的上涨。最后一段，作者又具体写了空气中的甲烷对全球气温的所造成的影响。

要注意的是，不要将第一段中的两个氧气的同位素当成是大气里的氧气。这些氧的同位素是Vostok的冰芯里的氧，是用来推出当时气温温度的依据。推出了气温之后，这个温度就可以和Vostok的冰芯中的气体的组成结构直接构成关系。

例题讲解

1. The primary purpose of the passage is to

文章的主要目的是

答案：(A) interpret data 解释数据

解析：文章中通过展现Vostok给出的关于气温变化幅度、二氧化碳数量和气温关系、甲烷和气温变化的关系等数据，阐释出大气的构成与全球气温变化的关系。

2. In the fourth paragraph, the author is primarily concerned with

第四段作者的主要目的是

答案：(D) providing an additional example of a phenomenon 给一个现象提供另外一个例子

解析：这里的a phenomenon指的是全球气温的上升，an additional example是指在二氧化碳之外甲烷（methane）对于全球变暖的影响。

Passage

19世纪后，_____的发展使哲学成为独立、基础的学科

原文翻译

❶当今哲学家通常把他们的学科想象为自古以来一直区别且优于诸如神学或科学这种特定智力学科的一项事业。❷他们认为，例如哲学对灵魂与肉体问题的关注，或者更普遍来说，对人类认识本性的关注，都是人类基本的问题，而哲学上尝试性的解决方案为所有其他学科的思考提供了必要的基础。

❶然而，这个观点的依据存在于对过去的严重误解之中，即用现在的思考方法来考虑过去的事情。❷仔细想想，把哲学作为一个独立的、区别于神学和科学的、并对这些学科做出评价的学科的想法源于近代。❸在17世纪，当Descartes和Hobbes抵制中世纪哲学时，他们并没有像现代哲学家一样认为自己提出的是更新颖、更完善的哲学，而是认为自己在促使神学和科学的斗争。❹他们力争为新科学开辟智力世界，并且为把智力生活从基督教哲学中解放出来而奋斗，尽管这种奋斗是谨慎小心的，他们把自己的工作设想为对数学和物理学研究的促进，而不是对哲学本身的促进。❺这种哲学与科学实践之间的关系一直持续到19世纪，那时基督教对学术研究的控制下降，科学性质的改变也将哲学最终从神学和科学中分离出来。

❶19世纪初一个新观点的出现推动了哲学与科学的分离，这个新观点认为哲学研究的核心应该是认识论（epistemology），它用来普遍解释认识某事物的含义。❷目前，现代哲学家把这个观点至少追溯到了Descartes和Spinoza时代，但是这个观点直到18世纪末才被Kant清楚地阐述出来，并且直到19世纪末才融入学术机构以及哲学教授自我描述的标准学科中。❸要是没有认识论这个概念，我们难以想象哲学在现代科学的时代中如何生存下去。❹作为哲学的传统核心，形而上学（metaphysics）被看作是对天地合一最普遍的解释，但它由于物理学惊人的进步而变得完全没有意义。❺然而，Kant把哲学的关注点聚焦到问题的认知上，想方设法用认识论取代形而上学，从而把哲学看作是"科学的皇后"的理念转变为了把哲学看作一个独立、基础学科的理念。❻哲学变得更加"基本"，不再那么"高高在上"。❼在Kant之后，哲学家们可以把17至18世纪思想家重新解释为试图发现"人类的认识是如何可能的"，并且甚至可以把这个问题应用到古人身上。

3s 版本

❶当今哲学家认为哲学与其他学科一直就独立。

❷哲学研究的基本问题是其他学科的基础。

第一段 3s：当今哲学家认为哲学是其他学科的基础，并与之独立。

However ❶之前对于哲学的观点存在严重的误解。

❷哲学作为一个独立学科的想法源于近代。

❸❹17世纪的时候哲学与科学并未分离。

换对象 ❺ 直到 19 世纪，哲学才从科学和神学中分离。

第二段 3s：哲学作为一个独立学科的想法源于近代。

❶19世纪认识论的发展推动了哲学与科学的划分。

❷这种划分过程的几个重要阶段。

❸认识论对于哲学很重要。

❹形而上学在哲学中已经不重要。

However ❺认识论代替形而上学，使哲学成为独立、基础的学科。

❻哲学成为基础的学科。

❼哲学家将现代的哲学思想应用到过去的事件上。

第三段 3s：认识论的发展，使哲学成为独立、基础的学科。

全文 3s 版本：19 世纪后，认识论的发展使哲学成为独立、基础的学科。

文章点拨

文章第一段看到usually，提出了一个哲学家普遍认为的观点：哲学从其他学科中的独立是自古以来便有的。

第二段第一句的however对第一段的观点进行反驳，认为哲学作为独立学科应该是从近代才开始的。17世纪时，哲学依旧无法与科学相分离。19世纪后，哲学才成为了独立的学科。

第三段中，作者描述了19世纪认识论的发展促成了哲学在当代成为独立的学科。

例题讲解

1. Which of the following best expresses the author's main point?

   本文的主旨是

   答案: (D) The status of philosophy as an independent intellectual pursuit is a relatively recent development. 哲学作为一门独立的智力探索的地位是一个相对近期的事件。

   解析: 在第二段第二句话中,作者认为哲学作为一门独立的学科发展源于近代。

2. The primary function of the passage as a whole is to

   文章的主要功能是

   答案: (D) correct an erroneous belief by describing its origins 通过描述一个错误观点的起源,从而纠正这个观点

3. The author suggests that Descartes' support for the new science of the seventeenth century can be characterized as

   作者对 Descartes 支持 17 世纪新科学的态度是

   答案: (E) strong but prudent 强烈而又谨慎

   解析: 对应文章第二段第四句话,fighting to open 对应 strong,discreet 对应 prudent。

Passage 156

研究_____很重要

原文翻译

❶最近一些历史学家认为,大致在1763年到1789年之间美洲英属殖民地的人们的生活是以殖民者之间的内部冲突为特征的。❷作为20世纪早期"进步派"史学家(如Beard和Becker)的某些观点的继承者,这些史学家提出的观点值得我们去评估。

❶这些史学家强调得最多的冲突是阶级冲突。❷但是,革命战争(Revolutionary War)在这些年占据主导地位,我们如何能够在这个更大的冲突下区分阶级冲突呢?❸当然这不是从一个人选择的派别来看的。❹虽然这些史学家中很多人接受一种早期的假设,即效忠派(loyalist)代表上层阶级,而新证据表明效忠派和叛党一样,都来自所有的社会经济阶级。❺(然而可能正确的是,富裕阶级中加入效忠派人要比加入叛党的人多。)❻来看叛党这一边,我们几乎不能发现任何这样的证据显示下层叛党与上层叛党之间存在冲突。❼实际上,战争中反对英国的行动倾向于抑制阶级冲突。❽当无法抑制冲突的时候,任何一个阶层中持异议的叛党分子总是会变成效忠派。❾因此,效忠主义充当了一个安全阀,用来消除存在于叛党中的对社会经济的不满。❿当然,那些继续留在叛党一侧的人会出现争执,但是18世纪美国社会(当然奴隶除外)巨大的社会流动性通常能防止这些争执顺着阶级发展下去。⓫事实上,社会结构是如此有流动性——尽管最近的数据表明,经济机会随着该世纪后半期的进程而缩小——以至于要想谈论社会阶层,就必须采用一些宽松的经济分类,如富人阶层、穷人阶层、中产阶层,或者采用像18世纪"the better sort"这类名称。⓬尽管存在这些模糊的分类,但我们不

应该毫不含糊地声称：可辨认出的阶级之间的敌意可以被合理地观察到。❸但是，在纽约之外，很少存在公开表达的阶级对立的例子。

❶但是，说了这些之后，我们还必须补充：有相当多的证据可以支持近期史学家进一步的断言，即在1763年到1789年间地区性冲突普遍存在。❷"Paxton Boys事件"与"Regulator运动"是两个有代表性的案例，反映出西部殖民者反对由东部利益主导的殖民地或州政府的广泛的、合理的不满。❸尽管潜在的阶级冲突存在于种族敌对状态之下，但这一矛盾主要是地理上的。❹地区性冲突——在南北方之间同样存在——值得我们做进一步的研究。

❶总之，历史学家们应该小心对待他们强调的18世纪美国的冲突种类。❷然而，那些强调在殖民者之间达成共识成就的史学家不能完全理解这种共识，而如果他们不理解这样一种矛盾，那么这种矛盾只有在被克服或镇压之后才有可能获得那种共识。

3s 版本

❶近期历史学家认为美洲英属殖民地存在强烈的殖民者之间的内部冲突。

❷他们继承了进步派的观点。

第一段3s：1763年到1789年美洲英属殖民地存在强烈的殖民者之间的内部冲突。

❶史学家最强调阶级冲突。

Yet ❷很难从革命战争冲突下区分阶级冲突。

❸不能通过派别区分。

❹❺效忠派和叛党一样，都来自所有的社会阶级。

❻叛党内部没有阶级冲突。

❼战争抑制阶级冲突。

❽阶级冲突无法抑制时，冲突者会变成效忠派。

❾效忠主义消除叛党中的冲突。

❿社会流动性可以避免阶级冲突。

⓫⓬尽管有流动性带来的模糊分类，但是依然可以观察到阶级冲突。

however ❸阶级冲突很少发生。

小结：⓫⓬❸封装，顺承❿。

第二段3s：阶级冲突很少发生。

However+换对象❶❷地区性冲突普遍存在。

❸潜在的阶级冲突主要是地理上的。

❹地区性冲突值得研究。

第三段3s：地区性冲突普遍存在。

❶历史学家应该小心对待冲突的种类。

Yet ❷历史学家理解殖民者内部的共识的前提是理解内部的矛盾。

第四段3s：研究殖民者的冲突很重要。

全文3s版本：研究殖民者的冲突很重要。

文章点拨

　　文章第一段提出了一个学界的普遍现象：1763年到1789年美洲英属殖民地存在强烈的殖民者之间的内部冲突，并指出这个观点值得我们去讨论。

　　第二段主要从阶级冲突的角度来分析殖民者的内部矛盾，之后分论点展开，从派别的角度以及社会结构的角度论证了殖民者内部的阶级矛盾并不突出。

　　第三段讨论的是地理层面的冲突，与上一段换对象，认为地理层面上，殖民者有冲突。

　　第四段提出了作者对学者们的警示：历史学家们应该小心对待18世纪美国的冲突种类。

例题讲解

The author considers the contentions made by the recent historians discussed in the passage to be

作者认为在文中提到的最近历史学家的观点是

答案： (B) partially justified 部分合理的

解析： contentions指的是1763年至1789年美洲英属殖民地的殖民者存在强烈内部冲突。文章第二段说明阶级冲突很少发生，但是第三段说明会发生地区性冲突，因此历史学家对了一半、错了一半。因此该观点是部分合理的。

Unit 18

选做

练习题目

每一次勇敢的阅读，都是对怯懦的自己再见的机会。相信自己，必定可以超越眼前的困难。

——朱琳

中国人民大学，微臣教育线上点词班学员

2015 年 9 月 GRE 考试

Verbal 160

Passage **157**

描述了科学家对_____的发展

原文翻译

❶1953年以来，科学家做出了许多实验性尝试，试图在"原始地球状态"下合成生命体的化学成分，然而没有任何一项实验能制造出复杂性接近最简单的生物体的东西。❷然而，他们还是证明了，目前构成生物体的各种复杂分子很有可能在早期的海洋和大气层就已存在，只是有一个局限性：当含氧元素化合物占大气层物质的绝大部分时，这些分子很难被合成。❸因此，某些科学家假设，地球最早的大气层与现在的不同，早期大气的主要成分是氢气、甲烷和氨。

❶科学家们从这些研究中得出结论：原始地球的表面被含有构成生命体必要分子的海洋覆盖着。❷虽然目前来说，科学家还无法解释这些相对小的分子是如何结合起来而变成大而复杂的分子的，但有些科学家已迫不及待地提出一些大胆假设，试图解释最早的那些自我复制的生命体是如何从这些较大的分子发展而来的。

3s 版本

❶合成原始地球生命成分的实验失败了。

However ❷实验证明了构成生物体的分子可能在早期的海洋和大气层中已存在。

❸地球最早的大气层与现在的不同。

第一段3s：地球最早的大气层与现在的不同。

❶原始地球的表面被含有构成生命体必要分子的海洋覆盖着。

❷科学家对于生命起源的解释依赖于假设。

第二段3s：科学家对于生命起源的解释依赖于假设。

全文3s版本：描述了科学家对地球生命起源认识的发展。

文章点拨

本文第一段第一句虽然合成原始地球生命成分的实验失败了，第二句对第一句转折，认为虽然实验失败了，但是实验却证明了构成生物体的分子可能在早期的海洋和大气层中已存在。既然构成生物体的分子存在，那因为什么原因科学家在今天合成生命成分的实验失败。第一段第三句话对这点进行了解释，之所以今天合成生命成分的实验失败，是因为地球最早的大气层与现在的大气层不同，但是大气的共同点是都有构成生命体的分子，不同的是其他成分不同，现在的是氧化物，原来的科学家假设是氢气、甲烷和氨。

本文第二段，基于研究得出了原始地球的表面被含有构成生命体必要分子的海洋覆盖着的结论。虽然这个结论仍有很多需要证实和解释的地方，科学家们正在着手进行研究和解释。

全文体现了科学家对地球生命起源认识的发展。

The primary purpose of the passage is to

文章主旨是

答案：(C) describe the development since 1953 of some scientists' understanding of how life began on Earth 描述自
1953年以来科学家对地球生命起源认识的发展

解析：本文第一段科学家得出的结论是"构成生物体的分子可能在早期的海洋和大气层中已存在"。第二段
得出的结论是"原始地球的表面被含有构成生命体必要分子的海洋覆盖着"。但科学家对生命起源的
解释仍依赖于假设。这些对地球生命起源认识的观点的不同与(C)选项描述相符。

Passage **158**

关于消费者革命仍存在＿＿＿＿＿＿个没有被很好解决的问题，但也不应忽视
当前结论

🔖 原文翻译

❶历史学家刚刚开始注意18世纪英格兰对奢侈品及奢侈服务需求的增加。❷ McKendrick探索
了Wedgwood公司在销售陶器奢侈品上取得巨大成功；Plumb写了有关地方剧院、音乐节以及儿童
的玩具和书籍大量出现的情况。❸尽管消费者革命的事实没有疑问，但是仍有三个问题没有解决：消
费者是谁？他们的动机是什么？新出现的对奢侈品的需求的影响是什么？

❶我们很难得到第一个问题的答案。❷尽管人们可能从实际生产的商品或者服务中推测出制造
商和服务业认为的消费者的需要，但是只有研究实际消费者所写的相关私人文献才能提供对于谁想要
什么的准确描述。❸我们仍然需要了解消费者市场有多大以及消费者对于奢侈品的需要会沿着社会等
级向下渗透到多远。❹对于最后一个问题，我们可以顺便提一下，虽然Thompson正确地恢复了劳动
人民在18世纪英国历史中的地位，但他可能夸大了他们反对资本主义侵蚀的程度；在18世纪的英格
兰，劳动人民很快从饮用家酿啤酒转变为饮用大型资本化的城市啤酒厂生产的标准化啤酒。

❶为了回答消费者为什么变得如此迫切地去购物的问题，一些历史学家提到了生产商在审查相对
宽松的报纸上做广告的能力。❷然而，这个观点看起来不充分。❸ McKendrick赞成Veblen的模型，
即由社会地位的竞争引发的明显的消费倾向。❹"中等阶层"购买物品和服务是因为它们想跟随富人
定下的潮流。❺我们可能会再一次考虑这个解释是否充分。❻人们不喜欢把购买物品作为一种自我满
足么？❼如果是这样，那么消费主义可以看作个人主义以及物质主义新概念兴起的产物，但不一定是
疯狂公开竞争的产物。

❶最后，消费者对于奢侈品的需求的结果是什么？❷ McKendrick主张，这种需求对于解释工
业革命的来临很有帮助。❸但是事实是这样么？❹例如，生产高质量陶器以及玩具与钢铁制造或是
纺织厂的发展有什么关系？❺在没有重工业部门的情况下，一个消费社会的心理和现实是完全可能
存在的。

❶然而，未来对于这些关键问题的探索无疑是必要的——这个观点不应该减弱目前研究结论的说服力：18世纪英格兰对于无用商品以及有用商品和服务的贪得无厌的需求预示着我们这个世界的特征。

3s 版本

❶❷18世纪英格兰对奢侈品及奢侈服务需求的增加。

❸关于消费者革命仍存在三个问题（消费者是谁？他们的动机是什么？新出现的对于奢侈品的需求的影响是什么？）。

第一段3s：关于消费者革命仍存在三个问题。

❶我们很难得到消费者是谁的答案。

❷消费者是谁的答案需要研究私人文献。

❸我们仍然需要了解消费者市场的规模。

❹劳动人民反对资本主义侵蚀的程度并不强烈。

第二段3s：我们很难得到消费者是谁的答案。

❶生产商在报纸上做广告的能力可以解答消费者动机的问题。

However ❷这个观点不充分。

❸社会地位的竞争引发消费倾向。

❹"中等阶层"购买是因为想跟随富人的潮流。

❺这个解释是否充分。

❻❼消费主义是个人主义和物质主义新概念兴起的产物。

第三段3s：消费者的动机仍然不清楚。

❶❷消费者对于奢侈品的需求导致工业革命的来临。

But ❸❹❺消费社会不一定直接导致工业革命的来临。

第四段3s：消费社会不一定直接导致工业革命的来临。

However ❶未来对于这些关键问题的探索是必要的，但也不意味着目前的研究结论是错的。

第五段3s：未来对于这些关键问题的探索是必要的，但也不意味着目前的研究结论是错的。

全文3s版本：关于消费者革命仍存在三个问题没有被很好地解决，但也不应忽视当前结论。

文章点拨

文章第一段提出了18世纪英格兰对奢侈品及奢侈服务需求的增加的现象，并提出两个学者的相关理论。段末提出三个针对消费者革命的关键问题，全文围绕这三个问题展开讨论。

第二段针对消费者是谁的问题展开讨论，提出这个问题的答案很难找到，并提出了两个延伸的问题，即消费者市场多大和奢侈品需求在社会等级中向下渗透了多远，还指出劳动人民可能没有那么反对资本主义。

第三段讨论了消费者动机，但没有解决动机是什么的问题。

第四段讨论奢侈品需求的结果，提出消费社会并不一定与工业革命有直接联系。

第五段总结了全文，提出未来对于这三个关键问题的探索不应该削弱目前研究结论的说服力。

⚓ 例题讲解

According to the passage, a Veblen model of conspicuous consumption has been used to

根据文章，关于消费倾向的Veblen模型可能被用于

答案： (C) explain the motivation of eighteenth-century consumers to buy luxury goods 解释18世纪消费者购买奢侈品的动机

解析： 定位第三段第三句。

Passage *159*

单个细菌更像_____，项圈藻是典型例子

⚓ 原文翻译

❶科研人员发现，在很多方面单个细菌更像多细胞有机体的一个成分细胞，而不像独立生存的、自主行动的有机体。❷项圈藻属（Anabaena）就是一个典型例子，它是一种淡水细菌。❸在所有进行光合作用的细菌中，项圈藻属是与众不同的：它既能进行光合作用，又能固氮（nitrogen fixation）。❹在单个细胞内，这两个生化过程是无法共存的：在光合作用中产生的氧气会导致固氮所必需的固氮酶失活。❺然而，在项圈藻属群落中，这两个过程可以共存。❻当大量存在已经被固定的含氮化合物时，项圈藻属只能进行光合作用，而且它的所有细胞都进行光合作用。❼但是，当氮含量较低时就会产生称为"异形细胞"（heterocyst）的特异细胞，这些特异细胞缺乏光合作用所必需的叶绿素（chlorophyll），但却可以通过将氮元素转化成为可利用的形式来达到固氮的目的。❽亚微观导管的形成使得异形细胞和光合作用的细胞能连接起来，这种导管用来传递两种项圈藻属细胞间的细胞产物。

⚓ 3s 版本

❶单个细菌更多像多细胞有机体的一个组成细胞。

❷项圈藻属是典型例子。

❸项圈藻属能同时进行光合作用又能固氮。

换对象❹其他单个细胞里，光合作用和固氮无法共存。

However❺项圈藻属中，这两个过程可以共存。

❻氮充足时只光合。

❼氮不足时固氮。

❽亚微观导管的形成使得这两个过程可以共存。

小结：❻❼❽封装，与❺顺承。

全文3s版本：单个细菌更像多细胞有机体的一个组成细胞，项圈藻是典型例子。

⚓ 文章点拨

文章先提出一个现存的对细菌的观点，即细菌像多细胞生物的一个组成细胞而不像单细胞有机体。作者随后又举了一个细菌、项圈藻属的例子。作者阐明项圈藻属可以进行光合作用和固氮两种生化过程。而

单个生命体无法进行两种生化过程。因此项圈藻属这个细菌并不像单个有机体，像多细胞生物的一部分。

例题讲解

The author uses the example of Anabaena to illustrate the
作者使用Anabaena来说明

答案： (A) uniqueness of bacteria among unicellular organisms 在单细胞有机体中的细菌的独特性

解析： 文章提到Anabaena是为了证明第一句话给出的观点，细菌像多细胞生物的一个组成细胞而不像单细胞有机体，这便体现出Anabaena的独特性。

Passage 160

_____对解读青铜时代的考古记录有帮助

原文翻译

❶确定用于制造青铜时代文明国家铜器和青铜器的铜矿石来源，会大大增加我们对那个时代文化交流和贸易往来的了解。❷研究者们分析了铜制品和铜矿石中铜的含量，但是由于种种原因，这些研究未能为制品中铜的产地提供证据。❸铜矿中各种组成成分在同一矿藏中可能会有差异，通常是由于不同程度混合其他元素，特别是铁、铅、锌和砷。❹并且在一些制品中发现的高浓度钴和锌可能来源于许多产地。❺此外，矿石的加工会使生产出的金属中的次要和微量元素的含量发生变化，而这种变化不能被很好地控制。❻一些元素在熔化和烘烤过程中蒸发掉；不同的温度和加工工艺会产生不同程度的损失。❼最后，为了在熔解过程中从矿石中去除废料而加入的助熔剂会给最终产物增加大量元素。

❶在这些化学处理过程中不变的元素性质就是矿石中每个金属元素的同位素含量。❷同位素含量指的是一种元素的不同同位素在给定样品中的百分比，因此它尤其适合作为矿石产地的指示物。❸当然，为了达到这个目的我们需要找到一个元素，这个元素的同位素含量在给定的矿体中几乎是恒定的，但它在不同矿体之间是不同的，或者至少在不同地理区域中是不同的。

❶当利用同位素来检查铜矿产地的时候，理想的选择似乎是铜自身的同位素。❷事实表明，铜的同位素含量在天然状态下有微小但可以探测到的变化。❸可是，只有在稀有矿石中这些变化才足够大；在普通铜矿石的样本中，人们还没有发现大于测量误差的同位素含量变化。❹另一种选择是铅元素（lead），它出现在大多数青铜时代的铜制品或青铜制品中，含量与从铜矿石以及助熔剂中取得铅的含量一致。❺铅的同位素含量通常随铜矿石常见产地的不同而不同，这个波动超过了测量误差；并且初步研究表明，单个铜矿石产地铅的同位素组成实际上是相同的。❻虽然在制品中发现的铅是助熔剂引入或者是其他加入铜矿石的金属，但在青铜时代加工过程中加入的铅与铜矿石中的铅有相同的同位素含量。❼因此，有关铅同位素的研究对于解读青铜时代的考古记录大有帮助。

3s 版本

❶确定铜矿石的来源会增加对于那个时代文化交流和贸易的了解。

❷研究铜制品中铜的含量不能用来确定产地。

❸同一矿藏中的成分会有不同。

❹同一成分会存在于不同产地。

❺❻❼矿石的加工会使金属中的元素含量发生变化。

第一段3s：测量铜的含量无法确定铜的产地。

❶金属元素的同位素组分在化学处理中不变。

❷同位素组分适合作为矿石产地的指示物。

❸我们需要找到一个合适作为指示物的同位素。

第二段3s：我们需要找到一个合适作为指示物的同位素。

❶铜的同位素可以充当指示物。

❷铜的同位素含量可测。

However ❸铜的同位素含量差异很小。

小结：铜的同位素不能充当指示物。

换对象❹铅元素可以充当指示物。

❺不同产地铅元素的同位素含量不同，同一产地铅元素同位素含量相同。

❻加工不影响铅元素同位素含量。

❼铅元素同位素对考古记录有帮助。

第三段3s：铅元素同位素可以充当指示物。

全文3s版本：铅元素同位素含量对解读青铜时代的考古记录有帮助。

📌 文章点拨

　　文章第一段首先阐述确定铜的产地的意义——可以增大我们对那个时代文化和贸易的了解。然而在进行铜产地的研究中会遇到一些困难，包括铜矿组成成分差异、制品中其他金属元素来源于外地和加工过程中元素的含量变化等。

　　第二段指出了同位素是一个理想的研究方向，可以解决第一段的问题，段间关系取反，并且指出了如果存在这样的同位素，该同位素应该适用的标准。

　　第三段检验了两个可能的同位素。首先是铜自身的同位素，但不同样本中铜的同位素差异不够大（不大于测量误差）。第二个提出的是铅元素，经研究，铅同位素可能对青铜时代的考古记录有帮助。

📖 例题讲解

The primary purpose of the passage is to

文章主旨是

答案： (B) propose a way to determine the origin of the copper in certain artifacts 提出一种用来确定制品中铜的来源的方法

解析： a way指的是文章第三段所说的用铜的同位素或者用铅的同位素。

Passage 161

_____以及_____体现了墨西哥裔美国人的文化遗产的_____

原文翻译

❶1965年，在加利福尼亚州Delano田野里，Luis Valdez创办了Teatro Campesino（农业工人剧社），由此开启了美国墨西哥戏剧的复兴。❷Teatro Campesino有一个公开的政治目的：将campesinos（农业工人们）团结起来，支持当时由Cesar Chavez组织的农业工人大罢工。❸Valdez创作的被称为actos的戏剧表演，面向由campesinos构成的观众，涉及的话题和主题与罢工直接相关。❹Valdez早期的actos由一系列有关罢工经历的场景构成，由campesino志愿者表演。❺他后期的剧作由一个新组建的，但仍被称为Teatro Campesino的专业剧团上演，所涉及的主题包括越南战争对墨西哥裔美国人的影响以及民族同化的危险，这类主题不仅与农业工人相关，还与城市中墨西哥裔美国人相关。❻Valdez的所有剧作都包含歌舞元素，极少依赖舞台效果或道具，并且以运用面具为特点。❼这些戏剧元素，连同一种强烈的社会或政治目的，以及对西班牙语、英语和墨西哥裔方言的混合使用（这些方言真实地捕捉住了墨西哥裔美国人对话的韵味），不仅仅为acto这类剧作所特有，而且也仍是当今绝大多数其他形式墨西哥裔美国人的戏剧的特色。

❶尽管Valdez的戏剧有创新之处，但acto这类剧作在很大程度上归功于其他时期和地区的戏剧传统。❷如早期西班牙裔美国人的宗教戏剧、世俗民间戏剧以及之后某个时期的墨西哥carpas戏剧一样，actos这类剧作通常在室外由巡回剧团或由地方性剧团的演员演出。❸Actos这类即兴的喜剧讽刺常被认为是出自Valdez对16世纪意大利即兴喜剧（commedia dell' arte）的研究，尽管某些评论家将其看作是更加当代、更具地方色彩的墨西哥carpas戏剧中喜剧性质和即兴性质的一种直接反映。❹不管Valdez的创作来源是什么，意大利的影响都是可能的：据说墨西哥的carpas戏剧本身就源自16世纪西班牙作家的戏剧作品，而这些西班牙作家又是从和在西班牙国内巡回演出的意大利commedia dell' arte（即兴喜剧）剧团的接触中获得灵感的。❺英语戏剧同样也提供了某些因素：Valdez自己就曾经承认借鉴了20世纪20~30年代美国出现的带有宣传鼓动性质的社会主义戏剧。❻特别是他的actos剧作包含了同样毫不留情的社会和政治评论，包含了各种半讽喻式人物，也混杂了在某些宣传鼓动类作品中才有的音乐、合唱及对话。❼最后，Valdez许多后期戏剧作品灵活地融入了一些取自西班牙征服拉丁美洲之前一些民族当地神话和礼仪的人物、情节及象征。❽事实上，没有任何其他艺术形式，能比Luis Valdez的actos剧作以及农业工人剧社（the Teatro Campesino）更清晰地体现墨西哥裔美国人的文学遗产本身所达到的深度和复杂性。

3s 版本

❶ Luis Valdez创办的Teatro Campesino开启了美国墨西哥戏剧的复兴。

❷ Teatro Campesino的建立是为了支持农业工人大罢工。

❸ Valdez的actos的观众和主题。

❹ actos的场景和表演者。

❺ 后期的主题与农业工人和墨西哥裔美国人有关。

❻ Valdez的所有剧作都包含歌舞元素。

❼这些戏剧元素是当今绝大多数其他形式墨西哥裔美国人的戏剧的特色。

第一段3s：介绍了Valdez的戏剧的特征。

❶ actos很大程度上归功于其他时期和地区的戏剧传统。

❷ actos通常在室外由巡回剧团或由地方性剧团的演员演出。

❸❹ actos的受意大利即兴喜剧的影响。

❺❻英语戏剧也影响了actos的创作。

❼ Valdez融入了一些拉丁美洲的元素。

❽ actos剧作以及Teatro Campesino体现了墨西哥裔美国人的文学遗产的深度和复杂性。

第二段3s：actos剧作以及Teatro Campesino体现了墨西哥裔美国人的文学遗产的深度和复杂性。

全文3s版本：actos剧作以及Teatro Campesino体现了墨西哥裔美国人的文学遗产的深度和复杂性。

文章点拨

文章第一段先阐述了Valdez创作戏剧开始时的原因，希望能让农业工人团结起来，支持大罢工。后又根据戏剧的特点将他创作的戏剧分为前后期，并阐述前后期的不同特点。随后，文章重点介绍了Valdez戏剧中的创新因素，包括歌舞元素、极少依赖舞台效果或道具、用面具，并点出这些戏剧对现代墨西哥裔美国人戏剧的影响。

第二段点名Vadelz的戏剧虽然有很多创新，但也深受其他时期和地区戏剧传统的影响，包括意大利、英语戏剧等。并再文末又点名了Vadelz剧作对墨西哥裔美国人戏剧的重要影响。

例题讲解

The passage suggests that which of the following was true of the later actos of the Teatro Campesino?

根据文章，以下关于Teatro Campesino的后期actos的描述正确的是

答案：(D) They addressed a broader audience than did the earlier actos. 他们比早期actos针对的观众更广。

解析：定位第一段第五句。

Passage 162

为了＿＿＿＿＿＿，工蜂会阻碍其他工蜂＿＿＿＿＿＿

原文翻译

❶一般来说，蜂后（queen honeybee）是一个蜂巢（hive）中所有蜜蜂的母亲；蜂后与一些来自其他蜂群中的雄蜂（male drone）交配后产卵，受精卵发育成全雌性工蜂；未受精的卵则变成全雄性的雄蜂。❷当蜂后死去，工蜂（worker）通常产下会孵化成雄蜂的未受精卵。❸但在蜂后统治期间，工蜂几乎不繁殖后代。

❶根据自然选择理论（natural selection theory），工蜂通过把自己的卵加在蜂后的卵中一起孵

育或取代蜂后的卵来孵育，来提高工蜂自身的适应能力——或传播自己的基因的能力。**❷**但如果其他工蜂的雄性后代（具有较少与该工蜂相同的基因物质）替代了蜂后的雄性后代（该工蜂的兄弟），工蜂的适应能力反而会降低。**❸**研究者们要检验这样一种假设，即工蜂常会以某种方式阻碍其他工蜂繁殖后代，它们将工蜂和蜂后所产的未受精的卵放在同一个蜂巢中。**❹**其他工蜂迅速地将该工蜂的卵吞食一空，而蜂后的卵却安然无恙。

3s 版本

❶蜂后产出雌性工蜂和雄性雄蜂。

❷若蜂后死去，工蜂产下雄蜂。

Yet **❸**若蜂后不死，工蜂不繁衍。

小结：**❷❸**向下封装，顺接第二段**❶**。

第一段3s：蜂后和工蜂都有产下后代的能力。

❶工蜂通过孵化卵提升自身适应能力或传播基因。

But **❷**如果其他工蜂雄性后代替代蜂后雄性后代，工蜂适应能力降低。

❸❹工蜂会阻碍其他工蜂繁殖后代。

小结：**❸❹**封装。

第二段3s：工蜂会阻碍其他工蜂繁殖后代。

全文3s版本：为了提升自身适应能力，工蜂会阻碍其他工蜂繁殖后代。

文章点拨

本文第一段阐述了除蜂后之外，工蜂也能在蜂后死去的条件下，产出雄蜂。

本文第二段指出，工蜂可以通过孵化自己的，或者自己和蜂后的卵提升自身的适应能了或传播基因。但如果其他工蜂的雄性后代替代了蜂后的雄性后代，工蜂的适应能力会降低。因此研究发现，工蜂会阻碍其他工蜂繁殖后代。

例题讲解

The author refers to the experiment in the highlighted sentence in order to

作者提到黑体字所描述的实验是为了

答案： (D) show that worker bees are capable of thwarting each other's attempts to reproduce 指出工蜂能阻碍其他工蜂繁殖

解析： The experiment指研究人员将工蜂和蜂后所产的未受精的卵放在同一个蜂巢中，其他工蜂迅速地将该工蜂的卵吞食一空，而蜂后的卵却安然无恙。因此，实验发现其他工蜂会吞食工蜂的卵以阻碍其繁殖。选项(D)符合该实验的3s版本。

Passage 163

树木自身的防御机制反而让树木_____受到毛毛虫的威胁

原文翻译

❶百万英亩的树木被舞毒蛾毛虫（gypsy moth caterpillars）大规模侵袭而落叶，这一现象在美国东北部反复发生。❷通过研究这些害虫的爆发，科学家们发现受影响的树木会通过释放有毒的化学物质（主要是苯酚）到叶子里的方式来反击毒蛾。❸这些有毒物质限制了毛毛虫的生长，也限制了雌蛾产卵的数量。❹苯酚也会使毒蛾的卵变小，从而限制了之后几年毛毛虫的生长。❺由于雌蛾产卵的数量和它的体型大小直接相关，并且因为它的体型大小完全取决于在毛毛虫阶段是否被很好地喂养，所以树的防御机制对蛾的繁殖能力产生了影响。

❶舞毒蛾也会受到nucleopolyhedrosis病毒或枯萎病（wilt disease）的攻击，这种病在虫灾突发的年份里是极其重要的毛毛虫杀手。❷当毛毛虫吃了带有病毒的叶子时，就会感染枯萎病，这些病毒存在于蛋白质小球中。❸一旦被毛毛虫吃掉，蛋白质小球就会溶解，释放出上千个病毒或病毒颗粒，大约两周之后病毒会繁殖到足够多的数量，充满整个毛毛虫的腔体。❹毛毛虫死时，病毒就会被释放到外部，由毛毛虫的组织合成的蛋白质小球包裹住，准备被其他毛毛虫捡起来吃掉。

❶在得知包括单宁酸（tannins）在内的苯酚通常与蛋白质结合从而改变蛋白质的活性来起作用时，研究人员集中研究毛毛虫把病毒和叶子一起吃掉后的影响。❷研究人员发现，在含有大量单宁酸的橡树叶上，病毒杀死毛毛虫的效果，和苯酚含量较低的杨树相比要低得多。❸总体来说，树叶中苯酚的含量越高，病毒的杀伤力就越低。❹因此，尽管树叶中含有高浓度的苯酚时，通过限制毛毛虫体型的方式限制了雌性卵的聚集，减少了毛毛虫的数量，但是这些苯酚通过使枯萎病毒失效的方式也帮助了毛毛虫存活。❺红橡树林单宁酸含量高的叶子甚至可以为毛毛虫提供一个远离病毒的避难所。❻然而，在以杨树为主的树林中，舞毒蛾虫灾爆发的苗头能很快地被病毒流行病所抑制。

❶进一步的研究表明，随着树木出现更多的落叶，毛毛虫对枯萎病毒具有了免疫力。❷树木本身的防御反而提高了毛虫受枯萎病感染的阈值，在没有让毛毛虫变得更加容易受感染的情况下使它们变得更多。❸由于这些原因，毛毛虫摄取苯酚的利大于弊。❹考虑到病毒的存在，树木的防御手段显然是事与愿违的。

3s 版本

❶毒蛾毛虫的侵袭使得树木落叶的现象反复发生。
❷树木会通过释放有毒物质到叶子里对虫子进行反击。
❸❹❺树的防御机制对蛾虫的繁殖能力有抑制作用。
第一段3s：树木通过释放有毒物质对蛾虫的繁殖产生抑制作用。

❶枯萎病也是重要的毛虫杀手。
❷❸❹枯萎病会通过病毒攻击毛虫，减少毛虫数量。
第二段3s：枯萎病毒也是重要的毛虫杀手。

❶研究者研究毛虫同时吃病毒和叶子后的结果。

❷❸单宁酸多，病毒杀死毛虫效果差。

❹苯酚会使得病毒失效帮助毛虫存活。

❺给出苯酚多的例子——橡树，毛虫不受病毒影响。

However ❻苯酚少的杨树，病毒会抑制毛虫数量。

小结：❺❻封装在一起，与上文苯酚会使得病毒失效顺承。

第三段3s：苯酚越多，病毒杀伤力越差。

❶❷树木产生苯酚的能力反而使得毛虫对病毒免疫。

❸❹树木的防御机制在有枯萎病存在的时候，反而事与愿违。

第四段3s：树木的防御机制反而促使毛虫数量的增加。

全文3s版本：树木自身的防御机制反而让树木更容易受到毛虫的威胁。

📖 文章点拨

文章第一段首先描述了毛虫会侵扰树林的现象，然后引出了第一个能够抑制毛虫的因素是树木自身的防御机制——产生苯酚。

第二段中，作者给出了第二个可以减少毛虫数量的因素——枯萎病毒。尽管给出了两个解决方案，但这篇文章其实与大多数文章的新老观点类似。这一点在下文中更能体现，作者会通过评价来给出自己最终的偏好。

第三段中，作者主要研究的是两个因素如果同时运作产生的效果。结果是树木中的苯酚会使得枯萎病毒失效，降低抑制毛虫的效果。

最后一段，作者给出了最终结论，树木的防御机制反而事与愿违，会使得树木更多地受到毛虫的威胁。

文章总体结构是先分别讨论因素一和因素二，然后看两者共同产生的影响，最后给出结论。

📖 例题讲解

1. Which of the following statements best expresses the main point of the passage?

   本文的主旨是

答案： (B) A mechanism used by trees to combat the threat from gypsy moth caterpillars has actually made some trees more vulnerable to that threat. 一个被树木用来阻止来自毒蛾毛虫的威胁的机制实际上会使得一些树更容易受到这种威胁的伤害。

2. Which of the following best describes the function of the third paragraph of the passage?

   下列哪个选项最好地描述了第三段的功能？

答案： (D) It shows how phenomena described in the first and second paragraphs act in combination. 第三段展现了第一段和第二段描述的现象结合起来的效果。

Passage 164

可以对舞蹈进行_____的分析

原文翻译

❶对舞蹈的物理学原理进行分析可以从根本上增强舞者的技艺。❷虽然舞者很少会完全从物理学的角度来看待自己——例如身体的质量在众所周知的力的影响下在空间中的运动，这种运动遵循着物理规律——但是，他们也不可能完全无视物理学原理。❸例如，无论舞者多么希望能从地面上跳跃起并紧接着开始旋转，角动量（angular momentum）守恒定律是绝对不允许这样的动作出现的。

❶有些主要涉及人体全身垂直或水平运动的动作，在其中旋转可忽略不计，可通过简单三维线性运动方程来研究。❷然而，旋转运动则需要更复杂的研究方法，涉及对人体重量分配方式的研究，对不同类型的动作中所涉及的旋转轴的分析，以及旋转动作力量来源的分析。

3s 版本

❶对舞蹈的物理学分析可以增强舞技。

❷❸舞者不能忽略物理学原理。

第一段3s：舞者不能忽略物理学原理。

❶研究没有旋转的动作可通过三维线性运动方程。

However ❷旋转运动需要更复杂的研究方法。

第二段3s：不同的舞蹈动作需要不同的研究方法。

全文3s版本：可以对舞蹈进行物理学的分析。

文章点拨

文章第一段第一句提出全文的主旨，对舞蹈的物理学分析可以增强舞技。随后用角动量守恒的例子解释为什么物理学可以影响舞蹈。

第二段通过人体全身垂直或水平和旋转运动间研究方法的不同，进一步证实物理学分析对舞蹈的影响。

例题讲解

The primary purpose of the passage is to

文章主旨是

答案：(B) describe how one field of knowledge can be applied to another field 描述一个领域的知识如何应用到另一个领域

解析：两个field of knowledge分别指物理学和舞蹈。

Passage 165

可以用_____研究海水水循环获得初步成功

原文翻译

❶在1965年之前，许多科学家把海水水流循环描绘成由类似墨西哥湾水流组成的巨大而慢流速水流。❷这个基于100年环球观察的观点，只是做了一个有关真正循环的粗略近似。❸但是在20世纪50和60年代，研究者们开始利用新发展的技术和装备，包括随海水水流移动并且发射识别信号的水下浮子，以及在海中固定位置持续记录数月资料的洋流仪。❹这些工具揭示了深海中人们未曾想到的可变性。❺海水被海洋学家称作中等尺度现象控制着（起伏不定、强劲有力的洋流，这些洋流的速度可以达到主洋流平均速度的10倍），而不是以随季节变化的平稳的大尺度洋流（如果有的话）为特征的。

❶中等尺度现象是把海洋比作天气系统的一种说法，它的规模通常达到100千米并且持续100天（天气系统的规模通常达到1000千米并在任意区域持续3~5天）。❷整个海洋中多于90%的动能是由中等尺度的变化产生的，而不是由大尺度洋流产生的。❸实际上，中等尺度现象在海洋混合、海水与空气的相互作用以及偶尔出现——但是意义重大——的天气事件（例如厄尔尼诺现象）中起到了关键的作用（厄尔尼诺现象是指在赤道太平洋产生的、影响全球天气模式的、大气与海洋之间的扰动）。

❶不幸的是，利用传统技术来测量中等尺寸现象并不可行。❷为了正确测量它们，我们应该在间隔至多50千米的网格中放置监视装置，每个格点上的监视装置配有下潜足够深并且放置好几个月的传感器。❸由于利用这些技术会极为昂贵和耗时，所以1979年有人提出X线断层摄影术（tomography）应用来测量海洋的物理性质。❹在医学领域，X线断层摄影术绘制人体密度变化（因而显示人体内部器官）；来自X射线的信息在人体内以不同的路径传输，在体外重新汇合从而形成三维图像。❺正是这种主要来自多个路径的信号所获得的资料成倍的增长，说明了海洋学家对于X线断层摄影术的兴趣：它使得用相对较少的仪器进行大范围测量成为可能。❻研究者们推断，由于低频音波在数学上被很好地描述出来，并且由于即使是在发射的声波中的一些小扰动也可以被检测到，所以低频音波可以在海中通过很多路径传播；研究者们还推断，海洋内部的性质——温度、盐度、密度、水流速度——可以根据信号被海水的改变情况来推断出。❼他们的初步尝试取得很大成功，而海洋声学摄影术就此诞生。

3s 版本

❶海水水流循环由巨大缓慢水流组成。

❷这个观点只是真正循环的粗略近似。

But ❸新的研究技术被采用。

小结：1965年之前只有关于海水循环的粗略近似。

❹新技术发现了深海的可变性。

❺海水由中等尺度现象控制。

第一段3s：新技术海水水循环由中等尺度现象控制。

❶中等尺度现象规模大、持续时间长。

❷海洋中大部分动能由中等尺度的变化产生。

❸中等尺度起到作用。

第二段3s：中等尺度现象对海洋的影响很大。

Unfortunately ❶❷中等尺度现象不能被传统技术测量。

❸有人建议用X线断层摄影术测量海洋的物理性质。

❹❺❻ X线断层摄影术理论上可以推断海洋内部的性质。

❼ X线断层摄影术初步成功，海洋声学摄影术初步诞生。

第三段3s：X线断层摄影术探测海水水循环初步成功。

全文3s版本：可以用X线断层摄影术通过观测中等尺度现象进而研究海水水循环初步成功。

📖 文章点拨

本文第一段先提出了1965年前对海水水循环的观点，即海水水循环由巨大缓慢水流组成。之后文章驳斥了该观点，并指出海水水循环由中等尺度现象所控制。

第二段通过阐述中等尺度现象的规模、对海洋动能的影响、对海洋混合、海水鱼空气相互作业及其他天气事件的影响，来说明中等尺度现象对海洋的影响很大。

第三段指出中等尺寸现象需要大范围的测量，因此传统技术无法进行测量的问题。之后又提出了X线断层摄影术在理论上可以推断海洋内部的性质。最后指出实验证明X线断层摄影术是有效的。

📖 例题讲解

According to the passage, scientists are able to use ocean acoustic tomography to deduce the properties of the ocean's interior in part because

根据文章，科学家们之所以可以用海洋声学摄影术来推测海洋内部性质的部分原因是

答案： (A) low-frequency sound waves are well described mathematically 数学上很好地描述了低频声波

解析： 定位第四段第四句，选项(A)为该句的同义替换。

Passage 166

通过对兔子的研究来理解_____与_____之间的联系

📖 原文翻译

❶科学家们认识到胆固醇（cholesterol）在诱发心脏疾病所起到主要作用已经有一段时间了，因为患有家族性血胆固醇过多症（hypercholesterolemia，一种基因缺陷）的人的血液中胆固醇含量比正常值高6~8倍，而他们总是都患有心脏疾病。❷这些人缺少细胞表面低密度脂蛋白（LDL's）的受体，这个受体是将血液中的胆固醇运送到利用胆固醇的细胞中的搬运者。❸要是没有足够多的细胞表面受体把LDL's从血液中移除，那么搬运胆固醇的LDL's会留在血液中，提高血胆固醇含量。❹科学家们还注意到，患有家族性血胆固醇过多症的人比常人有更多的LDL's。❺科学家好奇的是，使得

去除血液中的LDL's变慢的基因变异是否也会导致搬运胆固醇蛋白合成的增加？

❶由于科学家无法在人体组织上进行试验，他们对家族性血胆固醇过多症的认识受到了严重的限制。**❷**然而，1980年日本Kobe大学Yoshio Watanabe的实验室实现了突破。**❸** Watanabe注意到，在他饲养的一群兔子中，有一只雄性兔子的血胆固醇浓度是正常值的10倍。**❹**通过合理的繁殖，Watanabe获得了一个高胆固醇兔子品种。**❺**这些兔子自然都患上了心脏病。**❻**让他感到惊奇的是，他进一步发现这些兔子和患有家族性血胆固醇过多症的人一样都缺少LDL受体。**❼**因此，科学家可以通过研究这些Watanabe兔子来加深人们对家族性血胆固醇过多症的理解。

❶在Kobe大学取得突破之前，人们就已经知道LDL's是被肝脏以前体的形式分泌的，这个前体叫超低密度脂蛋白（VLDL's），它搬运的是甘油三酸酯（triglycerides）以及相对少量的胆固醇（cholesterol）。**❷**甘油三酸酯被脂肪和其他组织从VLDL's上移除。**❸**剩下的是必须从血液中才能移除的残留粒子。**❹**通过研究Watanabe兔子，科学家了解到需要LDL受体来移除VLDL残留物。**❺**一般来说，大多数VLDL残留物进入肝脏，它们在肝脏中与LDL受体结合并被分解。**❻**在Watanabe兔子中，由于肝脏细胞中缺乏LDL受体，VLDL残留物会存留在血液中并最终被转化为LDL's。**❼**所以，LDL受体对控制LDL浓度有双重影响。**❽**它们防止从VLDL残留物到LDL's的过度合成，并且它们对于移除血液中的LDL's也是必需的。**❾**具备了这些知识，科学家现在正在研发能显著减低家族性血胆固醇过多症患者的胆固醇浓度的药物。

3s 版本

❶胆固醇过多导致心脏病。

❷❸缺少LDL受体使胆固醇上升。

❹胆固醇高的人，LDL也高。

❺科学家不理解LDL受体减少与LDL增多之间的联系。

第一段3s：科学家不理解LDL受体减少与LDL增多之间的联系。

❶无法用人体组织做实验。

However **❷❸❹❺❻❼**可以通过研究兔子来理解LDL受体减少与LDL增多之间的联系。

第二段3s：可以通过研究兔子来理解LDL受体减少与LDL增多之间的联系。

❶ LDL的前体是VLDL，搬运甘油三酸酯和胆固醇。

❷脂肪移除甘油三酸酯。

❸胆固醇要在血液中移除。

❹ LDL受体可以移除胆固醇。

❺胆固醇进入肝脏与LDL受体结合。

❻在LDL受体少的情况下，胆固醇会转变为LDL。

❼❽ LDL受体对控制LDL有双重影响。

❾可以研发降低胆固醇浓度的药物。

第三段3s：LDL受体与LDL之间的联系。

全文3s版本：通过对兔子的研究来理解LDL受体与LDL之间的联系。

⤵ **文章点拨**

第一段第五句中"去除血液中的LDL's变慢"指的是LDL受体减少；"搬运胆固醇蛋白"指的是LDL。LDL受体是用来接收LDL的，简单来说就是LDL受体会使LDL减少。

第一段的事件发生顺序是：

$$LDL受体\downarrow \rightarrow LDL\uparrow \rightarrow 胆固醇\uparrow \rightarrow 心脏病$$

第三段的事件发生顺序是：

$$肝脏 \xrightarrow{分泌} VLDL \overset{\xrightarrow{携带} 胆固醇 \xrightarrow{肝脏中缺少 LDL 受体} \xrightarrow{进入} 血液 \xrightarrow{转化} LDL}{\xrightarrow{携带} 甘油酸三酯 \rightarrow 被脂肪移除}$$

⤵ **例题讲解**

In the passage, the author is primarily concerned with

本文的主旨是

答案： (B) raising a question and describing an important discovery that led to an answer 提出一个问题并且描述了一个重要的发现来得到一个答案

解析： a question指代第一段最后一句：LDL受体减少与LDL增多之间的联系。an important discovery指的是第二段兔子的实验。an answer指的是最后一段得到的结论：LDL受体对控制LDL有双重影响。

Unit 19

难文赏析

练习题目

多背一个单词，多看一个作文题目，考场上就有机会多拿一分。很幸运在"杀 G"的道路上遇到微臣，遇到这么多好老师。也希望师弟师妹们都能通过努力和奋斗取得自己理想的成绩。

——穆赛

北京航空航天大学，微臣教育线下 400 题 80 篇课程学员

2016 年 10 月 GRE 考试

Verbal 160

Passage 167

作者通过指出对_____的错误解读，给出自己对于_____的理解

原文翻译

❶我的目的是分析特定知识的形式，不是从压迫或者法律的角度分析，而是从权力的角度来分析。❷但是"权力"这个词容易引起对于权力的性质、形式和统一性的误解。❸我所说的权力，并不是指用来确保平民服从的一套制度和机制。❹我也不是指某种形式的，与暴力相对立的征服，这种具有统治的形式。❺最后，我所想的权力也不是由一个集团支配另一个集团所构成的一个普遍体系，这种体系的影响会借由持续的演化过程（derivations）存在于整个社会中。❻国家的主权（sovereignty）、法律的形式以及统治的整体统一性只是权力所表现的最终形式。

❶在我看来，权力必须被理解为在社会领域中各种力量关系的总和；被理解为一个过程，这个过程通过持续的斗争和冲突，会改变、加强或颠倒这些力量之间的关系；权力应该被理解为这些力量关系在彼此间所能找到的支持；或者相反，被理解为使它们彼此分离开的分裂与矛盾；最后，权力应该被理解为这些力量关系发挥效果的策略，策略的总体方案或体制的形成在国家工具（state apparatus）中体现、在法律的制定中体现、在各种各样的社会霸权（hegemonies）中体现。

❶因此，这个观点，即允许人们理解权力的运用——即便在其比较"次要的"效果中——并使权力的机制作为一种分析社会秩序的结构性框架成为可能的观点，绝不应该从这样一个主权中寻找，这个主权是所有次要和派生的权力形式的唯一来源，而应该在一个不断运动的深层力量关系中寻找，这些力量关系凭借其不平等性，不断地导致权力的局部化以及权力不稳定的状态。❷如果权力看起来无处不在，那么这并不是因为它具备一种在其不可战胜的统一性下巩固一切的特权，而是因为它时时刻刻都被产生，或更确切地说，它会从一个点到下一个点的每一种关系中产生。❸权力无处不在，并不是因为它包含一切，而是处处都蕴含着权力。❹如果权力有时表现得永恒、重复、不活跃，且自我再生（self-reproducing），那么这仅仅是因为所有这些运动中产生的整体效应是相互联系的事物，这种联系建立在它们当中的每个因素的基础上，并反过来去阻遏它们的运动。❺毫无疑问，人们有必要成为名义主义者（nominalist）；权力既不是某种体制，也不是某种结构；它也不是某种赋予人们的力量；权力是人们针对某个特定社会中复杂策略形势所给予的名称。

3s 版本

❶从权力的角度去分析知识的形式。

But ❷人们对于权力的解读有误区。

❸❹❺❻作者认为有误区的对于权力的解读。

第一段3s：作者用权力来分析知识的形式，指出有些对权力的解读不准确。

❶作者对权力的理解方式。

第二段3s：作者对权力的理解方式。

❶权力的行使，需要了解深层力量关系的运动。

❷❸权力无处不在。

❹权力是在关系的运动中产生的。

❺权力是某个社会中复杂的策略形式。

第三段3s：权力并非一成不变。

全文3s版本：作者通过指出对于权力的错误解读，给出自己对于权力的理解。

文章点拨

1. 文章内容理解

　　文章第一句交代作者要从权力的角度进行对知识形式的分析。但是从第二句一直到文章结束没有再提及知识方面的内容。而是给出了作者认为如果从权力的角度进行分析，对于权力这个词的理解就需要把握准确。

　　在第一段中作者给出了多个对于权力的错误解读。在第二段和第三段中详细地阐述了自己对于权力的看法。有关知识的形式是可以预测的，会在这篇节选的下文中出现介绍。介绍完权力和知识的形式之后，作者应该会将权力的正确解读应用到对于知识形式的分析。

　　文章的难点在于讲述的对象过分抽象。同时本以为第二段这个长难句读完，文章会变得友好，结果第三段再次出现大量复杂句子。句子的复杂体现在作者非常喜欢使用"不是…而是…"的结构。

　　第一段第三、四、五句都是作者不认为权力是什么样子的。第二段作者提出了他认同的权力的定义。第三段的第一、二、三句都是not but结构。第三段第五句，也是not but结构，但是but没有给出。

2. 长难句讲解

　　It seems to me that power must be understood as the multiplicity of force relations that are immanent in the social sphere; as the process that, through ceaseless struggle and confrontation, transforms, strengthens, or reverses them; as the support that these force relations find in one another, or on the contrary, the disjunctions and contradictions that isolate them from one another; and lastly, as the strategies in which they take effect, whose general design or institutional crystallization is embodied in the state apparatus, in the formulation of the law, in the various social hegemonies.

　　本句话中的四个"as"起到解释power的作用，同时这四个as可以拆开来看：

第一个as：as the multiplicity of force relations [1][that are immanent in the social sphere]

　　① 定语从句。修饰relations。

第二个as：as the process [1][that, [2][through ceaseless struggle and confrontation,] transforms, strengthens, or reverses them]

　　① 定语从句。修饰process。

　　② 状语从句。Through引导方式状语从句，修饰后面的一系列动作：transforms, strengthens, or reverses。

　　③ them指代relations。

第三个as：as the support [1][that these force relations find in one another], [2][or on the contrary], [3]as the disjunctions and contradictions [4][that isolate them from one another]

　　① 定语从句。修饰support。

　　② 状语。

　　③ 省略。

④ 定语从句。修饰disjunctions and contradictions。

⑤ them指代relations。

第四个as： as the strategies [1][in which they take effect], [2][whose general design or institutional crystallization is embodied in the state apparatus, in the formulation of the law, in the various social hegemonies]

① 定语从句。修饰strategies。

② 定语从句。修饰strategies。

背景知识

米歇尔·福柯对于知识和权力的看法

本文是法国思想家米歇尔·福柯在《知识考古学》一书中的一个片段。因为本文通篇都是在进行理论论证而没有具体实例，所以读起来非常晦涩难懂。下面的内容是笔者请教了身边研读过福柯著作的朋友们之后所做出的对于本文的通俗解释，希望对各位读者理解本文有所帮助，其中谬误之处希望各位读者不吝指出。

本文第一句强调从"权力"的角度去分析"知识"。福柯说过："知识是权力纵横捭阖的产物。"权力即知识。不同的知识背后有不同的权力集团去服务于不同的利益集团。比如一国的教育，教育本身是给国民赋予知识，但其实该国的教育大纲要教给国民什么样的知识、达到怎样的教学效果，其实最终体现的都是该国的意识形态。这一点各位想想世界上的专制主义国家便能理解。通过上面的例子，知识是权力的产物。

第二句则是福柯的观点：权力本身既不是褒义词也不是贬义词。我们在研究权力的时候，要抱有中立态度，不能带有自我价值判断，认为权力是对我们的一种压迫。第三句则是说明，不能认为有"权力"存在，所有的人就都会服从于这个权力。第四句，福柯眼中的权力也并非君主制下严格的等级制度。第五句说的则是权力也并不是类似于法西斯这种的集权主义。第六句中说的"主权""法律形式"和"统治的统一性"，其实都是传统上我们对于"权力"的理解，可是在福柯眼中，上面三者只是权力的表现形式，是表象而非本质。

因此，本段最重要的就是第一句，要从权力的角度分析知识。接下来的五句话则是福柯对于权力的理解，只不过从表达方式上，他用了否定句，否定掉了传统上我们对权力的理解。但是权力究竟是什么，第一段并没有给出。

这一段其实结合福柯本身的思想会更好理解。福柯本身主要研究的就是社会的边缘性人群，比如同性恋者、抑郁症人群和精神病人等等，因此福柯特别喜欢把权力放在传统观点中不一样的位置去思考。这也是为什么第一段中福柯用大量否定句排除掉了我们对权力的传统认知。

第二段的前四个分句，总体上是在说权力是一个动态的过程，权力与权力之间会产生博弈，在这一过程中会有权力间的此消彼长。社会中各种各样的力量关系就像是金字塔的底部一样，底部的不断积累最终形成一整个金字塔，这个塔本身就是权力，可是权力的表现形式（如主权、法律等）只是塔尖，是表象。本段最后一个分句则是福柯眼中权力的本质：权力是被塑造出来的。福柯关注的则是权力被塑造出来的过程。比如某国总统在国内建立了自己的霸权，福柯所主要研究的是这个总统背后的利益集团如何打造了这位总统的霸权，而非研究霸权本身。

第三段前四句话连起来看，就是在说权力本身是动态的，我们不应该研究静态的权力，而应该研究权力此消彼长的过程。比如某个政府机关作风官僚，不思进取，我们就会认为它的权力已经是静态不动的了。但是这一权力体系的背后是整个国家乃至整个世界的权力体系对这个政府机关作用的结果，因此它的权力体系还是动态的。再比如秦王朝的建立意味着秦国走向了权力的顶峰，但是在福柯眼中，我们应该意识到，秦朝站到权力巅峰只是之前的动态过程的暂时结果，朝代的更迭也是权力动态过程的一种表现。

本文最重要的是最后一句话，起到了总结前文的作用。最后一句讲"权力既不是某种体制，也不是某种结构"，这里对应第一段，认为我们不应该只看到权力表面上所表现的东西。"它也不是某种赋予人们的力量"，力量等于特权，而特权即为静态，但是根据最后一段，福柯认为权力是动态的，是一直在变化的，是此消彼长的，因此不可能成为某个人的专属特权。"权力是人们针对某个特定社会中复杂策略形势所给予的名称"，权力是为了达到某一目的而采取的一种策略，是社会各种关系的产物。

例题讲解

According to the passage, which of the following best describes the relationship between law and power?
根据这篇文章，下面哪一项最好地描述了法律和权力之间的关系？

答案： (D) Law is a product of power. 法律是权力的产物。
解析： 本题同义改写第一段第六句：法律是权力的最终形式。

Passage

（有/没有）给"冰川期"断代靠谱的方法

原文翻译

❶"冰川期"这个术语有可能会给人留下错误印象。❷被地质学家称为更新世（Pleistocene）的时代，跨度为目前地质时代之前的150万至200万年，这段时期并非是一个持续的冰川作用过程，而是一个由波动的气候构成的时期，这个时期的冰川的增长不时被间冰期打断，而这种间冰期气候与我们现在的气候差异不大。❸以Scandinavia半岛北部为中心的某一冰盖的冰原，向南延展到中欧。❹在这个冰原之外的地区，气候的波动会影响到世界其他大部分地区；例如，在沙漠中，环境较为潮湿的时期（即洪积期，pluvial）与较为干燥的间洪期（interpluvial）形成对比。❺虽然这段时间很短，约为地球总年龄的0.04%，但人们投入到更新世的注意力却是难以置信得大，可能是由于这段时期离我们很近，且因为这一时期在很大程度上与地球上出现人类及其直接的祖先的时期一致。

❶没有任何可靠的方法能给大部分冰川期断代。❷地质年代通常是利用矿物质中所发现的各种放射性元素的衰变速率来断定的。❸这些衰变速率中的一些适用于非常古老的岩石，但用来研究年龄较小的岩石时却会增加误差；其他衰变速率适用于年龄较小的岩石，但用于较古老的岩石会增加误差。❹没有任何元素拥有与大多数的冰川期所跨越的时间相匹配的衰变速率。

❶可是，更新世的研究者们提出了各种有些新奇的模型体系，来表明假使由它们掌控地质事件，他们将如何来安排整个冰川期。❷例如，对Alpine冰川的所做的一次早期分类暗示着在那里曾存在过四次冰川作用，分别是Gunz、Mindel、Riss、Wurm。❸这个序列主要依据一系列与冰川作用和间冰期并不直接相关的地质沉积物和地质事件，而非依据更普遍的现代方法，即去研究间冰层中所发现的生物残留物，而这些间冰层本身又在冰川沉积物中发生了间层化。❹然而，Alpine冰川的

序列却被胡乱强加给了北欧那些发生过冰川作用的地区,这个地区只有部分真正的冰川底碛(ground moraine)和间冰期沉积物,人们希望能最终将它们拼接起来,以提供一个完整的更新世演替过程。❺淘汰Alpine命名法依然被证明是一项艰巨的任务。

❶有关各个冰期和间冰期的相对长度、复杂度以及温度,人们没有任何结论性的证据。❷我们并不知道是生活在一个后冰川期,还是在间冰期。❸一个严峻的真相似乎是:我们早已经过了后冰川期的最佳气候。❹对一些化石分布和对某些温带植物的花粉所做的研究表明,无论是夏天、冬天,气温都降低了1到2度,因此,我们有可能处在一个气候日趋下降的阶段,这会导致冰川作用和生物灭绝。

3s 版本

❶ "冰川期"的说法是错的。

❷ Pleistocene不是一直寒冷。

❸❹气候波动大。

❺ Pleistocene引人注意。

第一段3s:Pleistocene不是一直寒冷,该时期引人关注。

❶没有靠谱的方法给冰川期断代。

❷给出放射性同位素的方法。

errors负态度词❸❹方法不对。

小结:❷❸❹封装,顺承❶。

第二段3s:没有靠谱的方法给冰川期断代。

Nevertheless ❶有新方法。

❷❸介绍Alpine方法。

Yet ❹❺ Alpine方法不好。

第三段3s:Alpine方法不好。

❶关于冰川期和间冰期的研究没有定论。

❷我们不知道现在是什么时期。

❸❹我们处于温度下降的过程中。

第四段3s:我们现在处于温度下降的阶段。

全文3s版本:没有靠谱的方法给"冰川期"断代。

文章点拨

本文第一段通过证明Pleistocene这一时期是不连续的,用来说明"冰川期"是错误的。因为冰川期给人的印象一直都是冰川。二、三两段试图给冰川期断代,但是不管是放射性同位素法还是Alpine法,都被证明是不能用来给冰川期断代的。

正是因为很难给冰川期断代,所以第四段说我们不知道现在是后冰川期还是间冰期。第三句中的"chill truth"是双关语,一方面chill说明现在气候很冷,证明我们正处在温度下降期,另外chill还表示"严峻的",警告我们可能已经度过了后冰川期的最佳气候。

背景知识

Ice Age，glacial period，interglacial period与postglacial period

　　Ice Age是"冰川期"，本文中的Pleistocene就是一个Ice Age。Ice Age的跨度达到几百万年，因此可以称之为"大冰期"。但是要注意的是，在Ice Age期间并非每一个时刻都是寒冷的。Ice Age简单来讲，期间会有两种时期：glacial period（冰期）和interglacial period（间冰期）。glacial period是寒冷的，而interglacial period是温暖的。每一个冰期结束后，就会迎来一个温暖的间冰期。文中第三段提到的Gunz、Mindel、Riss、Wurm就是Pleistocene时期中的四个冰期。postglacial period可以简单认为成是Ice Age结束后的一段时期，在这一时期内，温度会经历上升—平稳—下降的过程。

　　知道上面概念的区别，第四段就很好理解了。本段第二句说我们并不知道是生活在一个后冰川期，还是在间冰期。再结合第三句的chill truth，我们可以知道现在所处的时期正在变冷。而根据上面的知识，气候变冷有两种可能：我们处于间冰期（因为温暖的间冰期结束就是寒冷的冰期，因此间冰期内温度是下降的），或者我们处于后冰川期的温度下降阶段。当然，因为Pleistocene时期已经过去了，所以第四段中的间冰期应该是在怀疑我们正处在一个Pleistocene时期以外的冰川期中的一个间冰期。

例题讲解

Which of the following does the passage imply about the "early classification of Alpine glaciation"?
下面哪一项是这篇文章提到的关于"早期Alpine冰山分类"？

答案： (A) It should not have been applied as widely as it was. 它不应该被如此广泛地利用。

解析： 本题本质上是在问对于Alpine分类法的评价，因此定位到第三段第四、五句。第四句提到Alpine方法被强行应用到北欧发生过冰川作用的地区是混乱的。第五句讲根除这种分类方法是一个艰巨的任务。因此可以推测出来Alpine不应该被如此普遍利用。

Passage 169

Quine认为古典实证主义的概念是＿＿＿＿＿＿的

原文翻译

　　❶历史上，古典实证主义基于这样一个概念，即每一个正确的推论都必须能被具体的观察所验证。❷例如，在古典实证主义中，"所有的球都是红色的"这一论断的真实性，就是通过检验所有的球来评估的；任何观察中，只要发现一个不是红色的球，就能推翻这个论断。

　　❶但是，对于W. V. O. Quine而言，上述观点是对实证主义过于"狭隘"的理解。❷他认为，"所有的球都是红色的"是整张陈述之网（即我们的知识）中的一股绳；个别的观察都只是参考于整张网。❸他解释道，随着新的观察的收集，它们必须被整合到这个网中。❹问题只有在以下情况才会发生，即只有当新的观察，如"那个球是蓝色的"，与已存在的陈述之间发生矛盾的时候。❺在那种情况下，他认为，任何一项陈述或一组陈述（而不是像在古典实证主义中那样，仅仅是个"矛盾的"理论）可以被改变，用来实现基本的要求——成为一个没有矛盾的系统，即使在某些情况下这种改变包括给新的观察贴上"错觉"的标签。

⬇ 3s 版本

❶古典实证主义的概念，认为所有的推论都应该由具体的观察来验证。

❷古典实证主义验证的具体例子。

第一段3s：古典实证主义的概念。

However ❶ Quine认为古典实证主义的概念太狭隘。

❷❸所有的观察应该被整合到整体之中。

❹❺有问题的观察可以被调整，从而变得没有矛盾。

第二段3s：Quine认为古典实证主义的概念太狭隘。

全文3s版本：Quine认为古典实证主义的概念太狭隘。

⬇ 文章点拨

两段之间存在清晰的段间转折。但是第二段中的内容过于抽象，加之第二段有小封装现象（如第四句、第五句），导致考生理解困难。

文章想表述的含义我们可以用几个类比的例子来帮助大家理解：用"进化论"作为例子区分古典实证主义与Quine的观点之间的差异。古典主义认为，只有当世界上所有的物种都符合进化论时，进化论才能被认为是正确的，一旦有一种动物无法用进化论来解释，那么进化论便被认为是错的。即古典主义认为只要有一个反例，一个理论便可以被推翻。

而根据Quine的观点，我们首先要有一个进化论的概念，然后把所有符合进化论的动物都往上面靠，如果有一种动物不符合进化论，我们也不能认为进化论是错的，而要对原有理论进行修改，以使得进化论可以囊括这个例外的动物。即Quine认为一项科学理论可以存在例外，并且这个例外是可以经过调整被整合到这个理论之中的。

再举一例：哥白尼的日心说。其实日心说在刚刚被提出时并不完善，那么根据古典观点，哥白尼就应该是错的，但从Quine的观点来看，日心说可以被认为是对的，当时的一些例外情况是可以被整合进日心说的。现在来看，当年的一些例外现在都被整合进日心说，日心说也确实被证明是正确的，可如果按照古典主义来看，日心说在当时就是错的。因此相比于Quine的观点，古典观点有点过于绝对。

类似的例子还有爱因斯坦的物理大统一理论。所谓"大统一理论"即指所有相互作用力都可以用同一个公式来进行描述。很久之前，电和磁被认为是独立的事物。根据古典主义，电和磁就是大统一理论的例外，于是大统一理论是错的。可是根据Quine的观点，我们要想办法把电和磁整合到大统一理论中。后来，麦克斯韦发现电和磁是可以互相转化的，因此电和磁可以被统一，大统一理论得到了补充。当然，现在还有很多的作用力目前没办法被统一到一起，但如果按照古典主义，大统一理论早就被证伪了，可是按照Quine的理论，大统一理论仍然可以被探讨下去，建立统一理论的思想也一直吸引着物理学家们。

⬇ 例题讲解

According to Quine's conception of empiricism, if a new observation were to contradict some statement already within our system of knowledge, which of the following would be true?

根据Quine对于实证主义的看法，如果一个新的观察会与我们现有知识系统中的某些观点相矛盾，那么下面哪个选项是正确的？

答案： (D) The observation or some part of our web of statements would need to be adjusted to resolve the contradiction.

需调整这个观察或者我们陈述网络中的某个部分以解决这个冲突。

解析： 本答案同义改写原文第二段第五句，原文中alter改写选项中adjust。

Passage 170

大脑过程和＿＿＿＿＿＿的关系的研究是＿＿＿＿＿＿的

原文翻译

❶到1950年为止，将大脑过程和精神体验相联系的尝试所获得的结果令人相当沮丧。❷神经细胞所展现的大小、形状、化学过程、传导速度、刺激阈值等差异与各种精神体验之间可能的相互联系仍然是微不足道的。

❶本世纪初，Hering提出了不同的感觉模式，例如痛觉、味觉和色觉，感觉模式可能和特定种类的神经能量的释放有关。❷然而，随后发展起来的记录和分析神经电位（potential）的方法并未能揭示出任何神经能量的定性差异。❸用其他方法展现不同类型神经元（neuron）的精细差异是另一种可能性；然而，并没有证据证明神经元结构的差异能影响不同性质的神经冲动和它产生的条件，这些结构差异影响的似乎是神经网络的发育模式。❹尽管不同神经能量的定性差异这一说法从未被严格否定，但是这个学说由于其对立观点的出现而被抛弃，这个对立观点是：神经冲动在性质上是相同的，并且以"通用货币"的形式被传输到整个神经系统中。❺根据这个理论，并不是感觉神经冲动的性质，而是这些神经冲动作用在大脑的不同位置，决定了它们产生的不同的神经体验。❻在一个实验中，当电流刺激施加在一个有意识的人的大脑皮层（cerebral cortex）的某一特定感觉区域时，大脑皮层便产生了一种与那个特定区域相对应的感觉形式（modality），也就是说，从视觉脑皮层产生视觉，从听觉脑皮层产生听觉，以此类推。❼尽管其他实验揭示出神经细胞在尺寸、数量、排列以及相互连接方面存在着细微差异，但就心理与神经的关系来说，这些感觉区域彼此之间明显的共同点似乎要比任何彼此间细小的差异留给人印象深刻得多。

❶然而，大脑区位理论本身几乎不具有任何解释价值。❷研究表明，不同的感觉，例如红、黑、绿和白，或者触摸、冷暖、运动、疼痛、姿势以及压力的感觉明显是由激活相同皮质区域而产生的。❸在导致大脑兴奋的不同精神体验方面似乎还剩下某种可能解释的原因：即神经冲动中心分布的差异起到了重要作用。❹总之，大脑理论暗示的是与精神活动相关联的是在相同的大脑组织中，相同的神经细胞传导着本质上相同的神经冲动的活动。❺为了把精神体验之间的不同与大脑过程匹配起来，心理学家只能将注意力转向神经冲动在时空（spatiotemporal）组合排列方面的无限变化。

3s 版本

❶大脑过程和精神体验的关系的研究令人沮丧。

❷大脑过程和精神体验无关。

第一段3s：大脑过程和精神体验的关系的研究令人沮丧。

时间对比❶ Hering认为神经体验和特定神经能量释放有关。

however ❷神经能量在性质上不存在特定差异性。

❸结构差异也不能解释不同的神经体验。

❹神经能量具有共通性，不具有差异性。

❺❻相同的冲动作用于大脑皮层的不同区域产生不同的感觉。

❼支持大脑区位理论。

第二段3s：共通的神经能量通过刺激不同的大脑皮层区域导致不同的感觉。

However ❶大脑区位理论是错的。

❷不同感觉来自于相同区域。

❸神经冲动的分布差异导致感觉不同。

❹大脑理论认为大脑组织、冲动、神经细胞都是相同的。

❺差异的解释要从神经冲动时空的差异性入手。

第三段3s：要研究神经体验的差异性只能研究神经冲动在时空的无限变化。

全文3s版本：大脑过程和精神体验的关系的研究令人沮丧。

📖 文章点拨

1. 文章结构

本文第一段时间状语By 1950，在这篇文章中竟然是一个新观点。因为这篇文章是九十年代的GRE考试的文章，所以相对于文中第二段提及的本世纪初的Hering的观点应该是二十世纪而不是二十一世纪的观点。

本文第一句就是全篇的大帽子，全篇最终想要得到的结论是大脑过程和精神体验的关系的研究令人沮丧的。作者的第一句话不仅奠定了全篇的"悲情"基调，更是奠定了本文"臣妾做不到啊"的难度基调。

第二段针对第一段提出的问题给出了三种解释：一是 Hering提出了观点——不同的神经能量导致不同的神经体验。第二句将Herring观点否定。二是不同的结构差异导致不同的神经体验。第三句句内就将观点否定。三是不同的刺激区域（大脑区位理论）导致不同的神经体验。

第三段However反驳上一段的大脑区位理论，并认为不同的神经体验最终就只能研究神经冲动在时空上的无限变化。既然是无限变化，也就是在说没法研究。因此本文二、三两段是在详细论证第一段的研究令人沮丧。

2. 本文第一段第二句出现了variation一词，跟它长得很像的还有variance和variable，要学会区分：

variance *n.* 差异 an amount of difference or change

【例】Qualitative variance among nerve energies was never rigidly disproved. 不同神经能量的定性差异从未被严格地否定。

variation *n.* 变化 a change or slight difference in a level, amount, or quantity

【例】Ragtime style stresses a pattern of repeated rhythms, not the constant inventions and variations of jazz. Ragtime风格强调节奏的重复，而不是爵士乐那种持续不断的发挥和变奏的模式

variable *n.* 变量 a factor that can change in quality, quantity, or size, that you have to take into account in a situation

【例】This reaction depends on both time and temperature; thus, if one variable is known, the reaction can be used to calculate the other. 这个反应依赖于反应时间和反应温度；因此，如果我们知道其中一个变量，那么利用这个反应就能计算出另一个变量。

📎 **例题讲解**

1.The author suggests that, by 1950, attempts to correlate mental experience with brain processes would probably have been viewed with

作者提到，直到1950年，尝试将精神体验和大脑过程进行联系的尝试被认为是

答案： (C) pessimism 悲观的

解析： 本题定位到文章第一句：到1950年为止，将大脑过程和精神体验相联系的尝试所获得的结果令人相当沮丧。同时，这也是全篇文章的主旨。

2.The description of an experiment in which electric stimuli were applied to different sensory fields of the cerebral cortex tends to support the theory that

对于电刺激施加于不同大脑皮层感觉区域的实验描述倾向于支持一个理论

答案： (D) the mental experiences produced by sensory nerve impulses are determined by the cortical area activated 感觉神经冲动所产生的精神体验被激活的大脑皮层所决定

解析： 本题定位到第二段的第五句和第六句。题干引用的是第六句，而这句话是一个证据，用来支持前面的观点，观点为第五句，即神经冲动作用在大脑的不同位置决定它们产生的不同感觉。因此(D)正确。

3.It can be inferred from the passage that which of the following exhibit the LEAST qualitative variation?

从文章可以推测出来下面哪一项展现出最小的性质差异？

答案： (B) Nerve impulses 神经冲动。

解析： (B)选项定位在第二段第四句，神经冲动在性质上是相同的，正确。(A)神经细胞，定位到第二段第七句，神经细胞存在性质差异，不选。(C)皮层区域，根据第二段第六句，电流刺激不同大脑区域会产生不同感觉，不选。(D)神经冲动的空间模式，文中未提及。

Passage 171

通过海洋中浪的流动可以找到_____的原因

📎 **原文翻译**

❶最近，用数学模型预测El Nino现象——即在南美洲沿岸太平洋海域周期性出现的暖流——的到来显然是成功了，这让研究者十分兴奋。❷Jacob Bjerknes在20年前指出气流是如何可能在太平洋赤道东部产生异常的暖流或寒流。❸然而，到最近的模型被开展出来前，还没有一个人能解释为什么这两种情况会定期从一种向另一种切换，就像定期变化的暖El Nino和冷El Nino（反El Nino）一样。❹如果目前把海洋活动和大气活动联系起来的模型是正确的，那么问题的答案至少可以在海洋中找到。

❶长期以来人们就已知道，出现El Nino 现象期间存在两种现象：（1）异常暖流在太平洋沿东岸延伸，主要是在Ecuador和Peru 的海岸，以及（2）从西部吹来的气流进入由东部暖流产生的暖空气中。❷这些气流往往利用水面上较温暖的水"堆积"产生一种反馈机制，这种反馈机制阻挡了东部深海冷水的上涌，并且进一步为东部海水加热，由此进一步加强了风。❸这个模型的贡献在于它显示

出从东部海面上升形成的El Nino气流，同时也向西海岸发送一个信号来降低其海平面。❹根据这个模型，信号是作为一个负Rossby浪而产生的，这是一种下凹的（或叫海平面以下的）信号，以每天25到84千米的速度平行于赤道向西平移的波浪。❺Rossby浪用几个月时间穿越太平洋，它到达了太平洋盆地的西部边界，这个盆地被建模成光滑的屏障，但实际上盆地是由很多不规则的岛屿群带，如Philippines和Indonesia组成的。

❶当波浪遇到盆地西部的边界时，它们就返回，并且该模式预测Rossby浪将被分解成大量沿海岸的Kelvin浪，而Kelvin浪带着相同的负海平面的信号。❷这些浪最终冲向赤道，然后被地球以每天250千米的自转速度推动向东流动。❸当来自于西太平洋的足够大振幅的Kelvin浪到达的时候，它们的海平面以下的信号克服了提高海平面的反馈机制，并且海浪开始把整个系统变成相反的寒冷模式。❹这就导致了气流的逐渐转变，这个转变最终把正海平面Rossby浪向西推送，浪最后会以冷的、结束循环的Kelvin浪返回，又开始另一个暖的循环。

3s 版本

❶数学模型可以预测El Nino（周期性暖流）成功。

❷ Bjerknes认为气流导致El Nino（没有解释周期性）。

Nonetheless ❸模型可以解释El Nino周期性。

小结：❷❸封装，与❶顺承。

❹海洋可以提示这种周期性。

第一段3s：冷暖的定期切换的原因可以通过模型在海洋中找到。

❶❷❸ El Nino：东部暖上升气流向西部发送海平面下降信号。

❹❺下降信号是Rossby浪，该浪经过长时间到达西部。

第二段3s：El Nino模型是东部暖上升气流向西部发送海平面下降信号，该信号为Rossby浪。

❶ Rossby浪分解成带有负海平面信号的Kelvin浪。

❷ Kelvin浪冲向赤道并向东流动。

❸ Kelvin浪把整个系统变成寒冷模式。

❹气流转变导致新暖循环的开始。

第三段3s：Kelvin浪使系统变成寒冷模式，之后的气流转变开始新的暖循环。

全文3s版本：通过海洋中浪的流动可以找到气流的冷暖切换的原因。

文章点拨

本文第一段讲述了模型告诉我们海洋可以导致暖流的周期性切换。

第二段阐述了El Nino模型，即东部暖上升气流向西部发送海平面下降信号，该海平面下降的信号即为Rossby浪。

第三段阐述了El Nino模型中产生Rossby浪分解成Kelvin浪，Kelvin浪形成寒冷模式，之后的气流转变又导致了新的暖循环开始。

本文的第二、三段可以进行封装理解，与第一段顺承，解释了第一段提出的海洋是如何导致暖流的周期性切换的。

例题讲解

1. The primary function of the passage as a whole is to

文章主旨是

答案： (A) introduce a new explanation of a physical phenomenon 为一个物理现象提供一个新解释

解析： A physical phenomenon指的是文章第一段提出的冷暖气流定期切换的现象。A new explanation指的是文章二、三段通过El Nino模型中产生的信号，解释冷暖气流的定期切换现象。

2. The passage best supports the conclusion that during an anti-El Nino the fastest-moving signal waves are

文章支持了以下关于哪个在反El Nino中快速移动的信号浪的结论

答案： (E) positive Kelvin waves moving east along the equator 正Kelvin浪沿着赤道向东移动

解析： 首先判断题目指出的fastest-moving signal指的是Kelvin浪。因为根据第二段第四句，Rossby浪的速度是每天25~84km；根据第三段第二句，Kelvin浪的速度是每天250km。因此Kelvin浪更快。要在(C)、(D)、(E)三个选项之间进行判断，我们需要在El Nino和反El Nino之下，对浪的运动情况进行分析。在El Nino的情况下，负的Rossby浪先向西沿着赤道流动。到达太平洋盆地西部边界后，Rossby浪返回，变成向东流动，并分解出负的Kelvin浪。Kelvin浪到达，El Nino结束。在反El Nino的情况下，正的Rossby浪向西流动，返回，分解出正的Kelvin浪。Kelvin浪向东流动直至到达，进而反El Nino现象结束。

Passage  172

Twain在其作品中表现出的对技术进步以及和平革命的讽刺是美国大众_____接受的

原文翻译

❶ Hank Morgan，Mark Twain所著的*A Connecticut Yankee in King Arthur's Court*中的主人公，是19世纪的一位高超技师，他在6世纪的英国神秘地醒来，发动了一场将亚瑟王的英国改造成工业化现代民主的社会的和平革命。❷这部小说是对Thomas Malory的*Morte d'Arthur*（一部在15世纪受欢迎的有关6世纪英国传奇故事集）的恶搞，它被制作成三部欢快轻松的电影以及两部音乐喜剧。❸然而，在搬上荧屏和舞台的改编作品中，没有一部体现了*A Connecticut Yankee*结尾处的无政府状态，而原作的结尾以暴力推翻了Morgan建立的三年逐渐进步的秩序，并且Morgan回到了19世纪，据说在那里他因为对吊桥以及城垛前后不一的胡言乱语而被贴上疯癫标签后选择了自杀。❹尽管美国大众喜欢Twain的幽默，但明显拒绝了他对技术进步以及和平革命带来的变化所给予的讽刺态度，因为Twain的这种态度和美国进步主义是对立的。

3s 版本

❶ Twain的作品内容。

❷这部作品被改编。

however ❸改编的作品没有遵守原作。

❹ 没有遵守原作是因为美国大众不接受Twain的观点。

全文3s版本：Twain在其作品中表现出的对技术进步以及和平革命的讽刺是美国大众无法接受的。

📝 文章点拨

本文第二、三两句话程度取反。第二句讲Twain作品被改编，第三句依然在讲被改编，只是被改编的电影和音乐剧并没有反映出原著中革命失败的结局。第四句指出没有完全遵照原作的改变的原因是Twain对技术进步以及和平革命不认同，而他的这种不认同和美国的进步主义思想相悖。

很多学生只能读出本文中改编偏离原作的内容，但是读不出最后一句话是进一步说明不完全照搬的原因。

📝 例题讲解

It can be inferred from the passage that Mark Twain would most probably have believed in which of the following statements about societal change?

从文章可以推断出来，Mark Twain最有可能认为下面哪个选项是关于社会变化的观点？

答案：(B) Technological advancements are limited in their ability to change society and will likely bring liabilities along with any potential benefits. 技术进步对于改变社会的能力来说是有限的，并且有可能给任何潜在的好处带来负担。

解析：本题问的是Twain的观点，因此定位到最后一句。在最后一句中Twain对技术进步给以负评价。(B)选项同义改写本文最后一句。

Passage 173

解决旋向问题，_____理论是错的，_____机制是对的。

📝 原文翻译

❶是什么导致螺旋状物体呈现右旋（顺时针方向的）或左旋（逆时针方向的），这个问题是形态科学中最有趣的问题之一。❷大多数螺旋形状的蜗牛种类以右旋为主。❸但是曾经旋向性（handedness, 蜗牛壳的旋转方向）在一些蜗牛种类中是平均分配的，现在已经变成了以右旋为主，或者在很少的种类中以左旋为主。❹什么机制控制了旋向性并且让左旋保持稀少呢？

❶如果左旋蜗牛和右旋蜗牛完全镜像，有关进化歧视左旋蜗牛这一解释是不太可能的：因为左旋的旋向会给蜗牛带来任何的伤害在左旋蜗牛的身上都没有被发现。❷但是蜗牛的左旋和右旋实际并不是彼此完全镜像。❸它们的形状有明显不同。❹那么，左旋蜗牛数目稀少的原因可能是其他伴随左旋的结构的缺陷所导致的。❺此外，左旋和右旋的蜗牛也许不能相互交配，因为它们具有无法匹配的旋向。❻假设一个形态较为稀有的个体在寻找相同旋向的配偶时相对困难，这就使它保持了稀有形态的稀有性，或者说造成了地理上左旋种群和右旋种群的隔离。

❶但是这种与不对称性、解剖学和偶然性结合的进化机制，不能充分解释为什么右旋占据主导。❷例如，它没有解释在每个亲本都贡献同样旋向性的物种中，在相反旋向中较稀少的蜗牛产生更少的

稀少后代，相对于更常见形态产生的稀少后代。❸它也没有解释为什么在单独一个亲本决定旋向的物种中，在后代本来应该有相同的基因倾向的情况下，一窝后代并不完全是右旋或者完全是左旋的。❹在一种右旋占主导的物种——欧洲的池塘蜗牛Lymnaea peregra中，其旋向性是由母体决定的，一窝后代预计会是完全右旋或完全左旋，而这也确实经常发生。❺然而，在一些后代中确实拥有很少的旋向相反的蜗牛，并且在以左旋为主的那几窝蜗牛中，右旋发生的几率出人意料得"高"。

❶这里，进化理论必须让位于这样一种理论，该理论基于明确的发育机制之上，这种发育机制要么有利于左旋，要么有利于右旋。❷研究表明，在Lymnaea peregra的例子中，右旋基因可以在卵子形成过程中表现出来；也就是说，在卵子授精前，该基因会产生一种蛋白质，这种蛋白质存在于卵子的细胞质中，控制着细胞分裂的模式，由此控制旋向。❸在实验中，注射来自右旋卵子的细胞质，可改变左旋卵子的模式；但是注射来自左旋卵子的细胞质，不能影响到右旋卵子。❹对于这种不同效果的一个解释是，所有Lymnaea peregra的卵子都开始于左旋，但绝大部分卵子发育而转变成了右旋。❺因此，解决所有蜗牛身上旋向之谜的路，似乎跟这一螺旋体本身一样纠结。

3s 版本

❶螺旋状物体的左旋右旋是一个谜题。

❷大多数蜗牛是右旋。

But ❸以前左右平分，后来变成了右旋为主。

小结：❷❸封装，顺承❶。

❹提出问题。

第一段3s：螺旋状物体的左旋右旋是一个谜题。

❶如果左旋右旋完全镜像，进化不是解释左右旋的原因。

But ❷❸左旋右旋不是镜像。

❹进化导致缺陷，缺陷导致左旋少。

❺❻旋向不同不能交配，导致左旋少。

第二段3s：进化是解释左右旋的原因。

But ❶进化不能解释为什么右旋多。

❷进化理论所不能回答的一个问题。

❸进化理论所不能回答的另一个问题。

❹❺针对3的具体的问题的一个例子。

第三段3s：进化不是解释左右旋的原因。

换对象❶发育机制是解释左右旋的方法。

❷发育机制的具体内容。

❸❹发育机制可以解决右旋多的问题。

❺解决旋向问题的过程很复杂曲折。

第四段3s：发育机制是正确的。

全文3s版本：解决旋向问题，进化理论是错的，发育机制是对的。

文章点拨

本文第一段第一句表达了一个困惑：为什么右旋多。接着第二、三句继续表达困惑：为什么平均分的后面也会变成右旋多。第四句通过问句的方式再一次来表达有关左右旋的困惑。因此，第一段就是在提出问题。通常来说，提出一个问题之后，便会提出解决方案。

第二段第一句先排除掉了一个错误选项：进化不是解决方案。第二句But取反，之后都是顺承，因此第二段的结论是进化是解决方案。

第三段与上一段段间通过But取反，说明进化理论是错的。因为上一段中，进化理论只能解释为什么左旋少，而不能解释为什么右旋多。第三段第二句则提出了进化理论不能回答的第一个问题，这一问题简单说就是：为什么左旋和右旋交配生下的左旋要少于右旋和右旋交配生下的左旋。之后的三到五句封装，提出进化理论不能回答的第二个问题：右旋的蜗牛生下的应该全是右旋，结果还会有一部分左旋；左旋生的应该全是左旋，结果还有一部分右旋。这两个问题解决不了，即说明进化理论错误。这段中给出的两个例子阅读难度很高，但是各位考生需要把握的仅仅是例子的功能即可。即使考到这两个例子的具体内容，也会是内容的同意改写。

第四段顺承第三段，提出发育机制可以解决问题。第二句就是具体实验操作，描述发育机制的具体内容。三、四两句共同说明发育机制是对的。对这两句话的通俗解释是：一开始是左旋，注射了右旋基因之后，变成了右旋；一开始是右旋，注射了左旋基因之后，依然是右旋。这就说明变成右旋是一个必然的发育趋势，而不会随外因变化而变化，即不是因为注射了什么旋向的基因所导致的。所谓发育机制，便是指发育成右旋是必然的趋势。文章最后一句，作者对旋向问题的解决过程进行了总结，承认了问题本身的复杂性。

例题讲解

Which of the following accurately describes the relationship between the evolutionary and developmental theories discussed in the passage?

下面哪个选项精确地描述了进化理论和发展理论之间的关系？

答案： (C) The second theory accounts for certain phenomena that the first cannot explain. 第二种理论解释了第一种没能解释的某些现象。

解析： 根据本文结论，文章最后支持第二种理论（发育理论），而非第一种（进化理论）。第一种理论不正确的原因在于第三段中提到，进化理论有两个问题不能回答，而发育机制之所以正确，是因为解决了这两个问题。

Passage 174

修辞学强调_____，反对修辞学的观点是_____的

原文翻译

❶一个关于语言的"科学"的观点在哲学家和语言学家中盛行，哲学家和语言学家们在这个世纪前半叶喜欢用科学分析方法来分析人类的思想和行为。❷在这个观点的影响下，修辞艺术不可避免地从被认为有可疑价值（因为尽管修辞艺术可能产生愉悦并且是一个促使人们正确行动的方式，但是

它也是一个扭曲事实的方式并且是使人误入歧途的行为的来源）的状态变为被完全谴责的状态。❸如果人们仅仅被看作由逻辑引导的机器，就像这些"科学"的思想家那样，那么修辞很可能被看低了；因为对于修辞学最显而易见的真理就是它是对完整的人说话。❹修辞学首先作为一个理性的人提出论点，因为如果有说服力的演讲要是被如实理解的话，那么它就要以推理为基础。❺在任何有说服力的演讲或者文章中，逻辑论点就像情节一样。❻可是修辞学的突出特征是，它超越了这一点，并且诉诸人类天性里的情感、希望、行动以及苦难有关的那一部分。❼它使得人们回忆起人们和这些情形都有共通之处。❽在有说服力的演讲中，历史背景和寓言的目的是：它们真实地或带象征意味地示意人们如何从情感上对特定情形做出反应，或抱有希望，或心怀恐惧。❾一个尝试说服人们的演讲只有在考虑到人们与希望、恐惧的联系时才会成功。

❶那么，修辞学是与生活在特定时间、特定地点的人们进行对话。❷从修辞学的观点来看，我们不只是逻辑思考的机器和从时间、空间中抽象出来的生物。❸因此，修辞学的研究应该被看作人文学科中最具有人文气息的学科，因为修辞学不仅仅指向理性的我们。❹它包含了"科学的"观点中遗漏的东西。❺如果怀有某种情感是一个弱点的话，那么修辞学可被认为是在处理这种弱点。❻但是那些反对修辞学观点的人们要么一定是骗子，要么特别幼稚，因为他们认为修辞学在和谎言打交道并且同时希望鼓动人们去行动；纯逻辑从来都不是一个推动力，除非它服从于人类的目的、情感以及欲望，但这样一来它就不再是纯逻辑了。

3s 版本

❶用语言的"科学"来分析人类。

❷修辞艺术被谴责。

low regard ❸修辞学被低估。

❹❺修辞学要以理性为基础。

Yet ❻❼❽修辞学不仅仅有理性，还有人性。

❾有人性的演讲才会成功。

第一段3s：修辞学不仅仅有理性，还有人性。

❶❷修辞学关注人性。

❸修辞学是最有人文气息的学科。（正评价）

❹❺修辞学弥补了理性中的缺点。（正评价）

But ❻认为修辞学是谎言的人本身就是骗子。

第二段3s：反对修辞学的观点是不正确的。

全文3s版本：修辞学强调人性，反对修辞学的观点是不正确的。

文章点拨

1. 同义改写

本文其实是将语言中的"科学"和"修辞学"进行对比，用词抽象，本质上就是在把客观逻辑的"理性"和主观感性的"人性"进行对比。

"理性"的同义改写：scientistic, scientific, machines guided by logic, rational, reasoning

"人性"的同义改写：rhetoric, whole person, feeling, desiring, acting, suffering, emotional, hopes, fear, humanistic

2. 文章结构

文章第一段首句提出"理性"这一主流观点，接着第二句顺承，给出结论：修辞学应该是被谴责的。第三句low regard负态度词，与前面取反，认为修辞学应该被重视。四、五两句可以看作让步，修辞学是以理性为基础的，接下来Yet程度取反，认为修辞学在理性的基础上还有人性。第九句给出评价：有修辞学的人性化的演讲才会成功。

之后第二段段间顺承上一段，给修辞学以正评价。第六句首先是那些"认为修辞学是谎言"的人给出的观点，他们的观点可以认为是负态度，但是因为句首的But，所以最后一句也是在给修辞学正评价。

例题讲解

According to the passage, to reject rhetoric and still hope to persuade people is
根据文章，拒绝修辞但仍希望说服别人是

答案： (B) an indication either of dishonesty or of credulity 是不诚实或者易受骗的表现
解析： 定位第二段第六句。

Passage 175

研究_____的_____种理论各有缺陷

原文翻译

❶对在美国的波多黎各人的同化问题的探讨一直聚焦在两个因素上：社会地位以及民族文化的丧失。❷总的来说，评论者之所以会过分强调这个或那个因素取决于他到底是北美人还是波多黎各人。❸许多北美社会科学家，如Oscar Handlin、Joseph Fitzpatrick、Oscar Lewis，将波多黎各人看作一长串少数民族入境者中来得最晚的一批，他们占据社会的最底层。❹这种"社会人口学"方法倾向于把同化看作一个良性过程，把经济优势的增加以及在一个所谓平等的环境中不可避免的文化整合看作是理所当然的。❺然而，这一研究方法没有考虑到波多黎各例子中的殖民地性质，与欧洲早先移民者所不同的是，该群体来自一个在政治上属于美国的国家。❻即使是对这一主流研究模型的"激进"批评，如*Divided Society*一书中的批判，将少数民族同化问题过分机械地与经济和社会流动的因素联系起来，也不能阐明波多黎各人作为一个殖民地少数民族的文化从属关系。

❶相反，出生在波多黎各岛的作家，例如Eduardo Seda-Bonilla、ManuelMaldonado-Denis、Luis Nieves-Falcon等，他们所采用的"殖民论"方法倾向于将同化看作与强加的外来价值观的不公平竞争之中的被迫丢失民族文化的现象。❷当然，强烈的文化融合的传统也存在于其他波多黎各思想家之间。❸Eugenio Fernandez Mendez的著作显然为这一传统提供了例证，并且许多波多黎各联邦地位的支持者也有与此相同的世界化倾向。❹但是，那些对美国少数民族同化过程论述得最多的波多黎各知识分子，提出了某些文化民族主义观点，提倡保存少数民族文化的特色，拒绝他们心目中那种殖民地少数民族的从属地位。

❶强调文化和政治的因素是恰当的，但殖民论思想家们强调得过多了，忽略了对波多黎各历史和北美历史都曾起到作用的阶级关系。❷他们将民族文化的碰撞看成绝对的两极，每一种文化都被理解

成静态和无差别的。❸可是波多黎各传统和北美传统都遭到来自其社会内部文化力量的持续挑战，这些力量可能会以某些方式相互靠近，而仅用"同化"是不能将这些力量抹杀的。❹例如，我们考虑一下波多黎各文化中本地传统和非洲——加勒比传统的相互影响，还要考虑这些文化传统和加勒比其他文化及美国黑人文化之间的相互影响。❺高压政策与不平等这两种因素，放在殖民论的框架里来看，对于文化交流十分重要，但在同一社会阶层内这种不同民族与种族因素的融合过程中，这两个因素根本不起任何作用。

3s 版本

❶❷同化问题的两个研究角度。

❸北美科学家认为波多黎各占领社会最底层。

❹文化同化带来经济上的优势。

However ❺❻过分强调经济优势而忽略殖民地本质。

第一段3s：社会地位这一研究角度有缺陷。

换对象❶殖民论认为同化导致民族文化的强迫性缺失。

❷❸波多黎各思想家当中有文化同化的传统。

But ❹倡导保护本民族文化。

小结：❷❸❹封装与❶顺承。

第二段3s：殖民伦认为文化同化导致民族文化强迫性缺失。

misdirect ❶殖民论忽略了阶级关系。

❷殖民论认为每种文化都是静态的。

Yet ❸❹社会内部也有文化冲突。

小结：❷❸❹封装顺承❶，证明殖民论有缺陷。

❺统一阶层中，殖民论不起作用。

第三段3s：殖民论有缺陷。

全文3s版本：研究文化同化的两种理论各有缺陷。

文章点拨

本文第一句介绍了关于文化同化的讨论有两个影响因素——社会地位和民族文化。第一段重点讨论了社会地位，后两段重点讨论了民族文化。

本文其实阐述了三大类人的观点：北美人、波多黎各人、作者自己。其中北美人从社会地位的角度来分析，认为波多黎各人本身社会地位低，因此美国对他们的同化会带来经济上的优势，即他们认为文化同化是好的。但是在本文第一段第五句中，作者反驳了这一观点，认为其有缺陷。第二段是波多黎各人从民族文化的角度来进行论述，提出殖民论，认为同化会导致本民族文化的强迫性缺失，即他们认为同化不好。但在第三段第一句，misdirect否定词，作者否定了殖民论，认为殖民论没有考虑到阶级关系。

例题讲解

1. The author's main purpose is to
   本文主要目的是

答案：(D) indicate deficiencies in two schools of thought on the assimilation of Puerto Ricans in the United States 指出美国波多黎各人同化的两种思想学派的缺陷

2. It can be inferred from the passage that a writer such as Eugenio Fernandez Mendez would most likely agree with which of the following statements concerning members of minority ethnic groups? 从文章可以推断出，像Eugenio Fernandez Mendez的作家最有可能同意下面哪个关于少数民族集体的陈述？

答案：(A) It is necessary for the members of such groups to adapt to the culture of the majority. 这些集体的成员需要适应多数人的文化。

解析：本题适用人名定位的原则，定位到第二段第三句，是一个让步句，认为有文化同化的传统，即同化是好的，因此选(A)。

Unit 20

综合 1

练习题目

坚持过后，蓦然回首，GRE 考试除了功利的分数，带给我更多的是意志力的磨炼和英语水平质的提高。

——黄玉佳

浙江大学，微臣教育 2016 寒假 330Club 学员

2016 年 4 月 GRE 考试

Verbal 162 Quantitative 170

Passage 176

摄影是_____

原文翻译

❶最早有关摄影和艺术之间相互关系的争论集中在摄影保真度和对机器的依赖程度是否能使摄影成为一种不同于实用技术的美的艺术。❷整个19世纪，为摄影的辩护都是为了努力把摄影确立为一种美的艺术。❸为了反驳"摄影没有灵魂，它只是用机器复制现实"的指责，摄影师认为摄影是一种独特的观察方式，是对常规视觉的一种背离，是至少和绘画有同等价值的艺术。

❶讽刺的是，由于摄影已经完全确立了其作为美的艺术的地位，但很多摄影师认为这是自负的、名不副实的。❷严肃的摄影师用多种方式声称，要对事物进行发现、记录、客观观察、见证事件、探索自我——唯独没有进行艺术品创造。❸19世纪，摄影与现实世界的联系使其与艺术之间有一种矛盾的关系；到20世纪晚期，这种矛盾关系依然存在，这是受现代派艺术传统的影响。❹除了声称他们的作品与艺术没有直接关系之外，重要的摄影师不愿争辩摄影是否是一种美的艺术的问题，这个现象表明了他们把现代主义所成功强加的艺术的概念看作是理所应当的程度：越好的艺术，越是颠覆传统目标的艺术观。

❶摄影师否认对创造艺术感兴趣，这告诉我们，与其说是有关摄影是否是艺术的问题，不如说有关当代艺术观所处困境的问题。❷例如，那些认为可以通过照相来摆脱以绘画为典范的艺术主张的摄影师让我们想起那些抽象表现主义画家，他们全神贯注于绘画的身体动作，摆脱传统现代派绘画作品要求思想上的抽象。❸当代摄影作品的名声大多来自对近期发展起来的艺术在目标方面的认同，尤其是对60年代波普画（Pop painting）中蕴含的对抽象艺术的否定态度的认同。❹欣赏摄影作品是对（欣赏）抽象艺术所要求脑力消耗时厌倦的感官的一种缓解。❺传统的现代派绘画——由Picasso、Kandinsky、Matisse 以不同方式发展起来的抽象艺术——以高度发达的审视技能以及对其他绘画和艺术史的熟悉程度为先决条件。❻而摄影作品和波普画一样，让观赏者消除顾虑并且意识到艺术并不难欣赏，因为摄影作品似乎比起重视艺术技巧来更重视题材。

❶然而，摄影发展了传统现代派艺术的全部渴望和自我意识。❷许多摄影专家私下开始担心：提倡摄影作为一种反对传统艺术目标的要求的活动已经开展得太多了，结果使得公众忘记摄影是一种独特而崇高的活动——简而言之，摄影是一门艺术。

3s 版本

❶摄影是实用技术还是美的艺术产生了争论。

❷❸摄影师认为摄影是艺术。

第一段3s：摄影是艺术。

Ironically ❶❷严肃的摄影师认为摄影不是艺术。

❸19世纪到20世纪，摄影与艺术之间的矛盾一直存在。

❹因为传统现代派艺术的影响，所以摄影师认为摄影与艺术无关。

第二段3s：因为传统现代派艺术的影响，所以摄影师认为摄影与艺术无关。

❶摄影的矛盾反映出当代艺术观的困境。

❷摄影和抽象表现主义都在摆脱现代派绘画的难以理解。

❸摄影和波普绘画都是对于抽象艺术的否定。

❹摄影是对于欣赏抽象艺术时费力的一种解脱。

❺传统现代派作品难以欣赏。

换对象❻摄影使得艺术容易理解。

第三段3s：摄影是对传统现代派艺术的否定，使得艺术容易理解。

However ❶❷摄影发展了传统现代派的特征，摄影是艺术。

第四段3s：摄影是艺术。

全文3S版本：摄影是艺术。

文章点拨

在文章的第一段，作者提出了摄影是否是一种艺术的命题，同时给出了一些摄影师的观点，他们认为摄影是一种和绘画一样的艺术。

第二段中，出现了Ironically这个表示否定含义的单词，所以和第一段进行了取反，有一些严肃的摄影师认为摄影不是艺术。在本段后面的部分阐述了原因，因为受到了传统现代派艺术的影响，所以摄影师认为摄影与艺术无关。

在文章的第三段中，作者把这种传统现代派艺术的影响放在当时的历史背景中给予阐释。因为传统现代派艺术的高度抽象和难以理解，导致摄影认为自己和这种艺术无关，而摄影的特征是使得艺术容易理解。

文章的最后一段开头给出了However，再次进行取反，告诉读者无论如何，摄影就是一种艺术。

例题讲解

In the passage, the author is primarily concerned with

文章主旨是

答案： (C) explaining the attitudes of serious contemporary photographers toward photography as art and placing those attitudes in their historical context 解释了一些严肃的当代摄影师对摄影作为艺术的态度，同时把这些态度放在了他们的历史背景中

Passage

致幻剂通过作用于_____来起作用

原文翻译

❶很多对像LSD这样的致幻剂（hallucinogenic drug）的研究都会关注神经递质血清素（neurotransmitter serotonin），当从突触前端的（presynaptic）血清素被分泌神经释放出来时，血清素会导致神经冲动从一个突触传递到一个临近的突触或目标神经。❷对血清素的强调基于两个原

因。❸首先，早期发现很多主要的致幻剂都与血清素有类似的分子结构。❹另外，在使用致幻剂之后对动物大脑神经化学物质的研究都同样地表现出了血清素水平的变化。

　　❶早期的研究者正确地指出，血清素分子结构的相似性有可能暗示着LSD的效果是由大脑中血清素神经传递的作用所产生的。❷不幸的是，大脑研究领域的技术水平使得这一假设不得不在外围组织（大脑之外的组织）进行测试。❸两组不同的科学家报道说，LSD有力地阻碍了血清素的活动。❹然而，他们的结论很快受到了质疑。❺我们现在知道一种药物在身体的一处产生的作用未必等同于这种药物在另外一处起的作用，尤其是当一个地方在大脑而另外一个在别处。

　　❶直到20世纪60年代，技术的进步允许了直接测试的假说：LSD和相关的致幻剂通过直接压迫分泌血清素的神经本身的活动来起作用——即所谓的突触前端假说。❷研究者们认为如果致幻剂通过抑制分泌血清素神经的活动来起作用，那么在这些神经受到破坏之后再摄入的药物对于行为应该不会产生影响，因为系统已经就被最大限度地抑制了。❸与他们的期待相反，神经损伤促进了LSD以及相关致幻剂对于行为的影响。❹因此，致幻剂很明显不会直接作用于血清素分泌神经上。

　　❶然而，这些以及另外的数据确实支持了另一个假说：LSD以及相关药物直接作用于血清素靶神经的感受器区域（突触后端假说）。❷ LSD会在大脑中缺乏血清素的动物中诱发"血清素综合征"——导致和摄入血清素同样的行为；这一事实表明LSD直接作用于血清素感受器，而非间接地释放血清素储备。❸耗尽血清素后报道的LSD的加强的效果有可能是因为血清素接受位点在血清素靶神经上的蔓延。❹这种现象通常是在神经损伤或神经递质耗尽之后；感受器位置数量的增加看起来是对于输入减少的补偿性反应。❺重要的是，这一假说被大量不同实验室的数据支持。

3s 版本

❶致幻剂的研究会关注血清素。

❷对血清素的关注有两个原因。

❸原因一：致幻剂与血清素结构相似。

❹原因二：致幻剂与血清素水平变化有关。

第一段3s：对于致幻剂的研究让人们关注血清素。

❶ LSD的效果与血清素有关。

Unfortunately ❷实验条件使得测试不得不在大脑之外进行。

❸上一句提到的实验表明LSD阻碍了血清素。

However ❹上一句的结论受到质疑。

❺在大脑之外做实验得到的结论未必与真实情况一致。

第二段3s：大脑外的实验结果不足以令人信服。

时间对比❶致幻剂直接作用于分泌血清素的神经。

❷致幻剂通过抑制分泌血清素的神经起作用。

Contrary to ❸神经损伤反而促进了致幻剂的效果。

❹致幻剂没有直接作用于分泌血清素的神经。

第三段3s：突触前端假说被推翻。

However ❶突触后端假说。

❷❸❹ LSD通过作用于血清素靶神经的感受器区域来起作用。

❺ 突触后端假说是对的。

第四段3s：突触后端假说是对的。

全文3s版本：致幻剂通过作用于血清素靶神经的感受器区域来起作用。

文章点拨

本文属于典型的问题解决文章。第一段先是给出人们研究血清素和LSD之间关系的原因。

第二段给出第一种假说，认为LSD会阻碍血清素的释放，但是由于当时的实验条件导致这一假说无法得到证明，这也是第二句中unfortunately所要体现的含义。第二段第三句讲的是两组科学家，这些科学家正是在大脑以外做的实验，而他们的实验结论在第四句受到了质疑。

第三段与上一段有时间对比。实验条件进步后，人们直接在大脑中做实验，提出突触前端假说，认为LSD会作用于分泌血清素的神经，但是实验却提供了反面的证据，证明突触前端假说是错的。

第四段则提出突触后端假说，并证明了其正确性。

例题讲解

1. Which of the following best describes the organization of the argument that the author of the passage presents in the last two paragraphs?

   下面哪一项最好地描述了作者在最后两段的论证结构？

答案： (E) A hypothesis is discussed, evidence undermining the hypothesis is revealed, and a further hypothesis based on the undermining evidence is explained. 讨论了一个假说，削弱这一假说的证据被提出，基于这个削弱证据的进一步假说被解释。

解析： (E)选项中的a hypothesis指代第三段中突触前端假说，接着第三段后半部分提供证据削弱了突触前端假说。第四段第一句，基于上一段中提到的数据，提出突触后端假说，并进行解释来支持这一理论。

2. Which of the following best expresses the main idea of the passage?

   以下哪个选项能最好地表达文章的主旨？

答案： (C) Research results strongly suggest that hallucinogenic drugs create their effects by acting on the serotonin receptor sites located on target neurons in the brain. 研究结果强烈表明致幻剂通过作用于大脑中神经细胞上血清素接受点位起作用。

解析： 该选项就是在讲突触后端假说。而本文结论也证明突触后端假说是正确的。

Passage

_____会决定幼年时期龙虾螯的分化结果

原文翻译

❶ 成熟美洲龙虾两个螯注定互不相同。❷ 捣螯短而壮；剪螯长而细。❸ 这种两侧的不对称性，即

身体的右侧和左侧完全镜像对称，和人类用手的倾向性相同。❹人类大多数习惯用右手，而龙虾捣螯出现在躯体左边或者右边的概率是相等的。

❶龙虾两侧螯的不对称性是逐渐产生的。❷在龙虾幼年生长的第四和第五个阶段，成对的螯是对称的并且呈剪切状。❸不对称性是在龙虾幼年生长的第六个阶段开始出现的，而在接下来的阶段中，成对的螯进一步分化成剪螯和捣螯。❹Victor Emmel发现了龙虾生长中有趣的地方。❺他发现，如果成对的螯中的一只在第四或第五阶段被去除，另一只螯一定长成捣螯，而新长出来的螯变成剪螯。❻在龙虾幼年后期或成年后去除一只螯，这时不对称性已经存在，不对称性不会改变；完好的和新生的螯保持它们原有的结构。

❶这些观察结果表明，引发分化的条件必须在成对螯完好时按随机的方式触发，但当失去一只螯时则按非随机方式触发。❷一个可能的解释是，螯分化之后的用途决定了它们的不对称性。❸频繁使用的螯可能变成捣螯。❹这就可以解释当一只螯在第四或者第五阶段消失时，完好无损的螯总是变成捣螯。❺两只螯都完好无损的话，最初使用某只螯可能促使这个动物在幼年第四和第五阶段更多地使用那只螯，从而使那只螯变成捣螯。

❶为了验证这个假设，研究人员在可以让龙虾摆弄牡蛎碎屑的实验室环境中饲养发展到第四和第五阶段的龙虾。❷（并非巧合的是，发展到这个阶段的龙虾往往从被动漂流的栖息地转移到有机会更加主动在底部挖掘地洞的海底。）❸在这些条件下，龙虾长出不对称的螯，一半龙虾捣螯在左，而另一半捣螯在右。❹相反，当幼年龙虾被饲养在没有牡蛎碎屑的光滑的水缸里时，大多数龙虾长出两只剪螯。❺随后把这些龙虾放入可以摆弄牡蛎碎屑的环境中，使其失去并重新长出一只或者两只螯，这个不常见的对称剪螯的结构不会改变。

🌱 3s 版本

❶❷成熟美洲龙虾两个螯不同。

❸龙虾的两侧不对称性和人类用手倾向相同。

But ❹与人类习惯用右手不同，龙虾捣螯出现在躯体左边或者右边的概率是相等的。

第一段3s：成熟美洲龙虾两个螯不同。

❶龙虾两侧螯的不对称性是逐渐产生的。

❷在龙虾幼年生长的第四、五个阶段，螯对称且呈剪切状。

❸不对称性在龙虾幼年生长的第六个阶段出现。

❹❺在龙虾幼年生长的第四、五个阶段去除一只螯，另一只螯一定长成捣螯，而新长出来的螯变成剪螯。

❻在龙虾幼年后期或成年后去除一只螯，不对称性不会改变。

小结：❷~❻封装，顺承❶。

第二段3s：龙虾两侧螯的不对称性是在幼年时期逐渐产生的。

❶引发蟹螯分化的条件必须在成对螯完好时按随机的方式触发，但失去一只螯时则按非随机方式触发。

❷螯分化之后的用途决定了它们的不对称性。

❸频繁使用的螯可能变成捣螯。

❹❺以上理论可以解释蟹螯在不同条件下分化结果的不同。

第三段3s：使用频率会决定幼年时期龙虾螯的分化结果。

❶研究人员在可以让龙虾主动使用螯的环境下进行实验。

❷发展到这个阶段的龙虾往往会转移栖息地至他们有机会主动使用螯的环境。

❸在可以主动使用螯的环境中，龙虾长出不对称的螯。

In contrast ❹在不能主动使用螯的环境中，大多数龙虾长出两只剪螯。

❺把两只剪螯的龙虾放入主动使用螯的环境中，螯的对称结构不会改变。

第四段3s：经实验，使用频率会决定幼年时期龙虾螯的分化结果这一理论得到验证。

全文3s版本：使用频率会决定幼年时期龙虾螯的分化结果。

🔖 文章点拨

本文第一段先描述了一个现象，即成熟美洲龙虾两个螯不同。并通过与人类用手对称性的对比，更清楚地讲解什么是螯的不对称。

第二段具体阐述了龙虾两侧螯的不对称性是逐渐产生的，不对称性在龙虾生长的第六阶段产生。之后，Emmel在研究中发现的关于螯不对称性的有趣事实，在四、五阶段去除一只螯，另一只螯一定长成捣螯，而新长出来的螯变成剪螯。而在龙虾幼年后期或成年后去除一只螯，不对称性不会改变。这个研究也证明了龙虾的不对称性是逐渐产生并在第六阶段产生的。

第三段为第二段观察到的现象提出了进一步的解释，即使用频率会决定幼年时期龙虾螯的分化结果。第三段第四、五句话都通过在不同螯的完整性情况下，在生长不同阶段的龙虾的螯的情况进一步解释使用频率会决定幼年时期龙虾螯的分化结果。

第四段讲述了验证第三段提出的理论的实验，该实验希望证明使用频率会决定幼年时期龙虾螯的分化结果。在有牡蛎碎屑的环境，即龙虾需要主动使用螯的情况下，不对称性产生。而在光滑水缸里，即龙虾不需要主动使用螯的情况下，即把幼年生长阶段的龙虾放到不同的生长环境中，龙虾的不对称性结构改变。这也验证了使用频率会决定幼年时期龙虾螯的分化结果。

🔖 例题讲解

The passage is primarily concerned with

文章的主旨是

答案： (D) discussing a possible explanation for the way bilateral asymmetry is determined in lobsters 讨论了龙虾的两侧不对称性是如何被决定的

解析： a possible explanation指龙虾螯分化之后的用途决定了它们的不对称性，即文章的3s版本。

Passage **179**

Walzer认为自由资本主义＿＿＿＿＿。他的论点＿＿＿＿＿，但也指出了资本主义的无法弥补的弱点

原文翻译

❶ Walzer对自由资本主义（liberal capitalism）的批判的首要主题是，这种自由资本主义不够平等。❷ Walzer反对资本主义体制导致的经济不平等，赞成"彻底的财富重新分配"，这一论点出现在一篇被广泛引用的论文《捍卫平等》中。

❶Walzer的批判中最显著的特征是，他并不反对"按劳分配"的原则，反而坚持其有效性。❷优秀的人应该得到与他们的优秀相匹配的好处。❸但是，人们会展现许多品质——"智慧、体魄、敏捷、优雅、艺术创造力、机械技术、领导力、耐力、记忆力、心理洞察力，完成困难工作的能力——甚至精神力量、敏感及表达怜悯之心的能力。"❹每种品质都应该得到报酬，因此，一种恰当的物质财富分配方式应该能反映出所有这些标准衡量出来的人类差异。❺然而，在资本主义下，赚钱的能力（犹如资产阶级社会中能使所有植物茁壮生长的特殊能力）使其拥有者能获得几乎"其他所有社会利益"，例如他人的尊敬和仰慕。

❶ Walzer论点的中心是对Pascal的《思想录》中一句引文的引用，该著作在最后总结道："暴政就是希望用一种方法获得了只有通过另一种方法才能获得的东西。"❷ Pascal相信，我们对不同的品质有不同的义务。❸因此我们可以说迷恋是对魅力的恰当反应，敬畏是对力量的恰当反应。❹根据这个原理，Walzer将资本主义体制描绘成金钱的（或赚钱能力的）暴政。❺ Walzer提倡，作为消除这种暴政以及恢复真正平等的手段，应该"废除金钱在其范围之外的作用。"❻ Walzer想象的是这样一个社会，即在这个社会中物质财富将不再能转化为与之没有内在联系的社会财富。

❶ Walzer的论点是令人困惑的。❷毕竟，为什么那些与物质财富的创造毫无联系的品质，要以物质利益来作为回报呢？❸在Pascal看来，如果坚持认为那些在"敏感"和"善于表达怜悯之心"方面优秀的人，应获取与那些在物质财富创造过程中有优秀的品质（诸如"勤奋工作的能力"）的人同等的物质财富，这难道不也是暴政吗？❹然而，Walzer的论点，尽管是不充分的，但确实指出了资本主义体制中最严重的一个弱点，即它将某一类人置于社会中的显赫位置，这类人无论以怎样合法的方式获得了物质回报，都常常缺乏那些受人喜欢和爱戴的品质。❺某些学者甚至合理地指出，这一弱点可能是无法弥补的：在任何一个类似于资本主义社会的社会中，只要社会始终追求物质的富足，过多的财富注定会流入到那些在其财富增长过程中非常重要的人的口袋中。

3s 版本

❶ Walzer认为自由资本主义不够平等。

❷ Walzer倡导彻底的财富重新分配。

第一段3s：Walzer认为自由资本主义不够平等。

❶❷ Walzer认为"按劳分配"是正确的。

But ❸❹一种恰当的物质财富分配方式应能反映出人类差异。

Yet ❺在资本主义下，赚钱的能力成为最重要的分配标准。

第二段3s：在资本主义下，赚钱的能力成为最重要分配标准。

❶❷❸ Walzer认为按一种标准评价一个人，这是一种暴政。

❹ Walzer认为资本主义是金钱的暴政。

❺❻他理想的恢复平等的方法是物质财富不再能转化成与之无关的社会财富。

第三段3s：Walzer理想的恢复平等的方法是物质财富不再能转化成社会财富。

❶❷❸ Walzer的观点令人困惑。

Yet ❹他指出了资本主义体制中的最严重弱点。

❺资本主义的这一弱点可能是无法弥补的。

第四段3s：Walzer的观点尽管令人困惑，但是正确地指出了无法弥补的资本主义的缺点。

全文3s版本：Walzer认为自由资本主义不够平等。他的论点存在问题但也指出了资本主义的无法弥补的弱点。

文章点拨

　　文章第一段阐述了Walzer对自由资本主义的主要观点，即自由资本主义不够平等。文章后续围绕Walzer的这个主要观点进行进一步阐述。

　　第二段讲述了Walzer批判资本主义不平等的最显著的特征是在按劳分配的情况下，赚钱的能力获得了最大的收益，其他品质没有收获应有的物质收益。

　　第三段继续第二段的阐述，引出了Walzer的中心论点，即在资本主义社会中金钱形成了暴政，这种暴政就是把金钱作为评价一切的标准，而要消除这种暴政，我们对有钱人的判断不应该因为他有钱就认为他有德行，比如他有钱他就善良。

　　第四段给出了作者对Walzer观点的态度。作者认为他的观点存在着一些问题，然而他也指出了资本主义的无法弥补的弱点，即一类在社会中处于显赫位置的人，虽然获得物质回报，但缺乏受人爱戴的品质。

例题讲解

The primary purpose of the passage is to

文章主旨是

答案：(E) outline and to examine critically Walzer's position on economic equality 概述并辩证地评论了Walzer对经济平等的观点

Passage 180°

在试图把_____引导到对社会有用的方向上，有_____种途径。只有当_____时，以上途径才能实现

原文翻译

❶在试图把技术进步引导到对社会有用的方向上，人们可以采用四种法律途径：发布特定指令、市场刺激的限制、严禁犯罪行为以及改变决策结构。❷具体指令涉及政府对控制科研、发展或一项新科技实施上的一个或多个方面的辨认。❸影响这些因素的指令是多样的，从对于私人活动的行政监管到政府掌握的技术操作。❹市场激励改进是对市场的人为的改变，这类市场中包含有关于个体行为对科技发展和实施的决定。❺这些改变可能包括通过征税来为社会支付有关特定技术的费用、向某一项为社会带来的好处的技术发放补贴、创造要求停止某项科技发展的权利，或者简化那些用来恢复由科技的应用造成破坏并提供补助的手续。❻有关犯罪的禁令可能会限制侵犯基础社会价值的技术活动，或者限制由技术应用而产生的人类行为——例如，为了改善车辆性能而使汽车污染物控制装置失效的行为。❼决策结构的改变包括所有可能的私有和公有实体在决定技术研发和实施时的权利、构成方式及责任。❽这些改变也包含了将公职人员添加进集团董事会，通过让政府决策制定者强制履行职责，以及扩大担保以应对消费者行为。

❶能否有效使用这些方法来控制科技取决于监管的目标是否被定为资源的最优分配。❷当监管目标是最优资源分配时，如果通过市场活动分配资源，并未产生外部费用，那么就应该组合使用这些法律方法来达到可能的最优分配。❸当买卖双方定的价格无法包含一些由生产和使用这些商品而产生的费用时，外部费用就产生了。❹这些费用在买家购买商品时会内化到商品中去。

❶机动车带来的空气污染对那些暴露在污染中的人，以污染环境、破坏资源以及传播疾病的方式产生外在成本：这些外在费用（externality）是由于未能对空气定价而产生的，因此这使得空气对所有人都是一种免费的好处。❷这种外部费用产生了资源非最优分配，因为市场活动的私人净产量和社会净产量并不完全一样。❸如果所有外部费用都转移到商品中去，那么交易可能会在讨价还价无法让情况继续改善的时候发生，由此达到在某个特定时间的资源的最优分配。

3s 版本

❶在试图把技术进步引导到对社会有用的方向上，有四种途径：发布特定指令、修改市场刺激的方式、严禁犯罪行为以及改变决策结构。

❷❸特定指令的概念及影响因素。

❹❺市场刺激的定义及内容。

❻严禁犯罪行为的定义。

❼❽改变决策结构的定义及内容。

小结：❷~❽封装，顺承❶。

第一段3s：介绍让技术运用到社会中所采取的四种法律途径。

❶上述方法的使用依赖于是否资源进行了最优分配。

❷最优分配指的是没有外部成本。

❸❹外部成本的概念。

第二段3s：没有外部费用所产生的最优分配，决定技术的有效使用。

❶❷❸以机动车污染为例详细说明资源最优分配。

第三段3s：以机动车污染为例详细说明资源最优分配。

全文3s版本：在试图把技术进步引导到对社会有用的方向上，有四种途径。只有当资源最优分配时，以上途径才能实现。

文章点拨

1. 文章结构

本文从结构上来讲非常简单。第一段引出本文讨论主要问题——引导技术发展——并且介绍了四种途径。第二段则阐明了引导技术发展的目标——实现资源最优分配。同时第二段解释了什么是资源最优分配，并且提出了外部成本的概念。最后一段则是一个例子具体说明资源最优分配。

2. 本文第二段第二句解析

When the object is optimal resource allocation, that combination of legal methods should be used that most nearly yields the allocation that would exist if there were no external costs resulting from allocating resources through market activity.

本句话最复杂之处在于三个that的分别的功能。第一个that是指示代词，指代第一段中四种法律途径的结合；第二个that是定语从句先行词，修饰combination，这个that距离其所修饰的词很远导致很难看出来；第三个that是定语从句先行词修饰allocation。

3. grant的用法

① If you grant that something is true, you accept that it is true, even though your opinion about it does not change. 承认（表示让步语气）

【例】Granted that the presence of these elements need not argue an authorial awareness of novelistic construction comparable to that of Henry James, their presence does encourage attempts to unify the novel's heterogeneous parts. 必须承认的是，这些因素的存在并不能说明作者对于小说结构的意识可与Henry James相比；但这些因素的存在确实试图把小说中的不同因素统一起来。

【析】granted that的搭配，表示让步，与逗号之后的分句构成句内的让步转折，前后意义取反。

② If someone in authority grants you something, or if something is granted to you, you are allowed to have it. 准予

【例】granting state governments broader discretion in interpreting the Civil Rights Act of 1866 授予州政府对于1866年民权法案的解读更广泛的支配权力

例题讲解

The passage is primarily concerned with describing

本文主旨是

答案：(A) objectives and legal method for directing technological development 引导技术发展时的目标和法律方法

解析：objectives指的是资源最优分配；legal method指的是第一段中所说的四种方法。

Passage 181

_____的理论比_____在博弈论方面更进一步

❶在大多数存在不同性别的植物和动物中，性别比例的进化产生了数量大致相同的雄性和雌性个体。❷为什么会有这样的性别比例呢？❸针对这个问题，有两种解答。❹第一种是从对种群有利的角度来解释的。❺这个答案的观点是，性别比例进化的原因是使相反性别个体间能够发生最大数量的交配。❻这是"种群选择"（group selection）的论点。❼在我看来，另一种在1930年由Fisher提出的回答，是正确的。❽"基因遗传学"（genetic）论点会从这样的假设出发，即基因可以影响携带基因的个体，从而影响其后代中雄性和雌性的相对数量。❾生物体会选择某个性别比例，这种性别比例可以在最大程度上增加个体所能拥有的后代数量，这种性别比例因此可以最大程度地增加被延续到后代中的基因的数量。❿假设某个物种主要是由雌性个体组成的：那么一个只生产雄性子代的个体会有更多的孙代个体。⓫相反的是，如果一个种群大多由雄性个体组成，生雌性子代个体便是对该种群有利的做法。⓬但是，如果种群中包含相同数量的雄性和雌性的个体，那么生雄性和雌性子代个体便都是有价值的。⓭因此，1:1的性别比是唯一稳定的比例；这是一种"生物进化上稳定的策略"。⓮尽管Fisher的理论在数学中的博弈论（game theory）发展之前就提出了，但是他的理论包含了博弈论的重要特征——即所能采用的最好的方法取决于他人在做什么。

❶自Fisher时代以来，人们意识到基因有时会影响基因本身所在的染色体（chromosome）或配子（gamete），这样配子就更有可能参与到受精过程中来。❷如果一个这样的基因出现在能决定性别的染色体上（X或Y），那么异常的性别比例就很有可能出现。❸但是与博弈论更直接相关的是某种寄生黄蜂的性别比例，在这一物种中雌性个体数量过多。❹在这些物种中，受精卵发育成雌性个体，而未受精的卵变成雄性个体。❺一个雌性个体储存精子，并且能够通过是否使卵受精来决定卵的性别。❻根据Fisher的理论，对一个雌性个体有利的方案是让它产下相同数量的子代雄性个体和子代雌性个体（即保证1:1的性别比）。❼Hamilton注意到卵是在它们的寄主——另一只昆虫的幼虫——里面生长的，并且他还注意到新出现的成年黄蜂立刻进行交配然后分散开来，这提供了一种极有说服力的分析。❽既然一般只有一个雌性黄蜂在给定的幼虫里面产卵，那么它只需要繁殖一个雄性黄蜂就能让它受益，因为这只雄性黄蜂可以把所有刚出生的雌性黄蜂受精。❾像Fisher一样，Hamilton寻求一个进化上稳定的策略，但是他更进一步认识到他是在寻求一种策略。

❶性别比例的进化使得相反性别数量相等。

❷❸有两种解释。

❹❺❻第一种解释：种群选择论。

换对象❼第二种解释：Fisher的基因遗传论。

❽基因控制雌雄性别比例。

❾生物体选择使后代数量最大的性别比例。

❿雌性多，多生雄性会有更多孙代。

换对象⓫雄性多，多生雌性会有更多孙代

however ⓬ 雌雄相等，生雌生雄都一样。

⓭ 1:1的性别比是唯一稳定的比例。

小结：❽~⓭的封装，说明Fisher的基因遗传论证明了1:1的性别比例的合理性。

⓮ Fisher的理论有博弈论的特征。

第一段3s：有两种理论解释1:1的性别比例，作者更倾向于Fisher的基因遗传论，该理论有博弈论的特征。

❶基因会影响染色体或配子。

❷基因出现在决定性别的染色体上会导致异常性别比例。

but ❸黄蜂中雌性个体多，这一点与博弈论更相关。

❹❺未受精卵发育成雄性，受精卵发育成雌性。

❻ Fisher认为雌性个体应该产生相同数量的雌雄后代。

❼❽ Hamilton认为只需要产生一个雄性后代。

❾ Hamilton比Fisher更进一步。

第二段3s：Hamilton的理论比Fisher更超前。

全文3s版本：Hamilton的理论比Fisher在博弈论方面更进一步。

📖 文章点拨

本文第一段主要讨论1:1的性别比例，这一点上，Fisher的理论是合理的，并且包含了博弈论的特点。但这里要注意，Fisher其实并没有意识到自己的观点中有博弈论的特点。

第二段第三句则开始讨论黄蜂种群中往往是雌性比较多，在这一问题上，Hamilton利用博弈论进行解释的更为超前，因为Hamilton意识到了自己在使用博弈论。

📖 背景知识

蜜蜂的性别是由什么决定的?

对于人类来说，性别是由基因决定的。决定性别的基因存在于X和Y两条染色体上。同时人类都是"二倍体"（即相同的染色体在一个细胞中成对出现）。如果某人是XX，那么是女性；如果是XY，那么是男性。但是蜜蜂的性别则是由染色体倍数决定的。一个蜂巢中有三种蜜蜂：蜂后（即蜂王，雌性，二倍体），雄蜂（雄性，单倍体），工蜂（雌性，二倍体，但无生殖能力）。蜂后产生卵子，卵子是单倍体。雄蜂与蜂后交配后，生殖器会残留在蜂后体内，这也是为什么第二段中提及蜂后会有精子。精子是单倍体。蜂后的卵子如果和精子结合受精，那么会产生二倍体子代，都是雌性，没有受精的卵子则发育成单倍体的雄性。由此可见蜜蜂的性别是由染色体倍数决定的。而这些雌性蜜蜂，幼年时如果吃的是蜂王浆，则会发育成蜂后，其他的雌蜂则发育成生殖有缺陷的工蜂。

📖 例题讲解

The author suggests that the work of Fisher and Hamilton was similar in that both

作者提到Fisher的作品和Hamilton的相似之处在于两者

答案： (C) sought an explanation of why certain sex ratios exist and remain stable 想要解释为什么某种性别比例会存在并且保持稳定

解析： 本文第一段中，Fisher解释了1∶1的性别比例存在及保持稳定的原因；第二段中Hamilton解释了黄蜂种群中雌性多以及保持稳定的原因。

Passage

人类的弱点受_____影响

🔽原文翻译

❶一些当代人类学家认为，生物进化不仅塑造了人类的形态，还塑造了人类的行为。❷在这些人类学家眼中，生物进化所扮演的角色，并不是对人类行为细节的支配，而是将各种限制施加给人类——这些限制指的是在任何文化的典型情景中都会 "自然表露" 的情感、思维、行动的方式。❸我们的 "弱点" ——诸如愤怒、恐惧、贪婪、暴食、享乐、淫欲、爱等情感和动机——或许是一种极其复杂的混合体，但它们至少拥有一个共同的、人们可以直接感知的特点：正如我们所说的那样，我们受这些情感和动机的 "支配"。❹因此，它们会施加给我们约束感。

❶不幸的是，这些弱点中的一些弱点——包括我们对不断增加的安全感的需求——和目前人类的发展并不匹配。❷然而在文化细节的覆盖之下，这些弱点是朝着生物演化的方向来发展的，因此这对我们来说就和我们有阑尾一样正常。❸我们需要彻底理解这些弱点的适应性起因，从而了解它们在方向上是怎么不利地引导我们的。❹我们才可以开始抵制这些弱点所施加的压力。

🔽3s 版本

❶生物进化塑造了人类的形态和行为。

❷❸❹生物进化给人类行为带来约束。

第一段3s：生物进化对人类行为施加约束。

Unhappily❶人类的某些弱点不适应现在人类的发展。

Yet❷有这些弱点很正常。

❸❹彻底理解这些弱点，从而抵抗弱点。

第二段3s：人类要通过理解弱点来抵抗弱点。

全文3s版本：人类的弱点受进化影响，需要了解弱点以抵抗弱点。

🔽例题讲解

1. The primary purpose of the passage is to present
   本文的主要目的是

答案： (A) a position on the foundations of human behavior and on what those foundations imply 一种观点关于人类行为基础以及这些基础所暗含的内容

解析： 这里的foundations指代的是进化。进化对于人类行为产生影响，对应第一段。进化所暗示的内容对应第二段。

2. Which of the following most probably provides an appropriate analogy from human morphology for the "details" versus "constraints" distinction made in the passage in relation to human behavior?

下面哪个选项从人类形态学角度提供了与人类行为有关的"细节"与"束缚感"之间差异的类比？

答案： (E) The greater lung capacity of mountain peoples that helps them live in oxygen-poor air as against people's inability to fly without special apparatus 山区当中的人们极强的肺功能使他们生活在缺氧地区，相比于人类在不借助外部设施的情况下无法飞行

解析： detail定位到第二段，指的是朝着生物演化方向所进化出来的；constraints对应第一段，指的是进化给人类带来的弱点。肺功能强这是人们生活在山区中长期生物进化的结果，与detail对应。人类无法飞行，这是人类在进化过程中的一个缺陷，对应constraints。

Passage 183

_____所需要的因素，作者更倾向于_____

原文翻译

❶在青春期时，个人政治思想意识的发展是很明显的；这里的思想意识可以定义成大体上一致的态度，这些态度或多或少由广泛、尽管不言而喻的一系列基本原理组织起来的。❷同样，青春期初期的政治思想意识是朦胧的或是漫不经心的。❸青少年思想意识的获得，即便是从最小的意义上来说，都需要掌握相对复杂的认知技巧：理解抽象事物的能力、综合并概括的能力以及想象未来的能力。❹这些能力随着理解原理能力的发展而稳定发展。

❶政治知识在儿童时期的快速获得也促进了政治知识在青春期时的获得。❷我说的知识，不只是乏味的"事实"，例如儿童在传统9年级公民学课程中学到的州政府的组成的知识。❸我说的知识，也不只是指当前政治现状的信息。❹这些都是知识的方方面面，但是它们比儿童在青春期时无意间获得的，对于那些不可言传的、组成理解的共同基础的政治体系设想的感觉更次要一些；这种感觉包括，比如国家对其公民要求什么才是适当的，反之亦然，即公民可向国家提出哪些要求；或者政府与附属社会机构的适当关系，比如学校和教会。❺因此政治知识是有关社会设想和关系的理解，和有关客观事实的理解。❻很多以青少年理解政治为特征的幼稚表现并不是来源于对"事实"的无知，而是来自对社会系统的常规（什么是或者不是通常的行为、如何做或者不做某事，以及为什么做或者不做某事）缺乏理解。

❶可是我并不想过分强调增加政治知识在青春期思想意识的形成起到的重要作用。❷这些年来，我逐渐对知识中心论失去幻想，并且相信当前政治社会的工作过分依赖表面上知识的获得，对青少年政治理解力的发展有错误的理解。❸就像儿童可以在没有理解数字的排列的情况下按顺序数数一样，青少年可能在他们脑中有凌乱、零星的政治信息，但缺乏一个使这些信息有序化、使其有意义的概念的确切理解。

❶像喜鹊一样，儿童的思维零零星星地收集资料数据。❷如果你鼓励他们，他们会漫不经心地说出这些概念——共和党和民主党、联邦系统的三权分立、甚至可能是Massachusetts首府。❸但是直到青少年理解了概念和原理提供的概括功能之前，资料数据仍然是零碎的、随机的、无序的。

3s 版本

❶青春期时，政治意识的发展很明显。

❷青春期之前政治意识很模糊。

❸复杂的认知技巧是获得政治意识的条件。

❹理解原理的条件是获得政治意识的条件。

第一段3s：青春期政治意识的获得所需要的条件。

❶政治知识的获得促进政治意识的获得。

❷❸❹❺❻政治知识的定义。

第二段3s：政治知识的获得促进政治意识的获得。

Yet ❶❷❸政治知识不重要。

第三段3s：政治知识不重要。

❶❷儿童获得的是零散的信息。

But ❸直到青春期才会拥有整合的能力，之前都是碎片化的。

第四段3s：有零散的知识就够了，不需要完整的政治知识。

全文3s版本：青少年发展政治意识所需要的因素，作者更倾向于第一段中的能力。

文章点拨

文章中并列列举的处理方式

本文第一段第三句：Its acquisition by the adolescent, in even the most modest sense, requires the acquisition of relatively sophisticated cognitive skills: the ability to manage abstractness, to synthesize and generalize, to imagine the future. 黑体部分即为典型的并列列举结构。在阅读中遇到这种结构，处理原则为"只记位置，不记内容"，即看到并列列举，首先知道它的功能（本例中并列列举的功能是详细说明青少年思想意识的获得所需要掌握的技巧），然后略读，若后面的题目出现"EXCEPT"类题目，或可以定位到本句的题，则再回文定位并列列举部分，通过同义改写来做题。

例题讲解

The author's primary purpose in the passage is to

本文主旨是

答案： (A) clarify the kinds of understanding an adolescent must have in order to develop a political ideology 澄清了青少年为了发展政治意识所需要理解的内容。

解析： 本文主要讨论的内容就是发展政治意识所需要的因素，后来澄清了，说明整合能力最重要。

Passage

星鲽比目鱼眼睛_____的差异不重要

原文翻译

❶和蝶形比目鱼（flounder）一样，普通比目鱼（flatfish）是少数几种缺少近似两侧对称（即以中线为准左右两侧呈镜像对称）的脊椎动物（vertebrate）。❷在成年比目鱼的不对称现象中最引人注目的是它眼睛的位置：成年之前它的眼睛会移动，而成年之后它的两个眼睛在头部的同一侧。❸虽然在大多数不对称的物种中，完全成熟的个体有完全一样的不对称性，但星鲽比目鱼（starry flounder）的眼睛要么是左侧眼的（两个眼睛同在头左侧），要么是右侧眼的。❹在美国和日本的水域中，星鲽比目鱼的不对称性不同：在美国西海岸星鲽比目鱼大约50%是左侧眼的，美日中间海域中大约70%是左侧眼的，而在日本海域附近几乎100%都是左侧眼的。

❶生物学家把这种在一定地理范围内的渐变叫作"渐变群"（cline），并把渐变群解释为对环境差异有强适应性的群落。❷对于星鲽比目鱼来说，这个解释意味着（在互成镜像的比目鱼之间）几何图形的差异是适应性的，而且这意味着在日本，左眼星鲽比目鱼被自然选择出来，这引发了一个让人费解的问题：两只眼睛都在左边而不在右边的选择优势（selective advantage）又是什么呢？

❶比目鱼可以如此轻易地用转向的方法改变眼睛由不对称而引发的单侧效应，这使得生物学家开始去研究其内部解剖结构，尤其是视觉神经，来获得答案。❷所有比目鱼的视觉神经都交叉，这样右侧视觉神经和脑子左侧相连，反之亦然。❸交叉也产生了不对称性，因为一个视觉神经必须在其他神经上面或者下面交叉。❹G. H. Parker推论道，例如，如果一个比目鱼的左眼在移动的时候右侧视觉神经在上面，那就会产生神经的缠绕（twisting），这会产生机能上的危害。❺那么对星鲽比目鱼来说，由于其左视觉神经在最上端，所以左眼品种就会被淘汰。

❶上述解释的问题在于，日本星鲽比目鱼几乎完全是左侧眼的，而一个自然选择过程不会使其成为比右侧眼比目鱼更不利的品种。❷考虑到其他解释同样站不住脚，生物学家得出一个结论：左侧眼和右侧眼之间并不存在重大的适应性差异，而且这两个特征和其它重要的适应性特征在基因上有联系。❸这个情况是进化生物学家经常遇到的，这些生物学家必须经常决定某一个特征是具有适应性的还是在自然选择上中性的。❹对左侧眼和右侧眼比目鱼来说，虽然它们之间的差别很明显，但看起来这些差别好像还是进化论中转移人们注意力的闲话（red herring, 本意为熏鲱鱼）。

3s 版本

❶比目鱼不对称。

❷比目鱼的不对称是眼睛位置的不对称。

❸星鲽比目鱼物种内部眼睛的不对称性是不一样的。

❹在不同海域眼睛的不对称性不同。

第一段3s：星鲽比目鱼物种内部眼睛的不对称性在不同海域是不一样的。

❶❷生物学家将这种地域的差异归因为环境适应性。

第二段3s：生物学家将这种地域的差异归因为环境适应性。

❶生物学家研究比目鱼的视觉神经来解释环境适应性。

❷❸❹❺结果是左眼品种会被淘汰。

第三段3s：生物学家研究比目鱼的视觉神经来解释环境适应性。

problem ❶适应性的理论与事实矛盾。

❷星鲽比目鱼眼睛不对称性的差异与适应性无关。

❸❹这种差异不重要。

第四段3s：星鲽比目鱼眼睛不对称性的差异不重要。

全文3s版本：星鲽比目鱼眼睛不对称性的差异不重要。

📝 文章点拨

1. 本文的顺承结构

第一段的四句话为顺承结构。通常来讲，顺承结构中的每句话不可能讲的内容完全一样，往往是下面一句会在顺承上一句的基础之上讲得更详细、加入新内容。比如这一段，就是一个由粗略到详细的行文过程。

2. 本文的段间关系

本文第一段主要描述一个现象。接下来第二段顺承第一段，针对第一段的现象提出猜想，第三段进一步解释这个猜想，注意，到这为止仅仅是在进行解释，并没有评价这个解释是对的还是错的，根据这一解释，最后的结论是左眼品种会被淘汰。第四段problem否定含义单词，同时第四段第一句说明根据第三段得到的结论，左眼会被淘汰，但是日本海域周围都是左眼，理论与现实矛盾，到此为止文章二、三段给出的解释被反驳掉。因此，本文第四题也得到了解答。

3. 本文中关于"适应性"的同义替换

adaptive, selective advantage, natural selection

📝 例题讲解

Which of the following best describes the organization of the passage as a whole?

下面哪一项最好地描述了文章整体结构？

答案： (A) A phenomenon is described and an interpretation presented and rejected 描述了一个现象，提出一种解释，并且反驳了这个解释

解析： 现象：星鲽比目鱼物种内部眼睛的不对称性在不同海域是不一样的。

解释：环境适应性。

反驳：最后一段problem。

Unit 21

综合 2

练习题目

在考 G 的路上没有什么所谓的天赋异禀，有的只是不断地重复再重复，翻坏的 3000 和几乎背下来答案的填空和阅读。但欣慰的是，付出总会有回报。

——王迪雅
南开大学，微臣教育线下 400 题课程学员
2016 年 5 月 GRE 考试
Verbal 163 Quantitative 169

Passage **185**

遥感技术结合新方法促进了＿＿＿＿＿＿的获得，但还是需要结合老方法

原文翻译

❶术语"遥感"（remote sensing）指的是测量及解读远距离现象的技术。❷20世纪60年代中期之前，对胶片图形的解读是对地球地质特征进行遥感的主要方法。❸随着光机械扫描器的发展，科学家们开始建立数字化多谱线图，利用可见光摄影术可以感知可见光摄影范围之外的数据。❹这些图像是通过对可见光谱之外的光波的反射、无线电波的折射以及地球表面区域温度日常变化等现象进行机械校准的图形来表达构建的。❺数字化多谱线图现在已经成为来自卫星的地质遥感的基本工具。

❶数字成像相较于摄影成像有着明显的优势：产生的数字数据是精确已知的，并且数字数据不会受难以控制的化学过程的不规则变化影响。❷通过数字化处理，综合大量的谱线图是可能的。❸1972年从Landsat卫星上安装的多谱线扫描器（MSS）上第一次获得多谱线数字数据，吸引了整个地质界的注意。❹Landsat MSS 数据现在正被应用于很多地质问题中，这些问题仅用传统方法很难解决。❺这些问题包括在矿物和能量资源探索以及冰川和浅海制图过程中存在的具体问题。

❶遥感的一个更基本的应用是对大区域地质绘图的传统方法的补充。❷区域地图展现了再现地质演化的组成、结构和年代的信息。❸这种再现有重要的实际应用，因为岩石单位以及其他结构特征形成的条件会影响矿石和石油贮藏的出现，并且会影响贮藏所在的地质媒介的厚度和整体性。

❶虽然地质图包含了多而广的具体实地测量和实验室测量值，但是地质图一定要具有可解译性，因为实地测量往往被暴露的岩石、人们是否可到达以及劳动力资源限制。❷有了遥感技术，与从地面获得的信息相比，人们能更有效地获得更多地质信息。❸这些技术也促进了地质图的整体可解译性。❹因为详细地质图的绘制总体上是在小范围内进行的，那些间断的、有变化的地域特征的连续性常常无法被识别，但是在Landsat图像的综合视图中，这些连续性就很明显。❺但是一些关键信息不能通过遥感来获取，并且一些Landsat MSS的特征会对诊断性数据的获得产生限制。❻其中一些限制可以通过专门为地质目的而设计的卫星系统克服；但是，为了达到最好的效果，遥感数据仍然必须和实地调查以及实验室测试得到的数据相结合，后两者是20世纪早期的技术。

3s 版本

❶"遥感"的定义。

❷20世纪60年代中期前，使用胶片法遥感。

❸科学家开始用数字化多谱线图遥感。

❹数字化多谱线图的原理。

❺数字化多谱线图成为遥感的基本工具。

第一段3s：遥感的简介。

❶数字成像比摄影成像有优势。

❷通过数字化的处理，我们可以综合大量的谱线图。

❸❹❺第一次获得的多谱线数字数据Landsat MSS正被应用于很多地质问题中。

第二段3s：数字成像比摄影成像有优势。

❶遥感可以被应用于增强绘制大区域地质图。

❷❸区域地图的作用。

第三段3s：遥感可以被应用于增强绘制大区域地质图。

❶地质地图要具有可解译性。

❷遥感技术可以更有效地获取更多地质信息。

❸❹这些技术也促进了整体的可解译性。

小结：第三段❷❸和第四段❶❷❸❹封装，顺承第三段❶。

However ❺有些信息遥感无法获得。

❻遥感数据必须和传统方法相结合。

第四段3s：遥感数据必须和传统方法相结合。

全文3s版本：遥感技术结合新的方法促进了地质信息的获得，但还是需要结合老的方法。

文章点拨

文章第一段通过时间对比，对比20世纪60年代中期之前的遥感方法（胶片图形）和之后发展的数字化多谱线图的遥感方式，将两种方法进行比较。

文章的第二、三两段承接第一段对两种方法的描述，先阐述了数码成像相较摄影成像的优势，即数码成像的结果是精确并且已知的，不会有不规则的变化。后又阐述了传统方法的重要的实际作用。

文章最后一段提出遥感数据还需要与一些老方法进行结合。因此虽然新的方法促进了地质信息的获得，但老方法还需要结合入遥感中。

例题讲解

It can be inferred from the passage that a major disadvantage of photographic imaging in geologic mapping is that such photography

根据文章可以推断出在地图地质绘制中摄影成像的缺陷是

答案： (C) must be chemically processed 必须经过化学处理

解析： 根据photographic imaging定位第二段第一句，数码成像较摄影成像的优点是数码成像不用经过化学处理。

Passage 186

＿＿＿＿＿影响鸟鸣声复杂性

原文翻译

❶这些年来生物学家认为，有两个途径可以让雌雄淘汰现象塑造雄性鸟鸣声的进化。❷第一个途径是，雄性内的竞争和同性选择会让雄鸟产生相对短且简单的鸟鸣，这种鸟鸣主要用在领地行为之

中。❸第二个途径是，雌性的选择和雌雄间的选择会产生长且更复杂的鸟鸣，这种鸟鸣主要用于提高雄鸟的吸引力；和孔雀尾巴这类视觉装饰物一样，精妙的鸟鸣特征会增加雄鸟被选为交配对象的几率，因此这类雄鸟比那些不那么招摇的竞争对手有更高的繁殖成功率。❹这两种途径并不是相互排斥的，我们可以找到例子来表现两种途径之间的联系。❺把这两种途径梳理清楚是对进化生物学家的一个重要挑战。

❶早期研究证实了同性选择的作用。❷在多个实地实验中，雄鸟在话筒边表现出领地行为，来对录好的鸟鸣进行有侵略性的回应。❸实验室中一种新的研究雌鸟回应的技术使得雌雄间选择的研究取得了突破。❹当隔音室中被单独饲养的雌性燕八哥（cowbird）接触到雄性鸟鸣的录音时，它表现出了交配行为来作为对雄鸟鸟鸣的回应。❺通过对雌鸟回应进行量化，研究者们可以确定究竟是哪种鸟鸣特征最重要。❻在对北美歌雀（sparrows）的进一步研究中，研究者们发现雌性在接触一个重复多次的鸟鸣类型或接触不同鸟鸣类型的时候，会对后者产生更多回应。❼这个实验设计的巧妙之处在于它有效地排除了混淆的变量：听觉隔离保证了雌鸟只会对鸟鸣结构本身产生回应。

❶如果雌雄间选择的过程和理论一样，那么鸟鸣更复杂的雄鸟应该不仅更容易吸引雌鸟，还会有更高的繁殖成功率。❷然而，起初在野外研究北美歌雀的研究者们没有发现复杂鸟鸣与提早交配之间的联系，而这个联系是体现繁殖成功率的指标；进一步说，用来预测繁殖成功率的常规雄鸟品质指标，例如体重、大小、年龄以及领地范围，也没有和鸟鸣复杂程度联系起来。

❶研究者们最终在一个包含两种鸣鸟的研究中找到了他们一直在寻找的证据。❷鸣鸟不像北美歌雀那样在变化鸟鸣前一阵阵地重复之前鸟鸣，它们不重复地持续创作更长、变化更多的鸟鸣。❸科学家首次发现鸟鸣数量和提早交配之间的重要联系，他们还进一步发现，鸟鸣数量比其他任何雄鸟品质指标对繁殖幼鸟数量的影响都要大。❹证据表明，雄性鸣鸟利用它们尤为复杂精妙的鸟鸣来吸引雌鸟，这无疑证明了雌雄间的选择对于鸟鸣声进化的影响。

3s 版本

❶雌雄淘汰现象塑造雄性鸟鸣声的进化有两个途径。

❷第一个途径是雄性内的竞争和同性选择。

❸第二个途径是雌性的选择和雌雄间的选择。

❹这两种途径有联系。

❺梳理这两种途径是一个挑战。

第一段3s：雌雄淘汰现象塑造雄性鸟鸣声的进化有两个途径，科学家试图梳理他们之间的关系。

❶❷早期研究证实了同性选择的作用。

换对象❸雌雄间的选择的研究取得了突破。

❹隔音室中被单独饲养的雌性鸟对雄性鸟鸣以交配行为回应。

❺❻雌性接触不同鸟鸣类型时有更多反应。

❼该实验排除了混淆的变量。

第二段3s：雌雄间的选择的研究取得了突破。

❶鸟鸣更复杂的雄鸟有更高繁殖成功率。

However❷没有发现复杂鸟鸣与北美歌雀繁殖成功率的联系。

第三段3s：复杂鸟鸣与北美歌雀繁殖成功率没有联系。

换对象❶❷鸣鸟的鸟鸣在变化。

❸发现鸟鸣数量和繁殖成功率之间的重要联系。

❹雌雄间的选择对于鸟鸣声的影响得到证明。

第四段3s：雌雄间的选择对于鸟鸣声复杂性的影响得到证明。

全文3s版本：雌雄间的选择影响鸟鸣声复杂性。

文章点拨

文章第一段提出两个途径让雌雄淘汰现象塑造雄性鸟鸣声的进化，并列举了这两个途径分别影响了鸟鸣在领地和繁殖中的作用。

第二段开始先确认了同性选择对鸟鸣领地行为作用的影响的正确性，并简单描述了论证该理论的实验。之后又指出在证实雌雄间选择影响鸟鸣声复杂性的实验中，新的实验技术，即隔音饲养，被研发。

第三段继续雌雄间的选择对鸟鸣声复杂性的实验，反向在北美歌雀中，并不存在该种现象。

第四段描述了在鸣鸟中，研究者们证实了雌雄间的选择影响鸟鸣声复杂性。

例题讲解

The passage is primarily concerned with

文章主旨是

答案：(C) describing research confirming the suspected relationship between intersexual selection and the complexity of birdsong 描述证实雌雄间的选择和鸟鸣声复杂性的研究

Passage 187

_____和_____的合作可以产生有影响力的艺术电影

原文翻译

❶在1923年，俄罗斯创新派电影制作人Dziga Vertov将电影摄制描述为一个把观众引向"对世界的新鲜感知"的过程。❷ Vertov对于电影摄制的描述应该被应用在艺术影片上。❸然而艺术影片并没有产生我们期望的强有力和有说服力的效果。

❶艺术出版物蓬勃成长，但是这些书籍和文章并不一定能成功地教会我们看得更深刻、更清晰。❷尽管艺术史中很多著作促进了此领域内的讨论，但它们不太可能在有争议的情况下去启发一个外行人。❸然而，电影可以用视觉来展现物质世界并且可以拥有广泛的观众群体，电影有潜力比出版物更能有效地增强人们的视觉认识能力（认出一个特定风格细节的能力）。❹不幸的是，美国每年制作大约一百个艺术电影中很少有电影在电视黄金时段向全国播放。

❶电视黄金时段内很少能看到艺术影片不仅是因为对艺术影片发行的限制，还因为这些影片本身的缺陷。❷其中一些缺陷是由于艺术史学家以及制作人未能在制作艺术影片时紧密合作。❸这些专家能够在各自领域中增加我们对于视觉形式的意识。❹为了能紧密地合作，各领域专家们应该意识到艺

术影片应该兼具教育性和娱乐性，但是这需要两方面之间的妥协。

❶一个正在创造关于艺术家作品的电影的制作人不应该遵循摇滚视频和广告片所制定的标准。❷电影制作人需要抑制为了不让观众感到无聊而快速地在细节之间移动摄像机的冲动；还需要抑制单纯为了戏剧效果而把图像框在摄像机里的冲动；还需要抑制出于对沉寂的恐惧而加入音乐的冲动。❸制作人意识到一个艺术物体需要聚焦，同时，制作人担心它可能不足以吸引眼球——所以他们希望通过插入和主题关系不大的"真实"场景来起到缓和作用。❹但是人们应该根据一件艺术品自身去探索它。❺另一方面，艺术史学家需要相信，人们不仅可以通过语言，还可以通过引导观众们的注意力来指明和分析。❻艺术史中特定的书面语应该被抛弃，或者至少为了荧幕的需要，而去较少使用这种用语。❼只有制作人和艺术史学家之间有效的合作才会创作出能增强观众对艺术的感知力的电影。

3s 版本

❶ Vertov认为电影会把观众引向对世界的新鲜感知。

❷ Vertiov的理论适用于艺术电影。

Yet ❸艺术电影并没有产生这种强大的影响力。

第一段3s：艺术电影并没有产生如同Vertov所指出的强大的影响力。

❶❷艺术书籍不太可能启发外行人。

However ❸电影比书籍更能有效影响人们的视觉认识能力。

Unfortunately ❹艺术电影很少在黄金时段播放。

第二段3s：因为播放时段的问题，艺术电影并不能有效影响观众。

❶❷❸黄金时段播放少的原因在于艺术史学家和电影制作人未能紧密合作。

❹艺术电影兼具教育性和娱乐性，需要二者妥协。

第三段3s：艺术电影需要专家之间的紧密合作与妥协。

❶艺术电影不应该遵循摇滚视频和广告。

❷电影制作人要抑制因为担心而产生的各种冲动。

❸电影制作人会加入其他因素进行缓和，避免吸引力不足。

But ❹艺术作品本身有足够吸引力。

小结：❸❹封装，与❷顺承。作品足够有魅力，电影制作人应该不加入其他因素。

❷❸❹封装，电影制作人应该做出的妥协。

On the other hand ❺❻艺术史学家应该做出的妥协。

❼电影制作人和艺术史学家合作可以产生好的艺术电影。

小结：❶~❻封装，顺承❼。

第四段3s：电影制作人和艺术史学家合作可以产生有影响力的艺术电影。

全文3s版本：电影制作人和艺术史学家的合作可以产生有影响力的艺术电影。

文章点拨

文章在第一段引入了Vertov的观点，认为艺术电影可以让观众对于世界产生新鲜的感知。但是现实情况是艺术电影并没有那么有影响力。

文章第二段先通过对比艺术书籍和艺术电影，体现艺术电影可以更好地影响大众。但最后用 unfortunately 体现出现实情况下，很少有艺术电影在黄金时段播放，来影响大众。

文章第三段分析了之所以播放不多的原因，原因之一是艺术史学家和电影制作人之间的合作存在问题。

文章最后一段，分别从电影制作人和艺术史学家的角度指出彼此应该做出的妥协，从而创作出具有影响力的艺术电影作品。

例题讲解

1. Which of the following best describes the organization of the passage?
   下面哪一项最好地描述了文章的结构

答案： (A) An observation about an unsatisfactory situation is offered, the reasons for the situation are discussed, and then ways to change it are suggested. 一个关于令人难以满意的情况的观察被提供，这种情况的原因被讨论，然后给出了一些改变现状的方法。

解析： 文章的前两段都在给出令人难以满意的实际情况——艺术电影具有说服力，但是却影响力不大。之后第三段对这一情况进行了原因分析，认为是艺术史学家和电影制作人之间合作不够紧密。最后第四段给出了具体应该如何紧密合作。

2. The passage is primarily concerned with
   文章主旨是

答案： (A) discussing why film's potential as a medium for presenting art to the general public has not been fully realized and how film might be made more effective in this regard 讨论了为什么电影作为一种把艺术展现给大众的媒体的潜力没有被完全意识到，而且讨论了电影在这个方面应该如何变得更加有影响力

Passage

_____会给女性提供更多参与军事任务的机会

原文翻译

❶最近在美国发生的志愿军武装力量的变化最终会逐渐增加女性在军队中的比例以及女性可能承担的任务种类的比例，但是这种变化也许不会产生原来预期的对女性的那种明显的益处。❷即使军队在一种职业平等的制度变化的思潮中，以及在联邦政府同工同酬的法令指导下运转，情况仍是这样。❸困难在于女性不可能被训练去直接参与任何战争行动。❹社会中大部分人至今对于向军队这个方向扩展男女平等仍感到不安。❺因此，对军队中的女性来说，追求平等将仍然以职能平等为基础，而不是以任务相同甚至是相似为基础。❻机遇一定会出现。❼军事上的威慑因素的强化必然会给女性提供更多地参与新型非战斗性军事任务的机会。

3s 版本

❶美国军队武装力量的变化不会给女性带来期望的益处。

❷军队中职业平等的思潮也没有给女性带来益处。

❸❹原因在于女性不能像男性一样去作战。

❺女性在军队中的平等仍然只是职能的平等。

时间对比（将来）❻机会会出现。

❼军事上威慑因素的强化会给女性提供更多参与军事任务的机会。

全文3s版本：军事上威慑因素的强化会给女性提供更多参与军事任务的机会。

文章点拨

文章先指出了美国志愿军武装力量的变化对女性的影响也许不乐观，并指出不乐观的原因是女性不能经过训练直接参与作战。但作者在文末提出了自己对该问题的预测，即军事上威慑因素的强化会给妇女提供更多参与军事任务的机会。

例题讲解

The "dramatic gains for women" and the attitude, of a "significant portion of the larger society" are logically related to each other inasmuch as the author puts forward the latter as

"女性获得的明显益处"与"社会中大多数人"的态度在逻辑上是互相关联的，因为作者提出后者的目的是

答案： (B) the major reason for absence of the former 缺少前者的主要原因

解析： 本文第一句，女性缺少"明显的益处"，第三、四句则是在说缺少益处的原因。

Passage  189

Haney实验证实了食草动物能对_____产生巨大的压力

原文翻译

❶许多理论被提出以解释例如浮游动物（zooplankton）一类的食草动物（grazer）在控制湖中浮游水藻（浮游植物，phytoplankton）数量的作用。❷最初有关这种食草动物控制作用的理论依据的只是基于藻类数量与浮游动物数量之间负相关关系的观察。❸在有大量食草动物的环境里只存在少量藻类细胞表明，但却未证明：食草动物吃掉了绝大多数藻类。❹相反情况的观察，即在高密度浮游植物的区域里没有食草动物，使得Hardy提出了动物排斥原理，这个原理认为浮游植物产生了一种驱避剂来阻止高密度浮游植物区域中的食草动物。❺这是第一个有关藻类植物抵御食草动物的想法。

❶可能基于这个事实，即初步研究中的很多研究只考虑了那些尺寸可以用网收集起来的水藻（net phytoplankton）——而这个做法忽略了更小的、食草动物最有可能以其为食的浮游植物（即微型浮游植物，nannoplankton），这使得研究者们在接下来的研究中轻视食草动物的角色。❷就像Lund, Round以及Reynolds在他们单独的实验中所做的那样，研究者们开始越来越强调诸如温度、光线、水流运动等环境因素在控制藻类数量上的重要性。❸这些环境因素经得起实地检测以及实验室中模拟的检验。❹尽管人们认为食草动物的摄食行为会对水藻数量产生一定影响，特别是在繁殖旺盛期末期浮游植物增长率下降之后，但是其摄食行为被看作是一个预测水藻种群动态的模型的次要组成部分。

❶食草动物对淡水中的浮游植物产生压力的可能强度最近才通过实验确定下来。❷ Hargrave和Geen所做的研究估计了自然群落的捕食速率，通过测量实验室中浮游动物品种的个体捕食速率，然后再用已知食草动物种群密度计算出实地条件下群体的捕食速率。❸但是，这两位研究者对假设的捕食压力进行的高估计，在浮游动物的捕食速率通过新的实验技术被直接确认之前，都没有被完全接受。❹利用特别准备的喂食室，Haney能够记录浮游动物在自然实地环境下的捕食速率。❺在浮游动物达到顶峰饱和的时期内，即春末和夏季，Haney记录了最高的群体捕食速率，对于营养匮乏的湖水以及沼泽湖而言，分别是每日浮游植物繁殖量的6.6%和114%。❻水蚤类动物比桡足动物有更高的捕食速率，一般占群落摄食率的80%。❼这些比率随季节变化而变化，在冬季和初春达到最低。❽Haney详细的研究提供了有说服力的实地证据，证明了食草动物的确能对浮游植物的种群数量产生巨大的压力。

🡓 3s 版本

❶有很多理论（theory）解释食草动物对于浮游植物数量的控制的角色。

❷第一个理论仅仅基于的是一种数量负相关的观察。

❸藻类少食草动物多，表明但未证实（prove）食草动物吃掉了藻类。

❹❺藻类多食草动物少，使得Hardy给出动物排斥猜想。

第一段3s：有很多理论（theory）解释食草动物对于浮游植物数量的控制的角色。

❶研究中轻视了食草动物的角色。

❷❸学者越来越强调食草动物之外的影响因素。

❹食草动物成为次要因素。

第二段3s：食草动物成为次要因素。

❶食草动物对浮游植物产生压力的强度在最近被实验确定。

❷ Hargrave和Geen估计了自然群落的捕食速率。

However ❸他们的估计没有被完全接受。

❹❺❻❼ Haney进行群体捕食速率的实地研究（empirically）。

❽ Haney证明了食草动物能对浮游植物的种群数量产生巨大的压力。

第三段3s：Haney实验证实了食草动物能对浮游植物的种群数量产生巨大的压力。

全文3s版本：Haney实验证实了食草动物能对浮游植物的种群数量产生巨大的压力。

🡓 文章点拨

这篇文章主要谈食草动物和浮游植物种群数量二者的关系。

第一段中，第一句就指出文章讨论的主题——关于食草动物对于浮游植物数量控制的角色研究。但是我们要特别注意，第一句话中出现了theory，表明以前的研究是大家纸上谈兵，同时第一段话中的suggested、but did not prove和hypothesize都体现出第一段的研究只是从理论上去讨论二者之间的关系。

第二段中，作者提到因为一些水藻被忽略，所以后来的研究偏离了，学者开始研究别的参数。

第三段中，最近Haney终于能够通过实地研究证明了之前的理论猜测。

本文中三段话的段间关系不是很明显，就像流水账一样在记录。而这篇文章最需要大家掌握的就是theory和empiricism之间的对立。

例题讲解

Which of the following is a true statement about the zooplankton numbers and zooplankton grazing rates observed in Haney's experiments?

下面关于在Haney的实验中，浮游植物数量和浮游植物捕食速率，哪一个说法是真的?

答案：(D) Both zooplankton numbers and grazing rates were lower in March than in June. 浮游植物数量和浮游植物捕食速率都在3月低于6月。

解析：定位到文章第三段第七句，these rates varied seasonally, reaching the lowest point in the winter and early spring，说明在初春3月捕食速率是最低的，所以捕食速率3月低于6月；而第三段第五句，in the periods of peak zooplankton abundance, that is, in the late spring and in the summer，说明浮游植物在夏季的数量达到最大值，所以3月浮游植物的数量要小于6月。

Passage 190

用证据呈现出Proust的小说*Remembrance*如何从_____变成小说体裁

原文翻译

❶许多文学考据家在钻研一个关于作家Marcel Proust的巨大谜题：1909年发生了什么? ❷*Contre Saint-Beuve*这篇攻击评论家Saint Beuve的方法的散文，是如何转变成小说*Remembrance of Things Past*的开始的? ❸最近发表的一封来自Proust给编辑Vallette的信中证实了1954年版*Contre Saint-Beuve*的编辑Fallois做的一个有关散文到小说之间关系的正确猜测。❹Fallois提出，Proust本来尝试在1908年开始写一部小说，但由于Saint-Beuve长期以来表现出对于伟大文学作品真正本质的盲目无知而放弃了这部小说转而写散文，Proust发现这篇散文引发了他个人回忆以及虚构情节的发展，并且允许这些回忆及情节发展成一部逐步展开的小说。

❶在Proust 1909年的笔记本中的草稿表明，他从散文到小说的转变开始于*Contre Saint-Beuve*这篇文章，此时Proust引入了几个例子来展现非自主记忆对于创作想象力产生的强有力的影响。❷实际上，在试图展现想象力比Saint-Beuve假设的更加深刻且更不容易屈服于理性的过程中，Proust引出了他自己的至关重要的记忆，并且在他发现这些记忆间微妙的联系时，他开始为*Remembrance*来积累素材。❸到了8月，Proust写信给Vallette，告诉Vallette他想把这些材料写成小说的意图。❹在*Marcel Proust, romancier*一书中，Maurice Bardeche展现了*Remembrance*草稿中Proust潜意识里那些自发且看似随机的联想的重要性。❺随着在Proust身上发生的各种事件和思绪，他连续不断地将新的段落插入进去，改变并扩展其叙事内容。❻但是他发现，控制他飘忽不定的灵感很难。❼这些有意义的关系的丰富性和复杂性——在所有层次上不断出现并且重新组合，从抽象的理性到深刻的梦幻般的情感——使得Proust很难将它们错落有致地安排好。❽他的控制感在当他明白如何将其小说的开头和结尾联系起来的时候才出现。

❶Henri Bonnet被Proust声称他在同一时间"开始并完成"了*Remembrance*所吸引，Henri

Bonnet发现*Remembrance*最后一卷的部分章节（的创作）实际上开始于1909年。❷在那一年里，Proust已经拟出对于他小说中角色老年时的描绘，这些人物会出现在*Remembrance*的最后一卷，而在这一卷中，他用艺术的永恒与时间带来的破坏相抗衡。❸给Vallette的信、散文和小说的草稿以及Bonnet的研究以宽泛的线条勾勒出Proust从他的散文碎片中创作出小说的过程。❹但是我们当中那些希望Kolb新出版的1909年Proust的完整书信会更为详细地记录这一创作过程的人，加上Kolb本人，都会感到失望。❺因为直到Proust自信最终为*Remembrance*找到可行结构前，他没有告诉与其保持书信往来的任何人：他正在创作一部比*Contre Saint-Beuve*更有雄心的作品。

3s 版本

❶❷ Proust在1909年的散文为什么转变成了小说是一个谜。

❸ Proust给Vallette的信件证明了Fallois的猜测的正确。

❹ Fallois认为散文引发了个人回忆与虚构情节，发展成了小说。

第一段3s：Proust的信件证明了Fallois关于散文变成了小说的猜测。

❶1909年草稿证明从散文到小说的转变开始于*Contre Saint-Beuve*。

❷ Prost认为想象力更加深刻，引发了自己的思考，为小说积累素材。

❸1909年8月Proust给Vallette写信表明自己写小说的意图。

❹ Maurice Bardeche展现了联想对于Proust小说的重要性。

❺因为灵感，Proust不断在小说中插入新的段落。

But ❻ Proust很难控制这些灵感。

❼ Prost很难安排好这些抽象和想象之间的关系。

❽最终，Proust获得了控制感。

第二段3s：Proust从散文到小说的创作转变过程。

❶❷ Bonnet发现*Remembrance*的最后一卷开始于1909年。

❸三种勾勒出Proust从散文中创作出小说过程的素材。

But ❹我们无法从Kolb的书信集中找到更多关于创作详细记录。

❺ Proust没有在1909年前告诉别人自己在写小说。

第三段3s：Kolb针对Proust的书信集会让读者失望。

全文3s版本：用证据呈现出Proust 的*Remembrance*这本小说如何从散文体裁变成小说体裁。

文章点拨

在第一段中，文章作者针对Proust的*Remembrance*从散文变成了小说的问题，给出了自己的观点，认为最近Proust给Vallettep的信中证明了Fallois的猜测的正确。

文章的第二段，作者借助Proust在1909年的草稿，展开说明Proust的创作过程是从小说到散文再到小说。在这个从散文到小说的过程中，Proust的脑中出现了大量的无法控制的内容。

最后一段中，作者又提到了Bonnet的研究对于理解Proust的转变有帮助，但是Kolb针对Proust的书信集会让读者失望。

⚑ 例题讲解

1. The passage is primarily concerned with

文章的主旨是

答案： (B) evidence concerning the genesis of Proust's novel *Remembrance of Things Past* 关于Proust的小说 *Remembrance of Things Past* 的起源的相关证据

解析： 文章中所提到的具体证据有以下这些：第一段中的 The letter to Vallette，第二段中drafts of the essay and novel，还有第三段中Bonnet's researches，这三样东西作为证据establish in broad outline the process by which Proust generated his novel out of the ruins of his essay。

2. Which of the following best states the author's attitude toward the information that scholars have athered about Proust's writing in 1909?

下面哪个选项最好地陈述了作者对于学者收集的有关Proust在1909年的写作信息的态度?

答案： (C) The author is confident that Fallois's 1954 guess has been proved largely correct, but regrets that still more detailed documentation concerning Proust's transition from the essay to the novel has not emerged. 作者很自信Fallois的1954年猜想已经被证明大部分正确，但是对有关Proust从散文向小说的转变的更多细节的记录还没有出现这一点感到遗憾。

解析： 此处的更多细节的记录针对的是第三段中的Kolb的书信集。这个题目考到了文中的第一段和第三段的信息。

Passage

Webb发现了殖民地有_____，但是关于英国军队的作用的研究_____

⚑ 原文翻译

❶一个关于最终变成美国的英属殖民地的长期历史观点是：1763年之前英国对这些殖民地的政策一直受到商业利益支配，而之后则变成了一种更专制的政策，以扩张主义军事目标为主导。这种变化造成了种种冲突，并最终导致了美国独立战争。❷在最近的研究中，Stephen Saunders Webb 对上述观点进行了令人印象深刻的反驳。❸根据Webb的观点，英国在美国独立战争之前的一个多世纪就已经实施了军事专制政策。❹他将1660年到1685年期间的英国君主Charles二世看作十六世纪Tudor君主和Oliver Cromwell的继承者，所有这些人都倾向通过Webb所谓的"驻军政府"的运用来扩展英国对其领地的中央集权化的行政控制权。❺尽管驻军政府允许殖民地民众拥有立法议会；但在Webb看来，真正的权力属于殖民地总督，总督由国王任命，并得到"驻军"的拥护，驻军是由殖民地总督指挥的当地英军分遣队。

❶根据Webb的观点，驻军政府的目的是为皇家政策提供军事支持，这种皇家政策是为了限制美洲殖民地上层阶级的权力。❷ Webb认为，殖民地立法议会所代表的，不是普通民众的利益，而是殖民地上层阶级的利益，这一上层阶级由商人和贵族联合而成，他们倾向于自治，并试图牺牲行政权来提高立法权。❸根据Webb所说的，正是殖民地总督倾向小农，反对种植园制度，并通过税收来打破

土地的大规模持有。❹依靠驻军的军事力量，这些总督试图阻止在殖民地议会中结成联盟的贵族和商人把北美殖民地转变为资本主义寡头统治。

❶尽管Webb的研究阐明了在美国独立战争之前的那个世纪中殖民地中的政治联盟，但他有关英国皇室将军队作为殖民政策的工具的观点不能完全让人信服。❷英国在17世纪并不因军事成就闻名。❸尽管Cromwell发动了英国一个多世纪中最有野心的海外军事远征，但这最终被证明是一次彻底的失败。❹在Charles二世统治期间，英国军队规模太小了，以至于不可能成为政府统治的主要工具。❺直至1697年与法国交战，William三世才说服国会创立一支专业的常备部队，而国会对这一做法提出的条件是，必须将该部队置于牢固的立法控制之下。❻尽管Webb所说的英王曾试图削弱殖民地上层阶级的力量也许是对的，但实在难以想象17世纪的英国军队如何会为这样的政策提供重要的军事支持。

⬇ 3s 版本

❶老观点认为英国军事专制的政策导致了美国独立战争。

❷ Webb反对了这一观点。

❸❹❺美国独立战争之前一个世纪，英国就已经实施了军事专制。

第一段3s：Webb认为不是军事专制的政策导致了美国独立战争。

❶ Webb认为驻军政府要限制殖民地上层阶级权力。

❷❸殖民地上层阶级和总督存在矛盾。

❹借助军事，总督阻止殖民地上层阶级的企图。

第二段3s：Webb认为驻军政府要限制殖民地上层阶级权力。

❶ Webb关于英国通过军队作为殖民政策的工具的观点难以令人信服。

❷❸❹❺英国在17世纪不以军事成就出名。

❻英国军队很难为其殖民政策提供军事支持。

第三段3s：Webb关于英国利用军队作为殖民政策的工具的观点难以令人信服。

全文3s版本：Webb发现了殖民地有政治联盟，但是关于英国军队的作用的研究难以令人信服。

⬇ 文章点拨

本文除了第一句是一处长难句，在《GRE/GMAT/LSAT长难句300例精讲精练》第228页中已有详细的解读，全篇的句间、句内、段间关系极其清晰。文章是典型完整的GRE长文的结构。即给出老观点，给出新观点，再给出作者对于新观点的评价。而且往往是一种混合态度评价。本文对Webb的态度是负多于正。

文章在第一段中介绍了之前长期持有的观点，认为美国独立战争是因为英国军事专制的政策所导致。第二句中，Webb展开了反驳。之后的三句都在阐述，其实在独立战争之前一个多世纪，英国就已经有了军事专制的政策，所以并不是这种政策导致了独立战争。

第二段中，作者主要描述了Webb的观点，其观点的核心在于驻军政府的目的是为了限制殖民地上层阶级的权力。驻军政府背后是军队的支持。这段中要注意governor和colonial upper classes（a coalition of merchants and nobility）之间的关系是对立的。colonial upper classes希望能够进行更多的整合，而governor不希望他们聚集力量，所以要对他们进行瓦解。

文章第三段中，作者对Webb的观点给出了评价。肯定了Webb对于政治关系的认识，但认为英国的军队为殖民政策提供有效支持的观点欠妥。

The passage can best be described as a

本文的体裁是

答案： (C) summary and evaluation of a recent study 对一个最近研究的概括和评价

解析： 这里的a recent study是指Webb对于导致美国独立战争原因的研究。文章的作者在前两段给出了Webb的
研究内容（summary），最后一段对其进行了评价（evaluation）。

Passage 192

描述了小丑鱼群落的_____以及_____，并且对这种行为给出解释

原文翻译

❶作为一种化学伪装，一种特殊的黏液（mucous）涂层能让小丑鱼在致命的、没有戒备的海葵触须之间存活下来。❷小丑鱼完全依靠似乎不太可能的海葵寄主的保护来远离捕食者，它已经进化成独立的生物群落，这是一种导致异常行为适应的模式。

❶每一个小丑鱼群落都有严格定义的等级制度，这是由单一配偶的（monogamous）、有繁殖能力的一对小丑鱼控制的群落，这对小丑鱼由最大的鱼——一只雌鱼和第二大的鱼——一只雄鱼组成，同时有一群数量固定的、尚未性成熟的、大小不一的鱼。❷一个值得关注的适应机制是，这些幼鱼的发育在等级制度发生变化前，在某种程度上是被抑制的；等级制度发生变化时它们会步调一致地生长，保持它们彼此间的相对体型。❸尽管这个群落由此节省了有限的空间和食物资源，但群落生活对于新孵化出来的小丑鱼来说还是危险的。❹在孵化时，上百条幼鱼漂流到了浮游生物中。❺如果在三周之内，无防御能力的小丑鱼幼鱼找到一个合适的海葵定居（要么完全是偶然，要么是由海葵分泌的化学物质所引导），它就能生存下来。❻然而，如果一个海葵被占满了，已经定居的小丑鱼会排斥任何新来的鱼。

❶尽管对于已建立群落的成员是有好处的，但是幼鱼暂停成熟和交错成熟可能会对群落的延续性造成危险：两条有繁殖能力的鱼只剩下了一条。❷要是一对鱼中的一条死了，剩下的那条鱼既不能游走去寻找配偶，配偶也不太可能自己到来。❸以下情况似乎是必然的，即有时在等待一条性别合适的幼鱼的偶然到来并生长成熟以前，繁殖必须要停止。

❶然而，结果并不是这样的。❷在实验中，实验者把某一条在群体中有确定地位的小丑鱼从群落中移除，从而腾出空缺。❸如果有繁殖能力的雄鱼被从群体中移除，可以激发最大的幼鱼加速成熟。❹剩下每一条幼鱼也稍稍长大一些，并且一个极小的新来的小丑鱼从浮游生物中进入群落。❺如果移除雌鱼，也会引发所有剩余小丑鱼的成长，并且接纳新来的小丑鱼，但是这条雌鱼会被成年雄鱼替代。❻几天之内，雄鱼的行为改变了，并且生理上的改变会在数月中完成。❼因此，无论有繁殖能力的双方中哪一方缺失了，一条相对大的幼鱼能填补空缺，而繁殖可以在最短时间内重新开始。❽此外，新的配偶已经证明了自己的存活能力。

❶这种从雄性到雌性的转变，或者雄性先成熟的雌雄同体现象，在岩礁鱼中是很罕见的。❷更加常见的雌性先成熟的雌雄同体（其中雌鱼变成了雄鱼）过程并不在小丑鱼中发生。❸让人感兴趣的进一步的研究问题是，小丑鱼幼鱼是否可以直接变成雌鱼还是必须首先作为雄鱼再变成雌鱼。

3s 版本

❶小丑鱼可以通过黏液在海葵触须中生存下来。

❷小丑鱼通过这种方式进化成独立的生物群落。

第一段3s：小丑鱼可以通过黏液在海葵触须中生存下来，并进化成独立生物群落。

❶小丑鱼的群落有严格的等级制度。

❷等级制度不变，幼鱼不发育。

❸新孵化的小丑鱼很危险。

❹❺能找到海葵的小丑鱼能生存。

However ❻海葵被占满幼鱼则会遭到排斥。

小结：❹~❻封装，顺承❸。

第二段3s：小丑鱼群落的生存规则。

❶❷❸小丑鱼的生存规则会对群落的延续造成危险。

第三段3s：小丑鱼的生存规则会对群落的延续造成危险。

However ❶结果不一定和第三段描述的一致。

❷科学家的实验方法是从小丑鱼群体中移除某个小丑鱼。

❸❹除去雄鱼可以加速幼鱼成熟，并且接纳新鱼。

换对象❺❻除去雌鱼也会加速幼鱼成熟，雄鱼会变成雌鱼。

❼❽繁殖中的任意一方的缺失都不会长期影响繁殖行为。

第四段3s：繁殖中任意一方的缺失都不会长期影响繁殖行为。

❶从雄性到雌性的转变在岩礁鱼中很罕见。

换对象❷岩礁鱼更常见的是从雌性变成雄性。

❸对于小丑鱼我们更多的研究兴趣所在。

第五段3s：小丑鱼的性别转变激起更多的研究兴趣。

全文3s版本：描述了小丑鱼群落的组成结构以及其特殊的繁殖行为，并且对这种行为给出解释。

文章点拨

文章第一段介绍了小丑鱼通过一种特殊的黏液作为伪装，在海葵的触须中生存下来，并且演化成为生物群落。第二段对小丑鱼群落进行了介绍。指出小丑鱼群落中的适应机制——群落等级制度不变，则幼鱼发育受到抑制；等级制度发生变化，则幼鱼开始发育。一、二两段是为第三段即将得出的结论进行背景信息的铺垫。

第三段提出了这种适应机制可能带来的弊端，会给群落延续带来危险。第四段的however否定了第三段的观点，通过实验表明，繁殖中的任意一方的缺失都不会长期影响繁殖行为。文章的主要部分就是第三段和第四段。作者针对第三段的看法进行了反对。这个反对是一个非黑即白的反对，因此阅读难度相对较低。

最后一段作者指出小丑鱼的变性行为在岩礁鱼中是不常见的，提到了更多对小丑鱼未来研究的兴趣。

The passage is primarily concerned with

文章主旨是

答案： (C) describing and explaining aspects of clown-fish behavior 描述并且解释了小丑鱼行为的几个方面

解析： 文中具体描述了小丑鱼的以下几个方面：小丑鱼以黏液为伪装，演化成为生物群落（第一段）；小丑鱼群落及其适应机制（第二段）；小丑鱼的繁殖行为与变性行为（第四段）。

Passage **193**

用_____定义文学阶段对于女性写作是不对的，_____对此进行了纠正

⚲ 原文翻译

❶在以男性的作品来定义文学的阶段，女性的作品一定会被强行归入一个不相关的分类中：一个不是为了女性的文艺复兴，一个几乎没有女性参与的浪漫主义时期，一个与女性相矛盾的现代主义。❷同时，女性写作的历史也受到了抑制，在许多不同流派的发展的描述中留下了明显而神秘的空档。❸女性主义评论家开始纠正这种情况。❹例如，Margaret Anne Doody表示，在"从Richardson去世到Scott和Austen小说出现"这段"被认为是死亡的时期"之中，18世纪末的女性作家实际上发展出了"19世纪女性小说的典范"——这个典范比19世纪的小说本身更具有典范特征。❺女性主义评论家也指出，20世纪作家Virgina Woolf的作品是属于传统的风格而不是现代主义，正是这种传统在她作品中的精确体现，使得评论家在评论她的文章时感到晦涩难懂、闪烁其词、难以置信以及有瑕疵。

⚲ 3s 版本

❶❷用男性作品定义文学阶段，女性的写作会受到不良影响。

态度转换（correct）❸女权主义评论家开始纠正这种情况。

❹ Margaret Anne Doody对18世纪和19世纪女性小说的研究。

❺女性主义评论家对Woolf写作风格的研究。

全文3s版本：用男性作品定义文学阶段对于女性写作是不对的，女权主义评论家对此进行了纠正。

⚲ 文章点拨

文章分为两个部分，第一部分是前两句，如果用男性作品定义文学阶段，女性的作品会被强行归纳到不相关的分类中，同时也会造成某些体裁发展的断档。第三句开始是第二部分，提出女权主义评论家对于上述现象的纠正。四、五两句分别给出两个女权主义评论家的例子。

例题讲解

The author quotes Doody most probably in order to illustrate

作者引用Doody的目的是

答案： (A) a contribution that feminist criticism can make to literary criticism 具体解释一个女性主义评论家对于文学评论做出的贡献

解析： 该题对应的是文章第四句，只需将该句的3s版本进行同意改写即可。

Passage

_____的原理

原文翻译

❶热量和水蒸气从海洋向海洋上方的空气中进行转移，这个转移过程依赖于水面和空气之间的一种失衡（disequilibrium）。❷在水面上约一毫米的范围内，气温接近表层水的温度，而空气中的水蒸气也趋于饱和。❸但是，这两方面的差异无论多小都至关重要，并且这种失衡可以维持下去是由于贴近水面的空气与高处的空气混合在了一起，并且较高处的空气比接近海面的空气温度低、水含量低。❹两种空气的混合是靠湍流（turbulence），湍流依靠风来提供能量。❺随着风速的加快，湍流的速度也加快，因此热量和湿度的转移比率也加快。❻对这个现象详细的理解有待进一步研究。❼一种相互影响作用——并趋于复杂化——的现象是在波浪形成时所发生的动量由风到水的转移。❽当风形成波浪时，它转移很大一部分能量，转移的那部分能量因而不能为湍流提供能量。

3s 版本

❶热量和水蒸气的交换依赖于失衡。

❷温度和湿度的失衡很小。

But ❸这种失衡很重要，并且是由空气的混合导致的。

❹❺这种混合靠湍流，湍流依靠风来提供能量。

❻这一现象有待进一步研究。

❼❽风形成风浪时不能为湍流提供能量。

全文3s版本：热量和水蒸气与上方空气的转移原理。

文章点拨

1. 本文中所描述现象的流程：

风→湍流→空气混合→水面上空气和水表的温度间以及湿度间的失衡→热量和水蒸气的转移

2. as的用法

功能1：表示时间

【例】The passage suggests that medical tomography operates on the principle that sound waves are altered as they pass through regions of varying density. 这篇文章提到医学影像技术以这样一种原理运行：声波

341

会随着穿越不同密度的地方而发生改变。

功能2：表示作为

【例】Notable as important nineteenth-century novels by women, Mary Shelley's Frankenstein and Emily Bronte's Wuthering Heights treat women very differently. Mary Shelley的Frankenstein和Emily Bronte的Wuthering Heights是19世纪由女性作家创作的重要小说，它们对于女性的描写截然不同。

功能3：adj.+as+完整句子表示让步

【例】Powerful as they are, the accusatory songs the artist is best known for might sting more and have even greater emotional complexity if one felt that his criticisms were aimed at himself as well as at his unnamed foes. 尽管一位艺术家赖以成名的控诉性歌曲如此有力，然而如若人们感受到艺术家的批判既是指向自己也是指向未提及的敌人，这些歌曲可能更会刺到痛处，也会在情感上更为复杂。

功能4：表示同级比较

【例】Her playing was Romantic, but it was at least as close in spirit to the style of playing intended by composers of the Baroque (1600-1750) and Classical (1750-1830) eras, as have been the more exacting but less emotionally resonant interpretations of most harpsichordists since Landowska. 她的弹奏是浪漫主义的，但是至少在精神上同巴洛克时代和古典主义时代作曲家想要表达的风格的接近程度与Landowska之后的更精确但缺少情感共鸣的解读一致。

例题讲解

The passage suggests that if on a certain day the wind were to decrease until there was no wind at all which of the following would occur?

本文提到如果某一天风力减小到根本没有风，那么下面哪个选项会发生？

答案： (A) The air closest to the ocean surface would become saturated with water vapor. 最接近海洋表面的空气的水蒸气会饱和。

解析： 根据"文章点拨"中的流程图，没有风，则没有湍流，进而没有空气混合，于是无法形成失衡。没有失衡也就意味着水表和上方的空气在湿度上是平衡的，因而也应该是饱和的。

Unit 22

综合 3

练习题目

一切形式的碾压在某种程度上都是熟练度的碾压。

——孟子航

浙江大学，微臣教育 2016 寒假 330Club 学员

2016 年 4 月 GRE 考试

Verbal 163 Quantitative 170

Passage 195

Arrom认为墨西哥城女性的地位＿＿＿＿＿

原文翻译

❶在*The Women of Mexico City*, 1796-1857这本书里，Sylvia Marina Arrom认为墨西哥城中女人的地位在19世纪得到了提升。❷根据Arrom的说法，以女性为主的家庭以及妇女在家庭外工作的现象，比学者们预计得更为普遍；墨西哥政府为鼓励妇女接受教育而做出的努力使妇女的文化程度得到了提高；并且，有影响力的男性作家也写文章提倡为女性提供教育、就业以及更多家庭责任，同时为女性在政治上和婚姻上遇到的不平等而惋惜。❸如果提及这样一个事实，即1870年和1884年的民法（civil codes）大大提高了妇女的权益，则有可能进一步加强Arrom的论点。

❶但Arrom没有讨论女性地位的提高是否抵消了19世纪墨西哥经济不稳定对妇女产生的影响。❷然而，这并不是她的作品里的一个缺点，因为这是学者忽视这段时期而导致的一个不可避免的结果。❸确实，正是墨西哥历史上这样的空白才让Arrom的开拓性研究成为对拉丁美洲妇女历史的一种重要补充。

3s 版本

❶ Arrom认为墨西哥城女性的地位在19世纪得到了提升。

❷女性地位提升的证据。

❸民法大大提高了妇女的权益。

第一段3s：Arrom认为墨西哥城女性的地位在19世纪得到了提升。

not负态度 ❶ Arrom忽视了19世纪墨西哥经济不稳定对妇女产生的影响。

However ❷这并不是她作品里的缺点。

❸ Arrom的研究成为对拉丁美洲妇女历史的重要补充。

第二段3s：Arrom的研究成为对拉丁美洲妇女历史的重要补充。

全文3s版本：Arrom认为墨西哥城女性的地位在19世纪得到了提升。

文章点拨

文章第一段先简述了Arrom的研究内容，即墨西哥城中女人的地位在19世纪得到了提升，并对地位的提升进一步提出了几个解释的原因。

第二段开始讲解Arrom的研究意义。虽然Arrom的研究没有讨论经济不稳定对妇女的影响，但是这一点也是学者们普遍忽视的。相反，Arrom对处在这个时间段的女拉丁美洲妇女的关注填补了现行历史研究的空白。

例题讲解

The passage is primarily concerned with doing which of the following?

文章主旨是

答案：(A) Reviewing a historical study of the status of women in Mexico City during the nineteenth century 评价了一

个19世纪墨西哥城女性地位的历史性研究

解析： a historical study指的是Arrom对墨西哥城女性地位的研究。

Passage 196

Duncan希望用_____探索人类表现力的内在起源，她仅把音乐作为_____，通过_____来表达内心情感

📖 原文翻译

❶ Isadora Duncan巧妙论述舞蹈的文章表明了她要创立一种抒情艺术形式的坚定决心，这一艺术形式应摆脱人物塑造、故事叙述以及戏剧化的技巧展现。❷她希望抛弃传统手法，抛弃芭蕾舞这类舞蹈形式的已有词汇，去探索人类表现力的内在起源。❸她避开身体上的装饰，试图仅采用身体的自然动作，这种动作不被杂技的夸张扭曲，而仅仅被内在激情驱使。❹在她的独舞表演中，她伴随着Beethoven、Wagner、Gluck等人的音乐翩翩起舞，但与主流想法不同，她并不试图将音乐视觉化，或对音乐做出诠释；相反，她仅仅把音乐作为激发内心情感的灵感，并通过动作来表达内心情感。❺然而，她并不觉得对音乐的这一用法是理想的，她认为有一天她将完全抛弃音乐。❻但那一天从不曾到来。

📖 3s 版本

❶ Isadora Duncan要创立抒情艺术形式。
❷她希望用舞蹈探索人类表现力的内在起源。
❸她试图在舞蹈中仅用身体的自然动作。
❹她仅把音乐作为激发内心情感的灵感，通过动作来表达内心情感。
However ❺她认为有一天她会完全抛弃音乐。
never负态度❻但那一天从不曾到来。

全文3s版本：Isadora Duncan希望用舞蹈探索人类表现力的内在起源，她仅把音乐作为激发内心情感的灵感，通过动作来表达内心情感。

📖 文章点拨

文章第一句话阐述了Isadora Duncan对舞蹈的基本态度，即希望把舞蹈作为一种抒情的艺术形式。后作者又进一步阐述了她这一主张的内容，即她希望用舞蹈探索人类表现力的内在起源。之后文章又阐述了她对音乐的态度，她希望仅仅把音乐当作灵感，并通过动作来表达内心情感。

文章后两句出现了态度的取反。第五句讲Duncan认为有一天她会完全抛弃音乐，接下来第六句讲这一天没有到来。因为有never负态度词，因此两句话构成态度上的取反。

📖 例题讲解

The author is primarily concerned with Duncan's
文章主旨是

答案： (D) basic standards for the dance form that she wished to create and perform 她希望创造和展示的舞蹈形式的基本标准

解析： basic standards指希望用舞蹈探索人类表现力的内在起源，通过动作来表达内心情感。

Passage 197

尽管氟化物的_____被人们熟知，但是我们应该_____

原文翻译

❶目前，氟化物（fluoride）可以成功地对抗蛀牙已经是一个确定的事实，毫无疑问，这对社会有益。❷然而，一个世纪以来，氟化物的毒性也被人们熟知。❸持续多年摄入过量的氟化物（对成人而言每天超过4毫克）会导致骨骼氟中毒——一种明确的骨骼病，而对某些植物而言，氟化物的毒性比臭氧、二氧化硫或杀虫剂的毒性更高。

❶一些重要问题仍然存在。❷例如，骨骼中氟化物的量少到什么程度才没有毒性的问题，现在尚无定论。❸并且，虽然从水和空气中摄取的氟化物的量相对容易估算，但要估算出特定人口通过饮食摄取的氟化物含量要难得多，因为每个人的饮食习惯不同，食物中的氟化物含量也不同。❹这些问题表明，我们应该谨慎对待随意使用氟化物的行为，即使在使用含氟化物的牙齿护理产品时也不例外。

3s 版本

❶氟化物可以成功地对抗蛀牙。

However ❷氟化物的毒性也被人们熟知。

❸氟化物的毒性对人类和植物都有影响。

第一段3s：氟化物的毒性被人们熟知。

Question否定词❶（关于氟化物的毒性）存在一些问题。

❷一个问题：骨骼中氟化物产生毒性的最少含量问题。

❸另一个问题：很难估算人们摄入的氟化物含量。

小结：❷❸封装，顺承❶。

❹我们应该谨慎对待随意使用氟化物的行为。

第二段3s：因为仍有不知道的问题，我们应该谨慎使用氟化物。

全文3s版本：尽管氟化物的毒性被人们熟知，但是我们应该谨慎对待氟化物的使用。

文章点拨

本文第一段先陈述了氟化物可以对抗蛀牙，随后作者提出了一个相反的观点，即氟化物也有毒性，这一点广泛为人熟知。

第二段开头提出question，即尽管人们已经熟知氟化物有毒性，但氟化物的毒性具体有多严重，我们仍然存在一些疑虑。作者后续提出了氟化物毒性方面具体存在的两个问题，并由此提出，因为我们并不完全了解氟化物的毒性，所以我们要谨慎地使用氟化物。

例题讲解

1. One function of the second paragraph of the passage is to
   第二段的一个功能是

答案：(D) indicate that necessary knowledge of fluoride remains incomplete 指出我们对氟化物的必要知识的掌握仍不全面

解析：第二段第一句指出我们对氟化物的认识仍然存在一些问题，与(D)选项一致。

2. In the passage, the author is primarily concerned with
   文章的主旨是

答案：(D) describing and cautioning 描述和警示

解析：文章第一段指出我们已经认识到氟化物有毒性，这是一种描述。第二段提出虽然我们知道氟化物有毒性，但却不能确定毒性的具体内容，因此我们要谨慎对待氟化物的使用，故是一种警示。

Passage

来自地球的陨石击中火星的概率_____

原文翻译

❶近来，一些科学家总结道，在地球上发现的长久以来被认为是来自火星的陨石实际上可能是被其他陨石撞击火星而炸出来脱离火星引力的陨石。❷这个结论引出了另一个问题：陨石对地球的冲击是否也能让岩石脱离地球到达火星。

❶根据天文学家S. A. Phinney的说法，狠狠踢一块石头让它摆脱地球引力束缚需要一个能制造出方圆60多英里陨石坑的陨石。❷此外，就算地球上的岩石被陨石的冲击力推动而脱离地球引力，火星轨道比地球轨道大很多，所以Phinney推测这些岩石击中火星的概率是火星陨石撞击地球概率的十分之一。❸为了证明这个推测，Phinney用电脑计算出如果地球上1000个假想粒子从任意方向发射出去会运动到哪里。❹他发现1000个粒子中有17个会击中火星。

3s 版本

❶地球上来自火星的陨石是被其他陨石撞击火星而炸出，脱离火星引力而到达地球的。

❷火星上是否会有类似的来自地球的陨石？

第一段3s：火星上是否会由撞击地球而溅射到火星上的陨石？

❶逃逸地球重力的陨石撞击需要有巨大的撞击力。

❷逃逸出地球的陨石撞击到火星的概率非常低。

❸估算概率的方法。

❹概率确实非常低。

小结：❸❹封装，顺承❷。

第二段3s：给出两个影响第一段提出问题的因素。

全文3s版本：火星上存在因撞击地球而溅射到火星上的陨石的概率非常低。

文章点拨

本文第一段根据火星陨石可能是脱离火星引力的陨石这一现象，提出了是否也有陨石对地球的冲击让地球的岩石脱离地球到达火星的可能性。

第二段验证第一段提出问题的可能性。首先让石头摆脱地球引力需要能制造出很大陨石坑的陨石。其次，由于火星轨道远大于地球轨道，电脑模拟计算表明地球岩石击中火星的几率很小。

例题讲解

According to the passage, which of the following events may have initiated the process that led to the presence on Earth of meteorites from Mars?

根据文章，以下的哪个事件可能导致火星的陨石出现在地球？

答案： (B) A meteorite collided with Mars 陨石对火星的撞击

解析： 定位第一段第一句。

Passage  199

研究_____的进化

原文翻译

❶在蜘蛛进化过程的研究中一个有趣的问题是蜘蛛织的圆形网（orb web）进化了一次还是多次。❷35,000种已知种类的蜘蛛中约有一半织网；织网的蜘蛛中有三分之一织圆网。❸由于大多数织圆网的蜘蛛都属于Araneidae或Uloboridae科，所以只要弄清楚这两种科是否有联系，就能确定圆形蜘蛛网的起源。

❶近来有关两种科中个体的分类学分析指出，这两种科由不同祖先进化而来，这也否定了Wiehle的理论。❷他的理论假定这两种科之间一定存在联系，并且假设类似织网的复杂行为只能进化一次。❸依据Kullman的说法，蜘蛛网的结构是唯一体现两种科之间联系的特征。❹不同科蜘蛛的外观、体毛结构以及眼睛位置不同。❺只有Uloborids科缺少毒腺。❻对特点特征的进一步识别和研究无疑会解答有关圆形蜘蛛网进化的疑问。

3s 版本

❶蜘蛛织的圆形网进化了一次还是多次。

❷❸要确定圆形蜘蛛网的起源就需要弄清Araneidae和Uloboridae科的联系。

第一段3s：要确定圆形蜘蛛网的起源就需要弄清Araneidae和Uloboridae科的联系。

❶这两种科祖先不同，因此否定了Wiehle的理论。

❷ Wiehle的理论认为两种科相似。

换对象❸ Kullman提出蜘蛛网的结构是唯一体现两种科之间联系的特征。

❹❺两种科的区别。

❻对特点特征的研究可以解释圆形蜘蛛网的进化。

第二段3s：对特点特征的研究可以解释圆形蜘蛛网的进化。

全文3s版本：研究圆形蜘蛛网的进化。

文章点拨

　　文章第一段提出全文要研究的问题，即圆形蜘蛛网的起源问题与两种科的联系

　　第二段根据第一段提出的研究问题，提出了几种科学的假设。最后做出总结，我们需要根据特点特征来解释圆形蜘蛛网进化的疑问。

例题讲解

The primary purpose of the passage is to

文章主旨是

答案： (B) describe scientific speculation concerning an issue related to the evolution of orb webs 描述对圆形蜘蛛网进化的科学观察

解析： an issue指的是通过对特征特点来研究圆形蜘蛛网的进化。

Passage 200

地球磁场变化的研究需要＿＿＿＿＿＿

原文翻译

　　❶当地球外核熔化的铁绕着地球坚实的内核不断地旋转时，地球的磁场便形成了。❷当熔化的铁出现涌动时，磁暴（magnetic tempest）便产生了。❸在地球表面，这类磁暴可以通过探测地球磁场的强度变化得到。❹磁场大约每一百万年左右会有规律地逆转一次，其中的原因不详。❺例如，在过去的一百万年中，北磁极曾在南北极之间移动过一次。

　　❶显然，那些要解释和预测磁场变化的地质物理学家必须要弄清楚地球的外核在发生着什么。❷但是，与气象学家不同的是，地质物理学家不能指望毕生所得的观察资料。❸大气风暴在数小时内即可形成并只能持续几天的时间，然而磁暴却得用几十年才会形成，并会持续几个世纪。❹值得庆幸的是，长达300多年，科学家一直在记录地球磁场的变化。

3s 版本

❶地球磁场的形成。

❷磁暴产生。

❸磁暴通过地球磁场变化探测。

❹❺磁场会周期性逆转。

第一段3s：地球磁场会变化。

❶地质物理学家研究地球外核。

However ❷地质物理学家的观察资料有限。

❸磁暴发展时间很长。

Fortunately ❹科学家长期记录磁场变化。

第二段3s：磁场变化需要长期观察记录。

全文3s版本：地球磁场变化的研究需要长期的观察和记录

文章点拨

本文第一段介绍了地球磁场的变化。第一句阐述磁场形成的大致原因，第二、三句介绍了磁场变化的现象，即磁暴和地球磁场变化的关系，第四、五句介绍了另一个磁场变化的现象，即磁场的逆转。

第二段介绍磁场变化的研究方法。第一句介绍为了研究磁场变化需要研究的对象，第二、三句通过对比地质物理学家和气象学家的研究方法，指出磁场研究需要长期资料。第四句指出科学家长期记录地球磁场的变化。

例题讲解

In the passage, the author is primarily concerned with

文章主旨是

答案： (B) describing a natural phenomenon and the challenges its study presents to researchers 描述一个自然现象，并指出该现象研究者面临的困难

解析： 全文第一段描述了磁场变化的现象，第二段指出了研究磁场变化需要长期观察和记录，这便是科学家面临的挑战。

Passage  201

解释尾索浮游动物的_____机制

原文翻译

❶浮游动物（zooplankton）是适应海洋环境的微小动物，它们已经进化出巧妙的获取食物——微小浮游植物（phytoplankton）——的机制。❷浮游动物中，有一种高度分化的取食机制是蝌蚪状尾索浮游动物（tadpolelike appendicularian）的取食机制，这种浮游动物生活在胡桃大小的（或更小）、由黏液（mucus）构成且配有捕获以及集中浮游植物的过滤器的气囊里。❸这个气囊是一个透明的、根据其中尾索浮游动物类型的不同而图案不同的结构，它能保护动物并使它漂浮。❹含有浮游植物的海水被尾索浮游动物肌肉发达的尾部压入气囊的内流过滤器，再通过取食过滤器把食物吸入口

中，然后把海水排出出口。❺尾索浮游动物可以在世界上包括北冰洋在内的所有海域找到，它们往往停留在浮游植物密集的水面附近。

📝 3s 版本

❶浮游动物进化出了获取食物的巧妙方式。

❷其中一种是尾索浮游动物的取食机制。

❸❹❺对于这种机制的具体解释。

全文3s版本：解释尾索浮游动物的取食机制。

📝 文章点拨

本文是典型的描述机理的顺子结构。前两句提出尾索浮游动物取食机制这个议题，接下来三句话详细描写了这一过程。尾索浮游动物生存在一个小气囊中，这个气囊可以给动物提供保护作用，并可以使其漂浮起来。而这个气囊又自带过滤器，这样动物可以吸食海水，海水在气囊的过滤器位置得到过滤，滤出来的食物被动物吸收，海水排出。

📝 例题讲解

1. The author is primarily concerned with

   本文主旨是

答案： (A) explaining how appendicularians obtain food 解释尾索浮游动物如何获取食物

2. The passage suggests that appendicularians tend to remain in surface waters because they

   本文提到尾索浮游动物待在水表面因为它们

答案： (E) eat food that grows more profusely near the surface 吃在表面附近生长旺盛的食物

解析： 本题定位到文章最后一句：浮游植物密集存在于表面，而尾索浮游动物也在水表面大量存在。

Passage 202

器官移植通常有_____个问题，而_____是个特例

📝 原文翻译

❶从一个个体到另一个个体的器官移植通常包括两个主要问题：（1）器官排斥非常有可能发生，除非两个个体的移植抗原几乎相同；（2）引入任何不匹配的移植抗原会导致接收器官产生针对特定移植体的淋巴细胞（lymphocyte），这种淋巴细胞会对移植体进一步的移植产生强烈的排斥现象。❷然而，我们已经发现在许多品种的老鼠中，肝脏移植并没有遵守这些移植的"正常"法则。❸肝脏移植不仅从来没有出现排斥，甚至还引发了供体特异性无应答（donor-specific unresponsiveness）的状态，在这种状态下后续皮肤等从同一供体移植的其他器官会被永久接受。❹我们的假设是：（1）很多品种的老鼠完全不能积累足够的精力（用淋巴细胞）发动有摧毁力的免疫应答（利用淋巴细胞）来超越肝脏相对大的、保护自身不受免疫应答破坏的能力，以及（2）被观察到的系统性无应答，是因为接受者的供体特异性淋巴集中在肝脏移植的部位。

❶器官移植通常有两个问题：1. 器官排斥；2. 不匹配的移植抗原会进一步产生强烈的排斥。However ❷肝脏移植是例外。

❸肝脏移植不会出现排斥并且可以引发供体特异性无应答。

❹肝脏特殊性的两种假设。

全文3s版本：器官移植通常有两个问题，而肝脏移植是个例外。

文章点拨

文章开始提出了一个已经存在的理论，即器官移植存在着两个问题。后来文章又提出了与原观点相对立的观点，即肝脏的移植不存在这两个问题。之后又陈述道证明肝脏移植不存在这些问题的老鼠实验可能存在两个意外。如果这两个意外的假设属实，那么肝脏移植可能也存在着与其他器官移植相同的问题。

例题讲解

The primary purpose of the passage is to treat the accepted generalizations about organ transplantation in which of the following ways?

这篇文章的主要目的是以以下哪种对待器官移植的方式总结的?

答案： (E) Present findings that qualify them 通过提供研究结果来证明这些结论

解析： findings指关于肝脏移植的发现。作者在文章最后提出肝脏移植可能不是例外的假设，因此作者的态度仍然是相信文章最开始的总结。

Passage 203

通过基因工程来提高农作物固氮的_____以及_____

原文翻译

❶近期两项相对独立的事件促进了当前研究者对固氮作用（nitrogen fixation）的重大研究，固氮作用是指细菌通过此作用，以共生（symbiotic）关系的方式使豆科植物不再依赖于氮肥。❷其中一个事件是氮肥价格持续急剧上涨。❸另一个事件是基因工程领域中知识和先进技术的快速增长。❹化肥价格很大程度上与天然气价格相关，而大量天然气被用于化肥生产，所以化肥价格会持续对现代农业造成日益增强的巨大经济负担，这促使人们寻找合成化肥的替代物。❺而基因工程恰好是根本性的科技突破，它展现出全新替代手段的许多前景。❻其中一个新奇的想法是把分离的、不属于该植物自然组成部分的基因注入该植物的染色体（chromosomes）中：具体地说，这个想法是在非豆科植物内注入一些基因，如果这些基因能被分辨及分离出来的话，它们就可以适应于豆科植物以充当具备固氮作用的细菌的寄主。❼由此，对豆科植物的研究逐渐深入。

❶固氮作用是让某些细菌利用绿色植物无法直接利用的氮气（nitrogen）制造出氨（ammonia）的过程，氮气是一种植物可以利用的氮化合物。❷而自然界中最大的讽刺之一便是

尽管植物的叶子沉浸在氮气的海洋中，但土壤可提供氮肥量往往对植物的生长构成上限。❸豆科植物——包括大豆、豌豆、苜蓿以及翘摇等作物——通过与根瘤菌（rhizobium）产生共生关系从而解决了氮肥供应的问题；实际上，对每一种豆科植物来说，都存在着一种特定的根瘤菌。❹寄主植物为细菌提供食物和受保护的栖息地，而作为交换条件，寄主植物也将剩余的氨接收过来。❺这样，豆科植物在氮肥缺失的（nitrogen-depleted）土壤中仍能茂盛生长。

❶不幸的是，绝大多数主要粮食作物——包括玉米、小麦、水稻以及土豆——无法进行固氮。❷相反，选择在20世纪60年代绿色革命（green revolution）期间培育出来的粮食作物的许多高产量杂交品种的原因是为了针对大量施用的氮肥获得高产量。❸这就对植物遗传学家提出了一个额外艰巨的挑战：他们必须在现存的共生关系范围内来研究增强固氮。❹除非他们能取得成功，不然绿色革命的产量收益将在很大程度上受到损失，即使在豆科植物中使植物与固氮细菌共生的基因可被辨认且分离，并且即使发现这些基因综合体（gene complex）后，其移植成为可能。❺尽管这项任务看上去十分严峻，但其收获是如此之高以至于我们必须从事这项研究。

3s 版本

❶两个事件促进了对固氮的研究。

❷其一为氮肥价格上涨。

❸其二为基因工程的发展。

❹化肥价格促使人们寻找替代品。

❺基因工程展现出替代品的前景。

❻基因工程的原理。

❼需要研究豆科植物。

第一段3s：两个事件促进了对固氮作用的研究。

❶固氮的过程。

❷土壤中氮肥含量是植物生长的上限。

❸❹❺根瘤菌使豆科植物在氮肥缺失的地方仍然能生长。

第二段3s：豆科植物通过固氮可以在缺少氮的土壤中茂盛生长。

Unfortunately+换对象❶主要粮食作物不能固氮。

换对象❷现有的高产农作物是杂交品种。

❸❹❺遗传学家面临挑战，必须通过基因工程来研制农作物固氮。

第三段3s：基因工程提高农作物固氮以满足主要农作物产量的需求。

全文3s版本：基因工程能提高农作物固氮的原因以及要达到的目标。

文章点拨

1. 对本文的理解

本文第一段主要讲两个事件促进了对于固氮作用的研究。这两个事件，其一是氮肥价格上涨，而第二个事件是——基因工程——则是提高固氮的手段。

第二段讲豆科植物有天然的固氮能力，介绍固氮机理。

第三段通过换对象，介绍主要的粮食作物没有天然的固氮能力。因此通过基因工程的手段提高固氮就变得极为重要，尽管很有难度。

2. 对第二段第二句的理解

It is one of nature's great ironies that the availability of nitrogen in the soil frequently sets an upper limit on plant growth even though the plants' leaves are bathed in a sea of nitrogen gas.

这句话强调的是irony。通过从句当中的even though引导句内前后对比来强调讽刺。尽管植物的叶子沐浴在氮气当中，但是土壤中氮含量给植物生长构成了限制。

长难句解析：

One such novel idea is that of inserting into the chromosomes of plants [1][discrete genes] [2][that are not a part [3][of the plants' natural constitution]]: specifically, the idea [4]{of inserting into nonleguminous plants [5][the genes], [6][if they can be identified and isolated], [7][that fit the leguminous plants [8][to be hosts [9][for nitrogen-fixing bacteria]]]}.

① 宾语倒装。正常语序是inserting discrete genes into the chromosomes of plants。

② 定语从句。that引导定语从句修饰genes。

③ 介词结构倒装。of引导介词结构修饰part。

④ 介词结构倒装。of引导介词结构修饰idea。

⑤ 宾语倒装。正常语序是inserting the genes into nonleguminous plants。

⑥ 插入语。if引导条件状语从句充当插入语。

⑦ 定语从句。that引导定语从句修饰genes。

⑧ 介词结构倒装。to引导介词结构修饰plants。

⑨ 介词结构倒装。for引导介词结构修饰hosts。

【译】其中一个新奇的想法是，把分离的、不属于该植物自然组成部分的基因注入该植物的染色体中；具体地说，这个想法是在非豆科植物内注入一些基因，它们就可以适应于豆科植物以充当具备固氮作用的细菌的寄主，如果这些基因能被分辨及分离出来的话。

✑ 例题讲解

The author regards the research program under discussion as
作者认为被讨论的研究是

答案： (B) necessary and ambitious but vulnerable to failure 必需的并且是雄心勃勃的，但是容易失败

解释： 氮肥价格一直的上涨，意味着需要替代品来满足粮食的需求。但现有农作物是为了获得高产而杂交的农作物，所以其产量相对于普通农作物要高很多。为了确保农作物的产量不下降，固氮的模式不能是对普通农作物的一般模式，必须得是增强模式。而这是一项formidable challenge。

Passage 204

给出Ragtime音乐的_____，并且描述其_____

原文翻译

❶ Ragtime是一种音乐形式，它将民间旋律和音乐技巧结合成为简短的四对方阵舞曲般的（quadrille-like）结构，这是为了能在钢琴上按照乐谱所写丝毫不差地演奏。❷ Ralph Vaughan Williams、Edvard Grieg和Anton Dvorak等欧洲作曲家，将民间曲调和他们自己的原创音乐融合在规模较大的音乐作品中，这些欧洲作曲家和美国ragtime先驱作曲家之间存在着一种强烈的相似之处。❸从某种意义上说，美国的Scott Joplin和James Scott等作曲家是音乐收集者或音乐学者，他们将黑人社区的舞蹈音乐和民间音乐收集起来，并有意识地将其塑造成简短的、被称为piano rags的组曲或选集。

❶时常有人谴责ragtime过于机械。❷例如，Wilfred Mellers评论道："Ragtime被改编成自动钢琴的纸卷（演奏的音乐），就算不是真的由机器演奏，也应像由机器演奏一样，做到完全精准。"❸然而，仅因为商业制造商采用了机械的录音方法来录制ragtime——这是当时录制钢琴音乐的唯一方法——我们没有理由认为ragtime在本质上就是机械的。❹Ragtime并不是一种机械式的精确，这种精确也没有限制其表演风格。❺它的产生是由于ragtime遵循了一个极为明确的形式并服从这一形式内的简单规则。

❶Ragtime的经典形式是在十六小节的旋律内表现三至五个主题，通常以重复的方式组织起来。❷Ragtime以一个欢快动人的乐段或主题开始，之后是一个相似的主题，发展成为一个具有显著抒情色彩的三重奏（trio），整个结构以一段抒情旋律告终，该旋律与此前几个主题的节奏发展配合。❸这种结构的目的是以阶梯上升的方式从一个主题升至另一个主题，最后以胜利或激昂的音符结束。❹一般每一乐段分成两个八小节的片断，从根本上说它们是相似的，因此ragtime的节奏——旋律单位仅为2/4拍的八个小节。❺因此，各个主题必须简短，旋律音型清晰、鲜明。❻Ragtime作曲家并不注重音乐主题的发展，相反，他们完整地将主旋律以一种完美的形式写下来，并与各种有关的主旋律相连。❼ragtime作品中的张力源自两个基本成分之间的对立：一个是钢琴家的左手演奏的不间断的低声部，即爵士音乐家口中的boom-chick bass，另一个是钢琴家的右手演奏的旋律性的、采用切分音的对应声部。

❶无论是作为一种器乐风格，还是一种流派，ragtime和爵士乐有着显著区别。❷Ragtime风格强调节奏的重复，而不是爵士乐那种持续不断的创新和变奏的模式。❸作为一种音乐流派，ragtime需要严格注意结构，而不是创新或精湛的技巧。❹它作为一种传统、有既定准则的、有既定书面总谱构成的整体而存在，独立于与之有联系的个体演奏者。❺从这层意义上而言，ragtime更趋近于19世纪的民间音乐而不是爵士乐。

3s 版本

❶ Ragtime将民间旋律和音乐技巧进行结合。
❷ Ragtime作曲家和一些欧洲作曲家的作曲都使用结合的方式。

❸ Ragtime作曲家收集和组合音乐。

第一段3s：Ragtime把民间旋律和音乐技巧相结合。

❶❷有人谴责ragtime过于机械。

However ❸ 我们不应该认为ragtime是机械的。

❹❺ Ragtime不是机械的精确，是遵循了明确形式。

第二段3s：Ragtime不是机械的精确，是遵循了明确形式。

❶ Ragtime的经典形式，通过重复组织起来。

❷❸ Ragtime的结构及其目的。

❹ Ragtime乐段是相似的。

❺ Ragtime主题短，旋律清晰。

❻ Ragtime强调主旋律。

❼ Ragtime作品中的张力来自对立。

第三段3s：Ragtime音乐的结构特征。

❶❷ Ragtime强调重复，爵士乐不断变化，二者不同。

❸❹ Ragtime严格注意结构。

❺ Ragtime更接近民间音乐，而不是爵士乐。

第四段3s：Ragtime严格注意结构，和爵士乐不同。

全文3s版本：给出ragtime音乐的定义，并且描述其结构特征。

文章点拨

文章一共有四段，每段都是对ragtime这种音乐形式的不同侧面的介绍：

第一段作者先给ragtime下定义，之后强调其把民间旋律和音乐技巧相结合。

第二段作者认为ragtime音乐并不机械。

第三段作者对ragtime的音乐结构给出了具体的描述。顺子结构，阅读难度高，对于这种大量列举信息的文字，一般在题目中会出现不定项选择题或者EXCEPT的细节题，这会在后面的"例题讲解"第3题中看到。

第四段通过和爵士乐的对比，突出了ragtime音乐中严格注意结构的特点。

背景知识

Ragtime music 是 GRE 和 TOEFL 考试都经常出现的音乐形式，尤其是作为 TOEFL 听力考试经典加试的最熟悉面孔之一，给大家留下了深刻的印象。

Ragtime music，是美国流行音乐中第一次出现真正有全国影响的音乐形式。它最初是一种钢琴音乐，盛行于 19 世纪 90 年代到第一次世界大战结束，因爵士乐（Jazz）的兴起而被替代。Ragtime是一种采用黑人旋律，依切分音法（Syncopation）循环主题与变形乐句等法则所产生的流行乐，而这种音乐也为后来爵士乐的兴起打下良好基础。Ragtime 的作曲家中最出名的是黑人乐师 Scott Joplin，他有"Ragtime 之王"的称号，*Maple Leaf Rag* 是他的代表作，大家可以搜索这个曲子来听，进一步理解文章第三段中所描述的ragtime结构特征。

例题讲解

1. Which of the following best describes the main purpose of the passage?

   下列哪个选项最好地概括了文章的主旨？

答案： (C) To define ragtime music as an art form and describe its structural characteristics 将ragtime音乐定义成为一种艺术形式并描述其结构特征

2. Which of the following is most nearly analogous in source and artistic character to a ragtime composition as described in the passage?

   下列哪个选项可以在来源和艺术特点上类比文章描述的ragtime的编排？

答案： (D) A ballet whose disciplined choreography is based on folk- dance steps 一个基于民间舞步严格编排的芭蕾舞

解析： ragtime的来源是folk melodies，同时其最大的特征是严格注意结构，所以folk dance step对应folk melodies，而disciplined对应strict attention to structure。

3. According to the passage, each of the following is a characteristic of ragtime compositions that follow the classic ragtime formula EXCEPT:

   根据文章，下面选项都遵循了经典ragtime形式的作曲特征，除了：

答案： (D) full development of musical themes 音乐主题的全面发展

解析： 本题属于可以定位细节题，定位原文第三段，但是因为第三段信息量非常大，所以难度较高，需要花费很多时间回原文定位。选项(A)和(E)对应文章第二段第七句Tension in ragtime compositions arises from a polarity between two basic ingredients: a continuous bass—called by jazz musicians a boom-chick bass—in the pianist's left hand, and its melodic, syncopated counterpart in the right hand. (B)选项对应第三段第五句 Therefore, themes must be brief with clear, sharp melodic figures. (C)选项对应第三段第三句The aim of the structure is to rise from one theme to another in a stair-step manner. (D)选项对应第三段第六句Not concerned with development of musical themes，所以不是经典ragtime的特征，正确。

附录一　常见 Q & A

关于GRE阅读，你最挂念的Q&A：

1. Q：每场考试会遇到几篇GRE阅读？

   A：在新GRE考试中，除去语文加试部分，总共会遇到9篇阅读文章。其中一个语文Section有长文章（4道题）1篇、中文章（3道题）1篇、短文章（2道题）1篇、逻辑单题（1道题）1篇，另一个语文Section有中文章1篇、短文章3篇、逻辑单题1篇。

2. Q：考试时，对于阅读部分的时间要求是怎样的？

   A：在新GRE考试中，长文章需要在8.5分钟内完成，中文章5.5分钟，短文章3.5分钟，逻辑单题2分钟。也就是说，在一个Section里，阅读部分大概要花20分钟。往往有长文章的这个Section的阅读压力相比没有长文章的Section会更大一些。

3. Q：GRE阅读文章是怎么来的？

   A：GRE阅读文章都是取自于国外期刊上的学术文章，比如"白皮书"中就出现过法国哲学家福柯的学术专著《知识考古学》的选段。这些文章会经过ETS出题人进行改编。在内容方面，传统上认为，ETS会将原学术文章的语句进行浓缩，变成长难句，用于考查考生的语言能力；但在实际情况中，ETS更多的是删减复杂的背景信息，同时故意加入体现句间关系的逻辑词，让阅读文章变得更加规范、易读。同时，还会将文章内容针对后面的题目进行调整。

4. Q：先读文章还是先看题？

   A：先读文章。GRE阅读不同于TOEFL阅读，TOEFL阅读的文章行文顺序和出题顺序是一致的，因此读题、回文定位的方法可以大大节省做题时间。但是GRE阅读文章行文顺序和出题顺序往往是不一致的。再加上GRE阅读的题干大多写得复杂、隐晦，很多情况下读了题干也留不下什么印象。因此先阅读文章。对文章的内容和结构有大致的了解，再去读题目，就可以快速的回文定位，将题目做出来。

5. Q：用中文思维理解文章，还是用英文思维理解文章？

A：初期用中文。对于大多数中国考生来说，我们现阶段的英语"语感"还没有强大到可以去理解GRE这种学术英文，因此在初期做阅读的时候，需要通过翻译来理清文章的逻辑关系。这种翻译的目的是去理解文章，而不需要达到"信达雅"的水平。大多数考生在面对中文翻译完的文章时，甚至依然无法理解文章所要表达的内容。这也是为什么我们会说中文水平的上限会决定GRE分数的上限。在大家考虑是用中文还是英文思维思考的时候，其实真正的问题是，中文能力真的过关吗？。另外，如果是前往美国读硕士项目，硕士项目毕业时也未必能达到用英语思维理解文章的水平。思维的训练，非短时间能够速成。

6. Q：GRE阅读都涉及哪些领域？是否要求背景知识？

A：GRE文章涉及的领域极广，按照ETS在《官方指南》上的说明，每个Section的文章都会涵盖自然科学、社会科学、神经科学、人文学科至少各一篇。GRE阅读考查的是一名考生的语言能力和逻辑能力，而且由于GRE阅读涉及领域很广，任何一个人不可能同时是所有领域的专家。同时ETS出于公平性的考虑，任何GRE文章都不考查背景知识。即使考到考生熟悉的领域，也往往与考生平时所了解的内容有冲突。这样的设置一方面是作为能力测试的GRE本身也是抗压测试，另一方面也是尽量追求背景内容对考生们均一视同仁。但是部分领域（比如美国历史中Civil War 和Civil Right movement分别是什么）的内容有一些粗浅的了解，对于理解这篇文章还是有好处的，这也是我们在部分白皮书文章中加入了背景知识的缘故，很多背景知识应该算是非常基础性的常识内容。

7. Q：Verbal部分想要考到155分以上，正确率需要多少？

A：填空+阅读做对60%以上的题目即可。

8. Q：GRE文章可以跳读吗？

A：GRE文章作为ETS改编的用于测试的文章，里面的每一个句子、每一个单词甚至是每一个标点符号都是有意义的。传统上所谓的插入语，同位语，甚至有些读不懂的地方被认为可以跳读，本质上是因为没有搞清楚这些部分在文章行文逻辑中所扮演的重要角色。尤其是GRE的短文章，一般才120字左右，如果跳读，就真的没有什么可以读的了。

9. Q：考试时，可以不按照顺序做题吗？

A：新GRE机考中，在一个Section内部可以不按照顺序做题。一道题目拿不准，可以用考试界面的"mark"键标记下，等做完该Section的最后一题时，可以在界面的"Review"功能中找到刚才拿不准的题目，跳转过去，再次进行作答。但是在实际考试中，我们还是建议同学们按照顺序做题。一道题目拿不准，可以蒙一个选项。因为这道题目现在不会做，整个Section结束回看时基本上应该还是不会做。鉴于完成一个语文Section所要求的时间是30分钟，这个时间对于绝大多数中国考生来说都是极其紧张的。就算一道题目被"mark"了，通常也不会有时间再回去做了。

10. Q：学习GRE阅读对于阅读学术文献有什么帮助?

A：GRE阅读很大一部分就是取材于真实的学术文献，因此GRE阅读方法论中的3s版本、句间关系等方法，完全可以用到学术文献的阅读中。掌握GRE阅读的正确方法，非常有利于日后在美国研究生院进行学术文献的阅读。所以，即使你已经考完GRE，"白皮书"也依然是你要一直需要阅读的一本书。可以说，这是一本手把手教各位实操训练学术文章阅读的，超出GRE阅读备考的阅读书籍。

附录二　语言知识点

序号	背景知识	对应文章	页码
18	并列列举	Passage 070 皮肤灭菌的机理	123
19	however 何时表示句间转折，何时表示句内转折	Passage 80 女性为富人打工是报酬有区分度所导致的	142
20	comprise & compromise	Passage 105 介绍热点	176
21	阅读中常见表示"时间长"的单词汇总	Passage 106 关于黑奴民间故事起源，应该研究意义和功能	177
22	表示取反的短语	Passage 107 如何解决对基因控制形态形成的理解还不完整的问题	181
23	justice, justification 和 justify	Passage 108 两个原因使学者认为男性青少年是实施犯罪的主体	182
24	与 bear 有关的短语	Passage 110 伟大的喜剧艺术是世俗的	185
25	与 put 有关的短语	Passage 112 介绍热泵的原理、使用、影响因素以及缺陷	188
26	fashion	Passage 119 实验并没有说明蛋白质合成与学习行为有关	199
27	sphere	Passage 120 植物和菌类在生物圈的碳循环中各司其职	200
28	otherwise 的用法	Passage 121 二氧化碳增加，导致全球变暖	201
29	while 的用法	Passage 122 独立战争之前人们对奴隶的态度很矛盾	203
30	bound 的用法	Passage 143 HDR 蕴含巨大经济价值	243
31	插入语的解决办法	Passage 144 搞清楚亲身经历和对亲身经历的理解之间的差异很重要	244
32	阅读改填空例题；nothing but 与 anything but	Passage 147 Tolstoi 的作品是单纯朴素的	251
33	与 light 有关的短语	Passage 148 Thomas Hardy 对于创作中的冲动缺乏控制力	253
34	喜新厌旧、标新立异原则	Passage 151 心理历史学在取代传统历史学研究的同时本身也有缺陷	258
35	variance 形近词区分	Passage 170 大脑过程和精神体验的关系的研究令人沮丧	296
36	grant 的用法	Passage 180 有四种途径可以把技术进步引导到对社会有用的方向	317
37	并列列举的处理方式	Passage 183 青少年发展政治意识所需要的因素	322
38	as 的用法	Passage 194 热量和水蒸气与上方空气的转移原理	341

附录三 背景知识

附录四　文章学科分类

人文科学

音乐

心理学

女性

经济

艺术

少数族裔

美国政治

摄影

哲学

宗教

语言

历史

其他

自然科学

生物

动物

附录五 练习答案

Passage 001	第四句 C	E

Passage 002	D	A	B	C	A	A	C
Passage 003	D	C	D	B			
Passage 004	ABC	AB					
Passage 005	C	B	D	A	B	E	B
Passage 006	D	B	E	A			
Passage 007	C	E	C	E			
Passage 008	E	B	E	C	E	D	B	C
Passage 009	D	B	A	C	E	E	A
Passage 010	E	D	B	D	A	E	B
Passage 011	B	D	A	C			
Passage 012	B	E	D	A			
Passage 013	C	A	A	D			
Passage 014	A	E	B	B	E	E	C
Passage 015	C	A	B	B	A	D	E
Passage 016	E	B	B	C			
Passage 017	D	C	A	B			
Passage 018	D	B	C	A	C	C	B
Passage 019	A	C	B	C	E	D	B
Passage 020	A	D	D	B			
Passage 021	D	C	C	A			
Passage 022	A	C	B				
Passage 023	A	B	E	C	D	A	B
Passage 024	D	E	C	C			
Passage 025	D	A	E	B	C	D	E
Passage 026	C	C	D	E			
Passage 027	E	E	D	C			
Passage 028	A	C	B				
Passage 029	B	A	E	A	E	B	D

Passage 030	A	B	C	D	A	E	C	
Passage 031	D	D	A	C	C	B	E	
Passage 032	D	C	E	B				
Passage 033	A	D	B	D	B	A	B	
Passage 034	A	C	B	E	E	C	D	
Passage 035	A	C	B	E				
Passage 036	D	D	B	C				
Passage 037	A	B	D	C				
Passage 038	C	A	C					
Passage 039	E	D	E	A				
Passage 040	A	D	E	E	B	E	C	D
Passage 041	D	C	C	D				
Passage 042	D	E	C	A				
Passage 043	B	B	E	D	E	E	C	
Passage 044	C	D	A	C				
Passage 045	B	C	C	E				
Passage 046	A	E	C					
Passage 047	C	B	A	C	A	D	D	
Passage 048	D	C	A	C	A	C	B	
Passage 049	E	C	D	D	E	D	D	
Passage 050	B	A	E	C	A	B	E	
Passage 051	B	B	A	D				
Passage 052	A	C	E	B				
Passage 053	D	E	E					
Passage 054	D	E	D	E	A	B	D	
Passage 055	A	D	B	A				
Passage 056	D	B	B	B				
Passage 057	C	D	D	D	A	E	E	B
Passage 058	C	A	B	E				
Passage 059	D	C	A	E	D	C	D	
Passage 060	D	A	B					
Passage 061	E	B	A	C	B	C	D	
Passage 062	C	C	E	E				
Passage 063	D	B	C	A	B	E	A	
Passage 064	E	C	C	B				

Passage 065	C	A	D	B	E	E	E	
Passage 066	D	B	A	E				
Passage 067	D	D	E	D	D	A	A	
Passage 068	A	B	D	E				
Passage 069	E	E	B	D	A	E	A	A
Passage 070	C	D	C	B				
Passage 071	E	A	E	C	A	B	B	
Passage 072	A	C	D	A				
Passage 073	C	B	B	D	A	E	E	
Passage 074	C	A	D	E				
Passage 075	A	A	A	E	B	A	C	
Passage 076	C	D	B	A				
Passage 077	E	D	C	B	A	D	E	
Passage 078	C	B	E	D				
Passage 079	B	A	D	E	E	C	C	
Passage 080	B	A	C	D	E			
Passage 081	C	B	B	C	E	A	D	
Passage 082	D	C	A	D				
Passage 083	D	E	C	B				
Passage 084	E	A	E					
Passage 085	C	A	D	A				
Passage 086	C	A	A	B				
Passage 087	B	D	A	B				
Passage 088	D	D	A	C				
Passage 089	B	A	D	E				
Passage 090	D	E	C	B				
Passage 091	E	E	D	A				
Passage 092	E	A	C	D				
Passage 093	B	D	D	E				
Passage 094	E	C	B	B				
Passage 095	D	E	C	B				
Passage 096	A	C	B	D				
Passage 097	B	C	A	A				
Passage 098	B	B	C	C				
Passage 099	C	A	B	C				

Passage 100	E	D	B	C			
Passage 101	C	B	E	D			
Passage 102	D	D	E	D			
Passage 103	A	E	B	E			
Passage 104	E	A	D	B	C	E	B
Passage 105	D	E	E	B	C	E	D	D
Passage 106	B	C	D	E			
Passage 107	D	B	E	C	A	E	D	B
Passage 108	B	C	D				
Passage 109	D	B	C	D	C	A	
Passage 110	E	D	C				
Passage 111	B	A	B	A			
Passage 112	C	C	A	C	E	C	A
Passage 113	C	B	A	B			
Passage 114	D	C	E	E	D	A	E
Passage 115	B	D	A	D			
Passage 116	D	E	B	A			
Passage 117	B	E	A	A			
Passage 118	B	D	C	E			
Passage 119	D	E	C	D	A	D	E
Passage 120	E	C	B				
Passage 121	B	B	A	E	B	D	D
Passage 122	C	B	A	B			
Passage 123	B	E	C	E	E	A	B
Passage 124	C	C	A				
Passage 125	B	A	E	B			
Passage 126	A	C	C	C			
Passage 127	B	E	C	C	A	B	C
Passage 128	D	C	C	D	E	A	D
Passage 129	A	B	E	A	D	E	D
Passage 130	C	D	B	C	D	E	C
Passage 131	B	C	B	E	D	A	A
Passage 132	A	D	B	B	B	D	A
Passage 133	A	D	C	E	B	A	B
Passage 134	B	D	A	E	B	C	B

Passage 135	C	B	E	D	C	A	E
Passage 136	A	D	B	E	A	A	B
Passage 137	D	B	A	B	A	D	E
Passage 138	E	C	C	D			
Passage 139	A	D	A	E	B	C	D
Passage 140	B	C	B	A	E	A	E
Passage 141	B	C	A	E	A	A	B
Passage 142	A	A	E	E	C	B	B
Passage 143	A	C	E	B	E	A	D
Passage 144	D	C	A				
Passage 145	A	C	E	D			
Passage 146	E	D	E	D			
Passage 147	C	B	A	C	E	A	E
Passage 148	D	B	A	D	C	A	C	D
Passage 149	E	D	C				
Passage 150	A	E	D	A	D	B	B
Passage 151	A	A	C	E	C	D	A	D
Passage 152	C	B	A	C	E	D	D
Passage 153	B	A	B	C	E	A	E
Passage 154	A	B	E	C	B	C	D
Passage 155	D	E	D	E	D	B	D
Passage 156	B	E	E	B	B	A	D
Passage 157	A	C	C	D			
Passage 158	C	B	E	B	C	D	D
Passage 159	B	C	A	B			
Passage 160	B	A	D	E	D	A	D
Passage 161	E	C	D	A	C	E	E
Passage 162	D	A	B	E			
Passage 163	B	E	A	A	D	B	D
Passage 164	B	E	B	C			
Passage 165	A	D	B	E	C	E	B
Passage 166	B	B	C	A	E	C	B
Passage 167	E	D	B	D	B	A	C
Passage 168	B	D	A	A	B	C	D
Passage 169	C	D	E	A			

Passage 170	C	A	D	A	E	D	B	
Passage 171	A	C	B	A	E	E	E	
Passage 172	A	E	D	B				
Passage 173	E	B	C	D	C	B	C	
Passage 174	B	B	E	C	A	A	B	
Passage 175	D	E	A	A	E	C	D	
Passage 176	C	E	A	D	D	B	D	
Passage 177	B	C	C	C	A	E	B	
Passage 178	D	A	B	E	A	D	B	
Passage 179	E	C	E	B	D	B	A	
Passage 180	A	C	D	E	B	C	A	C
Passage 181	C	D	B	B	A	E	D	
Passage 182	A	D	E	E				
Passage 183	A	D	C	D	B	A	A	
Passage 184	C	D	E	A	B	D	E	
Passage 185	C	D	C	C	B	E	A	
Passage 186	C	D	B	D	A	D	C	
Passage 187	C	C	A	A	C	E	E	
Passage 188	B	E	A	B				
Passage 189	A	D	B	C	E	C	E	D
Passage 190	B	E	A	C	C	E	D	
Passage 191	C	D	A	B	B	B	C	
Passage 192	C	A	B	C	E	D	E	
Passage 193	E	C	A	D				
Passage 194	B	A	E	A				
Passage 195	A	D	E	B				
Passage 196	D	C	B	A				
Passage 197	D	B	D	E				
Passage 198	B	B	D	A				
Passage 199	B	D	B	D				
Passage 200	B	C	D	A				
Passage 201	C	A	D	E				
Passage 202	E	C	D	A				
Passage 203	D	C	E	B	C	D	B	D
Passage 204	C	D	B	D	B	A	D	

附录六　二维码索引

GRE 阅读方法论——负态度

GRE 阅读方法论——But 封装

GRE 阅读方法论——广义封装

GRE 阅读方法论——段落及篇章 3s 版本概括方法

GRE 阅读方法论——题目层面